妙貞問答を読む

ハビアンの仏教批判

末木文美士 編

法藏館

はじめに

『妙貞問答』は、江戸時代はじめの一六〇五年、不干斎ハビアンによって著わされたキリスト教の教理書である。日本人による唯一の本格的なキリスト教教理書であること、仏教（仏法）・儒教（儒道）・神道に関する詳細な批判を含むことなど、思想史上きわめて重要な著作である。それゆえ、丸山眞男、山本七平など、日本の思想・宗教を論ずる研究者によって注目されてきた。

『妙貞問答』は、上巻で仏教批判、中巻で儒道・神道批判を行い、その上で、下巻でキリスト教の教理を展開するという構造になっている。ただし、全三巻のうち、中・下巻は以前から神宮文庫の写本によって知られていたが、上巻は散逸したと考えられ、別の著作『仏法之次第略抜書』によって補われていた。ところが、その上巻を含む写本（中巻の途中までで中断）が一九七二年に天理大学附属天理図書館吉田文庫から発見され、注目を浴びることになった。海老沢有道・井手勝美・岸野久編著『キリシタン教理書』（教文館、一九九三年）にはじめて全巻が校訂収録され（海老沢・井手氏の担当）、ようやく全貌が明らかになった。上巻の仏教批判は、日本思想史の中ではじめての本格的な仏教批判としても注目されるところであるが、このような事情で、いまだ十分に研究されていないのが現状である。

私は、二〇〇九年に国際日本文化研究センターに赴任したが、その前年の二〇〇八年度から二〇一一年度まで、「仏教からみた前近代と近代」というテーマで共同研究を行った。日本研究において、ともすれば分離しがちな前近代と近代の研究を、仏教という観点から結び付けたいというのがねらいであった。具体的には、一つには『妙貞問答』上巻の仏教批判の部分を解読することで、近代にまでつながる仏教批判の系譜を明らかにすることを目指し、もう一つには近代仏教に関する発表・討論によって、近代仏教の問題点を明確化することを目指した。必ずしも前近代と近代に関する研究を直ちに結び付けられたわけではなかったが、いずれもかなり大きな成果を上げることができた。

本書は、その研究成果報告書として出版するものである。第一部・本文篇には、天理図書館本の影印に加えて、上巻の翻刻・註、ならびに現代語訳を収めた。前掲の『キリシタン教理書』には、井手勝美氏の詳細な註が付されているが、その後の研究も参照して、改めて検討しなおした。中・下巻までには及ばなかったが、上巻だけでも今後の『妙貞問答』研究の基礎となるものと確信する。翻刻・註、現代語訳を担当したのは、末木文美士・西村玲・藤井淳・前川健一・米田真理子の五名である。

第二部・論文篇は、共同研究メンバーによる関連する論文を集めた。最初に私が概略を論じた上で、新井論文は詳細に諸本を比較検討し、西村論文は中国とも比較して、本書の思想史上の特徴を論じた。阿部論文はキリスト教思想史、前川論文は仏教思想史から本書を位置付けた。バスキンド論文はその中でも禅宗の問題を取り上げ、さらにブリーン論文は中巻の神道批判について検討した。米田論文は、国語・日本文学史の観点から研究史を含めて取り上げた。最後の論文の筆者白井純氏は、共同研究には加わっていなかったが、新発見の『ひですの経』の研究者として、キリシタン文献の最先端の研究を進めておられるので、その見地から『妙貞問答』に関する知見を披露していただいた。これらの諸論文によって『妙貞問答』に多面的な光が当てられ、様々な新しい説が提示された。それを基に、今後さらに議論が深められることを期待している。なお、論文のスタイルは各執筆者に任せて統一しなかった。

これらの原稿がある程度形を整えた二〇一三年八月二六日に、国際日本文化研究センターにおいて「『妙貞問答』の諸問題」というシンポジウム（ワークショップ）を開催し、最終的な意見交換を行うことができた。

本書が出来上がるまでには、共同研究のメンバーはもちろん、様々な形で支援協力を惜しまれなかった国際日本文化研究センターの関係者、貴重な写本の影印をご許可いただいた天理大学附属天理図書館、困難な出版をお引き受けくださった法藏館と編集を担当してくださった大山靖子氏はじめ、多くの方々のお力をお借りしてきた。ここに感謝の意を表したい。井手勝美先生には、『キリシタン教理書』出版時から、上巻の研究を進めるようにと、しばしば慫慂いただいてきたが、ようやくその一端を果たすことができた思いでいる。

なお、バスキンド氏を中心として、本書の英訳（中・下巻を含む）も現在かなり進行しており、完成も間近い。また、共同研究のもう一つの柱である近代仏教に関しては、本書と同時に『ブッダの変貌——交錯する近代仏教』として、論文集が法藏館から出版される予定である。あわせてご参照いただければ幸いである。

二〇一四年一月

末木文美士

妙貞問答を読む——ハビアンの仏教批判——＊目次

Ⅰ　本文篇対照目次

凡例

【Ⅰ　本文篇】

一、影印は、天理大学附属天理図書館吉田文庫本の現存する全体を掲載した。翻刻・現代語訳は、そのうちの上巻のみを対象とするが、中巻（76表以下）も参考までに影印のみ収録した。

二、翻刻は、以下の方針による。

1、漢字は、異体字・略字を含めて、原則として通行の字体に改めた。「湼槃」「湼泮」などは、特に注記なく「涅槃」に改めた。また、「密」を「蜜」としている場合など、そのままにして必ずしも一々注記しなかった場合もある。

2、誤字・脱字・空格など、訂正せずにそのまま翻刻した。返点・濁点・ルビも、底本にある通りである。ただし、熟語を表わす縦線は省いた。

3、読者の便のために、句読点を付した。

4、丁の表・裏ごとに改行したほか、和歌や話者が変わる場合なども改行した。

三、註は以下の方針による。

1、校註・出典・内容に関するものなど、すべて一括して翻刻の各章ごとに付した。

2、仏典を引用する場合、「大正五一・八七五下四」とあるのは、『大正新脩大蔵経』第五一巻八七五頁下段四行目の意である。

3、漢籍に関しては、原則として『漢文大系』を用い、一々注記しなかった。

4、海老沢有道・井手勝美・岸野久編著『キリシタン教理書』（教文館、一九九三年）を引用する場合、その頁数を（教〇〇頁）として示した。

四、現代語訳

1、誤字・脱字などを翻刻註で訂正した場合、それに従い、改めて注記しなかった。

2、専門語などには簡単な説明を（　）に加えた。原文が漢文を引用している場合、書き下した上で、（　）内に現代語訳を加えた。

3、文章や語句を補う場合は、〔 〕を付した。

五、翻刻・註・現代語訳は、最初、以下のように分担し、その後、末木文美士が加わって、全員で検討し、統一を図った。

〔序〕・仏説三界建立ノ沙汰之事・釈迦之因位誕生之事……………米田真理子
法相宗之事・三論宗之事・禅宗之事……………西村　玲
八宗之事・華厳宗之事・天台宗之事……………前川　健一
真言宗之事・浄土宗之事……………藤井　淳・前川　健一

【Ⅱ　論文篇】

一、『妙貞問答』本文引用の際、上巻は、本文篇の翻刻に従い、原写本の丁数（〇表、〇裏）で示した。中・下巻は、海老沢有道・井手勝美・岸野久編著『キリシタン教理書』（教文館、一九九三年）により、その頁数を、（教〇〇頁）として示した。

二、『大正新脩大蔵経』は「大正」と略した。

三、それ以外の形式は各執筆者に任せ、必ずしも統一していない。

妙貞問答を読む

――ハビアンの仏教批判――

Ⅰ　本文篇

影印（天理大学附属天理図書館吉田文庫本）

翻刻番号：天理大学附属天理図書館本翻刻第1082号
複製番号：天理大学附属天理図書館本複製第255号

表紙

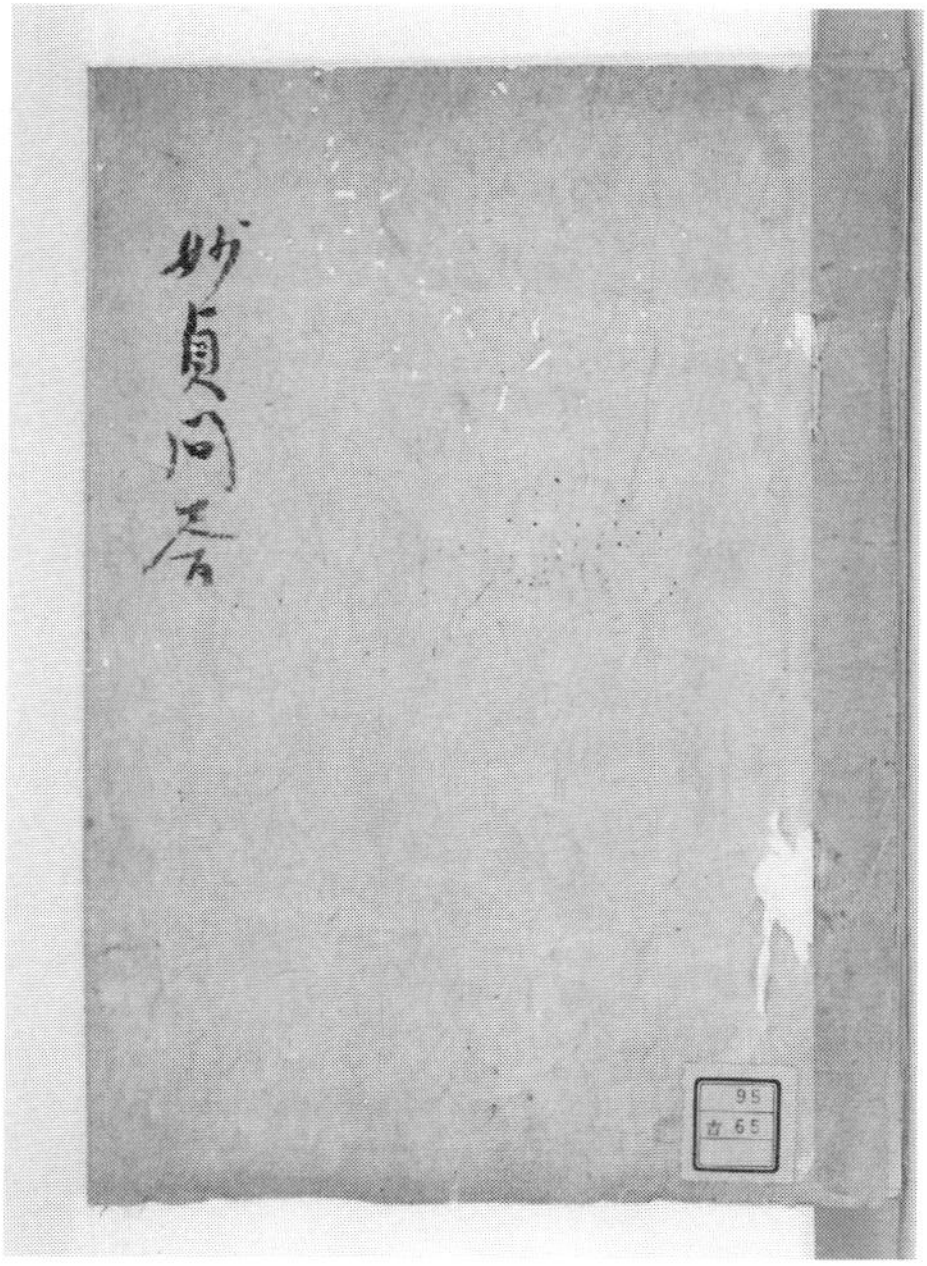

遊紙表

見返

遊紙裏

1表

妙貞問答上巻

大唐國我朝ノ人ノ或四七ノ詩ニ作リ或三十一文字ノ哥ニ
連又ハ古キ文ノ詞ニモ浮世ノ常ナラヌ事ヲナシ云ヲキ侍レトモ
意ヲ付サリシ程ハ只行水ニ數書様ニナシ有テ過侍又然ニ
慶長五ノ年ノ秋ノ始ツカタ石田治部少輔光成カ倒ニナル謀ノ
廻セシニ今ノ征夷大将軍家康公其比ハイニタ内府ニテ武州ニ
下向有シ其陵ニ天下ノ人々ヲ語ヒ家康公ニ背キ侍シカハ治レル
世中忽ニ乱テ日本六十餘州二ニ分レ光成ニ随ヲハ京方ト云
家康公ヲヒキシヲハ関東方トテ其ハ心ヲシラヌ又ヒノツクシノ
終ニテノ事ヤカシコニ攻戦侍リシニ家康公ハ元ヨリモ古

1裏

今例スクナキ名将ニテマシマセハ謀ヲ帷幄ノ中ニ巡シ勝
コトヲ千里ノ外ニ決セントヤ思召ケン此事京都ヨリ頻波ノ
住進キコシメシテモ敢テ事トモ思召御氣色モナカリケレハ
貴賤内ヨリ供奉セラレシ大名達ナヘモ心ノ乱様々也況其
付順ヒタル士卒トモノ深御内證ヲハシラスシテ御上洛ハ有ヤ
無ヤ遅キハ早キハト色々ニモトカシク言合ルモ分別ナキモノノ上
ヨリハケニ最トソ覚ヘケル果シテ長月始ツカタ江戸ヲ立テ
上ラセ給フ京勢ハ又伏見ノ御城ヲ落セシ後ハ弥勝ニ乗テ
先勢既ニ美濃國大垣ノ城ニテ責下リシニ長月十四日ニハ
家康公モ関カ原ニ着セ給フ両陣互ニ龍虎ノイキヲヒヲ
振フヘシト思シニ案ニ相違シテ将軍御自身御出張ト

2表

見及ヒケレハ京勢初ノ光勢ニモ似スコソミツフヤキカシコニサヽヤキ
事シテ始終ハヤヨカルヘシトモ見ヘサリケリ兎角シテ夜モ漸々
明方近キ在明ノツレナキ影モ傾テ伊吹ヲロシノ風ナキノ露
吹分ル時モ山モ危シアヘル處ニ将軍ノ御旗コソ先手近リ見ヘ
タレト云程コソ有ケレ僅一戦ニ及カトスレハ忽京勢敗北シテ
方々散々ニ逃ニトフ有様ハ風ニ木ノ葉ノ散コトクノ浅猿カリシ
事トモヤ名ヲ惜ミ恥ヲモ知者ハ討死シテ関カ原ノ浅茅カ露
ト消失又其中ニ我若カリシ時ヨリ偕老同穴トカタメシニ浅カラス
思ヒカハセシ夫モ京方ニテ失シカハ剱瀬ニモ身ヲ入同シ道
ニモトモ千度百度思シニ兼テ祈リナトシ頼ミヒラセシ貴キ聖ノ
我欲ノ淺カラヌ事ヲ見知給ヒテノ冗貧命果ス事ハト思立

2裏

給フナ先立シ亡者ノ為ニモイト悪キ事ソト教ヘ玉ヒシ佛種ハ
縁ヨリ起ト云コト有是ヲ菩提ノ種トシテ様ツモカヘ念佛申
テ平更ニモキ人ノ跡ヲモ弔ヒ玉ハヽコノ竟ニハ同シ蓮ノ縁ト
成リテ二世ノ契ノ極ナルヘシト宣ヘハ其后ハケニモト思ヒ墨染ノ
衣ニ身ヲナシ妙秀ト名ヲ改メ都ノ内程近キ山々寺ニ貴キ
知識ノ一ニニストタニ聞ハ歩ヲ運又雨モナクシテ移リ替レル
世ノ ナル変モ曽コソ心ニソミ侍又レサコソ年モ若ク世ニ有テ家
内貧シカラス歎ヲモ知又人ノ称覚モ心ヤスク過スラムト哀ニ
モ痛シソモソ覚ヘ侍ル春ノ花ノ暖ナル風ヲ延テ朝ノ霞ニ縫ヒ
アルト見ヘレモタノ嵐ニ路レ秋ノ月ノ晴タル空ニ澄上ルモ暁別離
ノ雲ニカクレ又人ノ一生ヲ思ヘハ風ノ前ノ塵水ノ上ノ泡有漏ノ

3表

身ハアルカト思ヒモアヘスウテハヤ破レ又佛ノ一切有為法如夢幻
泡影ト説玉フモケニアラタナル金言哉ト後生ノ一大事ナラテハ
別ノ勤モ侍ラスイカニモシテ三世ノ諸仏モ慈悲ノ眸リヲ廻シ
玉ヒテ浄土ニ導引玉ヘカシト是ナラテハ朝夕ノ心ニカヽル事ナシ去
ル少シ思アヤフキ事侍リ頃人ノ世ニモテハヤス貴理師端ノ教ハ或
人ハタウトシト云又或人ハヨソロシキヤウニモ取沙汰スレハ此事如
何ト不審温故而知新ト云事アレハ委語ル人モ侍レカシト
思ヒケルニ都ノ内ニテ倫ク人ノ知ハカリニ思入シ道心者ノ或ハ法
師ナル或ハ尼タル一人ナラス二人ナラス元ノ教ヲ捨テ此宗ニ
立入今ハ猶後生ノ欲モ色深リ一入再入ノ紅トカ云ナルヤウニ
成タルアリ其上自ト同シ思ニテ世ヲ遁レ尼モ其中ニ侍ル

3裏

ヨシ聞及ケレハ如何様ニモ尋逢テ聞ハヤトカヽル人ノ行衛ヲ求
ケルニ昔光源氏ノ大将アラヌ浮世ノ思ニテ求行キ玉ヒシ叢
アタリニコソ貴キ尼ハ栖玉ヘト人ノ教ニ預テ行訪テ見ハソノ
色リ棟高キ家モニヽハリタル傍ニ板ノ扉レケヒレケニサシ
付テカタヘハ山里メキタル柴垣ナトシテ真ニ物サヒタルニ折
節秋ノ末ナレハ物悲サモ亦雨ニハ様替リタル庭ノ面ニ蔦槿
ウラカレテ草々露シタキタル道ハ一筋ナスカニ残リタル方ニ
ソナタヘ行童ヘアリソレヲ知ヘニ不口形近ク歩ミ寄テ人ヤア
ルト問ニ内ヨリ五十ハカリナル尼出テ誰ヲ尋玉フソトイヘハ
イヤサレテ尋ニイラスル人モ侍ラス世ヲ厭者ハ親キモ疎モ
同シ事ナレハ内ヘ入サセ玉ヘカシトイヘハ聞モアヘス少ノ程内ヘ入テ

4表

傾テ又同人ト外ノ方ヘ帰リ来ニソタルニカラスコナタヘ入ハ入レト云
程ニサレハ入テ見レハ思ヒシヨリハイニテ年モ若キ人ノ誠ニ思入タル
姿ト見ヘテ何ノハヘモナキ壁ノカタヘノ障子ニ見モ畧又御影ヲ
掛コキ墨染ニ面痩タル有様云ハカリナシ暫シアリテ思ヨラス
ヤ如何ナル人ニテ渡ラセ玉フソ此方ヘ通ラセ玉ヘトテ如
何ニモ睦ケナル気色ナレハ先心ヲチ居テ嬉シクナシ有ケル
如何ナル者ソト覚束ナク思召ヘケレハ先自カ上ヲ知セ一イラ
スヘシ過ニシ世ノ乱ノ関ケ原ノ軍ニアヒナレシ妻ニ後レアカヌ別ノ
悲サニ同シ道ノ願モ侍リシカトナスカニ捨ラレス命ニテ今日ニテ
モナカラヘ此姿ニ成侍テ妙秀ト申者也此月比ハ彼方此方ト
貴キ寺々ニ知識達ニモ逢ニヒラセ御法談イカホト聞進セ候

4
裏

〈下モ心ノ至モ浅又前業モ拙キ故ニヤ餘ニ是コソト思トル程ノ
事モ侍ラス然ハ御身モ同思ノ道ヨリ世ヲ遁道心深ソハスル由
其人ノ知セ侍シカハ共ニ同袁ヲモ語合進セハ思ノヤル方ニモ
ヤト志テ是ニテハ尋来リタリ又此次ニ貴理師端ノ教ヲ
少ナリトモ語ラセタニヘカシ耳ニ落ルニモアラハ真ノ道ニ立
入後ノ世ノ友トモ成侍ラハヤト思立タル志浅ナ覚シメシト
イヘハ誠ニ主ノ尼モ氣色嬉ケニソ見ヘニケリ扨付ノ申事
ナレトモ何トテ加程世ヲステ玉ハヽ都ノ内ヲモカケ離テ
片山里ノ庵ヲモ結ヒ玉ハヌソ処セキ都ノ内ニテハ争カ
朝夕ノ御勤モ事遂玉ハンヤト尋シニゲニ理ノ不審也ヤノ
コトソイニタ年モ若ケレハ片山陰ニ引籠リ人ゲ遠リ

5
表

成侍ラハ世ノ物云サカナサニテアラ又憂名モ立又ヘシ此家ノ
主ハ自力為ニハ祖父ニテ侍レハ且ハ親ニモ順シ孝行ヲモ尽シ
且ハ又市中ノ山居ト云事モアレハ更ニ不審モ有ニシキト
宣ヘハ妙秀タヽ大方ニ思シニゲニニタモ思ヒトリ給フ人哉
心ノ至深サヨト世ヲ離レタル栖ヨリモ却テ貴クソ心ヘケル
サテ貴理師端ノ教ハ如何ナル事ニテ侍ルソ仏ノ教玉フ
三界建立ノ沙汰ヲハ如何心ヘ玉フ先大方聴聞申テ浅ヨ
リ深ニ入道ヲモカツ諸ナラハシ侍ラハヤトソ云ケル

佛説三界建立ノ沙汰之事

幽貞ワラワカヤウナル者ノ争カ此宗ノ貴事ヲ申顕ス事
叶侍シ乍去無ソ成シ妻ノエカリノ人此宗ノ出家ニテ

5
裏

折ヽ我祖父ノモトヘヲハシテ物語シ玉フヲ傍ヨリ常ニ承レハ
自耳ニ留ル事モアリ自然又貴ク覚ヘ侍事ヲハ書付玉
タル事モアレハカタハシナリトモ語リ進スヘシ妻事ハ御寺ヘ
御供申テ出家タチノ口ヲモ聞セニヒラスヘシサレハ三界建
立ナトヽ申事ハ此宗ニハ首テ無事ト申也其謂レヲハカツ
ク尤ニ顕スヘシ理ヲ以分別シ玉フヘシ妙秀何トテ三界
建立ノ沙汰ヲ無事トハ宣フソヤ幽貞云無事ト申侍謂レハ
底カラナキ事ヲ偽テ云出タレハ更ニ跡先首尾モセヌ事
ハカリセ心ヲシツメテヨク聞玉ヘ三界ト申ハ欲界色界無
色界是也此三界ヲ云立ルニハ先須弥山ト云山ヲ立スシテハ
カナハス此山ハイツクニ有ソト云ヘハ天竺大唐日本此三國ヨリ

6
表

遥ニ小ニアリト云リ然乃三國ヲ合テノ南贍部州トモ此小ニア
ル須弥山ニ對シテ云事也妄ヲ以テノ偽ナル事ヲワキニヘタニヘ
故如何トナレハ小ノ極ト云ハ小極トニテ小斗ノ星ノ有所ヲ
天ニ於テノ小ノ極トス然ハ此世界ニテモ小斗ナシ一頂キニ
見ル所ヲ小ノ國ノ極トスサレハ此小斗ノ一ツ下ニテ日本地
ヨリ直ニノリヲハカレハ一千三百七十一里ニ少シ餘レリサテ須
弥山ノ高サ廣サヲ聞ハ水入事ハ　万由旬水ヲ出タル事也八
万由旬ナレハ十六万由旬也廣サ又十六万由旬也サテ此
一由旬トハイカ程ノ事ソトイヘハ六町一里ニシテノ八四十里但
此ノコトソ三十六里一里ナレハ一由旬ハ六里弐四町也此
六里弐四町ヲ八万合スレハ惣テ五十三万三千三百三十三

6裏

里十二町セシカラハ此山ハイカニ小ノ極ニアリトモ此日本ニテノモ
ハヽカリテ見ヘスシテハ叶フヘカラス日本ノ事ハ申ニヤ及此世界
ニモ七八十増倍程ハ餘ル大サナレハアル物ナラハ何ツニカクルヘ
キヤ世界ノ大サヲハ我宗ノ学文ノ上ヨリ七千七百七十二里
餘ト知ルセリ然ニ五十万三千三百三十三里ニ餘テ是程
大ナル山ノアル物ナラハ何ヨリモナト見ヘテハ有ヘキソ是以
偽ト云事ヲ知玉フヘシ須弥既ニナキ物ナラハ忉利天三十三天
帝釈ノアルト云喜見城モイツクニアルヘキヤ欲界ノ第一ナル処
偽ナレハ色界無色界モ皆ナキ事ヲ作立タル虚空ノ大尺ト
分別アルヘシ尚此上ニ大成虚説ハサテ此須弥山ハイツクニ
スハリテ有ソトイヘハ三輪ニスワルト云ヘリ三輪トハ金輪水

7表

輪風輪トテ此欲界ノスハル第一ノ下ハ風也其上ハ水其上ハ金也
ト云ヘリカヤウノ事コソ甚現ナル事トハ申セ何トシテ風ノ上ニ此
重キ水ノスハリテ有ヘキヤ但此風ハ堅実トテキヒシク堅シト
イハヽソレハ又風ト云ヘキ物ニアラス風ハ物ノフレトヲルニサワリ
ナキヲ性トスキヒシクカタキ物ナラハ風トハ何トシテ名付侍ラ
ヲカシキ事ニアラスヤサテ又此水ノ上ハ金輪トテヲモキ金也
トイヘリアラヽヽ心メラスノ仏ノ説タニヒヤウヤニテオカシアル事
昔ヨリ一寸ノ金ハ千里ノ水ニモ浮事ナキニミシテヤ是ハ厚サ三
億三万由旬トイヘル此金カ何トシテ水ノ上ニハ浮ヘキヤ猶モ
偽ハ三千大千世界トイヘル事ヲ説ル儀也是ヲイカホトノ事
トカ思玉フ千ノ須弥千ノ日月ヲ合テ小千界ト云又小千

7裏

界ヲ千合タルヲ中千界ト云又千界ヲ千合タルヲ大千界トハ
申セ惣テ百億ノ須弥百億ノ日月トイヘリ一ツノ須弥サヘ
ナキニ百億ノ須弥百億ノ日月ハ何ツニ有ヘキヤサテ其
日月ノ事ヲハ貴理師端ニハ如何沙汰候貴理師
端ノ沙汰ハ後ニ申ヘシ先次ニ仏説ノ虚タル所ヲ申ヘシサレハ
月日ハ須弥ノ腰ヲ小ヨリ東南ヘ向テ横ヘ回ルトイヘリ
須弥山ナケレハ此事皆偽ト云ナカラ先爰ニハ須弥ヲ有物ニ
シテ見時ハ横ニハ回ラス明カニ東ヨリ出テ頭ノ上ヲ通リ西ヘ
入事ハ朝夕見玉ハスヤ何シニ横ニ回ルトハ説レタルヤ但杉ノ子
ハナラハナレ木ハムクノ木ト云ツレ左ハ東ヨリ西ヘ回ルトモ横ニ
共云ヘシサリトテハ明カニ見ヘタル事ヲアラヌヤウニ云ナス事ゾ

8表

不思儀成又月ノ盈虧ハ如何ニト云ヘハ月宮殿ニ三十ノ天人
有テ十五人ハ青衣トテ青キ衣ヲキ今十五人ハ白衣トテ
白キ衣ヲキテ朔ヨリ十五日マテハ白衣ノ天人一日ニ一人ツヽ
月ノ内ニ入ニヨリ青衣ノ天人一人ツヽ出テ月ノ光円満シ十六
日ヨリ晦マテハ白衣ノ天人一人ツヽ出レハ青衣ノ天人一人ツヽ
入ニヨリ光カケテ暗クナルト云ヘリ此盈虧貴理師端ノ学文ニハ
月ノ体ニハ光ナフシテ日輪ノ光ヲウケテ輝ク者也然ハ日ノ天
月ノ天別々ナルニヨテ朔ニハ此月カ日ノ下ニ重ルニ依テ日ノ
光ヲウケタレハ月ニ光ナシ二日三日ヨリハヤヤ月カ日ノ下ヲ離ル
ニヨテ少ツヽ日ニ向方ニ光アリ其證拠ニハ十五日マテハ日輪月ニ
先立テ西ニ入ニ依テ月ハ其光ヲ西ノ方ヨリウケテ東ノ方ハ

8裏

カケ十五日ニ當ル日ハ正面ニ月日向ニ依テ月ノ光モ圓満スルニ
又十六日ヨリ晦日マテノ八月カ日ニ先立テ西ニ入ニヨテ日ノ光ヲ
東ヨリウクルハ東ノ方ハ月ニ光有テ西ハカケテ入侍リ上弦
月下弦ノ月ト云也ニカナヘリ妙高ノ月ノ盈虧ノ事ハ来リ又
日蝕月蝕ノ事ハめ何曲貞是又仏説ヲ能聞給ヘ先仏ノ
六道ト云ル事ノ一ヲ立玉リ其中ニ修羅ト云者アリ修羅
カ内ニ毘ア貧多羅ト云ル修羅カ娘舎脂夫人ヲ又羅
睺ト云ル修羅ニ契約シケルニ帝釈是ヲ奪取テ我妻ト
スルニヨテ羅睺腹ヲ立帝釈ノ居ル喜見城ヲ責ントス
サレハ喜見城ハ須弥ノ頂キナレハ高八万由旬ナルニ羅睺
カ身ノ長八万四千由旬口ノ廣サ八千由旬ナルカ起時ハ身ノ

9表

長一倍ニナツテ十六万由旬ト成テ大海ノ中ニ立テ帝釈
天ヲ目ノ下ニ直下シ日月ハ帝釈ノ大臣ニテ光ヲ放ス
羅睺ニハユリシテ眼閉カタキニ依テ手ヲかシテ日月ヲツカむ
此時光クラクナルヲ世上ノ人蝕ト云ヘリ須弥ノ事ナヘキ
事ナレハカヽル偽ヲ云タル事是非ニ及ハサル事也
サテ此蝕ノ本説ト申ハ日月ノ天別ニナレハニワリアシニヨテ
有事也先月蝕ト申ハ月ト日ト同シ所ニ並ヨリテ有事也
十四日十五日十六日ノ間ナラテハナシ且ン敬ハ此時月ハ東ニ有日
ハ又西ニ有ニノ日月ニ真正面ニ向テ中ニ世界隔ヲ其世界
ノカケ月ニ移ル是ヲ月蝕ト申也サテ又日蝕ト申ハ月ノ
天ハ日ノ天ヨリモ下ナルニヨテ月カ日ノ下ニ重ルトキ日ノ光ヲ

9裏

間

シサユル時節クラクナルヲ日蝕トハ申也カヤウニ申ノ分ニテ
分別有亦事也世界ノ圓ヲモミテ次第ニ合点行也
仏ノ説ハ倶舎論世界品ニ注ス三下ヲ更信シカタキ事
ト其学者ノ人数モアヤフム事ハカリ也倶舎トハ須弥
山ノ南ハラ土月ナカ故ニ其傍カ移リテ虚空モ青シト
思ヘリ天トテ何モ有者ニハアラス月日星モ風ニ從テ廻
ルトヨリ月日星風ニ從テ回ル物ナラハ大風西ヨリ起テ
頻ニ吹ハ月日星モ西ノ山端ヨリ東ヘ吹ヤルヘキ筈ヨリ
今ニカヽル例シ一度モナサレハ風ニ從テ廻ルナト申事ハ
間々ノ儒ノ事也三界建立ノ間ニ何レモ皆顛ニヘカリ
也妙高ニ須ノ入理ヲ知時ハ先須弥ノ山モナキ

10表

事ト分別申タリゲニモ須弥ノ方ニ日本唐土天竺ト三國ナラ
ヒテ有ト思事ハ皆ウソニテアル事明白也サレハ仏法ノ沙汰ニハ
天竺唐土ノサカヒハ流砂葱山嶺ノ嶮難ワタリカタク越カタキ
道也葱嶺ト申山ノ西ハ大雪山ニツヽキ東南ハ海隅ニ聳
出タリ此山ヲ界テ西ヲ天竺トイヒ東ヲ震旦ト名付道ノ渡
三千餘里草木モ生セス水モナシ銀漢ニ臨テ日ヲ暮シ白雲
ヲ踏テ天ニ上ル嶮難多有中ニ殊ニ高ク聳タル嶺アリ
鉢羅吹羅笑那ト名付タリ雲ノ衣ヲ解却テ苔ノ衣山
岩ノカトヲ抱ヘテ十月ニコツハ越ハツレ此嶺ニ上リ見レハ三千
世界ノ廣狭ハ眼ノ前ニ明ニ一圓浮提ノ遠近ハ足ノ下ニ集
レリ又流砂ト云川ハ水ヲ渡リテハ川原ヲ行川原ヲ行テハ

10裏

水ヲ渡ル事ケ月ノ間ニ六百三十七度也晝ハ勁風吹立砂ヲ
飛シテ雨ノコトシ夜ハ魑魅走散テ火ヲトホス事星ニ似リ
白浪漲リ落テ巌石ヲ穿チ青淵水巻テ木葉ヲ流ス
縦深淵ヲ渡ルト云ヘトモ蛟蟠ノ害ヲ遁カタシ縦鬼魅ノ
怖ヲ免ルヽト云ヘトモ水波ノ漂ヲ避カタシサレハ海陸トモニ
大催ノ薩埵モ卒尓ニ住還シカタシト見ヘタリサレハニヤ玄奘
三蔵モ此界ニ趣テ命ヲ失フ事六度ゝ次ノ受生ノ時ニコソ法
ヲハ渡シ玉ヒシタレナトヽ事ニシキヤウニ申セトモ今月此比ハ京
堺ノ商人ヤ又ハ四國西國ノ者トモ商買ノ為支那四百州ノ
外ニ天竺國ノハシゝ御朱印ヲ申受テ毎年渡海スルノミ
ナラス剰ヘ尺尊入滅シ玉シ跋提河ノ辺ニテモ見テ帰ルナト

11表

申セハカヽル目ノ前ノ虚説笑止ヤト佛弟子ノ中ニ心有人ハ
心中ノ歎キモサコソ有ヘケレサレハ眼前ニアル日本唐土天竺三國ノ
ミニキサヘアルニモアラス事ヲノミ云ヲキタレハニシテヤ欲界ノ
地ヲ離テ色界無色界ナト云事モ皆正体ナキ事共也ト
カゝく思トリタル上ニ又事ヲ分テカヤウニ說玉フ時ニコソ弥ナキ
事ニヲトシ付侍レサテ思ノ外ナル事哉自ラモ知識達ニ問進セ
セシ事共ヲ語進ラセテ同ハ仏ノ道ニモ引入申サントコソ思シニ
今ノ分ナラハハヤツナタヘ心移行事ハ寒ニ相違シタル事哉今日モ
暮又明日コソ来リ侍ラメトテ其日ハ帰リニケリ

釈迦之因位誕生之事

妙秀シノヽメノ明ヲ遅ト出立テ彼庵室ニ入ケレハ幽貞御

11裏

約束ヲ違玉ハテ能コソ来リ玉ヒトアレハ其御事ニテ侍フ昨日
帰リ進セテヨリ此物語アリシ事トモヲクリ返シ案シ侍レハ皆
理リトハ作思三界建立ノ沙汰ハ兎モアレカシ仏ノ教ニテ後生
ヲタニモ助ラハソレニテコソアラメト思フハイカニト有ケレハ幽貞
兼リ仏様ニ佛ノ教ニテ後ノ世ヲサヘ助ラハ元ヨリ何ノ不足カアル
ヘキナレトモソレコソナラヌ事ノ第一ニテ侍レ其謂ハ此宗ノ出
家常ニ語玉シ事ヲカタハシ物語申進ラスヘシサレハ先佛ノ因
位ノ事ヲ釈迦譜ニ記サレシ分ヲ申ヘシ昔中天竺ニ迦毗羅國
ノ主浄飯王ノ后摩耶夫人或時ノ夢ニ白象ノ右ノ脇ヨリ
胎内ニ入ト見テ其後身重クナリテ十月ニミシテ母ノ右ノ脇ヲ
破リ卯月八日ニ生レ則歩コト七足ヲ運ヒ右ノ手ヲアケテ天上天下

12表

唯我獨尊ト唱ヘ玉フ是ヲ悉達太子ト云ヘリ其后母ノ摩耶夫人ハ
空ク成玉ヒシカハ姨母ノ摩訶波闍波提ニ養ヒ立ラレ十七ト申ニ耶
輸陀羅女ヲ妻ト定ラレシ是ヲ釈迦ノ由来ト申習シタリ愚ナル
人ハ実ニテ母ノ白キ象ヲ夢ニ見テ懐姙ナリシ事其否実ヲ糺
サス天上天下唯我獨尊ト唱シ事ヲモ皆タフトキ事ト心得リ
サテモ知恵モナキ愚痴ノ至リニテアラスヤ理リヲハ糺サス人ノ
舌ニ玉フニハ真モ虚言モニミシハルヘシト思ハ又アサマシキ事也唐
土ノ孟子ト云人ノ申オレシハ悉書ヲ信セハ書無ランニハシカ
シトケニモ偽モ真モニミシルヘキ事ナレハシルサスシテカナハ又道理
ナルヲタヽ無理ニタフトシト云ハ浅マシキ迷ニアラスヤ夢ニ象
ヲ見テ妊ミタレハトテタフトカルヘキイワレナレシ父母ノ右ノ脇ヲケ

12裏

破リテ出タレハトテ何ノタフトカルヘキ乃トヤアル但母ヲ殺タル
是ヤタフトカルヘキ識ニ謂レサル事セ又天上天下唯我独尊ト云事モ
餘ニ我身ヲ慢氣ニシテ却テ其信ヲ失ヒタルニアラスヤ真如ハ平
等ニシテ浅深高下ナシト申シテ佛法ニハ取分尊キ事モ
侍ラスト説リ禅ノ祖師ニ雲門ト申人ハ釈尊ノ御事ヲ
黄面孔曇傍若無人我往昔生レ合ハ一棒ニ打殺シテ
狗子ニ与ヘテキツセシメテ　天下泰平ナル事ヲ見テマシト
云ヘリ是ハ愚癡ナル人ノ餘ニ有難ク思フ事ヲモトキテ
云ヘル詞ナルヘシ又耶輸陀羅女ヨリ羅睺羅ト云ヘル一人ノ
子ヲ備ケ其身ハ年十九ト云ヘルニ王宮ヲ出テ檀特山ニ
入阿羅ニ迦羅ニト云二人ノ仙人ヲ師匠トシ六年カ

13表

間難行苦行シ竟ニ年三十ニシテ中天竺ノ何陀國ノ菩提樹ノ
下ニシテ二月八日ノ夜明星ヲ見テ悟ヲ開其ヨリ後五十年カ間
説法ヲシテ八十ト云二月十五日ニハ跋提河ノ辺沙羅林ノ内ニシテ
涅槃ニ入玉フト見ヘタリ然ハ是ハ人ニテ侍ラスヤ妻ヲ對シ子ヲ儲ケ
生レツ死ツシタルヲハ人トナラテハ云ヘカラスタトヘハ木竹ヲ切ニモ
同木竹ニテハキラス鉄ノ刄ヲ用テ切事明也人ノ後生ヲ助ニハ
人ノ上ナル御主ナラテハ叶ヘカラス仏ト申ハ早人トハ心ル玉ハテ
光ヲ放テ照輝キ色ニノ信ヲ有ヤウニ思事ハ皆僻事ニテ侍セ
仏ト云ナラハ我朝ニテ付タル事也其謂レヲ尋ニ善光寺如来ノ
縁起ニ有トテ或人ノ語シハ新波江ニ佛アリ身燦ニシテホト
ヲリケアルニ依テ和語ニホトケトハ申セヲリノ二字ヲ中略シテ

13裏

ホトケトハ申トカヤ天竺ノ詞ニハ仏陀ト申侍ヲ翻譯シテ唐土ノ
詞ニハ覚者ト申セ覚者トハサトリタル人ト云事セ何事ヲ悟タル
ソト云ヘハ畢竟空トテ極メノクテノハ佛トテメタフトキ者モナク
衆生トテ賤キ者モナシ地獄モ天堂モ尋ヌニ有ヘキトソト
見聞ヲ覚リトハ申セカヤウニサヘサトル人有ハ誰トテモ佛ソト
申カ佛法ノ極メニテ更ニ別ノ事ナシ　妙秀ハ物語ノヤウニ
佛モ元ハ凡夫ニテノヲハセシ事ハ其分セサレトモ是ハ衆生済
渡ノ方便トテ我ホヲスクヒ玉ハシ為ニカリニ生死涅槃ノ相ヲ顕
給ヘトモ久遠ノ昔ヲ思ヘハ五百塵点劫トモ尚限ラシ本來テノ
ミシ〃ス是ヲ經ニハ自我得佛来所經諸劫數無量百千万
億載阿僧祇トモ又ハ為度衆生故方便現涅槃而實不

14表

滅度常住此説法トモ説玉ヘリ據ニ人間トハカリ見玉フコソ僻事ナ
侍レ其上又地獄モ天堂モナシトハカリ心得事ハ誤セ佛法ニハ断常ノ
二見トテ殊ノ外嫌フ事ニテ侍リ断見トハナシトノミ見ヰ常見
トハ有トノミ見事〃　是ヲ離テ中道トテ有無ノ界ニ安心ヲスヘ
佛事ヲ無上ノ悟トハ申セ　幽貞奇特ニ經ノ面ヲ一往ハ餘口得
玉ヘリサレトモ其上ヲ餘紀セハ其外モ辺モナク久キ仏ト申者
コソ因位トテ人ト申セシヨリモ猶ウトカラ又者ナレ又中道ヲ尋
ルヲ佛法ノ極トスル事是又妄ク語侍ヘリシ先過去久遠ノ
昔ヨリハカリモナク久キ佛ニテ侍ルト申事ハ則唐空トテ何モ無
キ物ノ事〃　是ヲ禅ニハ本分トモ佛性トモ云天台ニハ真如
トモ申セ佛法ノ心ハアリトシ有物皆此空ヨリ出テ又空ニ

14裏

則ルト見ルカ故ニ釈迦ニカキラス今ノ佛身モワラハモ皆昔ヨリ
ノ佛ト云者ハ即是空トシテ何モナキ事ニテ侍リ人ノ五体五
輪ト申ハ地水火風空ニテ色心不二トテ身モ心モ二ツニアラスト
云ヘトモ分テ申時ハ地水火風ノ四大ヲハ色相トシ空ノ一ツヲ
心法ト心得也此故ニ空ト云其言ハ替レトモ其指所ノ体ハ一ツ也
經ニモ是ヲ我心自空ニシテ罪福無主ト説リ釈迦ノ内証ハ過去
久遠劫ヨリノ佛也此空ノコトニテ侍リタフトカラス又ト申モ[illegible]
也有無ヲハナレテ中道ト云事モヨリ心得又上ニハ別ノ事ノヤウニ
侍トモ中道ト云ハ即心ノ異名ニテ侍或時ハ虚空ト云或時ハ
佛性ト云或時ハ心或時ハ中道ト申也是涅槃經ニハ虚空ハ即是佛
性トニ者即是如来ト説レタルヲ妙楽大師ハ虚空モ佛

15表

性モ唯是中道ノ異名而已ト釈セラレタリ爰以有無ノ中道
トハ唯無者ノ虚名ト心得ルナレハ虚空ノ空佛性ノ空トテ
二ツニ空ヲ心得ル事誤リニテ侍妙楽ノ釈ニ虚空佛性唯是
中道異名耳ト有ニテ二ツナラス又事ハ能聞ヘタリサレハ唯仏
性ト申ハ此無事ヲ知ヘキ道ヲ八宗九宗ト分タル計也此
無ト云事ヲ知侍レハ何ノ宗旨モ隔ナキ者也分上ル麓ノ
道ハ多ケレト同雲井ノ月ヲ見哉此雲井ノ月ト云ハ真
如月真如ノ月ト云カ即虚空佛性トテ無一物事也

八宗之事

妙ナリトテハカ様ニ佛法ノ奥深理ヲ佛身ノ〃知玉ヘル心
事欲ニ驚キ侍セ佛法ニハ元ヨリ權實ノ二ツアリ權トハ假ニ

15裏

面ニハ佛モアリ地獄モアリ天堂モアリト教ヘ實トテ真ニハ地
獄天堂ノ沙汰モナキソト時トシテハ知識達ノ仰ラレシ事ヲモ
今コソ能合ニヘ侍レサテ八宗ノ事ハ如何聞玉ヘルヤ幽貞先
八宗ト申ハ倶舎成實律宗法相三論華嚴天台真言是
也此外ニ禅浄土ヲ加テ十宗一向宗日蓮宗ニテヲモ加ニ十
二宗トハ申也是ヲ大乗小乗トヲレ分テ大乗ヲ尚理深ク
タフトキヤウニ用ヒ小乗ヲハ理モ浅クタフトキ事モ薄キ
ヤウニ申也然倶舎成實律宗ヲハ一向浅近トテ小乗ト定
ラレテ侍リサレハ倶舎宗ト申ハ世親菩薩ノ作倶舎論三
十巻ヲ以立タル者也三蔵教有门ノ従因感果ノ相ヲ談シ
タリ従因感果トハ爰ニテ菩薩ノ種ヲ植レハ當来ニ其實ヲ

16表

結ヒテ成佛スルソト心得侍ル也此故ニ全ク大乗ノ心ニ非ト也成實
宗ハ哥梨跋摩ノ菩薩成實論ヲ作ルニ依テ立タル宗ト兼ル
彼論ノ巻数ハ或十六巻トモ又ハ廿巻トモ申也先成實ト申
名ノ心ハ成ハ能ヘト申テ悟ニ入人ニカヽリノ實ハ所入トテ
悟ラレ入ル方ニ付也悟ラレイラルヽ實ハ何ソナレハ實儀ナリ
實儀トハ即空ノ義ニテ侍リサレハ諸法ヲ空セト判定ニ覚
方カ成ノ字ノ心ヘ昔ハ是ヲモ大乗ノヤウニ申ツレトモ天台
大師嘉祥大師ナト小乗ト判セラレタルトセサテ又律宗
ト申ハ戒律トテ色ニ二戒メヲ守ル事ヲ宗トセリ其戒行
事廣ト云ヘトモ極ル処ハ唯二ツ也一ツニハ止持ノ戒トテ五戒ヲ
犯スヘカラスト止ル方ヲ申也二ツニハ作持ノ戒トテ廣ハ云ハ

16裏

諸善奉行ト申テ諸ノ善事ヲ行ヘト云ルツレノ事是ヲ作持ノ
戒ト申也ぬあつサレハ爰ニ不審ナル事侍リ今ヨリ佛法ニハ後
生モナキソト云ナカラ無物ナラハ五百戒ノ二百五十戒ノ十戒ノ
五戒ノ十ト申事ハ貴キ道ニ至ヘキ為ト見タリサテハ後
生ノ助ル道モアル(ヘシ)トヲホヘタルハ如何 爾負佛ノヤウ戒律
沙汰ヲ申時ハ佛法ニモ後生ノ助リ有ヤウ侍レトモ全以サ
ヤウノ事ニテハナシ佛法ニ誘ヒ助ルト云事ハ娩キ事モ悲事モ
ナキソト教ユ是ヲ真如平等ノ基ニ至ルト申也此故ニ極メ
くスヘテハ善悪不二邪正一如ト云リサレハ智度經ニモ戒ノ
沙汰ヲナシテ終リニハ一切ノ法皆属因縁無自性者諸善
法皆因悪生若因悪生如何可着悪モ是善因如何可憎

17表

如是思惟真入諸法實相觀持戒破戒皆從因縁生故ニ
無自性無自性故ヲ畢竟空故不着是名般若波羅蜜ト云リ般
若トハ空悪ト云テ無心無念ノ智恵也波羅蜜トハ到彼岸ト
申テ彼岸ニ至ル事彼キシトハ即真如ナニモナキ物ニナルヲ到
彼岸トハ申也佛法ニ後生ノ有ニ依テ戒律ヲ定タルニアラス
大蔵一覧集ト云ル物ニモ既無死生之可免安有佛戒之可持
ト云ヘル頌ノ下ニ傳燈ト云ル録ヲ見リ其理リハ或時薬山ト云ル
祖師高沙弥ニ向シ伱ハ何ノ処ニ去ツト向レシニ沙弥江陵[?]ト云
所ニ受戒シ去シト答ケレハ薬山受戒ハ何ノ用ニ立物ソト向シニ生
死ヲ免ルト答シカハ薬山受戒ヲモセス又生死ノ免ルヘキモナキ
一人アリ汝是ヲ知ヤト有シカハ沙弥答云然ハ御身何トテ

17裏

佛ノ戒ヲハ用ヒ玉フヤト云シニ薬山此饒舌ノ沙汰ナヤウニ口ヲタ
タキテハ奇特ニ唇モ歯モツヽソ事ヨト叱ラレテ其時本心ニ叶イ
タルニヨリ更ニ受戒セサリシト也サレハ皆受戒ト申モ後生ノ有
故ニテハナシ唯色相トテ出家ニアタル作法ニテニ持ツ也此故ニ
今時ハ此戒行ニモ當世流カ多アルト見ヘタリ是ハ先戒律ノ有
ハトテ後生ノアルニテハナキ也

法相宗之事

サテ又法相三論ト申モ大乘ノ名ハアレトモ猶是モ權大
乘ト申テ實ノ位ニハ及スト云リ先法相宗ハ唯識宗トテ
是ヲ云リ然者此宗ニ尺迦一代ノ教ヲ判スル時ハ三時教
ト云ル事ヲ立其三時教トハ初時ハ有教ト申テ阿含經

18表

等也一向小乘ト是ヲ定ム第二時ハ空教トテ般若經ナ
ト是モ尚未タノ教トス第三時ハ中道教トテ是ヲ實トス
楞伽經解深密經ナトノ類也サレハ依經トテ此宗ノフニ
ヘトスルハ別而此解深密經也瑜伽唯識論是又其宗トス
ル処也此宗旨ノ教事廣ク侍リ唯識三性百法四縁四分種子
五性作業受果五位ノ修ヲ行ナト、申事侍ルト也色々終ニ
モナキヤウニ侍レトモ是モ究テハ同佛法ナレハ替事ナシサレハ
此宗ノ心モ一切ノ諸法ハ皆我心ヲ離レス山里海河不見不知
他法世界ノ浄土ト云ルモ乃至一實真如ノ妙理ニテモ併我
心ノ中ニアリ何况我身備ル六根飲食衣服ニ於テヲヤ心ノ
外ニ有ト思フハ迷ニ依ルカ故ニ無始ヨリ已來生死ニ輪廻ナカリ

18裏

絶テ無上覚王ノ位ニ至ラスト云事ナシサレハ誰モ皆心ノ外ニ
有ト思ヘル萬物ノ形ハ悉是体性スヘテ無ノ法也心ヲ取テ實
ト思モ迷乱也心ノ外ニ空ノ相ヲ見カ故ニ心ノ外ニ有ト覚ヘル
相ハ何モ皆真ノ法ニアラス此僻孑ノ形ヲ滅シ失ヒテ不思儀
ノ智ヲ起テ内ニ一ツヲ悟ルヲ唯識ノ空實ノ観ト申也爰ニ
五重アリ一ツニハ遣虚存實識二ニハ捨濫留純識三ニハ摂末
帰本識四ニハ隠劣顕勝識五ニハ遣相証性識也サレハ先
此内ニ遣虚存實ヲ唯識ト云ハ此不思儀ノ智ノ一心ノ中ニ
性有相アリ性ハ即真如ノ妙理是ヲ圓成實性ト名付
圓満成就シテ本来凝然ナルカ故也相ハ即有為トテ實
ナラサル諸法也是ヲ依他起性ト名付彼真如ノ上ニ他ノ

19表

縁ニヨリカリニ起ル相ナルカ故也ソレト云ハ色声香味触眼耳鼻
舌身其外金銀珠玉アラユル物ノ類也此カリノ相ヲカリノ相
トモ定スシテ定テ實ニ有ト思フ心ノ前ニアタリ現スル体ヲモ
遍計所執ト名付是渾テ無ノ法也是則サキニ申ツル心ノ
外ノ僻事ノカタチナリアニ子ソハカラヒ思フ迷ノ心ノ執スル所ノ
ナルカ故ニ遍計所執ト名付ト也サレハ此三性ヲタトヘヲ上テ
申サルヘハ昔云ハ縄ヲ見テ蛇ト思トキ三ノ事アリ縄ノ性ハ
ワラ也縄ハワラノ上ニ手足ナトヲ縁トシテカリニ起ル形也其
形極テクチナワニ似タリ依之人誤テクチナワト思事アリ
其蛇ノ形ハヒカメル人ノ心ノ上ノ体ニテ体性スヘテ無ナリ彼
縄ノ形ハ縁ヨリ起リテカリニアリ似レトモ真ノ体ハナシ実ノ

19裏

性ハ唯ワラ也サレハクチナワノ相ハ其性本更ナシ縄ノ相ハカリニ有
ワラノ体ハ縄ノ性トシテ実ニアリ圓成ノ理ハ其ワラノ如ク
依他ノ諸法ハ彼縄ノコトシ遍計所執ハ彼クチナワノ心ナリ
ト云リ此理ヲ以遍計所執トイフル理ヲ閑ヘ圓成實性ト云
物モミレタリ是則ソチニ申ツル虚空佛性真如トテ智モナク
花モナク何モナキ物ノ事ニテアリ何モナキ物ヲハ何トテ実
トハ見タルソト申セハ有物ハ輪変シテ有為シナキ物ハ火ニ入テ
モ焼ス水ニ入テモ溺スカ故ニ空ヲ実ニスト也是佛法ノ極シ
サレハ唯ヨソノ知又程ハ皆名迷テ佛性ト云ヘハ別ノヤウニ
思ヒ虚空ト云ヘハアラヌヤウニ心得圓成實性トイヘハ又珎
敷ソテナキ物ノヤウニ閑ナシ侍ル難波ノ芦ハ伊勢ノ濱荻

20表

禅ノ本分ハ法相ノ圓成實性ト心得玉ヘオアレハ何モナキ物ノ
事ト思食モオテ彼遣虚存實識ト云心ハ圓成ノ性ハカリ
實ト用ヒ物ノ形ナトヲハ空キ物トハラヒヤルヨリ付タル名也
捨濫留純ト云ハ境ハ妄ナルモノトステ専心体ハカリ留ル
ヲ申侍ク也摂末帰本トハ相見ノ末ヲキワメテ是皆識ノ
本ヨリセトクルル方也隠劣顕勝トハ心所トテ色ミノ
念慮ノヤウナル事ヲハヲトリタル者トカクシ心王トテ唯有
ノミナル心ノ所ヲハ勝レタリト顕シ心所モ此心王ニ依テアリ
トニルル心也遣相証性識トハ相用ヲハヤツテトラス体性ヲ求
テ明ムヘシト云心ニテ侍ル也然今申ツル遍計所執ト依
他起圓成實性ヲ合三性ノ法向トハ云也此三性ヲ委閑時

20裏

百法無二我ト申事モ側侍リ百法ト申ハ依他起性ニハ員九
十四法アリ圓性實性ニハ六種ノ無為ト云事アリ是ヲ百法トハ
申也無二我トハ遍計所執ノ空キ事ヲ申ニ有トセ夫トハ
補特伽羅無我法無我也補特伽羅無我トハ人我語也ス
ヘテ人法共ニ空スルヲ二無我トハ申也空スルトハ無一物トサトル
事也是以ワキマヘ玉ヘ仏法ニハ後生ノ有様ヲシラサル事ヲ
其故ハ我云者ナクハ苦楽ヲ受ヘキヤウナシ今トテモ別ノ物ト
ハ云子トモ別ニ死スレハ唯一ニヒノ真如虚空トナルト思ヘリ
此真如圓成實性ニ六種ノ無為有トイヘルハ一ニハ虚空無為
二ニハ擇滅無為三ニハ非擇無為四ニハ不動無為五ニハ相受
滅無為六ニハ真如無為也無為ト云ル事ハ真如ハ躰性常

21表

住ニシテ他ノ為ニ為作セラレス為作ト云ハ作リナス義也作ト云ハ
縁也此縁ニ四アリ夫トハ因縁等無間縁所縁々増上縁也
因縁トハ種ハ現行ヲ縁トシ又ヤカテ現行ハ種ヲ縁トスルヲ
云也サレハ此種ノ現行ノナト申ハ何事ソト云ニ種ト申ハ心ノ
中ニ生ツ滅ツスル諸法ノ氣分也氣分ト云ハ儀ケ其心得サ
セ玉ヘ譬ハ先眼識ト云テ眼ノ方ヨリ色ヲ見カ精ヲ起テ色
ヲ見カトスレハ軈テ滅ス滅スルカトスレハ軈テ生ス生スルカトス
レハヤカテ色ヲ見セ名此念々ニ生滅スル間其ミラルヽ色モ見
眼識モ生ス時ハ カ氣分ヲ残ス残ス処ノ氣分併ハ色ノモ心ノ
モ皆隠レ沈テ其破見カタシ併ノ阿頼耶識（心トモ蔵識トモ）野中ニヲチ
集ル此氣分ヲ種ト名付然ハ現行トハ此種ヨリ色心ノ生スル

21裏

ヲ申也是ハ先因縁ニ付ノ事也サテ又等無間縁トハ心ノ起ルカ滅
スルトキ次ノ心ヲ引起スヲ云ナリ後心ハ前ノ心ヲ縁トシテ生
スル故也所縁々トハ心ノシル処ノ物ヲ云心ハシラルヽ物ヲ縁ト
シテ生スルカ故也増上縁トハ此外ノ諸物ノ縁也身ハ心ヲ縁
トシ心ハ身ヲ縁トシ我ハ人ヲ縁トシ人ハ我ヲ縁トシ有情ハ
非情ヲ縁トシ非情ハ有情ヲ縁トスルヤウニ互リ行縁ヲ云也
カヤウニ四縁ニヨルハ即他ニツクリナサルヽ也カヽル法ハ皆サノ常
也然ルニ真如常住ノ妙理ハ如此四縁ニ作リ出サレタルニアラス
此故ニ無為ト名付但真如ハ一味平等ナレハ實ニ六件アルニ
アラサレトモ位ニヨセ義相ニヨセテノ六無為ヲ開也諸ノ障礙ヲ
ハナレタルカ故ニ虚空無為ト名付簡擇ノ力ニ依テノ諸ノ雑

22表

染ヲ滅シテハ証會スト云ハ能明シル也又知恵ノ簡擇ノ力ニ
依ラサレ共真如ノ躰ハ元ヨリ清浄也或縁カクルヽ時ニ自不
生ノ理顕ル是ヲ非擇滅無為ト名付縁カクルトハ何モ物ノ
生スヘキカ其縁カケテ自生セサル事ヲ申也又苦受楽受ノ
滅スル時顕ルヽ無為ヲ不動無為ト名付苦受トハ身ニ苦ヲ受
心也楽受トハ身ニ楽ヲ受ル心也想受ノ起ラサル時顕ルヽ無為ヲ
想受滅無為ト名付想トハコトニ物語ヲシリワキマヘテノ其ハク
サクノ名ヲトルヲ云也受トハ苦モ楽モ萬ニ心ニ請取ヲ云也ト
云リ此等ノ事皆法相ノアツカヒニテノ侍リ御覧候ヘ兎云角
云是モ別ノ事ナシ唯一ニヒノ虚空真如ノミヨリ外ハナシサレトモ
此宗ノヨミニカワリタル処ハ凝然真如不作諸法ト云テ真如ハ

22裏

凝然ニリタルヤウニメ有為ノ法ニハナラスト真如縁起ヲトカス
シテ有為ヲハ相トシ無為ヲハ性トシテ諸法ノ性相ヲ分テリ弘
法大師ノ性相別論唯識遮境ト法相ヲ云ヘルモ是也此宗ハ性
相ヲ別ニ論シ唯識ヲノミ取テ境ヲ捨ト也其外此宗ニ付色々ノ
事モ侍レトモソレハ終シナケレハ畧スル也

・三論宗之事

妙為ノアラく不思儀ヤ是ハ相宗ニ捨テモ随分ノ法門ト聞侍
ルカ何トシテカ様ニ明ラカニハシリ玉フソ此身御不審也理也
初ヨリツルコトワリ我妻ノユカリノ出家ハ千里ノ外ヲモ遠トセス
学侶日出人ノ有トタニ云ヘハ尋求テ彼ノコトワリ宗ミノ極メヲ
モシリ玉ヒタル人ニテノヲハセシ故常ニ詠玉ヒシ事ヲ聞侍シニヨリテ也

23表

サテ又三論宗ノ上ヲ申サハ二蔵三轉法輪ト云ル事ヲ以一代ノ
教門ニツクルト見ヘタリ二蔵トハ一ニハ声聞蔵トテ諸ノ小乗ヲ
納メ二ニハ菩薩蔵トテ諸ノ大乗ヲイルサテ三轉法輪トハ一ニハ
根本法輪トテ華厳ヲ納二ニハ末法輪トテ諸ノ小乗ヲ尽ニ
三ニハ摂末帰本法輪トテ法華涅槃ヲツキ我宗ヲハ般若ノ
上ニ於テノ是ヲ立タリ此宗ノ所詮ノ理ト申ハ色即是空々即
是色ニシテノ今ノ法相ナトノ心ニハ遮ニカハリ有為ノ法ノ外ニ無
為ナク無為ノ法ノ外ニ有為モナシ性相平等ト云ル宗也但此宗ハ
諸宗ノ邪執トテカタヲチタル所ヲ嫌ヒ是ヲ破ラストイヘトモ
又我宗ノ分ヲタテス此故ニ生滅断常去来一異ハトテノハツノ
迷ノ品ヲアケ又ハ不ト申テ不生不滅不断不常不去

23裏

不來不一不異ト破トモ叶ハ不ニモトヽニラス其故ハ言而無蔵
而不取ト云テノ當事ナケレハ破テ取ラスト也此手タテノ誠而白
有物ナラハコソ兎ニモ角ニモ云ヘケレ佛法ハ畢竟空ナレハ何共
カトモ詞ニモ及ストモ其上法佛ノ病ハ有執ト云テアリト思フ
事也此病ヲ愈スニハ空ノ藥ヲ用ヒスシテノカナワスサレハ病ナヲリ
テ後ハ又空ノ藥ヲモスツヘシト也此故ニ有ヲ捨空ニ著スレハ
病又然ナリト云リ一切ナキ物トサトリテ後ハナタナキ物
トモカタク思ヘハ気ノハシキニイカ様ニモ成次第ニセヨト云カ佛
法ノ唯中ニテノ侍サテモ勿躰ナキ事ニアラスや

華厳宗之事

サテ華厳宗ハ一ヲハンスルニハ五教ヲ立一ツトハ小乗教是

24表

阿含ナトノ諸ノ小乗経也二ニハ大乗始教是ハ解深密経
ナトノ諸ノ大乗経并瑜伽唯識ナトノ諸大乗論也三ニハ
大乗終教是ハ涅槃経ナト也四ニハ大乗頓教是ニハ別ノ
経部モナク諸ノ大乗ノ中ニ即心是佛ノ法門有ヲハ頓
教トス禅法ナト是也五ニハ大乗圓教是ニハ花厳法花ヲツキ
ハメ又分テノ別教同教トニツニスト見ヘ侍リ法花経ニハ開
會トテヒトヒトししユルス心アルカ故ニ同實故名同教ト釈セリ
ヒトしクユルストハ何ツナレハ法花ヨリ三ヘハ声聞縁覚菩薩ノ三ヲ
推分テ二乗ハ成佛セスト云シカ共法華ニハ此乗所行即
菩薩道トユルシタレハ声聞モ縁覚モ菩薩モ同頓同實ナル故
法華ヲハ同教ト云華厳ヲハ此別教一乗別於彼三乗ト釈

24裏

シテ華厳ハ彼声聞縁覚菩薩ノ三乗ニ別ナルカ故ニ別教ト云リサテ
此宗ノ所詮ノ理ト云ハ性海果分縁起因分ト法躰ヲ二ツニ分別セラ
ル、トセ性海果分トハ桝教未分ト云テ悟トモ迷トモ五台カハ又サキ
ナレハ説ヘキ様モナクノ云ヘキヤウモナキ本来法尓トテ唯アリノ
ミゝナル所也此故此処ヲハ不可説ト云リ縁起因分トハ衆生ノ
迷ノ様起リ又レハ別ソレニ向教モ出来タレハ説ヘシトセ是ヲ
常ニ因分可説果分不可説ト云リ此心ハ因分ハ可説果分ハ説
ヘカラストセサテ何ト説初タルソト見レハ佛寂初成道トテ悟
ヲ開タル初彼寂静樹下ニシテノ明星ヲ見テ天際目ニハ月下
ルミテノミテノ別ニ謂レハナミシト万法ヲ唯自成理リト打詠メ万ツノ
隅ヲ云物ハ此心ナレハ此心外ニ法ハナミシト云所ヨリ經ノ内如心偈

25表

ニモ如心佛亦尓ナリ如佛衆生モ然心ト佛ト及衆生ト是三無差別
諸佛悉ク了知一切從心轉若能如是解彼人見真佛ト説レタ
リ事起リテ此心ヲウケツク華厳宗ハ一切ノ法ノ事理ヲ
圓融シテサワリナシト心得侍リ事理ヲ圓融スルト申事トハ
諸法ノ上ニ見タル処理トハ其内ニコモル性ヲハ理ト申也圓融トハ
事ハ事理ハ理ト隔ス事モ理モ一ツナルソト云事ニテノ侍也即是
空ニ即是色ト云モ又此心ニテ侍ルヲヤ事理圓融ノ上ニ尚又事
事モ圓融シ理ニモ圓融ト説レタリカヤウノ理ヲシラシメシタメ
或金師子ノタトヘヲトリ或六相ノ義門ノアケタリ金師子
ノ譬ハ香象大師ニ唐ノ則天皇后ト申セシ后花厳大乗ノ要
多ク文廣ケレハ名ヤスクシリカタシ近キタトヘヲ以テ我ニシメサレ

25裏

ヲト有シカハ大師義ヲ即御前ニ金ニテ作タル師子ノアリシヲ譬ニ
シテ華厳大乗ヲ講セラレシヨリ起リ侍リ此師子ニハ頭モアリ
尾モアリ目口耳鼻モアリ此五根ヲ別ゝニ見レハ別ゝノ五根又
此五根ヲ以一ツノ師子ヲ金ニテ作ナセリト見ハ只一ツノ金師
子ノ外ニハ何モナシ其コトツノ一法界ノ内ニハ地獄餓鬼畜生修
羅人天声聞縁覚菩薩佛果ノ十界有此十界ヲ各ゝニ
見ハ師子ノ五根ヲ各ゝニ見ル如ツノ十界別ゝナレトモ此十
界コツノ則一法界ヨトミレハ諸根合テ一ノ金師子ナルカコトクノ
別ノ物ニアラス唯一法界也六相義ト云モ是ヲシラスヘキ為
ノ道ニテノ侍サレハ先六相義ヲハカヤウノ囚ヲ以シメサレタリ
一ツニハ惣相トハ是師子ニ二ニハ別相トハ五根ノ差別セルトコロ

26表

三ニ同相トハ彼諸根共ニ一縁起ナル処四ニ異相トハ師子ノ諸根耳ハ鼻
アラス鼻ハ口ニアラサル処五ニ成相トハ諸根和合セサレハ師子ノ相ノ
ナス事アタワサル故ニ和合ノ処ヲ成相トセリ六ニ壊相トハ師
子ノ諸根眼ニシテノ耳ニカゝワラス耳ハ耳ニシテノ鼻ニカゝワラス已て
カ躰ヲ守ルヲ壊相トハ申也壊ハ破ル、ニテノナスノウラナリ是
皆今申タル一法界ノ体ヲ顕師子ノタトヘノ拝釈也一法界
トユハ即一心ノ異名ト心得玉ヘ此心即佛也此心即空也
空ハ即無也經ニモ空即是佛トアルハ何モナキ処即仏トセ
アラ勿躰ナノ事ヤ是モ又極メクテハ例ノ物地獄モ天
堂モナキ処ニスミ高侍ルソ

天台宗之事　付[illegible]

26
裏

サテ天台宗ト申テ是又極タル大乗ノ事廣ク侍リサレトモ先
其要ヲ取テ申セハ一代ヲ分別セラルニハ四教五時ト云事ヲ立タリサ
テ是四教五時ト申ハ蔵通別円五時トハ華厳阿含方等般若法
華是也先四教ノ内蔵トハ三蔵教ト云テ界内六道ノ衆生
苦ヲ離レ道ヲ得ヘキ旨ヲ明ス小乗ノ教也何トテ三蔵トハ云ソ
ナレハ修多羅蔵毘尼蔵阿毘曇蔵トテ経律論或ハ戒
定恵ノ三ツヲ三ノ蔵ニ納置ヤウナル依ノ三蔵教トハ云ル也蔵トハ
ツラヲサムル方ニテ侍リサレハ是ハ誰ニ對シテノ説タル教ソト云ヘハ
正化二乗傍化菩薩トテノサシムカヒ本ニ説タル処ハ声聞縁覚ノ
二乗ノ為カタハラニハ又菩薩ヲモ教ルト也然此三蔵ノ為ニハ何事ヲ
教タルソト云ハ諦縁度ノ法門ト也諦トハ四諦縁トハ十二因縁

27
表

度トハ六度也四諦ト云ハ苦集滅道声聞ノ為ニ是ヲ説タリサル此
四諦ノ心ヲ申セハ苦集ノ二諦ハ世間ノ因果ト申滅道ノ二諦ハ出
世ノ因果ト申也諦ノ字ヲ明ルト讀テヨキトヤラン申サレ侍リサレハ
先苦トハ此身ヲ苦果ノ依身ト申テノウルサキ果報ノ身也ト
サトル苦諦ト云サテ又カヤウニハ何トシテ成タルソトイヘハ過去煩
悩悪業ヲ集シ処因ト成テ今此果ヲ得リトサトルヲ集諦トハ
申也サテ此苦果ノ依身ヲハ何トシテ解脱スヘキソト云サト
リヲ道諦ト申也道諦トハ智恵ニテ侍リ滅諦トハ此道諦
ノ智恵ニテノ諸法ニ著スル心ナクナルカ故ニ此時アラワルヽ無為ノ
理ヲ滅諦ト申也無為トハシワサナシト云心也然ハ道諦ハ出
世ノ因滅諦ヲハ出世ノ果ト云ト心得侍ヘシ[illegible]シテ此四諦ト云モ

27
裏

人我ノ身トテ我有ト思フ此我ハ暫ニ有物ニアラス真ハ無物ソ
ト云事ヲ心ヘタル物也サテ又縁覚ニ對シテノ説ル十二因縁ト申ハ
過去ノ二因現在ノ五果現在ノ三因未来ノ両果ト云事ヲ合テ
十二因縁トハ申也先過去ノ二因トハ此我ナキ前ニ父母ノ起ス
妄念ヲ無明ト云テ一ノ因ト也リ次ニ又其念ニ依テナス処ノ業ヲ
行ト云テ二ノ因ト申也サテ現在ノ五果ノ才一ヲハ識ト云リ
是則一滴他胎ノ初也二ニハ名色ト云リ名色トハ初ノ識ト云ル
一滴ノ露カ胎内ニテ次才ニ人形トナルニテノ間也三ニハ六入ト云リ
是ハ目口耳鼻ナトノ備ル位也四ニハ触ト云リ触トハフルヽナリ
フルヽトハ人ハ生レ出テモ三ツ四ツニテハ火ニモ水ニモフレサレハ其寒
熱ヲシラヌカ故ニ此間ヲ触ト云リ五ニハ受ト云リ受トハウクルニテ

28
表

苦楽ヲモウケコヽロニ根境識モ和合スル五六歳ヨリ十四五ニテノ
婬欲ノ起ラヌ程也是ニテヲ現在ノ五果ト申也サテ又現在ノ三因ト
申ハ一ツニハ愛ト云テノ十六七歳ヨリ婬欲ノ念ヲ起シ来ルヲ申也
二ニハ取トテヨワヒサカンナルニ随テ此念ニ著シ是ヲ専ニトルヲ
云リ三ニハ有トテノ彼愛取ノ業ヲツクル処ヲ云リトフ是ヲ何ト
テ現在ノ三因トハ云ソナレハ過去ノ無明行ハ今ノ人ノ因ト成
タルコトソ今ノ三又未来ニ出ヘキ人ノ為ニ因トナルカ故也サテ
又未来ノ両果トハ一ニハ生二ニハ老死也惣シテ是カ十二因縁
セサレハ生トハ愛取有ノ業ヲ作レハ必又前ニ識ト云レタル
コトノ生ヲ受ル者アリ生ヲ受レハ必老死ス是ヲ今ノ為ニ
未来ノ両果トハ申也然ハ四諦十二因縁ハ開合ノ不同ト

28裏

テ四諦ハセハノ十二因縁ツヒロキ二三ノ返ニテ侍レトモ至極ハ無我
ノ観ニ至ラシメンカ為ノ道ナリトウケタマワルサテ又菩薩ノ為ニ
説ミ六度トハ一ニハ檀波羅蜜トテ布施ノ行二ニハ尸波羅
蜜トテ戒ノ行三ニハ羼提波羅蜜トテ忍辱ノ行四ニハ毘梨耶波
羅蜜トテ精進ノ行五ニハ禅波羅蜜トテ禅定ノ行六ニハ
般若波羅蜜トテ知恵ノ行此等ヲ以未来ニ成仏スヘシトノ
教也サレハ此声聞縁覚菩薩ノ三乗トハ如何様ナル物ソト
云ハ先声聞ト云物ハ仏ノ声ヲ聞其教ヲ信シ極ハ見道修道
無学道トテ三ノ位ヲ定メ四向四果ノ聖者ト云リソレト申ハ
見道ノ位ニ初テ入タルヲハ須陀洹向トテ初心也是ヲ預流トモ
云リ婆沙論ニ其故ヲ釈シテ初テ聖流ニ入故ニ名テ為預流トナリ

29表

是則初テ聖人ノ流ニ預ル心ナルヘシ須陀洹果ヨリ斯陀含向斯陀
含果阿那含向阿那含果ニ至テヲ修道ノ位トス須陀洹果トハ今
申ツル預流ノ果也斯陀含向斯陀含果ヲハ一来向一来果トモ
云リトツノ故ヲ尋レハ欲界ニ今一タヒ生来ルヘキヲ以セト云リ阿
那含向阿那含果ヲハ不還向不還果トモ申也是ハ欲界ニ
二度生カヘル事ナキ故セト云リ阿羅漢向阿羅漢果此二ヲ無
学道ノ位トス阿羅漢ト申ハ梵名トテアタリタルヤハラケハナク
レトモ義ニ依テハ煩悩ノ賊ヲ殺ス故ニ殺賊ト云三界ノ生ヲ
ハナルレハ不生トモ申也又見道修道無学道ト云心ヲ尋ハ
見道トハ無漏智ヲ以三界ノ見惑ヲ断シテ四諦ノ理ヲ見
故ニトセ四諦ノ理トハ空也サテノ修道トハ見惑ヨリモ又断

29裏

シカタシ思惑ヲ断スル修行ヲスル故セト云リ無学道トハ声聞ノ極
メノ位ニシテハヤ学ヘキ事モナキ故也ト云リ是ハ先声聞ニ付テノ
事サレハ又縁覚ト申ハ梵語ナレハ辟支仏ト云ヲ唐ニテハ独
覚トモ縁覚トモ申也十二因縁ヲ観スレハ縁覚ト云他ニカハラ
ス山林ニ居ヲ頼ミ飛花落葉ヲ見テ無常ヲ観シ唯独アル
事ヲ本トスル故ニ独覚トモ云カ世ノ中ノ人我ハカリノヤウニスル者
ヲハ独覚心ト云ルモ此謂レニヤト覚ヘメリ菩薩トハ梵語ノ略具ニハ
菩提薩埵ト云リ然ハ菩提ヲ唐ニテハ覚トスス覚トハサトルセ
薩埵ヲハ唐ニテハ有情トスス有情ハ即衆生ナリ一切衆生悉有
仏性トイヘトモ中ニツイテ菩薩ハサトル心アル故ニ独リ覚有情
ト云リ次ナカラ仏菩薩ノカワリモ爰ニ聞ヘ侍リ菩薩モサトル

30表

トハ云ヘトモナヲ情想アル故ニ覚有情ト云有情トハナヲシ情想ノアル為
也仏ハ情尽ミシテサトル故ニ有情ノ字ヲ付スシテ唯覚トハカリ称セリ
是ミノハ三蔵教ニツキテノ大方申侍リ又サテ通教ト申ハ先此心通
シタルヲシヘトイヘル事也何ニ通タルト云ハ三蔵教ニハ声聞縁覚菩
薩ニ別々ニ教タル諦縁度ノ法門ヲ通教ニテハ皆同教タル故ニ通
シタル教トハ申也是ヲ釈ニハ三乗同稟ル故ニ名為通ト云リ又色
々ニ通タル謂モ侍レトモソレヲハ略申也サキノ三蔵ヲハ析空観ト
申此通教ヲハ躰空観ト申也先析空観ト申ハ三蔵ニテハ
別シテ二乗ノ心愚カナル故ニ人我ノ空ヲモミリカタキニ依テ
析ノタキテ物ヲ空シテノミセタルニテ侍リ譬此扇ハ空シキ
物ソト云ヘトモ地骨カナメノツラナリテノレキシクタル時ハ更ニ是ヲ

30裏

空トワキニヘ又人ノ為ニ其扇ヲ骨ハ骨地ハ地トナシテ引破テ
ステシトキ其扇ト思シ秘イツクニアルヘキヤト教ル時識扇ト云物
ノ相ハナカリケルヨトワキマヘラルカ如ク四諦十二因縁ノ法門ヲトイテ
人ト云者ノ姿モ元来有ヘキ物ニアラサレトモ父母ノ起ス三妄
念無明行ヲ因トシ其ヨリ識名色乃至愛取有ナトノ因縁ニヒ
カレテコソアレ此因縁ナクハ争テ人我ノ相モアランヤト皆空シハ
ツルカ故ニ三蔵ヲハ析空観ト云侍ルモノカ又通教ハハヤ大乗ノ
初門調根入頓ノ教ト云テ大乗ニ趣初乃門頓教ニ入シムル為
根ヲ調ル教ナレハ体空観ト云テ是ハ守テアカリタル位ト義ル然
此体空ニ云ル謂レハ二乗ノ心モ爰ニテハ流ニ智恵深クナルカ
故ニ破扇ノ躰ヲ破テノミスルニ及ス其侭ニ空ソト教ル者也是

31表

則色即是空ト云心ニテノ侍佛法ニハ先ニ角ニ空カヒトリタチ
トミヘタリサレハ次第ニ位スクルヽカ故ニ三蔵ニハ三賢七聖トテ
次第ノ位ヲタテ侍レトモ此教ニハ地位ト申テ十地ノ位ヲ定
タル也此十地モ委クハ事ナカキ法門ニテ侍ル程ニ略シテアラア
ラ申ヘシ一ニハ乾恵地ト申是ハ智恵カイキタル地ト云心ニテ侍
其故ハ地位ニハ及タレトモ初心ナレハ無漏ノ智水ノカワキタル
ト云ルナルヘシ二ニハ性地ト申ス是ハ無漏ノ性智漸発スル位ナル
故ニカクハ申也無漏トハ理ヲシル悟リノ方ト心得給ヘ此故ニ此
性地ノ心ヲ弘決トヤラシニ薄有理解故名為性ト釈セラ
レタリ三ニハ八人地ト申ス是ハ八忍八智ト申事アリ其故ニ
八人地トハ申ト也然ラハ八人ノ人ノ字ニハ忍フト云忍ノ字

31裏

ヲコソ備ヘケレトモ人法二ツナキ謂レニ人ト云字ヲ備セ都テ
心ハ修行ノ道ニハ堪忍ナクテハノ事ニテ侍ルニヤ四ニハ見地ト
申是ハ三界ノ見惑ヲ断シ無始ヨリ已来イマタ見サル理ヲ見
位ナル故ニ見地ト申也五ニハ薄地ト申是ハ欲界ノ九品ノ惑
ト申事ノ侍フ其九ツノ一ヨヒヲ此位ニ六ツ断スレハ残ノ三ヨヒ
薄クナル故薄地トテウスクナル地トハ申也九品ノ惑ト申ハ
人ニハ貪瞋痴トテ貪欲瞋恚愚痴ノ三毒カ迷ノ首ト成
侍ニソレニ上中下ノ三品ヲ合九品ノ迷トハ申也六ニハ離欲
地ト申是ハサキニ断シ残ス処ノ三品ノ思惑ヲ此位ニテ断シ
欲界ノ生ヲハナルヽ故ニ離欲地トテ欲ヲハナルヽ地ト云リ七ニハ
已弁地ト申是ハ色界無色界ニ七十二品ノ思惑ト云ル

32表

アルヲ断シ尽シテ所作既ニ弁ルノ位ナレハ已弁地トハ申ト也
八ニハ支佛地ト申支佛トハ前ニ申ツル様ニ縁覚ノ事ニテ侍
サレハ声聞ハ七地入空トテヤウヤク七地ニテ入爰ニテ空、
帰シトヽミル故ニ思惑ノ習気カ残ルヲ縁覚ハ今一地スヽミ
アサツテ彼習気ヲモ断スル故ニハ地ヲ支佛地トハ申也此習
気ヲ断スルト申ハ譬ハ木ヲ焼テ灰ニナシタルハ思惑ヲ断シ
タル心ナテ此灰ヲモ掃ヒ捨タルハ習気ヲ断スルニテ侍ルトソ九ニハ
菩薩地ト申是ハ三乗ノ中ニハ菩薩利根ナル故ニ才九地、
進誓扶習生ノ利益ヲ施スカ為也ト云侍サレハ菩薩扶習
生トハ何ツト申セハ誓扶習生非實業報ト釈セラレタリ惣
シテ三界ニ生レ来ル事ハ見惑思惑ノアル故也サルニ依テ八

32裏

聲聞縁覚ハ此三ヨヒヲ断シ習氣ニテヲモ断シテ三界ノ
生ヲ離ルヽヲ極楽トス是ハ小根ノ故也トソシカルニ菩薩ハ大
乗根ノ故ニ三界ニ入テ衆生ヲ利益スヘキ為ニワサト残
習氣ナレハチカツテ習氣ヲタスクト云ルトノ儀也カ様ノ
事ヲ云ハ三界モ有テ衆生モ救ハルヽ事カ佛法ニモ有様ナ
レトモ是ハ皆教相ト申テ唯而ニヨシヘタル分ハカリニテ
識ハ初申ツル如ク三界ト申モナク衆生ノ佛ノナト、
云事モ侍ラヌソ既ニ經ニモ三界唯一心ト説タル上ハ三界
トテモ此一心ヲハナレテハナキソトノ教也サレハ臨済ト申
禅ノ祖師三界唯一心ノ心ヲウケツイテ你欲識三
界麼不離你今聴法底心地你一念心貪是欲界你一念

33表

心嗔是色界你一念心痴是無色界是你屋裏家具子
トテ三界モ你カ家ノ内ニツカフ道具ソト云タリ是ハ先次テナカラ
教相ニ迷ヒ玉ハヌ為サテ又十ニハ佛地ト申是ハ第九地ニテ菩
薩ワサト習氣ヲ残シテ利益成就ノ上ニ第十地ニスヽミ一念相
應ノ恵ヲ以其習気ヲ断シ佛果ニ至ル故ニ佛地トハ申也此一念
相應ノ恵トハ何ソナレハ空恵ト一念トヲヒトシク見ヲ申也
又此空恵ハ何ソナレハ無心無念ノ心一念トハ色ニ起ル
念ノ事相應トハ如何様ニモ念ハ起ラハ起レ念ニ無自性上テノ
自アル性ニテハナシト云処ヲサトルヲ一念相應トハ申也是ハ十
地ニツキテアラく申侍又妙覚ノ初ノ程コソ脊特共心得
侍レ今ハハヤ驚ノミタラスめろナル知識達モカヤウノ理ヲ

33裏

分テヲシヘ玉フ事ナシ十地ノ佛ナト申セハ極楽浄土ノ内ニ
アル事カト思シニサテハ是モサトリ修行ノ位ニテノ侍ルヤ
シカラハ此通教ノ内ニアル四種ノ佛土ト申モ定テ此娑婆
ノ内ノ事ニテソ侍ラシ又四門得道ナト申ハ如何　断貝
其事也知又人ハ十地ナト、云ハナキ浄土モアルヤウニ心得其
内ノ位カナト思フハ誠ヲカシキ事ニテノ侍サテ又四種浄土ト
申事モ佛ノコトク此娑婆ヲハナレテアル事ニテハナシシカレハ
此理ヲモ四門得道ノ事ヲモ大方申侍ヘシ先四種ノ浄土ト
申ハ一ニハ常寂光土二ニハ實報土三ニハ方便土四ニハ同居土是
セサレトモ此四土ニテノ此土ヲハナレテ別ニアルニアラス記ノ十ニモ
直観此土四土具足故此佛身即三身ナリト釈セリ同九ニモ

34表

豈離伽耶別求常寂非寂光外別有娑婆共云リ畢竟シテ
ハ此寂光ト申モ一心ノ異名也記ノ五ニ今日之前從寂光ノ本
垂三土迹至法華會攝三土迹歸寂光本ト釈セラレタリ今
日之前トハ法華ヨリサキノ事寂光ノ本ヨリ三土ノ迹ヲタル
トハ一心真如ノ内證ヨリ方便ニシテノ色ニニ説下シタルヲ法
華ニ至テハ皆是別ニアラス一心真如ソト教タルヲ三土ヲ會
攝シテノ寂光ノ本ニ歸スト申也サテ四門得道ト申ハ
四教何ニモアル法門ナレ共尋玉フ間申ヘシ四門トハ有門
空門亦有亦空門非有非空門是也此門トハ何事ソト
申ニ門者能通ヲ義トストヌ釈シテ是ヨリ真如法性ノ内證ニ
入為ノ口ニテ有ト也然レハ有門トハ此目ニ見タル萬ノ法皆

34裏

カリト有ト観シテ法性ニ叶フヲ申侍ルトセ空門トハ初ヨリ如
幻即空ノ処ニ心ヲカケテ観シ法性ニ叶ヲ申セ亦有亦空門
トハ或時ハ有門ヲ観シ或時ハ空門ヲ観シ一辺ニ不留ヲ云也
非有非空門トハ万ノ法ヲ如幻ニモ非ス即空ニモ非スト観シテ
法性ニ叶ヲ申ト也此外通教ニ猶色ゝノ事侍レトモ是ヲ略シ
テ又次ニ別教トハ何トテ申ソナレハ通教ニモ替リ円教ニモ
別ナルカ故ニ別教ト申又ハ二乗ノ人ヲ隔ル故ニモ別教トハ
申トセ別教ニ色ゝノ有申ニ五十二位ト云位五十二ニ極レリ
是モ一ツゝゝ申セハ終ニナキ事ナレニ依テ其都合ハカリヲ
申ヘシ其ト申ハ十信十行廻向十地此上ニ等覚妙覚
ト云事ヲ立テ五十二位トハ申セ先十信ト云信ノ字ハ人ノ

35表

言葉トカキテ能化ノ云事ヲ疑ハス信スル事ヲ十信トテ
十ノ重ヲ挙タル也大論ト云ル書ニ法大海信為能入ト入リ
此心ハ仏法ノ事広キ事大海ノコトクナレハ信ヲ以テ要ト
ストス云ヘルナルヘシ十信トハ十住入空トテ初ノ十信ノ重ニテ
空ノ悟ニ入般若ノ智恵住スル位ヲ云リ十行トハ初ニ空ヲ
サトリタル上ニ十行出仮ト申テカリニ方便化度ノ為ニ出ヲ
申トセ是則ヲノカ明メクル空ヲ教エヘキ為ナルヘシ十廻向ト
ハ十行ノ上ニテ菩薩ノ衆生ヲ利益スル方ヲ十ノ位ニ
分タル事ニテ侍リ又十地トハ其ハ名モ位モ別通教ノ
十地ニハ替リタルトモ心ハ是モ断惑証理トテノセヨヒヲ断シ
理ヲサトル方ナレハ重ニテ申ニ及ハスサテ此上ニ等覚妙覚ノ

35裏

二位ヲ立タリ先等覚ト申ハ別教ノ心無明ノ数十二品ヲ
立テ此位ニテハヤヽ十一品断シテ残ル処ノ惑障唯一ナル
ニトシキサトリト譲リ是モ色ゝノ理リアルトモ略シ侍又
妙覚ノ位ハ十二品ノ無明ヲ惑断シ尽シ惑障残ル処
ナケレハタヽハナルサトリトイヘリ是則等覚一位入テ妙覚
ト云テ等覚ヲ一テ侍スレハ此妙覚ヲセトヲ是ニテハ別
教ノ大方ニテ侍リ過レハ又円教トハイカナル教ソト云ニ
仏意相応ノ機ト申テ仏ノ心ノコトクナル機ニ対シテ
仏ノ内証ヲアリノマヽニ教ヘタル教ニテ備ルトウツレトイウハ
生仏不二迷悟一ト申テ衆生モ仏モ二ツニ非ス迷
ヒモ悟リモ只一如ソト悟ラシムルヲ円教ト申也許詮円

36表

教トハ一心ノ異名ト心得玉ヘ其故ハ万法円備ル故ニ名テ為円ト
釈シテ円教トハ十界三千ノ依正ノ万法世間出世ノ諸法ヲ
円満シテカヽル処ナシト補ルカ故ニ円教ト云トソ我ホカ一心ト云
モ又万法円満ノ作セサレハ釈ニモ一心ハ万法ノ惣作セト見ヘ
又只心是一切法一切是心トモ尺セリ是則円教ノ内証也
妙ナリ鳥ウム生仏不二ト聞トキハ誠ニ仏法トハ何モタウトキ
事ハ侍ラスサレトモ仏ニハ法報応ノ三身ナト申事ノアル
ハ世ニ有カタキ事トコソウケタマワレ是ヲハイカヽ心得侍ヘキ
ヤ西貞其御事ナリ仏ニ三身ト申事ノアルトテ是又与所
ノ事ニテハ侍ラス真実ハ衆生ノ身中ニアル事也是即躰
智用ノ三ニテ侍リ躰トハ心ノシツマリテ妄念妄慮ノ無

36裏

事此時ヲ法身トミル智トハ心ノ智恵ヲハタラカス事此時ノ
報身トハ申也用トハハタラキハタラク事ヲ初トシテノミテ
是化身也トイヘリ化身ト云應身ト云是又カワル事
ナシ應身ハ一ニテノ侍リ惣シテ佛法ニハ何事モ我身ヲ離テ
アルトハ不申弘法大師ノ夫佛法非遥心中即近真如
非外棄身何求トモ云モ此心也サテ此圓教ニハ六即ノ位ト
云事ヲ立タリ六即ト云心ハ六故簡濫即故初後不二ト
云リ一此心ハ衆生モ佛モ迷モ悟モ一性ハ別ニナレハ一二三四
五六ト次第セルヤウナルヲ六ノ故ニ濫ヲ簡ト云又即故
初後不二トハ誠ニハ衆生モ佛モ無二迷モ悟モ別ナラス
処ヲ云リ其一ツ〳〵ノ名ヲ申サハ一ニハ理即是ハ未佛トモ因

37表

シラヌ凡夫ノ位但極テハ是ヲ本ノ佛トスリ心要ナトニハ一切
衆生ノ心性即理理即佛ト宣タリ二ニハ名字即ト申是ハ
理即ノ凡夫カ或ハ經巻ナトノ説ヲ聞知識ノ教ヲウケテ
佛トモ法トモ云名ヲシリタル位ニテノ侍三ニハ觀行即是ハ
名字即ニ於テ聞タル処ヲ修シ行スルヲ云也四ニハ相似即ト
申是ハ迷ヲ払テノ説法利生ノ徳用アル此次ノ位ナル分真
即ノ悟ニ相似タル故ニ相似即トハ申也五ニハ分真即是ハ
妙覚圓満ノ位ニ對シテノ分ノ言葉ヲ置タリ分トハ全カラヌ意也
妙覚極果ノ位ニモ一分ハ及ヒタルトセ六ニハ究竟即ト申
究竟ノ二字ヲ極メ極ルト読リ是即無明ト云ヲ晴キ
迷ノアルヲ晴シテノ法性ノ圓ニ極リタル処也分真即ハ

37裏

等覚ノ位究竟即ハ妙覚ノ位トナリシカレハ等覚一轉
入テ妙覚トアルヲ傳教大師ハ等覚一轉入于理即トス
セラレタリ是即サトリサトレハ未悟ニ同ト申テノ極メ〳〵テ
見レハ佛法ニハ佛トモ法トモシラヌ凡夫カ佛ニテノアルヤ
中〳〵人ハ思ヒシ〳〵成よりあまき山の松くをたつねてト読
ルモ此心也東山廣ノ谷ヨリ杉モ山深ク入テノ居ヲトシト
分入タレハ又阪ガケカ近ク感テノ侍ルヤ先是ニテカ四教
ノ大方ニテノ侍リサテノ五教ノ始ハ華嚴也佛ノ説法ヲ五併ニ分
タル故ニ五時ト云也華嚴ハ三七日ヲ一時トシ乃至法花ハ八ケ年ヲ
一時トスルセシカレハ先華嚴ハ何トシテノ云ソナレハ因ノ花ヲ以テ果
ノ位ヲカサルト云譬也説処ハ寂滅道場トテノ彼菩薩樹ノ

38表

下ニシテノ法恵功徳林金剛幢金剛蔵ト云四菩薩ニ依テ九
世相入ノ法門法界圓融ノ悟ヲアリノマヽニ説シメ玉ヘ即是佛ノ
理ヲ教シムルトイヘトモ人皆此機ニ不及シテノ如聾如唖ト云
テ聞テモキカス云モイワレス心地シテノ頭ヲフリ法莚巻ヨシ
シカ故方便ノ為ニ二時阿含ノ會カ初リテノ侍ルトソナルハ
衆生ノ初ニ此華嚴ノ説ヲ聞得サリシ謂レヲ尋ルニ又地ノ
説法ヨリサキニハ經ト云事モナク論ト云事モナク悟ナトヽ
申ヤウナル事モナカリシカハ唯自人ハ心ノ教ニ任テノ上ニハ樂
ノトコロタウトキアルシノアルヘキ事ヲ思ヒ下ニハ魔界ノ
厭ヘキ事ヲノミ思ニ此釈迦出テノ三界唯一心〻外無別
法トテノ心ノ外ニハ地獄モ天堂モナシタウトキアルシモアル

38裏

事ナシ空コソ即佛ナレト教ツルカ故ニ實ノ外ニテ皆人アキレ
テ退キタルト見タリ勿躰ナノ釈迦殿ヤ性花ノ人ノ心ニ任
セヨカハ後生ノナキナト、云ル事ヲハ中く思フマシカリツルニ
ヲノカ心ヲ本トシテ人ニ教タルカ故ニ今ノ世ニモ後生有
ミシキソト思フ迷ノ残リテ人ヲ二ヨワシ侍セ法華ニハ自作
此經典ハ擬惑世間人トテ此經典ヲ作シテヨリ世間ノ人ヲ
ニヨワスト人ノ云ヘキト謗ヲキツルハ誠ニテ侍セサレハ此アト
云人ノ心ハヲハ迷ト云テソレヲ除ツヘテ為ニ方便シテ彼寂静
樹下ヲ立テ鹿野苑ト云処ニヲモムキ十二年ノ間説ルヲ第二
時ノ阿含トハ申セ然ハ阿含ト云心ハ阿ハ無ノ儀含ハ有ノ
儀トイヘリ是即四諦十二因縁ヲトヒテ畢空佛性ノ理ヲ

39表

ミスレハ有ト思フ念モナクナサシムル教ナル故ニ阿含トハ申セ
第三時ハ方等説時不定ト山ニハイヘトモ三十ニハ十六年
ノ間ノ説法セト定ラレタリ是ハ彈訶トテ二乗ヲソシリ
嫌ヒタル教ニテ侍リ何ト嫌ヒ謗リタルソト申セハ阿含ニテ
空理ヲ聞サテハ我ト思フ者モナカリケルヨト深ク空ニ沉ミ
タル故ニ彼二乗ヲ彈訶高原ノ陸地ニハ蓮華ノ生セサルカ
コトク二乗ノ心地ニハ佛性ノ蓮華出生スル事アルヘカラス大
約断テノ心ヲハ起ス共二乗ノ心ヲ起サレナント、嫌ハラ
ミニ依テ二乗ノ心モ錯乱シテノ空ト聞ミ被ニケニモト思ヘハ又今
是ヲ嫌ヒ有ト説有トヤセシ無トヤセシ何ニテカ有シト空有
ノ二念ニ久、ヨミタルカ方等ノ心ニテ侍サテ何トヤウニ実ト

39裏

聞得タルヲ又爰ニハキラヒシソトミレハ二乗空見ニカタヨラハ我
ヲシヘモ後ニハ用ヘカラスト思故ニ又有ヤウニハ云ナシタル物ト聞
ヘタリ今ノ世ニモ佛法ハ皆此分ト見タリ有トモシトスレハ
釈迦ノ心ニソムリ明ニ無トモシトスレハ又布施ニ物モ取ヘキ
ヤウナリ陪堂ノ種モナクナルカ故ニ後生ハ有物ノ無物ノ又
有物ノナト、病目ニ茶ヲスリタルトヤラシムサト云テラクト見
ヘタリサテ又第四ノ般若ハ爰ニハ智恵トイヘリ餘經何モ智
恵ニアラスト云ニ事ナシトイヘトモ余經多クハ戒定恵ノ三受ニワ
タルヲ此經ニハ畢竟空ノ智ヲ以テ本トスルカ故ニトリワケ
智恵トハ云トセ是即非汰ト云テ右方等ノ空有ノ二念
ヲユリソロヘテノ畢竟空ノ処ヲ十四年ニトキタルモノニテノ

40表

侍リサレハ此終ニ無量義經ヲ説テ法華ノ為ニハ序品ノ心ニ用
タリ其内ニ四十余年未顕真實ト説タルハ阿含十二年方
等十六年般若十四年ナレハ惣シテ四十二年也此乃ニハ
イマタ真ヲ顕サスト云儀也サテ其真實ヲハイツアラワシタル
ソト申セハ第五時法華ノ時此間ハケ年ニ法花一部八巻
ヲ真実トテ説ル法門也其一部八巻ノ要ヲ取テ申セハ
妙法蓮華經ノ五字ノ題目ニ極リ此五字一ニノ心尋レハ
妙トハ不可思儀トテノ誉タル詞ナリ何ヲ誉タルソト云ヘハ
法ヲホメタル義ニ忽スル次第ナラハ法妙ト云ヘキニ文ノ便ニ
任セ妙法トハツラネタリシカレハ此誉タル法トハ何ソナレハ
法トハ十界十如権實ノ法トイヘリ是即人ニノ

40裏

一心法ヲサシテノ事ニテ侍リ人ノ心アル時ハ若テ地獄
ト起リ或時ハ悲テ餓鬼ト起カトスレハ又無心無念ニシテ
佛果ヲアラハス是ヲ有ト云ントスレハ其姿ヲ不見無トイワ
ントスレハ又十界ノ念起カ故心ヲサシテ妙法トハ云ル物也
是ヲ直ワキニヘサル者ノ為次ノ蓮華ノ二字ヲハツヘテ侍リ
一心ヲアノ水中ニアル蓮ニタトヘタル事ニテ侍リ蓮ハ淤泥
ノ中ニ有テモ濁ニシミス又花ノ中ニ葉モ実モ備ル物ニテアリ一
心モ万ノ念ノ其カ其ニモナラサルハ蓮ノ濁ニシミヌカコトシ又
此一心ノ地獄ト起ル因ノ一念ニヤカテノ又佛果モアレハ蓮ニ花ノ
因実ノ果一ツニ備タルヲ因果不二ナル此一心ニタトヘタルヲ譬
喩ノ蓮花トハ申也又當体ノ蓮花トハ人ニ此胸ノ内ニ有ル

41表

心ノ秘ツホメル蓮花ノコトクナレハ此赤肉團ヲサシテ直ニ妙法
蓮華トイヘル儀也次ニ經トハタテト讀字也五時ヲタテトシ四教ヲ
ヌキニシテ一切ノ法門ヲ織オシタルヲ經トハ云リ畢竟シテ法
花ト申カ此一心ノ事也サルニヨテ妙法ノ尺ニ法花一部ハ方寸ト
可知ト云リ方寸トハ即心ノ事ニテ侍リ胸中ノ彼赤肉團ヲ
申也妙ホ体初後ノヤウニ法花ノ談儀ヲモ度ニ聞シニ替ルヲモ
侍ラスイツモノ佛法也サリナカラ三種ノ法花ト申ルノ
アルヲハ聞ヌハスヤサヤウノ珎敷事モヤ侍ヘキ尚貞ナル事也
傳教大師ノ尺ニ於一佛乗者根本法花教也分別説三者
隠密法花教也唯有一乗者顕説法花教也妙法之外
更無一句餘經トアリ其ニ三種ノ法花ト云事カ聞ヘタリ

41裏

先其一佛乗ニ於テハ根本法花教也トハ佛ノ内証ヲ捗
對シテ未顕真ヲ申也二ニハ隠密法花トハ顕レテトク処ハ
四味三教ナレトモ蜜意ヲ以イヘハ是モ法花也ト云リ其故ハ
二モナク三モナキ処ヲ人ノ機ニ依テ分別シテ三ト説シヲ
以テ也三ニ顕説法花トハ才五時ノ開會ノ法花也開會
トハ法花以前ニハ不成仏ト二乗ヲ嫌シニ法花ノ時一實ノ
理ニ開シテ會シムル也經ニ爰ヲ汝等所行是菩薩道トアリ是
即當位即妙本位不改ト云テ諸法實相ノ内証ヒラケテノ
ミレハ初ノ地獄ノ后ノ佛果皆一心ノ具足ナレハ地獄ト起ル一念モ
當位即妙餓鬼ト起ルモ即妙乃至佛果ト起ルモ即妙也
ハ二乗モ元ヨリ也ト云ヲ開會トハ申也開會ノ二字ヲユルシ

42表

カナワシムルト讀ヘシト云リ然ハ法花已前ニハ二乗ヲ嫌キヒシリ
ヘタテノ四十餘年未顕真実ト説ル程ニ法花一乗妙典ハミテハ
如何ナル真ヲ説ルヽカトミレハ是御覧セヨ又本ノモリアミ
也元賢カ様ノ事日蓮宗ノ御房達ヘワラワカ申タルトハ讀
玉フナ惣シテアノ日蓮宗ト申ハ天台ノ内証ニハカワリ萬ニ私ナル
事ヲノミ云テノ此ホト經ナラテハ助ラスト申也是ハ皆佛法ニテモ
観道トシテ悟ニ暗故ニテノ侍リ禅宗ナトハカヤウノ氏ヲハ兵
眼子トテ法ノ為ニハメクラノヤウニ云リ法花一部ヲ尺スルニモ
因縁約教本迹観心トテ四種尺アル中ニ観心ノ釈ヲ心得ヌハ
唯他ノ宝ヲ数フルニ譬タリ顕ニモ観心ノ尺ニ日夜数他
宝自無半銭分但観己心之高廣扣無窮之聖應機感

42裏

致感速得已利ト見タリ然ルニ日蓮宗ハ或ハ因縁ノ尺ニ
取ツキ或ハ約教ノ尺ニ取ツキ罪障深キ身殊ニ女人ナトハ
此佛經尺迦佛ノ外ニハ助スナトイヒ又余經ハ皆是法花ノ
實ヲ顯ン為ナレハ權教也法花寂才一トイヒニワルハカリニテ
其法花ノ実ハ觀心ニアル㕝ヲハ夢現ニモワキマヘスシテ御經
ノミカタウトキト見カ日蓮宗ノ心ニテ侍リサレハニヤ私ナル㕝
ヲ作念佛無間禅天魔真言亡國律國賊法花寂才一ト下シ
云ニワルヽ也尺籤ニモ若弘法華偏讃尚失況復餘耶何者
既言開權顯實豈可一向毀權トアリ是ハ妙楽ナトノ心ニハ法花
ヲ广トテノ偏ニ讃ヘキ㕝ニサヘモアラサレハニシテヤ余經ヲソシランハ
沙汰ノカキリ也其故ハ既ニ開權顯實トイヘハ權ノ外ニ實モナク

43表

實ノ外ニ權モナキニ四十餘年未顯真實ト云文ノコトク斗
役ヲ見ルハ法敎ナリト思リ昔モ今モ日蓮宗ナトノヤウニ心得
タル人モアリツルカ唐土ニ法花禅師ト云シ僧ノ侍シカ法華經
一万部モ讀誦セハ成佛セント思タルカ既ハヤ三千部讀テ其
後六祖ニマミエシカハ六祖此僧ノ為ニ偈ヲナシテ心迷ハ法華轉
心悟ハ轉法華誦久不明已与義為讐家有念々ハ成邪無念
念ハ即正有無倶ニ不計長御白牛車ト有シカハ其時法達禅
師悟リ得經誦三千部曹渓一句ニ亡ト懺悔シテ誦經セサ
リシトセサテ此偈ノ心ヲ申スニ心迷ハ法花轉ニ心悟轉法花ト
ハ心マヨヘハ法花經ニミチヒカレ心悟レハ經ヲミチヒクト也誦久テ
不明己与義為讐家トハ讀ハカリニテ我心ヲ明メサレハ却テ

43裏

アタトナルヘシト也有念ノ念ハ成邪無念ノ念ハ即正トハ色ニソ㕝ヲ
思ハワロシ佛トモ法トモ思ワヌカヨキノ㕝ソト也有無倶不計長
御白牛車トハ其心ナニケモナクハイツモ大白牛車ニノルヽソト
云心也白牛車トハ法華ノ譬ニ羊車鹿車牛車トテ侍リ
其上ニ白牛車ト云カ實大乗ノ人ノ乗物也ト云リサレハ譬喩
品ニ安置丹枕駕以白牛ト侍リ此アカキ枕ヲ置ト云カ無心無
念ニ安住スル㕝ソト注シタリカヤウノ㕝ヲハ心得スシテ日蓮宗ハ
唯此經ノカナラテハ後生ヲタスカラヌソナト、上ツラヲ申也
心法ハ經ニアラワル、正躰經ハ心ヨリ出タル數ニテノ侍ルソ是ヲハ
シラテテノ經ハカリヲタウトカルハ併ヲハトラテノ數ヲ取ニテ
侍ル也妙秀サヤウニウケタマワレハ法花經トテモ誠タウトキ

44表

㕝モナケレ㫪又此經ハ八歳龍女サヘモ成佛シヌレハ殊ニ女ノ信
スヘキ御經也ト云時ハ自モ法花宗ニテハナケレ㫪アラ有カタノ
㕝ヤト思侍サテ龍女成佛ノ㕝ハ如何ニ貞如作法華ヲ
一ノ名誉ト云ハ龍女カ成佛ノ㕝ニテ侍サリナカラ是ハ皆
偽ナリ其故ハ先龍宮界ト云所ナケレハ龍女ト云者モ又
彼カ父ナリト云沙竭羅龍王云者モ皆有㕝ナシ水ノ底ハ
昔ヨリ今ニ魚ノ類ヨリ外ハナシサレハ畜類ニハ後生ノ沙汰ナシ
如何ニ經ニアレハトテ道理モタヽサテ皆ソレヲ信スルハ智恵
ヲモチタル甲斐モナシ惣シテ釈迦程ノウソツキハ後ニモ
一休ノうたにほとけとて地獄ゑおちる物ならはあひをいいし
ものいしかんト讀レタリシハサスカニ發明ノ僧ニテ侍し

44裏

ト覚タリ先寂ヲ申セシ須弥山ナトノ事ヲ和トシテ今
此龍宮世界ナト云事モ皆ナキ事ニテ侍ルソ尺迦ノウソツ
キテ侍ル証拠又此法華経ニモ偽多事ヲミセニミラスヘシ
スキタル事ハナカリシヲアリタリトイハヽ水カケアイナ
實否カ変セラレ侍ラス程ニ今月ノ前ニミエル偽ヒヲサヽ取
出シテノミセニミラセハケヲ顕ハシ申ヘシオレハ先宝塔品ニハ
尓時佛前有七宝塔高五百由旬縦廣二百由旬従地踊
出住在空中ト見テ又其次ニ其佛以神通願力十方世界
在ゝ所ゝ若有説法花経者彼宝塔皆湧出其前在於塔中
讃ノ言善哉ゝゝトアリ是以尺迦ノ説法ノトキ地ヨリ出
出タリシト云五百由旬ノ塔モ偽ナル事ヲシリ玉ヘ其故ハ何ゾ

45表

如何ナル所ニテモ法花経ヲサヘ説ハ宝塔ワキ出テ其中ヨリ
善哉ゝゝト云シトアレヒ其時ヨリ今ニ至ニテノ何ニテサヤウノ
事侍シヤ余示ハ先ヲキ又都ノ内ニモ廿一ケ寺トヤラ申カ
其六ケ寺ニモ五百由旬ハサテヲキ五寸四方ノ宝塔モ湧出
シタル事ナケレハ元ヨリ多宝モおテノクサメトモ云タル事ヲ聞
侍ラス是ソノウソツノ一ツニテ侍リ又安楽行品ノ中ニハ讀是経
者常無憂悩又無病痛顔色鮮白トハアレトモ法花ノ坊主ノ
内ニモ極テ憂ヘ悩ム人多病痛人モ其数ヲシラス顔色鮮
白ナラントイヘトモミメ悪ク色黒ク不人物ナル人多クヤ其
ウソノ二ツ也同品ニ若人悪罵口則閉塞トテ見タルカ法花ヲ
誹謗スル者多ラモ侍レトモ一人モ口ノ閉塞リタルヲミス是又

45裏

ウソノ三ツ也又薬王品ニハ此経則為閻浮提人病之良薬
若有病得聞是経病即消滅不老不死ナラントトアレハ見テ侍レトモ
祈祷トテ此経ヲ誦内ニ死又トハ申サジイキトヽリタル人多ク
侍リ不老不死ナラントイヘトモ法華ノ人トテモ定命八九ナツ
スコスハ一モヤ是モ偽ノ四ツトヤ申ヘキ又普門品ノ内ニハ念彼
観音力火坑変成池トアレトモ観音ヲ念セシ人ナリトモ火ノ坑ヘ
ツキヲトサハ焼死シ事ハ云ニ不及唯其家ニ火ヲカクルトモ水トハ
ナラテ焼死シ事何疑アランヤ永万元年ノ七月廿九日変
カトロ其念セラルヽ千手ノ仏堂清水寺モ炎上シタリト平家
物語ニ見タリサラハヨノ者モ付タル火カ山法師ヨリ焼レテ
侍リ此文ノ偽ヲトカメタル事今ノワラハ斗ニテモ侍ラス

46表

其時ノ人モ心アルハヲカシクヤ思ケン観音ノ火坑変成池ハ如何
ニト欺テ大門ロ札ヲ打タレハ又ヲトラヌヲコノ者有テ暦
劫不思儀不及カトテ札ノ返シヽタリトアル事ハ今ノ世ニテ
笑草ニテ侍ラスヤサレハコソ此文ヲモ其偽ノ五トヤ可申其ハ上カ
ヤウノ事ヲ申サハ法花経ノ三分ニハ皆偽ニテノ侍心ヲ留テ此
経ヲ披玉シ人ハワラハカ申事ニコトナリトワキマヘ玉ヘ中ニモ迹
前カンカヘナキ事ハ湧出品ノ内ニ諸菩薩地ヨリ湧生シテノ
尺迦ヲ讃歎恭敬スルニ釈迦黙然トシテ坐セシ事其間五
十劫ヲ経タリサレトモ佛ノ神力ノ故ニ半日ヲ過スカコトク
諸大衆モ思タリトミヘタリコヽニ於テ思案シ玉ヘヨシ半
日ノ如ニモ大衆ハ思ハヽ思ヘ五十劫ヲ経タルニ於テハ其

46裏

内ニ劫千万ノ日月カ過スヘシ釈迦ハ八十入滅ト云リケニモ
周ノ昭王廿六年ニ當テ生レ同穆王五十三年ニ當ル時入滅
スト見タリ此間七十九年也若五十ニ劫ヲヘタル者ナラハ何
トシテ生死ノ時節此手記ニ合ヘキヤカヤウノ庭前ニ云ス
ノ云タキ候ニノ云ヤウハタワコトニテノアラスヤアニリニ色ミノ
事ヲ申ニ係テサキノ龍女カ事モワキヘナリテ侍サテ
龍女カ成佛ノ事モ申ツルヤウニ真ニハナキ事セサレ共
コゝニ又別ニ心得ヤウアリ口傳ノ上ヨリハ皆人胸中ニ三
寸ノ小蛇アリト申是カ八歳ノ龍女ト申者ニテ侍ソ
其ハ三寸ノ小蛇トハ貪瞋痴ノ三毒ノ事是三寸ノ小蛇
ナルカ故ニ八歳ト云ハ小ノ方ニナソラヘテ申侍ルトソ小ノ方ニ

47表

ナツヌ人ハ六歳トモ不云ニシテ何トテ八歳トハカキリタルソナレハ
人ハ六八識ト云事侍三毒モ此内ニアル小蛇ナリ此故ニ八歳
八識ニヨソヘテ云ト心得ル也九識モアレ共ソレハ本法ノ一里ト申
テハヤ龍女カ成佛ノ堺南方無垢世界ニテ侍リサレハニヤ
第九識ヲハ無垢ト申無垢ケカレナキ識ト云事又悟ル上
セ又南方トハ何トテオシタルソナレハ南ヲハ火ニカタトレリ
火ハ離ノ卦ニテ侍リ離中断トテ卦ノ形☲カヤウニ有
是則心中虚ニシテ無心無念ナレハ三毒カヤム方ニテ侍リ
其処ヲ成佛トハ申也サレハ無垢世界トミテノ在所ヲハ丹
枕トナラフト此龍女カ成佛ニ付テノ六ケノ秘事ト云事ア
ル内ニ見ヘテ侍ホトモ申ツルコトク丹枕トハ無念ミミト云

47裏

事ニテ侍ル程ニ龍女ト云者モ身ヲ離テハナシト心得玉ヘカ
ヤウノ事ヲハアノ日蓮宗ナトニハ夢ニモシラテ唯御經ノ功
カナラテハタスカラヌト云カタハライタキヿナラスヤ此
理ヲヨク明メタル臨濟ハ三乘十二分教皆是拭不浄
故紙トテ經トモヲハ彼ヲノコヒスツヘキフル反古ソト見
破ラレタリ去程ニ此分ニ申セハ終ニモ侍ハ又程ニ法花ノ
事ヲハ先ヲキ申ヘシ已ニ畢竟天台ト日蓮宗ノカハリハ
觀心ノ沙汰ヲハイワテ唯御經カタフトシト私ナルコ
トヲノミ云カ日蓮宗也同万法一心ノサトリ有テ經ノ
心ヲ能明ムルカ替リニテ侍ル也

真言宗之事

48表

妙秀サテハハヤ龍女カ成佛ノ事モ聞ヘ侍リケニモ龍宮界
トテ水ノ底ニ國ノアルナト、云ハ軽忽ナル事也然レハ法花ノ
事ヲハハヤ聞得テ侍ル真言ノ宗旨ハ如何ニシタル事ソヤ是ハ蜜
宗トテ又各別ノヤウニ聞タリ幽貞 如佛真言ハ蜜宗トテ
ヨニカハリタルヤウナレ共是モ天台ニテカフ事モ侍ス假令天台
頭真言ハ蜜ト申ニテノミニコソアル譬ハ手モ握レハコフシ同ケハ
掌ト云其チカイハカリ也ニキリテモヒラキテモ両手ハ十ノ
指ツラナリタル物ナルカコトクノ顕ニテモ蜜ニテモ佛法ニハ惣シテ斗
界ヨリ外ノ事ハ侍ヌソサレトモワレノ宗ノタテタル道ハアル事
ニテ侍ル程ニ畧シテ申ヘシシカレハ真言ノ宗ヲモ事廣ケレトモ
六大四曼三蜜ト申事專也サテ其六大トハ地水火風空

48裏

識四曼トハ大三法羯三密トハ身語意是也サレトモ
イニタ此分ニテハ心得カタキニ、猶委ク語申ヘシ真言トハ
大日覚王ト申カ本尊トモ何トモ有程ノ事ニテ侍サテ
此大日躰相用ト申事ヲ分別スル也惣シテ先躰ト申ハ
何ニテモアレ長短方圓トテナカクモミチカクモ又ハ四方ニモ
カヤウノ事ヲハ皆相ト申此相ノスワリ処ヲ躰ト申也用ハ
其体相ヨリおル所作ノ事也シカレハ其大日ノ体ハ何ソト申
セハ地水火風空識ノ六大也土水火風ノ四ハ明ニ
聞タレハ申ニテモナシ空トハ何ソナレハ物ヲ入テモサハラス
無碍ナル処是ヲ虚空ト申大日経ニモ知空等虚空トテ
空ハ虚空ニヒトシトイヘル処也サテ又識トハ分別ヲ性トス

49表

ト申テ柳ハ緑花ハ紅トシリワクルモノニテ侍リ又心ニモ
意トモ得(ヘシ)心意識ノ三ハ一ニテ侍リ此何モ離レス処ヲ即
身義ニハ六大無碍常瑜伽也ト云リ無碍トハ渉入自在ト
テ彼ハ是ニ入是ハ彼ニ入サワリナキ事也瑜伽トハ相応ト云
心相応渉入ハ即是即ノ義ト云テ凡ハ即是空ニハ則是
識ニテ六大常ニ一ツナル方此六ヲ合テ大日之体トハ申也
サテ又相ト云ハ大三法羯ノ四曼ト申也金剛頂経ノ説ノ
コトクナラハ一一ノ佛菩薩相好ノ身又其形ヲエカケルヲ
モ大曼荼羅ト申也二ニハ三昧耶曼荼羅トハ即其ハモ
テル処ノ刀剣佩宝金剛蓮華ナトノ類是也三ニハ法
曼荼羅トハ梵字ノ種子真言并一切経ノ文義ナト

49裏

皆是法曼荼羅ト云リ四ニハ羯磨曼荼羅トハ則
諸佛菩薩ノ種々ノ威儀事業也ト見タリ此四種
曼荼羅ハ皆タカヒニハナレサルニ依テ同偈ニモ四種曼荼羅
各不離トアリサテ次ノ用トハ三密也三密トハ一ニハ身
密トテ手ニハ印契ヲ結ヒ二ニハ語密トテ口ニハ真言ヲ唱
三ニハ意密トテ心三摩地ニ住スル事ニテ侍リ此等カ則大日ノ
躰相用ニテ侍ル也妙秀不思儀ヤ今ノ分ハ皆人間ノ
作法也ソレハ大日ノ体相用トノミテ心得カタキコト也
アヤマリ玉ヒタルカ歯貝也ノ御不審也サレハトヨ大日ト
テノタウトク云ナシ高ク法流ノイタヽキニカヽツテ不動不
退也ナト申セトモ其大日ト申ハ此人ヲハナレテアル事

50表

ニテ侍ラスナヲシ人ノミニカキラス鬼畜人天皆是大日ト
申テ有程ノ者誠虫ケラアノセヽナケノモヽホウツキト
ヤランニテモ大日ニノ六大所
成ノ心身ヲハ体ト云其相ナル四種曼荼羅トハ先人間ノ
姿カタチ是則大曼荼羅ナリ民百姓ハスキクワヲカタ
ケ武士ハ太刀カタナヲ携ヘ出家ハ袈裟衣ヲキ女ハ糸針ヲ
持タルニテモ是ヲ三摩耶曼荼羅ト心得侍リ又タトヘハ
御床敷思ヒマイラセ候ト一筆カキタルニテモコレヲ法曼
荼羅ト申也サテ人ノ起臥立居是皆羯磨曼荼羅ニ
テ侍リサテ用ト申三密トハ何ツナレハ手ヲ挙足ヲ動
シ爪ハシキ一ツスルニテモ皆是身密印契ニテ侍也

50裏

息則阿字ノ真言ト心得レハ悪口雑言シ人言云恨ミ謗
ル事ハ猶以諸密真言也サナ又心ニハ四方山ノ事ヲ思フ
者也或物子ダミ又ハウシツラシト思事ニテモ意密トテ
心ノ三摩地ニ住シタルゾト云事ニテ侍リ是見玉ヘ大日如
来タウトカラ又物ニテ侍ルソ妙哉々何事モ聞ミニ
カハリテアサニナル事哉サレトモアノ金剛界ノ大日胎蔵
界ノ大日ナト丶申事同両界ノ曼荼羅ナト申ハイトア
リカタキ事ノヤウニ聞テ侍ルカ是モ今ノツレノ事トテ
侍ルカ幽負金胎両部ノ大日ト申モ別ノ事ニ非ス人
ノ色心ヲ二ツニ分色ノ方ヲ胎蔵界ノ大日ト心得心
法ノ方ヲハ金剛界ノ大日ト習也色心元ヨリ不二ト

51表

テ二ツナラ子ハ金胎不二ノ大日トモ此身ヲサシテ申也
其上金胎両界ハ陰陽二トモ心得玉ヘ男ハ陽ナレハ金剛界
ノ大日女ハ陰ナレハ胎蔵界ノ大日ト云リ又両部ノ曼荼羅
ト云モ是ニヨソヘテノ事也金胎ノ二ツハ右ノコトシサテ此曼
荼羅ト云ハ梵語ニテ壇トモ聚トモ輪圓具足トモ翻セリ此心スヘテ
アラユル所ノ佛菩薩羅列セルカタチ佛菩薩ノミニカキラス地
獄餓鬼等ノ十界一ツモカケヌカ曼荼ナレハ輪圓具足ト申ノ
也其上曼荼羅ニモ色々アリ或経不説ノ曼荼羅ト申ハ
経論ニ説ツラネタル佛菩薩ノ事又ハ現圖ノ曼荼羅ト
テ常ニ画像ニシテカケヲク羯三微供四一理降三ノ九會
十三大院等ノ両界ノ曼荼羅モアリ又ハ阿闍梨処

51裏

傳ノ曼荼羅ト云カ身ヲハナレテノ与所ニ尋ル曼荼羅ニアラス
真言ハ圓壇先置於自躰自足而至勝成大金剛輪縦
此而至心當思惟スル水輪ツ水輪上火輪ミノ上風輪ト即身
義ノ偈ニモ見ヘテ侍リ自体ヲハナレテノ何モアル事ナシ此
偈ノ心ヲ次ニ尺シテノ金剛輪トハ阿字也阿字ハ即地也水
火風ハ又ノコトクシルヘシ是明ニ聞タレハ再尺ニ及ハストセ
サテノ圓壇トハ室也真言トハ心大也ト云リ両界曼荼羅モ
皆此自躰ニアリトシルヘシ大師ノ文佛法ハ非遥心中即近
真如非外弃身何求ントイヘルモ爰ニテ侍ラスヤ佛法トハ知
法身即是心法也真如トハ理法身即是心法也真如トハ
理法身即是色法也此故ニ両部ノ大日トイフカラカ色心ノ

52表

實相理智ノ源底ヲテ侍ルソノ惣シテ阿閦宝生弥陀釈迦
大日ト云五佛モ与所ニアル五仏ニアラス自身ノ上ニ五仏ト云
事アリ五智ト云ハ眼識耳ー鼻ー舌ー身ー意ー末
耶ー阿頼耶ー無垢ートテ九識ノ侍ルヲ轉シテ五智ト
ナセル者也第八阿頼耶識ヲ轉シテハ大圓鏡智ト云是又
東方ノ阿閦仏也第七末那識ヲ轉シテハ平等性智ト
云是又南方ノ宝性仏トス第六ハ意識ヲ轉シテハ妙観察
智ト云西方ノ阿弥陀是又北方ノ釈迦也第九無垢識ヲ
轉シテハ法界体性智ト云中央ノ大日ト云モ是也爰ヲ
以テ五仏ト云モ衆生ノ外ニハ侍ラス又三十七尊ト云事
ヲ立タルモ自心ノ上ノ作用ニテヨソニハナシ薩王モ衣

52裏

宝光性咲法利因語業讃牙挙是ヲ十六大菩薩ト
云嬉鬘歌舞香花灯塗是ヲハ供養ト云鈎索鏁鈴是
ヲ四摂トシ金宝法羯是ヲ四波羅蜜トス是ニ右ノ五仏ト
加テ惣合三十七尊ト云ナリサテ是ヲ自心ノ上ノ作用也
ト云事一ツ〳〵申侍ルニ不及譬ハ色ヲ起セハ色菩薩
欲ヲ起セハ欲菩薩歌ハ歌菩薩舞ハ舞菩薩ト云カコトシ
此故ニ常住妙法心蓮臺三十七尊住心城トイヘルモ爰ニテノ
侍リ如来鬼ヲハクラカリニツナケト世ノ常申ツル叓ヲハ
思シラレテ侍フ日比タフトク思タル叓モ此分ニ明内証
聞ハ殊勝ゲモナクナレリシカレハ右莱リシ識ヲ轉シテ知ト
ナストハ何トシタル叓ニテ侍ルソ　齒貝奇特ナル叓ヲ尋玉

53表

物カナ誠ニテンスルトハ申セ氏何トスルカテンスル所アルト云叓ヲハ人
ゴトニシラスサレハ先タトヘハ凡夫ノ妄想ノ念ヲハ意識ト名付
佛法ノサトリノ観恵ヲハ妙観察知ト云ハ身ノ上ニ取テモ地獄
カアルカツロニヤ極楽カアルカタノモシヤ是ハ善是ハ悪ナト思玉
程ヲハ凡夫ノ意識ト云サトリシヒラキテワレ〳〵思心ノ外ニ
何ツニ地獄極楽アルヘキソ善悪モ心ノワサナレハ二ツニアラス
此身ハ元ヨリ仏也トミヒラクヤウナル処ヲハ妙観察智トモ
又ハ西方ノ阿弥陀トモ心得ヤ轉スルトハ是ニテ侍ツサテ〳〵
我宗貴理師端ノ教ニハ遙ニチカヒタル叓カナ如来ノサテハ
テンスルトハサヤウニサトル処ヲ申侍也オレハトヨ貴理師端
教ニコソ神モナク仏モナシ地獄モ天堂モナシトノタマウト

53裏

ノミ思ヒラセシニ綱句其ウラニテキリシタンニハ地獄ヲモ極
楽ヲモアルトノタマフニ仏法ノ内証我心ノ外ニハ神モ佛モ地獄
モ極楽モナシト申サルヽ叓ヨ折ヽ知識達ノ如来ヨリ聞玉ヘ
地獄ト云モ極楽ト云モ神ト云モ仏ト云モ御身ノ思玉フヤウナ
叓ニテハナキソ爰云其悟ニテハ至リカタクツヲハセンニヽ念仏
申テ居給ヘト叓モナゲニ宣ヒシモ今コソ思シラレテ侍ラヘ
シカレハヤ識ヲテンシテ智トナスト云叓ハ聞テ侍カハ識ノ
九識ノナト申叓タシカニワキマヘカメシむけ宗旨貴理師
端ニハ威ヒラセシスレトモ其本ニトテモノ事ニ佛法神道
ノ叓ヲヨクキヽキワメヒラセタリノ思侍智識達ヘ申セハ
秘叓カラセテサヤウニ有ヤウニ宣ヘ又政、今ニテノ事ヲ知

54表

テ也ニヽイヒスカサレ年月ヲ送シ事ノ悔シサヨ猶其識ノ
叓ヲ悟玉ヘ齒貝識ノ叓ト申ハ仏法ニテモ家ニヽ替リ其
アツカヒ色ヽムツカシク聞ヘ侍リサレ氏尋給叓ナレハ聞
ヘヒラセシ分ヲ略シテノ一通可申惣シテ識ノ数モ大小
乗ニ依テカワリ侍リ小乗ハ六識分ト申也其ト申ハ眼識
耳ー鼻ー舌ー意ーノ六眼ニハ色ヲ見知赤白耳ニハ声ヲ聞
鼻ニハ香舌ニハ味身ニハ寒熱等ヲ覚シルヲ五識ト申サテ此五ヲ
意識ト云物ハ五根ニカヽワラス惜キホシキ悪キイトシキナト
思心カ意識ト云モノニテノ侍リ此六識分ノサトリヤウハ
目モ耳モイニハアレハコリノ色ヲモ声ヲモシレ此五根モ死テ
ナクナリテーハシルヘキ便モナシ第六ノ意識モタトヘハ雨

54裏

露ノ恩ニシ受テサカフル程ハ柳ハ緑花ハ紅トフルマヘ氏枯レハ
何ニモナキコトノ人モ死ハ無心ニナルソト云カ六識分ノサトリ
ニテ侍リ権大乗法相等ニハ八識ヲタテラレタリ其ハ八ト
申ハ今ノ六ニ第七識末那第八識阿頼耶此二ヲソヘテ
立タリ先阿頼耶ト云ヲハ爰ヲハ根本意識ト云是則十二
因縁ノ現在ノ五果ノ初識トイワレタル物一滴侘胎ノ
初ナレハ根本意識ト云諸法ノ根源諸法ノ本地モ此
滴ノ外ニ更ニナシト云リ則是カ第八識トセサテ第七
識末那ト八爰ニハ難シテ意ト云リ是ハ何トシタル物ソト
云ハ根本意識ト云阿頼耶ノ無心無念ナル処ヨリ忽然
トシテ起ル業識元初ノ一念此阿頼耶識ノ無心無念ヲ

55表

サノ事ソト思カ七識ト云モノニテ侍也シカレハ七識ト云物ハ
自折アル者ニアラス申サハ八識ノ用ニテ侍此八識分ノ宗ノ
悟セウハ一念不生即至佛故ト香象大師ハ釈セラレタリ是即
一念モキサヽ子ハ其時佛性カアラハルヽトノ儀也サテ又賢大
乗花厳天台等ハ此八識ノ上ニ第九識菴摩羅ヨミニハ無
垢識ト云ヲ立ラレタリサレハ此躰ハ何タヲサシテ云ソト申ハ
惣シテ八識ノ上ハアルヘキニアラ子トモ実大乗ハ於又高リ
云アゲンカ為ニ第九識ヲ立タルト也其証拠ニハ如来切徳荘
厳経ニ如来無垢識是浄無漏界解脱一切障圓鏡智
相應ト説タリ無垢識トハ今申ツルコトク第九識菴摩
羅ノ翻名也圓鏡智ハ又八識相應ノ智ナルニ無垢識ヲ

55裏

以テ圓鏡智相應ト云時ハ是則第九識モ第八識ノ内ニ
コモルト云事分明ニ侍リ於又大乗一覧集ニモ此儀ヲ
受セレ為ニ解深密経ヲ引テ此阿頼耶識即是真如
不守自性随染浄縁不合而合能合蔵一切真俗境界故
名蔵識如明鏡不与影像合而含影像此約有和合義
若不和合ノ儀義即於常不変故ニ号真如同合不合分其二
義本一真如湛然不動若有不信阿頼耶識即是如来蔵
別求真如理者如離像覓鏡即是悪悪以未了不変随縁ト
見ヘテ侍リサレハ八識ノ境界ニ動セラレ又処ハ九識真如ナレハ
阿頼耶識ノ外ニ九識ヲモ不可尋花厳ニハ以七転識皆是
本識差別切能ト見テ侍リ此心ハ前五識モ第六意識モ第

56表

七末那識此七皆是本識上ノ差別功能ニシテ別ノ物ニ非也
本識ト云カ第八阿頼耶識ノ事也差別功能トハタトヘハ眼
ニテ色ヲミシレハ眼識ト云第六識ニ有テ法ニ縁スレハ意識ト
イワルヽニ依テコソアレ其躰ハ唯阿頼耶識ソト云儀也玄奘
三蔵ハ法位第八識即為第九識ト云是モ八識ノ外ニ麥
第九識也又圓悟ト申禅ノ祖師モ納僧受用無多子
八識田中下一刀トイワレタリ是モ八識ノ境ニ合スル処ヲ純
断トテ切テスツルカ第九識ト心得タルト見テ侍リ是又
第八識ノ作用ニシテ別ノ物ニアラスト心得玉ヘサテ此真言
宗ハナヲ此九識ノ上ニ又一ヽ心識ナトヽ云テ十識十一識
無量ノ識ヲ立ルト云ヒ是皆彼本識ノ差別功能ニテ

56
裏

別ノ物ニハアラス惣シテ於是佛法ニ申ナル心意識ノ三ヲ
ヨクワキマヘ玉ヘ此三ハ各三躰一トテ名ハ三ナレ𪜈其作ハ一也
毘婆沙論ニ此義ヲ明ニタトヘヲ引テイワレタリ心意識
何ノ差別カ有ト向タ無有差別即心是意々即是識皆
同一義ソ如火名火名焔亦名為熾ト答タレハ用ニ依テ名ハ
別ナレ𪜈躰ハ唯一ニテ侍ソ此タトヘノ心ヲナシ火ナレトモ
モヘ又トキハ火ト云テ唯火ニテ也モヘタツトキハ焔ト云
是ホノホ也於又ホノホノ高ク上ル時ハ熾ト云熾ハ盛也トテ
サカンナルカタチ也其コトワリ何心モナフシテノイタルトキハ心ト云
念ノキサストキハ意ト云ナヲシモ縁紅トコニカニ物ヲ分別
スルトキハ同心ナカラモ識トソト云事ナレハ心意識ト云

57
表

名ハ用ニ依テノカワリタレ𪜈其作ハ二モナク三モナシト心
得玉ヘ識分ノ沙汰ヲ略シテノハ申カタク侍レ𪜈先形ノ如ク
評申也コレニテモ大方ハ聞ヘ侍ヘシ妙秀識ノ沙汰委ク
承リテ今コソ不審モハレテ侍ラヘシカレハ又真言ノ阿字
観ト云事ハ何トシタル事ニテ侍ルソ尼貞其阿字観ト
申ハ出入ノ息ヲ観スル事ニテアリ妙秀ココニ不審有
真言ニ云阿縛囉訶佉ハ地水火風空此五大ノ種也
サレハ阿字ハ水大ナレハ息ノ作ヲ観スルニ地大ノ種阿字ヲ取
テ出シタル事イカナルイワレニテ侍ソヤ尼貞御不審尤也
先息ノ作ヲ観スルニ地大ノ種ヲ取出セルニアニタノイワレ
侍ル中ニ先阿字ハ有程ノ音声ノ初ロヲ開ハ即アトヒ

57
裏

ラク故ニ阿字ハ息ノ作トシテノ観スルト也其上此阿字ヲ
尺スルニハ堅湿煖動無碍了別ト云事ノ侍リ息凡トテ
此息ノ凡ニハ六大カミナコモリタルト云リ夫堅トハ作ハ打
テモ砕ス切テモキル丶ト云事モナキ処ヲ地大ノカタキ
方ニトラレタリ湿トハ息ニウルヲヒノ有テシメル方ヲハ
水ニトリ侍ルトカヤ煖トテノ息ノアタ丶カニカワクノ心アルヲ
ハ火ニ取ト也動トハ息ノ作元ヨリ風ニテノウコキハメラ
クヤイアレハナリ無碍トハ息ノ作ハ物ニフレテサワリナ
ケレハ空也ト云リ了別トハ息ノ作ハ元ヨリ無分別ナ
レハ其処ヲ了知ト云トソ惣シテ此阿字ト云ハ自心ヲシ
ラシメン為ト也其自心ト云カ息也息ト云字ハ自心ト書リ

58
表

此故ニ文ニ如實知自心ト云事ヲ心ニカケテノ観スルト也實ノ
コトソトシレト也此息タユレハ命モツキ分別モ動キ丶タラ
ク情モナクナルトキハ息ノ外ニ心ヲモ尋又ヘカラスト也大
日經ニ阿字第一命遍於情非情非情トアル文モ有情非
情ノ自作ヲカ丶ヘタルハ息也ト云也又同經ノ第十ニ
命トハ風也想也想トハ念也如此命根出入息想
也トアレハ命モ心モ息ノ外ニナシト云也但息ハ用也
作ハ心性也トイヘトモソレハ一性ニテ人ニ不審ヲナサセシ
カ為也其故ハ既ニ空言ハ即身成仏ト心得ルカ面目
ニテノ侍レハ何ソ色トナル息ノ外ニ心佛ト尋シヤサレハ阿
弥陀ト云ハ意識ノ対観察者ト轉シタル者也然ハ

58裏

意識トハ一体也此故ニ阿弥陀ノ種子キリク字ニハ阿
字以体トセリ阿字ハ風也阿弥陀ト云事ヲ翻シテ無
量寿ト云此無量寿トハ即息也今大日經ノ文此心ニ
カナヘリ阿弥陀而已ニアラス地蔵観音ト云モ此息
風阿字ヲハナレス佛説地蔵經ニモ延命菩薩中心不動
阿字ナ体トアリ是則地蔵トイツハ地大ノ事也トシ
ミ別ニタウトキ物ニアラス息風ニテハ堅ノ作用也又観
音ト云ハ一切衆生ノ千割多心トテ人ミノ胸中ナル
赤肉團是カ真ノ観音ト云也其ニ依テ此観音ノ左
手ニハ未敷蓮トテツホメル蓮花ノカタチヲ持右ニハ開
華ノ勢トテノ開ケル体ヲナシタルハ是則胸ノ内ナル肉團

59表

ノ蓮華カ本ノ観音ソト云儀也泊瀬清水ノ観音ハ是ヲシ
ラスヘキ方便也サレハ此息風ハ胸中ノ蓮臺ヨリ出テ口舌
唇ニ當テ音声ヲナセハ阿字トナル息即観音也此故ニヲソ
観世音トハ世ノ音ヲ観スルトハ書侍レ世ノ声ヲ観スルト
ハ法界ニミチフサカリタル風ノ事也是ヲ自性清浄如
来トモ無量寿トモ申也尓ニカクノ如キ本ノ阿弥陀ト云
モ息風ナレハ観音ト阿弥陀ハ一体異名即因果不二ノ
儀也ト云リ爰以地蔵観音阿弥陀トテモ皆タウトキ
モノニテハナシ唯息風ヲ指テ云也息ヲ佛トモ心トモ意
トモ識トモ心得タルユヘ也アナ浅ニミノ迷ヤ本入ノ息ノ
風ハ無心無念ニシテ何タル事ニ縁シテモ分別智恵ノ

59裏

ツクヘキモノニ非ス又是本来トシテノ自ラ有ル物ニモ
アラス此風ニカキラス四大天地ヲ如此アラハセハカラ
ヒ玉フ御主ニシニス是ヲハ氏貴理師端ヨリ外ハシラヌト
心得玉ヘ其故ニ佛法ニハ地獄極楽後生ノ沙汰ヲハ極テ
ハ無物ニスル也真言ノ事モアラリ長侍ハ又別宗ノ
事ヲ語ニミラスヘシ

禅宗之事

妙秀八宗ノ事ハ聞ミヒラモ又是ハ何モ皆同事ニテノ
侍り禅宗ト申ハ教外別傳トテノヨニカワリタル
ヤウニ兼ルカめつ様ナル事ニテノ侍フ以遥負すレハ
禅ハ作ノヤツニ教外別傳トハ申セモ是又別ノ事ニテノ

60表

侍ラス唯同佛法ニテノ侍り但教外別傳ト申ハ釈迦靈
鷲山ニテノ説法セラレシニ佛一枝ノ花ヲ捻シテノ大衆ニ見
セシムルニ衆皆黙然タリト申テ其心ヲ悟得サリシカハ
皆物言事モナカリシニ迦葉一人破顔微笑ストテ云ニ
ツコト笑タレハ其時釈迦我ニ正法眼蔵涅槃妙心有
ニ阿迦葉ニ付属ストイワレシヨリ已来教ノ外ニ別ニ傳ル
ト云心ヨリ此禅法ハ事起シカレハ其付属ストイワレシ
正法眼蔵トハイカナル事ソト尋ルニ是又別ノ事モ
ナシ一心法ヲヨクミシレハト云事也サテ其心ハ有ト
傳タルカ無ト傳タルカト申セハ無ト侍ルモノニテノ侍り
此故ニ其傳法ノ偈ニモ法ノ本法ハ無法也無法ノ法

亦法也今付無法時法ニ何曽法ナラント云リ此心ハ先法ト云ハ
何ヲ指タルソト云ハ法トハ心ノ異名ニテ侍リ此故鳴搯ト
申セシ西天ノ祖師モ不謂法者謂元生ノ心也ト云玉ヘ
タリシカレハ法ノ外法ハ無法也トハ外心ト云物ハ無心
無念ナルモノソト云侍セサテ無法ノ法亦法也トハ其心良
多カルヘシ若中先一二ヲ挙テ申ヘシ一ニハ右捨シテ見
タル花モ木ヲワリテミレハ緑モ紅モナケレトモ一コトハ
ナキ花カカリニサキタルコトソ元来ハ無心ナレトモ時ノ境
界ニツレテニクシキタナシノ心モヲコレハコヽヲサシテ無法ノ
法亦法也ト云リ二ニハナキ物カ一ツアルソトイヘル事ヲ
無法ノ法亦法也ト云リ今付無法時法ニ何曽法ナラ

ト八十キ心ヲ傳ル上ハ傳ルカ傳ルニモアラス[illegible]有程ノ
事ハ皆空無ツトノ心也西天ノ廿八祖モ是ヨリ起リ東土
ノ六祖モコヽヨリ始テ侍ルニヤ初祖菩提達ニ二祖恵
可大師ニ心印ヲ傳ラレシトキモ心ヲ将来汝カ為ニ安
心セント有シニ恵可覓心了ス不可得トイヘルトキニコソ汝カ為
安心セリトハ印可決定セラレテ侍リ又五祖弘忍禅師
モ身ハ是菩提樹心ハ如明鏡臺トヌルヘトイワレタリ神
秀ニハ衣鉢ヲ傳ヘス本来無一物何処有塵埃ト切テ分
シタル盧行者ニ衣鉢ヲ傳ヘテ六祖トハナサレタリサレハトヨ惣
シテ禅ハ臨済雲門曹洞潙仰法眼是ニ楊岐黄龍ヲ
加テ五家七宗ト申也五家七宗トモニ皆心ハ空無ツト有

事ヲ識得スルヲ本トセリサテ〳〵佛法ハニカ〳〵シキ教ニテ
侍物哉何モ〳〵皆此分ニ後生ハナキソトノミ見破テハ何カ
ヨク侍ラン後ノ世ノ事ハサテヲキ又現在ノ作法モ上ニ恐ヘキ
アルシヲシラサレハ道ノ道タル事モ不侍人ノ心ト申ハ私ノ
欲ニヒカレテ邪路ニ入ントノミスルニ無主無我ニシテ悪ヲ懲シ
テモ罰シアタヘン主モナク善ヲ勧シテモ賞ノ行ルヘキ
処ナシ虚空ヨリ生シテ虚空ト成ト自由自在ニ教タル
事ハ偏事ニテアラスヤ貴理師端ノ眼ヨリハカ様ノ教ヲ
ハ邪法トノミ見ルヘシ妙秀イヤ禅ニモサヤウニ虚空ヨリ生メ
虚空ニ帰ストノミハミヌトコソ見レ其故ハ虚空ノ空ハ空
ニシテ無也仏性ノ空ハ空ニシテ真也トテ物ヲ入テモサ

ワラヌ処ノ虚空ノ空ハナキ物ニシ佛性ノ空我等カ心性ヲハ
アル物ニセラレ侍リ真トハ空ニシカラスト云心ニテアリト云ハ
如何幽貞ソレハ今ニテ申ツルコトソ禅ニカキラス何見
面向ニアルヤウニ申サス宗ノ侍ルナレトモ極テハ皆ナキ物ニシテトレ
付セ虚空ト佛性トヲ別ニミルハ仏法ノ上カラハイ一タノ凡夫
常ノ人ト云リ黄蘗ノ傳心法要トテ心ノ傳ノ千要ヲ
カキタル物ニモ凡人多不肯空心恐落空不知自心本空
見タリ此心ハ凡夫ハ心ハ空ニメナキ物ソトキケハアラ勿体
ナノ事ヤ空見トテアレハ迷セト云テ同心セス是秘心ノ元ヨ
リ空ナル事ヲシラヌ故セト契ヘリ又同法身即虚空
ニミ即法身常人謂法身遍虚空処虚空中含容法

62裏

身ヲ不知法身即虚空ニ即法身セト見テ侍リ此皆
尺ニ不及法身ト云カ仏性ノ空ノ叓セ是ニ玉ヘ二ツト八云ス
惟一ニ落著シテ侍ルソ但此分ニハカリ申セハ教法ノヤウニ
伺ヘテ参禅ノ参学ナトノ叓ヲシラヌカト思玉フヘケレハ
此上ニテノハ隠シ申ノ三ニノモナシ大作寺ニテノ蜜参ノ物ヲ
ミセニヒラスヘシ是ハアナタヨリ出テノ給タルニテノ侍ルソ
僧問趙州如何是祖師西来意　弁意ハ有ニ似テ無
物テ候拶曰無キ証拠ヲ弁シ来レ　弁頭上ヨリ脚下
ニテノ全体ヲ皮ハ皮肉ハ肉骨ハ骨髄ハ髄トサキ分テ見
モ意ト云物ハ色形モナシ眼ニミヘヌノミナラス耳ニモ不聞
鼻ニモカヽレス舌ニモ味レス身ニモフレラレス詞ニモ求ラレヌセ

63表

是カナキ証拠テ候拶曰無心ナラハヲシニホシヒイトヲシイカ
ナシレイト思モノハ何物ソ弁来レ弁意ハアルニ似タ物テ候
古人云有非有無非無アルニモ着セス無ニモ着セス是モ
アルニ似テノナキト云タ語也又古人云心法無形通貫十方形
ハナケレトモ居士天竺ノ叓ヲモ居ナカラ分別スル程ニ十方ニ
通貫スト云ソアルニ似テナイソ又古人云心法ハ如水中月
猶如鏡上影水カアレハコソ人ノ形モウツセツノコトクノ人ノ
五体六根カアレハコソ心ト云モノモアレ別ニ心ト云テハナシ
是モ有ニ似テナシ釈迦モ過去心モ不可得現在心不可得
未来心不可得ト説玉フソ三世不可得ト云タソ如此三世無
心トサヘトリタラヘ何輪廻モアルニイワノ色相ノアル乃ハ念

63裏

ト云叓モヲコライテノハカナロ又物ヤヘタトヘハ念ヲ起シタリモ
明眼ノ上ニテノハ輪廻トハナルニヒソ三世無心ト悟如此要也
又古人心有則曠劫受沉輪心無則刹那成正覚心有トハ
迷タル凡夫ノ叓ソ曠劫トハ一ダン久シク長キ叓ソ沉輪トハ
生死海ニ沉輪シテナシ上ソ無心トハ三世無心ト悟タ上ソ
刹那トハ髪一筋切程ノ間ノ事ソハヤキト云心ソ成正覚
トハ悟タト云叓ソ別云庭前ノ白樹子弁白樹モ心有、
似テナキ物テ候拶曰草木ノ上ニ意アルニミテノナキ証
拠ヲ弁来レ弁柏樹ニカキラス一切草木悉春ハ生シ夏
ハ長シ秋ハ収メ冬ハカリシ四時ヲリ〳〵ヲ知テノ生老病
死アリ氷水ヲソヽキウヘヲカヘハヨロコヒ花咲緑ヲイタスソ

64表

又切ハイタムソ是ハ有ニ似タソサテ根茎枝葉ヲ打破テ
見ハ中ニ花ノ種モ緑ノ種モナシ是ハ心カナキソ是ヲ以テ
西来意ト向タニ柏樹子ト答話ニ直指セラレテ候古人ノ
歌ニ桜木を砕てミれハ花もなし花こそ春のそらの
りけり此古則ニヨクカナヒタルトノ先師已来ノ仕法ニテ候
下語柳緑花紅是モ柳緑モ花ノ紅モ柏樹ノコトク無
心ノ叓ヘ其程ニ草木モ人ノ心モ有ニミテノ無物ナル故ニ此句ヲ
柏樹子ト云処ニ付タソ早竟三世無心ト云肝要也拶曰
如此ミル時ハ無ノ見ニハ落ニヒル弁無ノ見ニハ落テ候其故
ハ有モノヲ無ト云無物ヲアルト云カ無ノ見也心ト云物ハ
元来ナキ物ヤヘ無物ヲナシトミルハ正知正見テ候程ニ

64裏

無ノ見ニハ落テイ候是見結ヘ申ニ及ハヌ事ナカラ心ト云物
ハ無物ニ是モ又ミテ侍ルハ佛法ハ何モ此分ニメツラシカラス
是カ又一万法ノ話ノ審参ノ物ニテ侍フサレトモヨミニミラヌル
ニ不及是モ〳〵ト申セハ時ウツリ侍ルニハ間ニカクルヽニテモ
ナシ惣シテ古則ト申ハ一則モ一千七百則モ趣ハ同シ
事ト聞ヘタリ一心ヲサヘヨク明ムレハソレニテスム事ニテ侍リ
此故ニ明州ノ大海法常禅師ト申セシハ馬祖ニ逢テ如
何是佛ト向シニ馬祖即心即佛ト荅ヘラレシ此言下ニ契
當シテ直ニ大梅山ニ入テ白眼ニシテ他ノ世上ノ人ヲ見シ大
悟大徹ノ人タリシハ數多ノ古則ヲ見ニ及ハヌ証拠ニテ非ヤ
仏法ニハ一心ヲサヘモ明ムレハ何ノ宗ニテモコレカ極ニテ

65表

侍ルソ此一心カ即本分此一心カ即佛此一心カ即地獄此一
心カ則天堂ニテ侍ルト云リ畢竟シテ此一心カ則無ト云処
ニテ万事カ止侍ルソ心有則曠劫受沈輪心無則刹那
成正覚トアル事モ此事也然共イヤ又禅ニモサヤウニハカリ
申サヌト承レ五祖演ニ如何是曹洞宗ト向タレハ荅話ニ駅
吞不到家トアリシモ曹洞宗ノ行李ハ落居ヲ嫌フ箇
夫ニ依テ有無ニ落ヌヲ本トスイカナレハサヤウニ無トノミハ
ノタマフソサレハ此宗ノ五位君臣ノ沙汰トイヘルモ中ヲ本トセ
ル処也是ヲハイカヽ心得申ヘキヤ坐貞其仰ヲ也曹洞宗
ナトハ有無ノ落去ヲキラフハレタリサテ禅法ノ眼カラハ是
カヨキニテ侍ルソヤ座頭ノコセ事ナトヲ云カコトク絶シ法

65裏

門タテヲハイヒニワレトモ今時ノ會下僧ハ万法一心ノ悟ニハ
クラク侍ル故ニ月ヲ〆カミ日ヲ拝ミ花岩詣リ清水ニテナト
云事ニテ愚痴ノ尼入道ニカワラスアナタコナタトスル事ハ
有無ノ落去ヲキラヒ中ヲ守ルノ風花ニテ侍ルヤソノカミ
菴ヲ焼タリシコトキ婆子ノ今モアルニシカハカヤウノ僧ニハ宿
ヲモカサシ物ヲト大花寺妙真寺ナトヨリハ世ニ〆カレキ事ニ
申サルヽ也次ニハ五位君臣ノ沙汰ト申ハ元ヨリ中ヲ〆リ
サニく欲セサル一理也トイヘ共其中トハ何ソトイヘル事ヲハ
識得セテタヽ有無ノ落ヲセサル是ヲ中ノ分意ト心得
ルハトモニハカルニタラス袈裟ヲカキニシテ僧ト云テ立ル程
ノ事ニテアルソト仏心宗ノ眼カラハ申サルヽセサレハ有僧

66表

曹山ニ五位君臣ノ旨訣ヲ向テ侍ルニ山正位即空界本來
無物偏位即色界有萬形象偏中正舎事入理正中偏者
背理就事兼帯ト八冥應衆緣不墮諸有非染非淨非
正非偏故曰虚玄大道無著真宗ト荅ラレシニ中ト云物者
ヨクキコヘテ侍ルカ此内ニモ神ヘ参レ佛ヲ祈レト云事ハ見ヘ
侍ヘラヌソ此荅話ノ心ハ先正位トハ則分位トモ見玉ヘ
其本ノ位ト云カ則空界也空界トハナキ処ノ事ニテアル
故ニコワ本來無一物トハイワレテ侍レシカルニ無ニ落去スル
カ曹洞宗ニワロキトイワヽ先此宗祖ナル曹山ヲカラ
損出シ血脈ノフタヨリモ削リテ捨ヘキ事ニテ侍リ偏位
即色界有万形象トハ色形アル物ハ皆是分位ニ非ス

66裏

ト云ヲ偏位トハ云リ偏中正者含事入理トハ偏カ中正ノ
位ニ帰スト云義ソレトハ色形ヲハナレテ唯理ニ入事焼灰
埋ハ土トナル〳〵シ正中偏者背理就事トハ正中カ偏位ニナル
ト云義是即正位ノ空ヨリ此色形ハ出タルソト云心兼帯者
真応元縁不堕諸有非染非浄非偏故曰虚玄大道無
著真宗トアルカ即中ト云物ノ作也有無ニ落着セヌカ中
トノミ思ハ其用ヲ取テ作ヲシラヌカ故ニソレハ廿日語ハ尼カ
法師カノツレテ夜カ明侍ラヌソ此兼帯ト云ハ一心ヲ指テ
ノ事也此一心ハ今ハ空有ヲ兼テ縁ニ応シテ地獄餓鬼
ノ至菩薩仏果ト色ニノ念慮ヲコレトモソレカワレニモナラヌト
云処ヲ虚玄大道ヲ著ノ真宗トハ申侍リ即是カ法華ニテ

67表

妙法蓮華ト云タル物ノ事也サテ平意ニシテ此心ハアル物カ
ト云ハ心有ハ則曠劫受沉淪心無則刹那成正覚トアリツ
ルコトク無心無念トシルヲ成仏ト心得タル物ニテ侍リ此処ニ
至テハ祖意モ教意モカワル事ハ侍ラス惣レテカ祖教一
致ニテ侍リ此心ヲ梁山ノ観禅師ハ金烏東上人皆貴
玉兎西沈仏祖迷ト頌セラレタリ金烏トハ日輪ニテ是ヲ
教意ニタトヘ此教ニ依テ心ノ迷ヲハラス方ヲ日出テ人貴フ
ニ比シ玉兎トハ月ニテ是ヲ祖意ニタトフ月ノ入ハ仏祖モ迷ト
云タルカ悟ノ心ナケレハ仏祖トテモ何ナラストイワンカ為也
サレハ日出テノタフトカルト月ノ入テ迷惑スルト云ハ詞ハ
カワレトモ心ハ同事ニテ侍ル故ニ祖教一致ノ頌ト是ヲ

67裏

申也其一致処ト云カ我心自空罪福無主トアル処ニテノ
仏法ハ万事休シタル物也仏法ニテ無ト落着セヌハ仏上モ
法トモシラヌ人ニテ侍リ但此無ヲ知テヨリハ何ト云テモ
同事ト思ト故ニアラソハヌ心カ出来テアルト云人ニハアフ
中々後生ハアル事ニテノ侍フトイヒ又無ト云人ニハ其事也
後生ト云テ何カ跡ニ残ラシカナト云テ柳ノ糸ノ西ヘモ東モ
風ノニヽナルヤウニアルヲ禅ノ至タル上ト思也真正ノ見解ヲ
用得タル人ハ袖ノフリ合モミエヘキト云ホト分ノ無ヲヨク
知得テノカラノ事也兎ニ角ニ禅トモ申セ教トモ
申セカシ仏法ハ何モカ様ニ無ニ帰シ
タル事ハ勿躰ナキ事ニアラスヤ

68表

浄土宗之事 付一向宗

妙秀今ニミテハワラハカ宗旨ヲハ何トモアラハシニヒラセサリ
シカ此上ニテハイカテカツヽミ可申ワラハヽ浄土宗ニテ一念
仏三昧ノ身ニテ侍リサレハヨノ宗ケハ今ニミテ語玉フヤウニ
悟ノ観法ノナト申セトモコナタニハ唯一向専修トテヒタ
スラニ仏名ヲ唱ヘ西方極楽ヘ往生セント思フ外ニハ曽テ別ノ
事ナシシカレハヨノ宗ニハ地極楽モナシトモノタマヘカシ浄土ノ
一宗ニカキリテハサヤウノ事ニテハ侍ラス既阿弥陀如来ハ五
劫思惟ト申テ五ノ歳ヲナデツクス間ノ御辛労ヲ以テ
衆生ヲ助玉ハンタメノ方便ヲ求メ玉ヒ四十八願ヲ起念仏申
サン衆生ヲハ十声一声ノ内ニ来迎有テ西方極楽ヘ迎ヘ

68裏

取玉シトノ御誓ナルカ故ニ念仏衆生摂取不捨トノタマヘハ
萬ノ仏ノ願ニモスクレタレハ超世ノ心願トハ是ヲ申セ此故ニ
浄土宗ニハ後生ナシトハ申サヌ也　凶貞其事ニテ侍リ度
ニ申ツルコトノ何モ先アルヤウニハ申セトモ別シテ浄土
宗ニハ今御身宜フヤウニ地獄モ天堂モアルヤウニ申セ浄土
ノ宗旨ヲモ如斯キヽハシヘリシ事ナレハ是又大方説ニ一ニコス
ヘシ浄土宗モ色ニニカワレトモ二ツ其大旨ハ法然ノ下ヨリ
鎮西ニ山ト二流ニ分タリ鎮西流ハ當得往生ト云テ一ノ命終
ノ後ニサニ往生スヘシトイヘハ西山流義ニハ即便往生トテ名
号ヲ唱ル端的カ即往生セト云タリ故ヲイカニト云ハ観經
ノ中ニ則便ト云詞カ三処ニ侍リソレハ即便捨釼トアルト

69表

尓時世尊即便微笑トアルト発三種心即便往生トア
ルニテ侍リ然ハ名ノ二ノ即便トアル処イツレモ其端的ヲ
サシタル事ナレハ即便往生ト云モ其端的カ往生ト云タリ
サテ此往生トハ何ト云事ソト尋レハ浄土ノ祖師ノ語ニ
往生者諸宗悟道得法異名セトミヘタリ此諸宗ノ悟
道得法ト云ハ何ソナレハ真如平等トテ終ニハ虚空法
界ニシテ神モナク仏モナク地獄モナク極楽モナシト悟ヲ
悟道得法トハ申セサレハカヤウノ悟リ観法ヲ修スル宗ヲハ
念仏宗ヨリハ聖道門ト云是ハ末代劣機鈍根ノ衆生トテ
末ノ世ノ今ハ機モ心モヲトリタル故ニ其悟ニ入難シシカルニ浄
土門ト云ル我宗ハ末ノ世ノ愚ナルヲ使サシカ為ノ善行方便

69裏

ナルハ唯一節ニ南無阿弥陀仏ト唱サセ一息絶断トテ息
ヲヒツキル処ヲ往生ト云リ是カ諸宗ノ悟道得法ト同事ト
ハ何シニ云ソナレハ諸宗ノ修行ニテ悟ル此悟ニ念仏ノ行者モ死ル
時節ナレハセト云心得ニテノイヒタル者也コレ御覧セヨ浄土宗モ
後生ハナキ物ニスルト云事ノハヤソロヽト見侍ル事ヲ其
上浄土宗ノ法門ノ所詮ヲ開玉ヘハ、愈是モ後生ハ無ト云
タル事ヲ弁ヘ給ヘシ其ト申ハ浄土宗ニハ實作化用教門
實義トテ四義ノ法門ヲ立タリ浄土ノ法門モ事廣ク侍レ
氏平生見シテハ此四義ニ便タル事モナシサレハ諸宗何モ極
テハ仏モ衆生モ地獄モ極楽モナシト云処ヲ宗ニニ名ヲカヘテ
色ミニ申ナセ禅ニハ本分ト云天台ニハ真如ト云法相ニハ

70表

圓成實性トモ名付三論ニハ空ト云是何モナキ処ノ惣
シカレハ浄土宗ノ四義ノ第一ナル実作ト云モ是即ナキ物
ノ唐名ニテ侍リ又是ヲ一法句トモ申セサテ此無ヲ根
本トシテソレヨリ阿弥陀ヲ始トシ其願力不思議五劫
思惟ノ功ニムクヘル西方極楽ナト云事ヲ作立タルヲ第二化
用トハ申セ又此西方極楽ニハ三輩九品ナト云事ヲ立テ
廿九句ノ荘厳ナト云テナキ極楽ノ多キノ雑説ヲ有
ヤウニ申ヲ第三ノ教門トハ申也而死スレハ九品ハサテノヲキ
一品ノミナモ其極楽モナキ物ニナル処ヲ実義トハ云也此処
ヲ曇鸞大師ハ本則三三之品今無一二之殊亦如淄澠
一味等ノ可思儀トスレタリ此心ハイキテ有シ時ハ九品ノ浄

70裏

土ノアリト思トモ死テハ一モナク二モナキ真如虚空ト成テ
我ヤヘモナクナレハ思惟工夫ニモ及ハス又処セト云ル儀也又日ヤノ
中ニ有ハ開山ナル浄土ノ祖師ア誉モ浄土ノ實儀云事品
同一無差薩般若ト略頌ノ内ニ云ルモ真ノ浄土ト云ハ三ハ
イモ九品モナシ、タ、一枚ノ虚空ワト云リ薩般若トハ此
ヲハ妙知ト云也妙知トハ即無智虚空ノ事也是見
給ヘ浄土ノ極モ後生ト云叓ハナキ物ニミタリサレハ
四義ノ根本実体ト云カ無ノ叓ナレハソレヨリ出タル
化用是又ナキ事ト、ソ作立タル物也先御大將阿弥
陀ト申ヤウナキ叓ニテ侍リ数相ニハ月城情偏聖
王殊勝妙顔丈人ノ子セトイヘトモ實ニハ有タル者ニアラス

71表

例無叓宣フ釈迦尊カ小阿弥陀經ニミヘタルコトク舎利弗ニ
對シテ是ヨリ西方十万億ノ仏土ヲ過テ世界アリ名付
テ極楽ト云其土ニ仏アリ阿弥陀トモウス今現ニミシヽテ法
ヲ説給フト云ルカラカ阿弥陀ト云佛有ト人皆申セ是ハ
ウソノカワニテ侍ルソ其故ハ先西方十万億土ト云カラカナキ
事ニテ侍ルソ惣シテ世界ハ終シモナク其形一面ニヒラキ
物ニハアラス丸キ物ナレハ西東ト云事ハ小南ニハ遠ヒコソ
ト定タル方ナシタヽ月日ノ出ル方ヲ東トイヒ入方ヲ西トス
レハ東ト思処ノ西ニナル叓モアリ西ト云方ノ東トナル叓
モアリ其故ハタトヘハ先此京ニテハ大津ヲ東トイヒ愛
岩ヲ西トイヘトモ大津ヲ行トキ鏡山ノ方ヘ行ハ京ニテ

71裏

東トイヒシ大津ハ又西ニナレリソノサキヘモコレニ同シ又京
ニテ西トイヒシ愛宕モ丹波ノタキノ方ヘ行ハ東トナルソノ
サキヘモ次第ニ此分ニシテ丸キ物ナレハ西方ト定テ云ヘ
キ処ナシ世界ノ丸キ証拠ニハ西ノ海ニ傾キ入トミヘシ月日
又東ヘメクリ出レハ世界ノ形終シモナシ一面ニヒラキ物ニハ
アラスト云叓明也其上貴理師端ノ国ノ人ニ黒船ト云
物ニテ我國ノ湊ヲ出シ毎日日ニ向ヒ東ヘヽトハカリ行テ
又元ノ湊ヘメクリ合ハ丸キイワレニアラスヤ又月ヲ弟ニテ
西ヘヽト乗行テモ同叓明セサテ此一匝ノ乗ハ此界
三界ノ廿太ノ処ニ申ツルコトク七千七百七十二里餘ト
シルセリシカルニ西方十万億土トハ何クヲ指シテ云タル

72表

叓ソ世界ニヒラハリヲ折テモ是ニテハ有ヘカラス片腹イタ
キ叓トモセ今ノコトク世界ヲ乗ニワシテモ終ニ西方極楽ト
云処ヲハ見ストキリシタンノ人ニハシカシキ叓ニ思ヘリ既ニ西
方極楽世界ナクハ阿弥陀モナキ物ナル叓明也夫ニ依テ
唯心ノ弥陀己心ノ浄土ト申テ一心ヲ弥陀トモ浄土トモ
云カ本ノ叓也観經ニ尺迦韋提希ニ告テ汝今知ヤ否ヤ
阿弥陀仏去此不遠ト云ルモ此叓ニテ侍リ惣シテ此釈迦
尊ト云仁カ人モヤトハヌトウス語リノ偽ハカリヲ云テ阿弥陀
ニモカキラス毘婆尸佛ノヤレ罽那尸棄仏ノナト、云テ過去
七佛アリシカ其内ノ燃燈佛ヨリ授記セラレテ今此仏果
ヲ得タリナント、云テアヒヨニモナキイヒタキニナル偽ニテソ

72裏

云置タレハ阿弥陀ニカギル虚空ニアラス又涅槃経ニハ三十一
十一万九千五百同号同名阿弥陀佛ト云モ三十是無
叓也其上化用ノ内ニテ云ナル五劫思惟ノ功德是又天下
ニモハヽカル大ノ虚言ニテノ侍リ先思テモ見タマヘ四十里四方
アナタノ岩ヲ三年ニ一度天人ノ天ノ羽衣ニテナテヽ撫尽シタル
ヲ一劫ノ間トスサレハ五ノ巌ヲ撫尽ス間是ヲ五劫トスサテ是ハ
有ヘキ叓ニテ侍ルヤ方四十里ノ岩ヲハヲキ給ヘタヽ手ノ内ニ
握ル鳥ノタマコ程ナル石ヲ羽衣ヲモテキイカニモアラキ四周ク
フニテノ毎日毎夜鏡トキノ鏡トソヤウニスリミカヽシニ幾万歳
ヲ経テモ千端万端ノタフハ破レウスルトモ其石ハウスラクノ事
モアラシ況四方四十里ノ岩ナラハ大小ノ金剛石破ゲンノフトヤニ

73表

云物ヲ以テ打トモ砕トモ一ツノ岩モツキ侍ラシシカルニ五ノ
岩ヲ羽衣ニテノ三年ニ一度撫テ尽ス間阿弥陀ノ思惟工
夫シ難行苦行シタリナト云ハ偽トモ何トモイフヘキヤウモ
ナキウワ言ニテノ侍リサレハサキニ申ツルコトク西方極楽モナ
ク又此五劫思惟モナキ叓ナラハ弥陀ハアリトモ何ニカセン
其上阿弥陀モナキ物ニテノ侍ルソ観経ニ此阿弥陀ノ身量
ヲ挙テ仏身ノ高ハ六十万億那由他恒河沙由旬眉間白
毫右旋婉転ス如五須弥山佛眼如四大海水青白分明ト
見タリアラヲソロシノ身ノタケ眼ノ大サヤ是ヲ以テモ心
得玉ヘ阿弥陀ト云者ハナキ事ニテノ侍ルソ其故ハカヤウニ
大ニ云ハ虚空法界ヲサシテノ阿弥陀ト云タル物也ソモヤ

73裏

色身ヲ具足シタル程ノ者ニカヤウニ大ナル叓カ侍ルヤ観経ニ
諸佛如来是法界身也トアルモ此叓也浄土宗ニハ此文ヲ色
ニ私ナル注ヲ付ラレ侍ヘトモ弁ノ心ハ虚空法界ニ遍塞リ
タル凡ヲサシテイヘル叓也サレハ真言ノ阿字観ノ処ニモ
申タルコトク阿弥陀ト云モ此凡大ノ事阿字観ニテノシラルヽ
叓也身ノ長ツヲソロシクイヒタルモ此下心ニテノ侍リ平愛此
念仏ノ行者南無阿弥陀佛ノ息ニツレテ極楽世界ニ往生スル
ト云モ虚空法界ト帰レテノ無ニナルト心得ニテノ事也双観経ニ
皆受自然虚無之身無極之体ト云モ同又達空無極同入
泥洹トアルモ皆是虚空法界ノ空無ニ帰スルト云ル事也
涅槃ト云心涅槃トハ不生不滅トスル後虚空佛性ハ

74表

ナキ物ナレハ元来生滅スヘキ者モナシトノ心得ナリ大原問
答ニ三世ノ諸仏化道ノ心ハ偏ニ聖道浄土ニ之ヲ然ルニ二種勝法
共ニ為令入無相無念一理也トアルモ此心也サレハ浄土宗ノ隆
男人モナケニ鐘ヲタヽキ頭ヲフリ軽忽ナル大声ヲ上テノ南
無阿弥陀仏ヽヽトアニリニシコル時ニハヨソヨリ聞テハタヽ大
モテナトシヒク者ノユイヤ声カト思程ニ念仏ヲ申サスルモ無
念無想ニナサシメン為ナリト見タリ唱ヘハ仏も我もなか
りけり南無阿弥陀仏の声ばかりしてト讀ル哥モ此時ノ事
ニテノ侍リ心ト云意ノ字ハ音ノ心トカケリサレハ頻ニウツヽ
ニ念ヲヌカシ南無阿弥陀仏ヽヽトサケフトキハ仏ト思心モ衆
生ト思心モナクナレハ南無阿弥陀仏の声ばかりしてトハ云リ

74裏

此色即空也此風即阿弥陀ニテ侍リシカルトキハ上件ノ
理リトモヲ以テ阿弥陀ト云カ虚空法界ナキ物ノ名也
ト云事明也死スレハ花生モ是ニ帰シテ無トナルソト
云テ下心ナレハ浄土宗ニモ後生ハナキト心得タル物ニテ
侍リ一向宗ノ開山親鸞ト云シ上人ハ此処ヲヨク悟タル
人ナリシ故ニ身ヲ安クセントソカミ月ノ輪ノ禅定ノ姫
公ヲ取レシカハ此事天下ニカクレナク其惶ニ依テ一シハ六
智音院ノ下ナル塚穴ニ隠レ居レシカトモ後ニハ世モ廣ク
ナリタルニヤ今ニ其門葉世上ニ廣マリ挙世（但田又野人足入道ノ類カ）道ヲ
仰キ侍リ後生ハナキ物トミタル上カラハ是程大お末
ナル宗旨ハ候ニシ持戒モ破戒モ亡テ虚空ナレハ滞ナシ

75表

南無阿弥陀佛ト云モ此心ナルヘシ千秋万歳アラ心安ノ
教ヤシカレハ仏法ト申ハ八宗九宗十二宗共ニ今ニテ申
タルコトク皆後生ヲハナキ物ニシテ置也袈裟衣ヲキ仏
事作善ト云モ唯不断ノ世諦世間ノミカケ也後生ノ助リ
後ノ世ノ快楽ト申ハ貴理師端ノ外ニハナシト心得給ヘシ

75裏

76表

妙貞問答中巻

儒道之事

妙秀官ハ一夢ノ覚ルカコトクノ語ハ十年ノ昔ニ勝ルト
云ルハ山谷老人ノ言ト聞侍ルカ誠身ノ上ノ様ニ思シラレ侍
スキニシ司位ハ唯春ノ夜ノ夢ニ異ス今又御身ニ會進
セテノ御物語ヲ承レハコソ佛法ノ奥蔵ヲモ聞侍レ蛍ヲ
集雪ヲ積テモ是ハ暇シルヘキ事ニアラス然ハヤ仏法ハ斗
虚空無ニ帰スルヲ本トスレハ既邪見ナル事ヲワキマヘテ
侍リサテ君主ニハ佛法ナトヲハ異端トイヒ其教ニ随ヲ
ハ唯自宮ヲスルヤウニ以テノ外ニ嫌ヒ儒道トテ天道ヲ
仰キ貴フト聞テ侍リ此天道トイヘルハ如何ナル

76裏

事ニテノ侍フソキリシタンノ教ハ此儒道ニモ替リ侍ルヤ
嵩貞作ノヤウニ佛法ハ善悪不二邪正一如ト云棄恩
入無為ト立タル物ナレハ道ノ行ルヘキヤウモナシ寂滅ノ
教ト是ヲイヒ此ノ限ト儒道ニハ嫌ヒ侍リサレハ
儒道モキリシタンノ教ニハ及侍ラス然ハ其天道トハ何ヲ
指タルモノソト云ハ大極ヲ指シテノ事也サテ此大極
トハ又何トシタル物ソト申ニ是ニツキ色々ノ事侍リ老
子經ニ道生一一生二二生三三生万物ト云リ道トハ
何ソナレハ虚無ノ大道トテノ無一物ノ処ヨリ一ヲ生スルト
云カ此大極ノ一氣ノ事此一ヨリ二ヲ生スルトハ大極一氣
カ陰陽ト分ル、並二三ヲ生ストハ此陰陽ヨリ天地人ノ

77表

三才ト分レヤ三万物ヲ生ストハ此天地人ノ三才ヨリアラウ
ル物ハ出来ルト云心也然ルニ儒者ハ道一ヲ生ストニル彼道
ヲ大極ヨリ前ニ各別ニ是ヲタテス大極則無極ニシ則大
極ト見テ畢竟大極ヲ本トセル物ニテノ侍リサレハ此大
極トハ陰陽未分ノ処ヲ申也渾沌未分ト云モ天地陰陽
ノ分レヌ重ヲ云リ易ノ序ニモ有大極是生両儀大極トハ
道也両儀者陰陽也陰陽一道也大極ハ無極也ト云リ
サレトモ此分ニテハイニタ能ワキニヘカタクヲワセシニ愚カ
ナルタトヘヲ以テ語テミラスヘシ譬ハ先コニ寒變等ノ病ヲ
愈ス萬ノ菜ノ種ニノ入タル一ツノ櫃アリト思給ヘサレハ此
櫃ノ内ニ諸菜ハアレトモ蓋トミヲ開テノ二ツニナサレハ

77裏

用不ナキ器也然ハ大極ヲハ此フタトミノイニタ合シテアル
ヒツト心得タニヘフタハフタミハミト開タルヲハ大極両儀ヲ
生シテノ陰陽ノ二ツト分レタルニナソラヘ又内ノ菜ヲ合セテ
百ノ病ヲイヤスハ陽陰和合シテノ万物トナルタトヘハヲホシメ
セコ、ヲ以テミシレハ畢竟大極トモイヘ又ハ天道トモ申セ
カシ陰陽ノ二ツニハ過ス此故ニ朱子大全ノ中ニモ蘇子易ノ
象ノ辞ヲ釈スルニ其説ノ非ナル事ヲ破シテノ一陰一陽之
謂道也継之者善也成之者性也トアル処ヲ蘇子注
閑シテ陰陽ハ果シテノ何者ソヤ婁曠カ聡明アリト
イヘトモ其髣髴ヲ得事アタハス陰陽交テ然後ニ
物ヲ生ス物生然後ニ象アリ象アツテ陰陽隠ル凡見

78表

ヘキハ皆物也陰陽ニハアラス然トモ陰陽ヲイツテアル事
ナシトセンハ不可也至テヲロカナル者モ此陰陽アル事ヲハ知リ
此陰陽ナクハ如何シテノ万物ハ生スヘキ也ト思フ心ヲ本
トシテノ愚ナル人ハ生シタル物ヲ指テノ是ヲ陰陽ト云カ是ハ
非也陰陽ハ見ヘキ物ニアラス陰陽ノ髣髴ヲ見サル
トテモ是有事ナシトイハンハ皆ニトヘル也トイヘルヲ朱子ハ
愚謂ク陰陽天地ノ間ニ満テノ其消息闔闢終始万物触
目ノ形アルモ形ナキモ是非ストニ云事ナシ然ニ蘇氏ハ象
在テ陰陽カクル凡見ヘキ物ハ此物也陰陽ニハアラスト
イハ、其理ヲ失スル也陰陽ノ本ニ達スレハ固ニ生スル物ヲ
指テ是ヲ陰陽ト云ニハアラサレトモ亦別ニ陰陽ヲ物

78裏

象見聞ノ外ニハ求メストテ右ノ蕪氏カ說ヲ破シタリ
又蕪氏カ詞ニ聖人ハ道ノイヒカタキ事ヲシル故ニ陰
陽ヲ借テ一陰一陽之謂道也ト云リ一陰一陽トハ
陰陽未交物未生処也道ニタトルノ似是ヨリモ密
ナルハナシ陰陽一度交テ物ヲ生ストニ云ヲ又朱子愚
謂ク一陰一陽ノ往来不已ハ挙道之全体ヲ云事ゝ是ヨリ
著ナル物ナシ、シカルニ陰陽ヲ借テ道ニタトフルノ似トセハ
是道ト陰陽ト各ゝニ一物トナシテ彼ニタトフルナリ
陰陽ノ端動静ノ機ノミセ、動極テ静シ静極テ
動ス故ニ陰中ニ陽アリ陽中ニ陰有テ独立シテ独
居スル物ニハアラス是一陰一陽ノ道タル故也シカルヲ

79表

今蕪氏ハ一陰一陽ト云ハ陰陽未始物未生重也此
処道ニ似タル物也ト云リ然ハ即道ハ果シテ何物ソヤ
是皆道ノ道タル故ヲシラスシテ虚無寂滅ノ学ヲ以
揣摸シテ是ヲイワント思故ニ其說皆如此ト云テ蕪
氏カ說ヲ破レリサレハ儒者ノ心得ハ陰陽則太極
陰陽則天道ト落著セル事分明也然ハ爰ニ不審
アリ陰陽ハ無心無智ノ物ニテ侍レハ和合離散ノ用
自有ヘキニアラス先ニ申ツル譬菜種ノ入タル一ツノ
櫃ノ蓋ハ蓋ニハミト開為ニモ智恵分別ノ備レル人
ノナクハ何ト開ヘキソ大極ノ陰陽合シテ無心無念
ニシテノ有シ処陰陽ノ二ツニ開クルモ其開キテノナク

79裏

ハ何トヒラクヘキヤ其上彼櫃ノ内ナル菜種寒ゝ熱ゝノ性ハ
備リテ有テモ病ニ依テ方ヲ施ス人アラサレハ自
是モ合薬ト成事アタハス故ニ是モ無心無想ノ物ナレ
ハセサレハ万物ノ生スルヲ見ニ何モ地水火風ノ四大五行
和合シテノ物トナル唯和合スルニカタカラス又菜種サヘモ
己ニ備ラヌ智恵分別ナレハミツカライサ寄合テノ十全
大補湯トナラン藿香正気散トナラントテ独和合スル
事カナハス、ニミシテヤ尉シテノ和合シカタキ、木火金木ノ
独寄合テノ松ノ一ダトモ竹ノ一ダトモナル事ノ叶ヘカラス
妙爰御不審理也ワラハカ父ハ四書五経ノ上ヲハ如
形学ヒタル人ニテ侍リシカ其申サレシ大極天道ノサ汰ヲ

80表

承リシハサヤウニカメクノ陰陽ヲノミ守ル事ニテ侍ラス大
極ノ圖トテノ見セラレシハカヤウノ物ニテ依ツル此内ノ丸キ
処ヲ除キ其次ノ一番ノ輪ヲハ二ツニ分テ陰陽ノ逆行
順行トカキ又二番目ヲハ一倍ニナシテ四ツニ分テ大陽
少陽大陰少陰トカキ三番目ヲハ又一倍ニシテ八ニ分テ
乾兌離震巽坎艮坤ノ八卦ヲ書又四番目ヲハ一倍
ニシテ十六ニ分テ八卦ヲ重テ書テ又五番目ヲモ今一倍

三十六ニ分テ是ニモ八卦ヲ重テ書又六
番目ヲモ此一倍六十四ニ分テ八卦ヲカキ
ミワシ其上ノ方ニハ六十四卦ノ名ヲ書テ
此事書ニハ中ノ丸ク虚ナル処ヨリ何更

80裏

モ生シ又爰ニ皈スレハ其虚ナル処ヲセンニミヨトイヘルヤウニ眉
ツルト覚侍リシカレハ物ノ生スル事唯天道自然ノ道理ニテ
是非スヘキ事ニアラスト常ニ申オレタリ陰陽ノ無心無智
ナルニ依テ是ヨリ物ヲ生スル事ハ不可叶ト云事ニハアラヘ
ハリ不可給歟真サテノハ御身ノ父ハ儒者ニテヲハセシ
セ御身モ一分ハ其理ヲ窺玉ヒ大極ノ図ナトヲモミタモ
ヒシニサノミ陰陽ノ事ノミハカヘハラストノタニテノカサモ侍
ヘシ乍去サヤウニ申セハ後ニハ仏法ト一ツニ成侍ルソ大極
ノ図モ色ヽ有ケニ今御身ノ宣ヒシツレノ図ヲワラワモミテ
侍カ其事カキニ此惣太極ノ図也中間ノ圏ナル処形
太道ノ惣極猶屋ノ中棟ニシテ象木是ニ攢ルカコトク天ノ小

81表

辰象星モ是ニ拱シ國ノ皇極兆民モ是ニ帰ス上古ノ聖神
継天立極ル者大中至正ノ極也六十四卦ヨリ出テ一理不
定ト云事ナクノ一徳不備ト云事モナクノ一事カ子スト云
事ナクノ一物不有云事ナシ虚中ヨリ六重ヲ出生シテ卦
トナス此外ニ二度六重ヲ加ルトキハ四千九十六卦トナル外ニ
向テ二度加レハ無量ノ数ニ至ル大地ヲ以喩トシテ書ト
云共尽ス事アタハス所謂道理無辺ニシテ乃體統一箇ノ太
極也若事物ノ上ニ是ヲ論スル則事ニ一太極物之太
極ニシテ無辺ノ真理ヲ具セスト云事ナシ是ヲ譬ニ奉戻ハ
是一ケノ大極将ニ石砕テ微塵トナル則塵ニ各一太
極ニシテ皆此理ニ遍ス系毫モカケス噫此大極ハ嵩遠ソ

81裏

不可求人心一念ノ起ルハ便是一小極ヲ便無辺ノ一念
耳儒家所謂ト天地釈家所謂内造化即是也学者
二ナニ是ヲ自得スヘシト見タリ是以案スルニカヤウニ申セハ
儒道モ平竟仏法ト一ツナル事ハ申ノ及ス道者ノ教氏
同シヤウニ閑タリ三教一致ト申モ有ハ云タル真ニテ侍リ
其故ハ今ノ大極ノ事各ニモ中間ノ虚ナル処ハ大道惣極
猶屋ノ中棟ニシテ象木是ニ集カアト書ルハ彼老子ノ
道一ヲ生スト云ル虚無自然ノ処仏者ノミナル虚空法界ヲ
指タル物ニ非スヤ又此大極ハ三サニ遠不可求人心ノ起ル便
是一小極トイヒ又天地万物ハ實ニ是人心ノ一念ノトト云ハ
佛者ノ万法唯心ト云心ナラスヤ儒家ノ所謂小天地釈家

82表

ノ所謂内造化ト云時ハ此一身ノ外ニ求メス大極此一心ノ
外ニ尋又真如也弘法ノ是仏法ハ非遠身中則近シト
云ニ不異然ル時ハ人ノ無心無念ナル処ヲハ虚空ノ大道トモ
無極ノ天道トモ真如平等トモ心得一念ノ起ルヲハ道生一
トモ一小極トモ業識元初ノ一念トモ儒釈道面ニ名目ト丈
ヲカヘタルニテナレハ江南橘ヲ江北ニハ枳トナスカコトクヲ其根
ガハカワラス一是以貫セリニテ侍ルソシカレハ平竟是モ我
心自空也ト心得又空無シ以テ万法ノ根源トモシタル
物也サレハ智恵智花ノ二サリタル作者ナクテハ一塵
一法トテモ生スル事カナワヌニ況此天地人物ハ空無ヨリ
自然ニハ何トシテノ生スヘキヤ妨夷イヤ／＼サヤウニ又自然

82裏

天然トシテ万物ヲ空無ヨリ生スルトモ儒道ニハ申サヌトコソ
義レ其故ハ易ノ彖ノ辞ニモ大成哉乾元万物資始
乃天ヲ統雲雪雨ホトコシテ品物形ヲ流大終始ヲ明ニ
シテ六位時ニ成時ニ六龍ニ乗シテ以テ天ニ御ス乾道
変化シテ各性命ヲ正ス大和ヲ保合シテ乃利貞也首
トシテ庶物ニ出テ万国咸寧シトアルト文ノ申サレタルヲ
覚テ侍ルカ是ヲハ何ト心得給ノ歟貞如是ハ皆天地
陰陽ヲ万物ノ根源トナシテ云タル物ニテ侍リ其理ハ此執
申タル事ニテアルセサレハ此分ハ今申コトク大極ハ無極
ノ天道ニ叙ス此理ヲハ猶未ニ可申先今御身ノ宜フ彖ノ
辞ノ心ヲワラハモ前ガ卦ヲトラセ侍リシ時ニ其易者ヨリ

83表

聞テ侍レハ其通ヲ委ク申テノ一ヵ其上ノ事ニシ侍ルヘシ先彖ハ
易ノ本義ニ彖トハ即文王所繋ノ辞トノセテ卦ノ下ノ
辞ヲ彖ト云孔子ノシタカツテ是ヲ釈スルヲモ通シテノ
是ヲ彖ト申也彖トハ其心統孫トテノスヘスブルニテ候ニハ
乾ノ徳用ヲツヽメテ断タル事也サテ此乾トハ何ソナレハ易
ノ傳ニ乾ハ天也天トハ形體乾トハ天ノ性精乾ハ健也トテ
健ニメ息事ナキ是ヲ乾ト云ソレ天ハ専是ヲ云トキハ即
道也分テ是ヲイヘハ即形體ヲ以テノ是ヲ天トイヒ主
宰ヲ以テハ是ヲ帝トイヒ功用ヲ以テハ是ヲ鬼神ト
イヒ妙用ヲ以ハ是ヲ神ト云性精ヲ以テハ是ヲ乾ト云
乾トハ萬物ノ始ナル故ニ天トシ陽トシ父トシ君トシ元亨

83裏

利貞是ヲ四徳ト云元トハ萬物ノ始亨トハ萬物ノ長利ハ
萬物遂貞トハ萬物成也ト云リ又本儀ニハ此四徳ヲ元ハ
大也亨ハ通也利ハ宜也貞ハ正ニシテ固也トモアリカレハ
此注ノ心ヲ猶再尺セハ万物ノ生成変化ヲハ儒者ハ
天地ノ徳ノミニヨルトミルカ故ニ先爰ニハ天儀一斎ニ云者也
サテ此天ヲ爰ニハ乾ト云事ハ天ト云トキハ其形ノ物体ニ
名付乾トハ健ナリテノスクヤカニシテ止事ナキニ名付其徳
用ヲ束テ云トキハ天ヲ道トモ名付タリ尋常天道ト
云ハコレ也又其徳用ヲ分テ云トキハ天ノ物ヲ主ル処ヲハ
帝ト名付タリ上帝天帝ト云ハ是也功用トテノ往
トシテノ不還ト云事ーナキ処ヲハ天ヲ鬼神トモイヘリ

84表

鬼ハ帰神ハ伸ノ心也妙用トテノ天ノ測カタキト云処ヲハ又ハ
神トモイヒ其上乾ハ万物ノ始ナル故ニ天トモ陽トモ父トモ
君トモ云ト也又此天ノ徳ニ依テノ春ハ万物ノ生スルヲ元トシ
夏ハ長スルヲ亨トシ秋ハ熟スルヲ利トシ冬ニハ落テ根
帰ルヲ貞トシテノ是ヲ四徳ト云リサレハ是ヲフニヘトシテ
扨ノ彖ノ弁文ヲ申ニ大哉乾元万物資始乃統天
トハ先此一節ハ元ノ義ヲ又スル者也大哉トハ誉タル
辞ニテノ元ハ大也始也トテノ乾元ハ天ノ大始ナル故ニ
万物ノ生スル事ー皆是ヨリ資テノ始ト云リ又四徳ノ
首トシテノ天徳ノ始終ヲツラヌク故ニ統天トハ云ルト
本義ニモ見タリサテ雲行雨施品物流形トハ

84裏

是乾ノ事ヲ釈スル也大小終始ヲ明ニシテ六位時ニ成時ニ
六龍ニ乗メ以テ天ニ御スル始トハ即元也終トハ貞也六位
トハ六爻ノ次才六龍トハ此卦ハ六爻皆陽メナレハ陽ニ
體テ六龍トハ云リ心聖人ハ是ニ體テ時ノ吉凶變化ヲ
ハルレハ以御天トハ云リ乾道變化シテ各性命ヲ正シテ
大和ヲ保合ス乃利貞也トハ變トハ化ノ漸化トハ變ノ
成也物ノ受ル処ヲ性トシ天ノ賦ル処ヲ命トス大和トハ
陰陽ノ會合冲和ノ氣也各正トハ有生ノ初ヲ得也
保合トハ既生セルノ後ヲ全スル也言ハ乾道ノ變化処
トシテ利ナラスト云事ナシ万物各其性命ヲ得テ以
自ラ全也是利貞ノ義ヲ尺スル也首トシテ庶物ニ

85表

於テ萬國咸寧トハ天ハ万物ノ祖王ハ万邦ノ宗也
乾道ハ首トシテ庶物ニ於テノ万彙事ス君道モ是ニ
體シテ政ヲ行ヘハ万國皆ヤスキト云義也ト兼ル然ハ此
心平衷アノ上ニアル天下ニ居スル地中ニアル冲氣ノ生
ヲスヘテ太極トモ天道トモ云テ万物ノ生機ハ皆此三
ヨリ也ト思物也サレハトヨ初ニモ申セシコトクキリシタ
ヨリ申ハ爰ニテ侍リ此天地陰陽何モ無心無智ノ
物ナレハ此大極此天道ヨリ万物ヲ生スルト云ハ唯菜
種カ巳ト集テ牛蒡園トモ藕香園トモ成タルト云程ノ
心ニテナラ又事ニツメテヨキ侍リ其上此天地陰陽ト
云物カラカ杣可有物ニアラス萬ノ物多殻アルハ其ハ初

85裏

ナクテ不叶初アレハミツカラ初ル事アタハス他ノカニヨラ
サレハ生スル事ナラスサレハ万物ハ天地陰陽ヨリ出來ルト
イハヽ其天地陰陽ハ又イツクヨリ生シタルソト問ニ此処ニ
至テハ儒道モ虚無自然ノ無極ヲ根ヰトセサレハカナハス
其故ハ天地造作ノ主アル事ヲ知ラ子ハ虚空ヨリ自然ニ生シ
タルトヨリ外ハ云ヘキヤウナシシカレハ易道ノ観念両儀ニ分レ
タリト云リ一ニハ日月ヲ以テ明証トス故ハ天地ハ無明ヨ
リ起レリ無明ハ大極也此大極ハ無極ノ動ヲ受テ陰
才ヲ分テ雲行雨施シテ萬物ヲ生育ス此群品ヲ
耀シカ為ニ三光明白トシテアリ故ニ一往ハ両光ヲ以テ
求聖ノ主トス此時ハ天地陰陽ヲ太極トイヒ天道トス

86表

ルノ義也二ニハ根ヰヲ以テ天道観スヘシト也是則無大
処ノ無極ノ本源也シカレハ無極ハ離ニトシテ大極ノ外
尊ク大極ハ隈ニトメ無極ノ掌ニ磨レタリト云シカルトキハ
此天地陰陽ヲ合テ大極トモ天道トモミルト又天地ノ
外ノ何モナキ処ヲ無極ノ天道トミルトノ二ツカ易道
ニモアルト聞テ侍リ何ニシテモ有智有作ノ能造ノ
主アル事ヲシラサレハ跡トムル処ナシ一途落居ナシ一体ノ
作者天地万像ニハナクテ叶ス事ヲワキニヘ玉ヘ此言ノ
イヤ天地陰陽ハ無智無心ノ物ナレハ独巳ト和合ノ
物ト成事不可叶ト宣フハ儒道ニ言ナル鬼神ノ
異能ヲシリ多ニハ又敬也中庸ニ孔子鬼神ヲ誉テ

86
裏

鬼神之為徳其盛矣乎ト云ハ此徳用ニテ万物ノ造
化ハアルソト云義也是ヲハ心得玉ハスヤ曲貞サテハ御身ハ
鬼神ト云者ハ天地陰陽ノ外ニ別ニ有テ其ヨリ天地モ
開ケ万物ノ造化モアルト心得玉フヤ其ハ僻事也サレハ
今ノ中庸ノ注ニモ鬼神ハ天地ノ功用ニメ造化迹也
ト程子ハ云ヘシ張子ハ鬼神ハ二気ノ良能也ト云リシカレハ
鬼神ト云者カ有テ其カラ造化シタル天地ト云ニモア
ラス鬼神ハ天地ノ功用トイヘハ天地陰陽ヨリ出タル用
ヲ鬼神ト云ナレハ鬼神ノ功ハ天地陰陽也シカレハ此天
地陰陽ハ何ソヨリ出来タルソ天地ノ功用トハ寒ヽ暑往
来四時ハ節ノ移リ替ル事ナトヲ云也至テノ伸ル者ヲ

87
表

神トシ返テ帰スル者ヲ鬼ト云ナレハ朱子別ノ処ニハ陰
陽ノ端ハ動静ノ機ノミトイヘハ動スルハ陽ニシテ神静ナルハ
陰ニテ鬼也陰陽ヲハナレテアル鬼神ニアラス此鬼神ノ根源
ナル陰陽ハ誰カナス処ソキリシタンニハ此天地陰陽ノ作者
一体ニシテ[illegible]ヲ教ラルヽハ誠ニ理ニテ侍ラスヤ妙秀ケ
ニモハヤ儒道ニハ万物ノ根源ヲ天地陰陽ト見侍レ鬼
神モ其用也然ルニキリシタンニハ其天地陰陽モ自有ア
ラスト宣ハ理ニテ侍ルセサテ又儒道ニ魂魄ノ沙汰スルハ
如何ヤウナル事ニテ侍ルソ曲貞其モ鬼神ト云ニ同事
ト聞タリ朱子大全ニモ精聚則魄聚リ気聚則魂聚
是以人物ト成テ體ヲ安ス精竭キ魄降ル則ハ

87
裏

気散シ魂遊メ行スト云処ナシ降スレハ屈シテ形ナシ故ニ
是ヲ鬼ト云シ遊スレハ伸ニノ測ラレス故ニ是ヲ神ト云ニアレハ
唯鬼神ト同ク二気ノ良能ニテ侍ルソ又鄭氏ハ其ハ口鼻ノ
嘘吸ヲ以テハ魂トシ耳目ノ精明ヲ以テハ魄トスト云モ口
鼻ノ嘘吸トハ気ヲ以テ云耳目ノ精明ハ血ヲ以テ云ハ是
モ気ハ陽血ハ陰ナレハ二気ノ良能也儒者ハ後生ノ有無ヲ
論セサレ𪜈先祖ノ神ヲ祭ルモ是皆極テハ天地陰陽ヲ祭
心也サレハ夫子ノ宰我ニ答ヘラレシ鬼神ノ説ヲ朱子甚
好ト誉タルモ是ニテ侍リ気ハ神ノ盛也魄ハ鬼ノ盛ナル也
人死時魂ハ天ニ帰シ精魄ハ地ニ皈ス此故ニ古人ハ祭礼ニ
焫蕭シテ以テ陽ニ求メ灌テ陰ニ求ト云リ畢竟天地陰

88
表

陽ヲ人物ノ始終本末トモ見ヨリ外ノ事ハ侍ラヌソ
妙秀魂魄ノ沙汰モ訳ノ如クワラワモ聞テ侍リサテ儒
者ト道者ノ心得ハ如何ナル替ニテ侍ルソ曲貞今ニテ申ツル
様ニ専天地陰陽ヲ立テ是ヲ大極ト云天道トモイヽ子
夷ハ変ニ一大極物ニ一大極トテ渾テ萬物隔ナシ天
地ニ備ル変理ノ二ツカ和合ノ人畜草木トモナルニ理ハ物ニ
稟テ是ヲ性トイヒ変ハ物ニ稟テ是ヲ気質ト云理性ハ
隔ハナケレトモ変トナル気質ノ不同アルカ故ニ人物
貴賤ノ隔アリ朱子カ大学ノ序ニ蓋天生民ヲ降
テヨリ既ニ是ニアタフルニ仁義礼智ノ性ヲ以テセスト
云事ナシ然トモ其気質ノ稟タルコト或斉キ事能ハス

88裏

アタワス是以不能皆有以智其性之所有而全之也ト
カケリサテ其気質ノ不同トハ何ソナレハ先質トハ五臓
百骸ノ形気トハ陰陽五行ノ気此気ノ中ニ正直偏塞ノ
四等アリ正トハタヽシキ気通トハ塞カラス通ル気偏トハ不
正ニカタヨル気塞ハフサカリタル気也此内ニ正通ノ二ツハ
ヨキ気偏塞ノ二ツハアシキ気也正通ノ気ヲ受タルハ人
ト也偏塞ノ気ヲ受タルハ禽獣艸木トナル又此正中ニ
善悪ノ二ツアリ通ノ中ニ清濁ノ二ツアリ此故ニ人倫ニ
ヲヒテモ聖人智者ト成テ生ナカラ道理ヲシリ
行処矩ヲタヽス人ニ勝レ世ニ貴ミルヽハ善ノ気ヲ受タル者
也又愚不肖之人ト成テ黒白ヲモワキマヘス行

89表

トモニ不善ニシテ人ノ形ハ得タレトモ鳥獣ニ斉キハ悪ノ気
ヲ受タル者也又偏塞ノ二気ニモ善悪清濁アルニ依テ此
二気ヲ受タルハ禽獣艸木ノ上ニモ其作用ノ優劣
アル者也サレハ此性ハ天地人物不二ノ天地ニ有テハ理ト
イヒ人ニ有テハ心トイヒ物ニ有テハ性ト云是ヲ尚書ニハ
衷降ストカキ詩ニハ彝ヲ衆ト述セリ孟子ノ仁義ノ
心ト云モ大学ノ明徳ト云モ皆此性ノ一理ヲサシタル
モノナリシカレハ此大学ノ明徳ト云ハ大学ノ首章ニ大学ノ
道在明ミ徳在親民在止至善トアル三綱領ノ才一ニ
テ侍リ委ミ申セハ終シナシ此三綱領ヲ以テノ儒者ノ
心トスル処ヲ畧シテ申ヘシ明徳トハ人ノ天ニ受ル処ニシテ

89裏

虚霊不昧也ト云リ虚昧トハ鏡ノ明ナルハ胡来レハ胡現シ
漢来レハ漢現スルニミテノ是非スル処ナキカコトシ然ニ人欲ノ
私トテ眼耳鼻舌身ノ欲カ境ニ染シテヨリ自他ノ
隔ヲ思カ故ニ虚霊不昧ノ本心ヲクモラス其人欲ノ私ヲ
除ケト云ヲ大学ノ道ハ明徳ヲ明ニスルニアリト云リ民ヲ親ニ
スルニアリトハ彼徳ヲ明タラシ後ハ又ニサニ推テ以テ人ニ及シ民
ノ旧染ノケカレヲサラシメヨトセ也至善ニ止ルニ有トハ彼天理ノ
極ヲ尽シテ一毫ノ人欲ノ私ナキ処ニ至ラハソレヨリ移
ラサレト云心也此故ニ仁義礼楽ヲ以テ天下ヲ治メ人ヲ
教カ儒者ノ心也道者ト申ハ大極ハ無極ヨリ生スレハ
其根源ハ虚無ノ大道也ト見虚無自然ノ道ニ體テ

90表

仁義礼楽ヲ絶テステノ無為ヲ旨トス此心タトヘハ某ノ
作用ハ貴ケレトモニ病ノアルカ為也神仙ノ丹葉モシカニ
無為ナラレニハ仁義礼楽モ善也トイヘトモ大道ノスタレタ
ル処ヨリ起レリ彼無為ニモトツカハ仁義ノ道モ何ナラス
礼楽ノ行モヨシナシ不如無為無事ニシテ命ヲ安センニハト云
カ道者ノ心也老荘列ノ三子等皆如是虚無自然ト
ノミ見ニ依テノ五常ノ道ヲカロンスルカ故ニ儒道ノ二教
ヲハ虚無寂滅ノ教ト云テ甚嫌也サレハ儒者ノコトキハ
ナツウラノ教ト云テ情得ノ人ノ心ニ生レツキタル五常
ヲ守ルヤウナル処ヲハキリシタンノ教ニモ一タンホメ侍リ
但天地陰陽ヲ太極天道トミテ其作者ヲ云スノ

90
裏

人畜草木モ気質ニテノ替ニテ其性ハ隔ナニシナト
イフヤウナルヲハ迷ト申也三教ノ中ニテ申サハ儒道
ニハ益アル事多ク侍リ三教一致ト申セトモ釈道ニ門
ハ沙汰ノカキリニテ侍ルソ始象侍りのやうニ有智有徳
ノ作者一躰ナクテハカナハヌ事ニテ侍リシカレハ文儒
者ノ説ニテ侍カ盤古王ト申テ天地ノ主ト申ハ如何ノ
歯負ハ盤古王ト申モ通鑑要略ナトニソトノセタリト
兼ルカ夫ハ儒者ナトノ実用沙汰ニ非ス儒者ハ右ニ
申タル大極陰陽ノ沙汰ヲコソ真実ニハシ侍レ盤古王
カ天地ノ主ナト申ノ義ハ努ゝ侍ラスミナ其ハヲサナ
カニシキ事也彼要略ニ渾沌ノ初ハ其状卵ノ如ク

91
表

日夜一周左旋天ハ卵ノ白カ如ク地ハ卵ノ黄ナルカ如
ニシテ中ニ升降ス天地始分陽気ノ軽清ハ升浮テ
天ト成陽気ノ重濁ハ降凝テ地トナル盤古王其中ニ
生シテ人極ヲ立在位ハ一万八千歳ト云リ然ハ此理リ
ニテモハヤ盤古ハ天地ヲ作タル者ニハ非ス事明カナレハ
天地ヲ作タル者ニハアラテタヽ雞子雞卵ノ間ヨリ開
出タル物ナラハコキヤカウト（伝云東天紅）鳴タリト昏又ハカリハ不足ニテノ
侍リナレトモ此不足ヲハ又在位ハ一万八千歳ト云ルニテ
違シテ侍リアラ長ノ命ヤナカヤウナル事ハヲカシヒ
トモ云ニタラス又沙汰ナレハ本ノ儒者ハカヽル事ヲハ申
サス日本ノ神代ノ沙汰ニ似タル事ニテ侍ルソ書ニ

91
裏

アレハトテノ真ニ思玉フナ妙秀誠ニ是モ沙汰ノ
限ノ事也サテ其ハ神代ノ事ハ如何ヤウナル儀
ニテノ侍ルソ

92
表

神道之事

歯負惣シテノ先神道ト申ハ三サマニ定ラレタリ其ハ
本迹縁起ノ神道二ニハ両部習合ノ神道三ニハ還本
宗源ノ神道是也然ハ本迹縁起ノ神道トハ神ニ本
地垂迹ヲ立テ沙汰スルヲイヒ両部習合トハ弘法大
師吉田ノ家ニテノ神道ヲ習ニ日ノ神ハ即大日覚王
一躰也ナト云ヲ両部習合トハ云リサテ還本宗源ト
万法一ニ皈スルト云処ヲ云也爰ニ至テハ垂迹ト云事モ
ナク神モ衆生モ無隔無二ナル処ナレハ是唯一神道
トモ云ナリオレハ此等ノ神道ヨリ神代ノ次第ヲ
申ニ天神七代地神五代ト惣合神代ヲ十二代ニ

92裏

舉ナバ卅次セラレタリ第一國常立尊第二國狭槌
尊第三豊斟渟尊第四泥土煑尊沙土煑尊第
五大戸之道尊大苫辺尊第六面足尊惶根尊第
七伊弉諾尊伊弉冊尊是ヲ天神七代ト云リサテ
地神五代トハ第一天照大神第二正哉吾勝々速
日天忍穂耳尊第三天津彦々火瓊々杵尊第四天
津彦火々出見尊第五彦波瀲武鸕鷀草葺不合尊
是也サテ是ハ何ノ時ヨリ何ト初マリタル事ゾトイヘハ
其起リ神暦ニノセラレタリ神書ト云モ是ニ侍ル
舊事記故事記日本紀ヲ三部ノ本書トイヘリ
此内ニモ舊事記故事記ハ神代ノ心ハ有トモ作者

93表

カ私ノ心ヲ入テ書タルニ日本記ハ神代ノ事ヲ其侭集メ
私ナク記シタル故ニ三部ノ内ニハ日本記ヲ正意トスル也申
サルヽ也サレハ此日本記ノ巻頭ニ古天地未剖陰陽分レサ
ルトキ渾沌タル事雞子ノコトクノ溟涬テ牙ヲ含リ其
清陽ナル物ハ薄靡イテ天トナリ重濁レル物ハ淹滞テ
地トナルニ及テ精妙ナルカ合ヘルハ摶ヤスク重リ濁ルカ凝リ
タルハ竭リカタシ故ニ天先成テ地後ニ定ル然而後ニ
神聖其中ニ生マス故イワク開闢初洲壌ノ浮レ漂ル事
譬ハナヲシ游フ魚ノ水ノ上ニウカケル如ク時ニ天地ノ中ニ一ツ
ノ物ナレリ状葦牙ノコトシ便神ト化為國常立尊ト
号ス次ニ國狭槌尊次ニ豊斟渟尊凡三神ニテ乾ノ

93裏

尊ニナリナス此故ニ此純男ノ限リヲナセリ次ニ神ニテ泥土煑
尊沙土煑尊次ニ神ニテ大戸之道尊大苫辺尊次神ニテ
面足尊惶根尊次ニ神ニテ伊弉諾尊伊弉冊尊凡八ハシ
ラノ神ニテ乾坤ノ道相交テ化此故ニ此男女ヲナス國常立
ヨリ伊弉諾伊弉冊天ノ浮橋ノ上ニ立テ共ニ計テ曰底下
豈国ナカランヤトノタマヒテ廼天ノ瓊矛ヲ以サシ下シカキサ
クリシカハ爰ニ滄溟獲キ其矛ノ鋒ヨリ滴瀝ノ潮凝テ
一ツノ嶋トナレリ是ヲ名付テ磤馭盧嶋ト云二ハシラノ
神コヽニヲイテ彼嶋ニ降居テ共為夫婦シテ洲国ヲ
ウミント欲ス便磤馭盧嶋ヲ以テ國ノ中ノ柱トスト書リ
先此筆ノ心ヲハヨクノワキマヘタマヒケルカ此義ナレハ今ノ

94表

理ニ付ワラワカ心得ノヨシアシヲハ知侍ラネトモ先人ノ申サセ
ラハスコトノ此国ハ天竺震旦ニモ勝レ三國一ノ我朝ト申
其謂ハ日域ハ小国トハ申セトモ今ノタマヒシヤウニ國常立
尊ヲ初メニヒラセ伊弉諾尊伊弉冊尊天地ヲヒラキ
給ルノ其始ハ此国ヨリナレハ也此故ニ日本ノ神國ト申テ
神ヲ以テ天地ノ主トモ仰キニヒラスル也惣シテ何モ物ノ始ハ
小キ物ナレハ我國ノ餘國ヨリモ小キハ理也彼ミタヒル矛
ノシツク落留テノ淡路嶋トナレルヨリ天竺大唐モ始リ
タルト申也去ハ此國ヲ大日本國ト申ハ陰陽ノ両神御
鉾ヲトシ大海ヲカキサクリ玉ヒシトキ潮ノ上ニ大日ト云文
字浮ヒタリシニ彼鋒ノ滴落テ嶋トナル故ニ大日本國

94裏

トハ申也不詮此國ハ三國ノ始國常立尊ヨリ開キタニアイハ心得
侍ルハ如何 幽負ナレハ先國常立ヨリ天地ハ開タリト心得タ
ミラハ僻事也 其上大日ノ文字ノ上ニ習ノミツクヲテトニリ國ト
申ル故ニ大日ガ国ト云ナトヽノ沙汰何モ真ノ心ヲシリ給ヌ
人也 其故ハ日本記ニモ開闢ノ初渺瀰ノ浮ヒタヽヨヘル事
タトヘハナヲシ游フ魚ノ水ノ上ニ浮ルカアトレ時ニ天地ノ中ニ
一物生リ壮葦ノ牙ノコトレ使神トナル国常立尊ト号ス
トハカヽレスヤ 是見玉ヘ此心モ天地ヲ開キタルニハアラテ
開タル天地ノ間ヨリ生タル國常立ナレハ此ヒラキテノナ
クハ有ヘカラス 惣シテ此等ノ心遠ハ天地ニ付近クハ一身
ニ付テ分別也 先此天地ノ上ニテノ申ナサハ天地ノ中ニ一物ナ

95表

レリトハ天地ノ中ニ一物生スル事ヲ云也 一トハ陽数物トハ
陰ノ形也 サレハ一物ト云ハ陰陽也 コレヲオシテ國常立
尊トハ云リ 更ニクフトキ物ニアラス 妙ニ奇イヤシク何モカ
モオヤウヘコトモナケニハナノタミニソ別而此神道ノ事ト
申ハ不可思儀ノ理ニシ 還本宗源ノ神道ナト申ハ吉田
一家ノ嫡流ヨリ外ハシラヌ事也 サレハ浅カラヌ事ニテ
侍ルソ 幽負オテハ御身ハ神道ノ事ヲ世ニハ人モシルニミ
ユル様ニ思玉フカ 惣シテ神トハ天地ニ有時ハ陰陽ノ屈
伸来往是ヲオシテノイヒ人ニ有テハ魂魄トモ申也 カヤウノ事ハ
儒道ノ沙汰ニ申侍レハ又ニ申ニテハナケレトモ今御身
還本宗源ノ神道ト云事ハ吉田一家ヨリ外ハシラヌ事ナ

95裏

ナシナトニテ神道ヲヒヒガミシ但ノタミヘハ申セ神道ト云
事ヲハ黒白シワキニヘタラン程ノ者ハナトシラテハ侍ルヘキ
大唐ニテ昔ヨリ智恵深キ儒者トモノ色ニイヒ尽シタル
事ナレハ其旨明ニ侍ルソ 假令其家ニテ而ニサハヒシ
カニシク云ヤウナレトモソレハ議ニ申ナラハスコトクノ秘事ハニツ
ケノコトシト申テフカシキ事ハナキ也 大唐ニテ儒者
共カ神道ノ事ヲ沙汰シタリト申セハシラヌ人ハヲカシキ
事ヲ申者哉ト思玉フヘケレトモアル事ナレハ申也 儒
者ノ沙汰ヲシ陰陽トヲハナニト心得玉フソ 其陰陽ノ二気
屈伸来往ノヤニオル処ヲ霊トスオレハ此霊ナル処ヲ又
神ト云リ 二気ノ上ニ云時ハ陽ハ神陰ハ鬼也 但朱子ハ

96表

陰陽ノ端ハ動静ノ機ノミトイヘハ動極テ静シ静極テ動ス
故ニ陰中ニモ陽アリ陽中ニモ陰アレハ鬼神スヘテ二ナラス又物ヲ
日本ニテ國常立尊ト云リ 天地ノ中ニ一ノ物ナレリト有ニハ
是此陰陽ノ事ナラスヤ 國常立尊ト云心國トハ天地ヲサシ
テイヒ常トハ不易トイウシカ為ノ名立トハ独立ノ義ハ尊ハ
君父等ヲ敬ノ称也 此國常立ト云カ天ニハ一陽ノ霊元地
ニハ一陽ノ霊元人ニハ一陽ノ性命ノ霊元ナルカ故ニ大元尊
神共云リ 此國狭槌尊ト云心國トハ前ノコトク狭ハ隘也ト
訓セリ 此時ハ國カ狭ヒト云義ニテノ名付タリ 天地開闢
ノ時カ天地ノ間去事遠カラスセハくシクテアリシ故ナリト
云リオテスく初心ナル事哉 又槌トハ土ト云ニヲナシ心ノ

96裏

和訓ナリ如此天地開闢ノ時ハ國土カ狡キ故ニ其処ニ名ヲ付
ル時國狡槌トハ云ト也次ニ豊斟渟尊トハ豊トハ足ル也是則豊
饒満足ノ姿也トソ是ハ天地ヒラケテ後ナレハハヤ豊ニ成ソト
云儀斟トハ手ヲ以水ヲ汲義也渟トハ韻書ニ水止ルヲ渟
トスナレハ是則水ノ一処ニカタマリ居テアルヲ汲用テ一
切ノ物ヲ豊ニスルカ此神ノ姿也ト云リ次ニ泥土煮尊ハ
泥ハ深泥也煮ハ火ノ物ヲ燥ス也此時ハタトヘハ火ニテ物
ヲ煮レハ漸ニ熟シテカタマルコトソニハヤ天地既ワカルヽノ
時ハ泥燥テ土ト成事ハ火ニテ物ヲ煮カコトシ此処ヲ
名付テ云リトソ沙土煮尊トハ沙トハ水ノトヲキ処ヲ沙
トス也水去レハ沙土ノアラハルヽ故ニシカイフト也次ニ大戸之道

97表

尊トハ大トハ尊勝ノ儀戸ハ家也ト訓テ家ノ変也道ハ
路也ト訓メ此界ノ道カ初テ出来也是則泥燥キ沙平
ニシテアル家ト云心也ト云リ大苫辺尊トハ大トハ前ノ如シ
苫トハ茅ヲアミタルヲ云也此尊ノトキハ茅ヲアミテ苫トシテ
宮屋ヲ作リ風雨ノ難ヲオソル故ニシカイフト也次ニ面足尊
トハ面テノ満足シタルト云心也此神ノ前ニハ天皇氏ハ十三頭
地皇氏ハ十一頭ニシテノ面形見苦シク有シニ此尊ノ時ヨリ
形モ見事ニ諸根モ見足シテカクル処ナキ故ニ面足ノ
尊トハ云ト注セリ惶根尊トハ是姿形美シク男根
女根此時ヨリ初也又前代ノ神ヨリモ

97裏

裏表紙裏

裏表紙

翻刻・註（上巻）

（1表）

妙貞問答上巻

大唐国、我朝ノ人ノ、或四七ノ詩ニ作リ[*1]、或三十一文字ノ哥ニ連、又ハ古キ文ノ詞[*2]ニモ、浮世ノ常ナラヌ事ヲナン云ヲキ侍レトモ、意ヲ付[*3]サリシ程ハ、只、行水[*4]ニ数書様ニナン有テ過侍ヌ。然ニ、慶長[*5]五ノ年ノ秋ノ始ツカタ、石田治部少輔光成[*6]カ倒マナル謀ヲ廻セシニ、今ノ征夷大将軍家康公[*8]、其比ハイマタ内府[*10]ニテ、武州ニ下向有シ其隙ニ、天下ノ人々[*7]ヲ語ヒ、家康公ヲ背キ侍シカハ[*9]、治レル世中忽ニ乱テ、日本六十余州二ニ分レ、光成ニ随ヲハ京方ト云、家康公ヲヒキシヲハ関東方[*11]トテ、其心ヲシラヌヒノツ[*12]クシノ終マテ爰ヤカシコニ攻戦侍リシニ、家康公ハ元ヨリモ古（1裏）今例スクナキ名将ニテマシマセハ、謀ヲ帷幄[*13]ノ中ニ回シ、勝コトヲ千里ノ外ニ決セントヤ思召ケン。此事京都ヨリ頻波[*14]ノ住進キコシメシテモ、敢テ事トモ思召御気色モナカリケレハ、畿内ヨリ供奉セラレシ大名達サヘモ心ノ乱様々也。況、其付順ヒタル士卒トモノ、深御内証ヲハシラスシテ、御上洛ハ有ヤ無ヤ、遅キハ早キハト、色々モトカシク言合ルモ、分別ナキモノ、上ヨリハ、ケニ最トソ覚ヘケル。果シテ長月始ツカタ、江戸ヲ立テ上ラセ給フ。京勢ハ、又、伏見ノ御城ヲ落セシ後ハ弥勝ニ乗テ、先勢既美濃国大垣ノ城マテ責下リシニ、長月十四日ニハ、家康公モ関カ原[*15]ニ着セ給フ。両陣互ニ龍虎[*16]ノイキヲヒヲ振フヘシト思シニ、案ニ相違シテ、将軍御自身御出張ト（2表）見及ヒケレハ、京勢初ノ義勢ニモ似ス、コ、ニツフヤキ、カシコニサ、ヤキ事シテ、始終ハヤヨカルヘシトモ見ヘサリケリ。兎角シテ、夜モ漸々明方近キ在明ノツレナキ影モ傾テ、伊吹ヲロシノ風サキノ露吹分ル野モ山モ、危ミアヘル処ニ、将軍ノ御旗コソ先手近ク見ヘタレト云程コソ有ケレ。僅一戦ニ及カトスレハ、忽京勢敗北シテ、方々散々ニ逃マトフ有様ハ風ニ木ノ葉ノ散コトク、浅猿カリシ事トモ也。名ヲ思ヒ恥ヲモ知者ハ討死シテ、関カ原ノ浅茅カ露ト消失ヌ。其中ニ我若カリシ時ヨリ偕老同穴[17]ト、カタミ[18]ニ浅カラス思ヒカハセシ妻[19]モ、京方ニテ失シカハ、淵瀬ニモ身ヲ入、同シ道ニモ千度百度思シニ、兼テ祈リナトヲ頼マヒラセシ貴キ聖ノ、我歎ノ浅カラヌ事ヲ見知給ヒテ、穴賢、命果ス事バシ思立（2裏）給フナ。先立シ亡者ノ為ニモ、イト悪キ事ソト教ヘ玉ヒ、仏種[20]ハ縁ヨリ起ト云コト有。是ヲ菩提ノ種トシテ、様ヲモカヘ、念仏申テ、平更（ヒタ）[21]ニ亡キ人ノ跡ヲモ弔ヒ玉ハ、コソ、竟ニハ同シ[22]蓮ノ縁トモ成リテ、二世[23]ノ契ノ極ナルヘシト宣ヘハ、其后ハケニモト思ヒ、墨染ノ衣ニ身ヲナシ、妙秀ト名ヲ改メ、都ノ内裡近キ山々寺々、貴キ知識ノマシマストタニ聞ハ、歩ヲ運ヌ所モナクシテ、移リ替レル世[24]ノ　ナル事モ曾コソ心ニソミ侍ヌレ。サコソ年モ若ク、世ニ有テ家ノ内貧シカラス、歎[25]ヲモ知ヌ人ノ、称覚[26]モ心ヤスク過スラント、哀ニモ痛シクモソ覚ヘ侍ル。春ノ花ノ暖ナル風ヲ迎テ、朝ノ霞ニ綻ヒアヘルト見ヘシモ、夕ノ嵐ニ路（サソワ）[27]レ、秋ノ月ノ晴タル空ニ澄上ルモ、暁別離ノ雲ニカクレヌ。人ノ一生ヲ思ヘハ、風ノ前ノ塵、水ノ上ノ泡、有漏[28]ノ（3表）身ハ、アルカト思ヒモアヘヌウチ、ハヤ破レヌ。仏ノ一切[29]有為法如夢幻泡影ト説玉フモ、ケニアラタナル金言哉ト、後生ノ一大事ナラテハ、別ノ勤モ侍ラス。イカニモシテ三世[30]ノ諸仏モ慈悲ノ眸リヲ回シ玉ヒテ、浄土ニ導引玉ヘカシト、是ナラテハ朝夕心ニカクル事ナシ。爰ニ少シ思[31]アヤフ事侍リ。頃、人ノ世ニモテハヤス貴[*32]理師端ノ教ハ、或人ハタウトシト云、又或人ハヲソロシキヤウニモ取沙汰スレハ、此事如何ト不番(イフカシク)[*33]、温[*34]故而知新ト云事アレハ、アハレ委語ル人モ侍レカシト思ヒケルニ、都ノ内ニテ偏[*35]ク人ノ知ハカリニ思入シ道心者ノ、或ハ法師ナル、或ハ尼タル、一人ナラス二人ナラス、元ノ教ヲ捨テ此宗ニ立入、今ハ猶後生ノ歎モ色深ク、一入(シウ)[*36]再入ノ紅トカ云ナルヤウニ成タルアリ。其上、自(ミ)ト同シ思ニテ世ヲ遁シ尼モ、其中ニ侍ル

(3裏)ヨシ聞及ケレハ、如何様ニモ尋逢テ聞ハヤト、カ、ル人ノ行衛ヲ求ケルニ、昔、光[*37]源氏ノ大将、アラヌ浮世ノ思ニテ、求行(アリ)キ玉ヒシ五条アタリニコソ貴キ尼ハ栖玉ヘト、人[*38]ノ教ニ順テ行訪テ見ハ、ソノ辺リ棟[*39]門高キ家モマシハリタル傍ニ、板ノ扉[*40]シワヒシケニサシ付テ、カタヘハ山里メキタル柴[*41]垣ナトシテ、真ニ物サヒタルニ、折節秋ノ末ナレハ、物悲サモ与所ニハ様替リタル庭ノ面ニ、蔦槿ウラカレテ、草々踏シタキタル道ハ、一筋サスカニ残リタル方ニ、ソナタヘ行童ヘアリ。ソレヲ知ヘニ不図軒近ク歩ミ寄テ、人ヤアルト問ニ、内ヨリ五十ハカリナル尼出テ、誰ヲ尋玉フソトイヘハ、イヤ、サシテ尋マイラスル人モ侍ラス。世ヲ厭者ハ、親キモ疎モ同シ事ナレハ、内ヘ入サセ玉ヘカシトイヘハ、聞モアヘス、少ノ程内ヘ入テ、

(4表)頓テ又同人ト外ノ方ヘ帰リ来テ、クルシカラス、コナタヘ御入候ヘト云程ニ、サシ入テ見レハ、思ヒシヨリハイマタ年モ若キ人ノ、誠ニ思入タル姿ト見ヘテ、何ノハヘモナキ壁ノカタヘノ障子ニ、見モ馴ヌ御[*42]影ヲ掛、コキ墨染ニ面痩タル有様、云ハカリナシ。暫シアリテ、思ヨカラスヤ、如何ナル人ニテ渡ラセ玉フソ。此方ヘ通ラセ玉ヘトテ、如何ニモ睦ケナル気色ナレハ、先心ヲチ居テ嬉シクナン有ケル。

如何ナル者ソト覚束ナク思召ヘケレハ、[*43]先自カ上ヲ知セマイラスヘシ。過ニシ世ノ乱、関カ原ノ軍ニ、アヒナレシ妻ニ後レ、アカヌ別ノ悲サニ、同シ道ノ願モ侍リシカト、サスカニ捨ラレヌ命ニテ、今日マテモナカラヘ、此姿ニ成侍テ、妙秀ト申者也。此月比ハ、彼方此方ト貴キ寺々、知識達ニモ逢マヒラセ、御法談イカホト聞進セ候（4裏）ヘトモ、心ノ至モ浅、又、前業[*44]モ拙キ故ニヤ、余ニ是コソト思トル程ノ事モ侍ラス。然ハ、御身モ同思ノ道ヨリ世ヲ遁、道心深ヲハスル由、其人[*45]ノ知セ侍シカハ、共ニ同哀ヲモ語合進セハ、思ノヤル方ニモヤト志テ、是マテハ尋参リタリ。又、此次ニ貴理師端ノ教ヲ少ナリトモ語ラセタマヘカシ。耳ニ落ル事モアラハ、真ノ道ニ立入、後ノ世ノ友トモ成侍ラハヤト、思立タル志、浅ナ覚シメシソトイヘハ、誠ニ主ノ尼モ気色嬉ケニソ見ヘニケリ。

打付ノ申事ナレトモ、何トテ加程世ヲステ玉ハ、、都ノ内ヲモカケ離テ、片山里ノ庵ヲモ結ヒ玉ハヌソ。処セキ都ノ内ニテハ、争カ朝夕ノ御勤モ事遂玉ハンヤト尋シニ、ゲニ理ノ不審也。仰ノコトク、イマタ年モ若ケレハ、片山陰ニ引籠リ、人ゲ遠ク（5表）成侍ラハ、世ノ物云サカナサ[*46]ニテ、アラヌ憂名モ立ヌヘシ。此家ノ主ハ、自カ為ニハ祖父ニテ侍レハ、且ハ親ニモ順ヒ孝行ヲモ尽シ、且ハ又、市中ノ山居[*47]ト云事モアレハ、更ニ不審モ有マシキト宣ヘハ、妙秀、タ、大方ニ思シニ、ゲニマタモ思ヒトリ給フ人哉。心ノ至深サヨト、世ヲ離レタル栖ヨリモ、却テ貴クソ心ヘケル。サテ、貴理師端ノ教ハ如何ナル事ニテ侍ルソ。仏ノ教玉フ三界[*48]建立ノ沙汰ヲハ、如何心ヘ玉フ。先大方聴聞申テ、浅ヨリ深ニ入、道ヲモカツ踏ナラハシ侍ラハヤトソ云ケル。

＊1　**四七ノ詩**　四七は四句七文字の七言絶句を指し、ここでは続く「三十一文字ノ哥」である和歌（＝やまとうた）に対する漢詩（＝からうた）の意。

＊2　**文ノ詞**　「文」で経文などの文章を意味するが、ここは「文ノ詞」とあることから、「文」は「経典」の意と解した。

＊3　**意ヲ付サリシ程**　「意を付く」は「注意して考える」の意で、ここでは「世の中が無常であることに気づかずにいた」と解した。

＊4　**行水ニ数書様**　水の上に数を書きつけてもすぐに消えてしまうことから、はかないことの譬え。先行例には、『万葉集』巻第十一・寄物陳思「水上（ミツノウヘニ）如数書（カズカクゴトキ）吾命（ワガイノチヲ）妹（イモニ）相（アハムト）受日鶴鴨（ウケヒツルカモ）（みづのうへにかずかくごときわがいのちいもにあはむとうけひつるかも）」（二四三七）をはじめ、『伊勢物語』第五十段「行く水に数かくよりもはかなきは思はぬ人を思ふなりけり」（九五）など多数見られる。

＊5　**慶長五ノ年**　慶長五年（一六〇〇）。

＊6　**石田治部少輔光成**　石田三成（一五六〇～一六〇〇）のこと。底本の「光成」は宛字。豊臣政権下の天正十三年（一五八五）七月に従五位下治部少輔に叙される。

＊7　**倒マナル**　「さかしまなる」。逆の方向の意で、道理や常識とは正反対であることをいう。ここでは、石田三成の行為を、勝者となる徳川家康の側から捉えてこういったのである。

＊8　**今ノ征夷大将軍家康公**　徳川家康の征夷大将軍在任期間は、慶長八年（一六〇三）二月から慶長十年（一六〇五）四月までであり、この物語が設定する今（現代）となる。

＊9　**家康公**　徳川家康（一五四三～一六一六）。江戸幕府の初代征夷大将軍。

＊10　**内府**　内大臣の唐名。徳川家康が内大臣に補せられたのは、慶長元年（一五九六）五月。

＊11　**ヒキシ**　「ひく」は、ひいきにする、特定の者に声援を送るの意。

＊12　**シラヌヒ**　筑紫に掛かる枕詞。筑紫は広義には九州全域を、狭義には北九州を指す所の名。「しらぬひ」は、ここでは「知らぬ」の掛詞にもなっている。

＊13　**謀ヲ帷幄ノ中ニ回シ、勝コトヲ千里ノ外ニ決セン**　帷幄は陣営のこと。前線に出て戦うのに対して、本陣で軍略を練り、遠くの戦線の勝利を決する才のことで、戦略が巧妙なことをいう。『史記』高祖本紀第八「夫運籌策帷帳之中、

＊14 決勝於千里之外（夫れ籌策を帷帳の中に運らし、勝を千里の外に決する）」に由来する。『漢書』張良伝に類句が見られ、『平家物語』巻第七「義仲山門牒状」にも「はかりごとを帷幕のうちにめぐらし、勝つことを咫尺のもとに得たり」（新潮日本古典集成・百二十句本）とある。

＊15 頻波ノ住進　底本の「住」は「注」の誤写か。「注進」は情報を知らせること。「頻波」は次から次へと寄せる波のことで、知らせが繰り返しもたらされることを譬えていう。

＊16 関カ原　美濃国不破郡。慶長五年（一六〇〇）九月十五日に、この地で徳川家康が率いる東軍と石田三成率いる西軍が相対したが、西軍側に寝返りの者が出て西軍が敗退し、三成らは刑死した。

＊17 龍虎　勇猛の勢いが互いに匹敵する両者をいう。

＊18 偕老同穴　夫婦の愛情の変らぬことをいうことわざで、共に老い、死ねば墓穴を同じくするの意。

＊19 カタミニ　同一の事を交互に行うさま。互いに、代わる代わる。

＊20 妻　配偶者のこと。夫婦・恋人の間で、互いに相手を呼ぶのに用いる。男女ともに用いられ、第三者が呼ぶ場合もある。ここでは妙貞が夫のことを指して言った語。

＊21 仏種ハ縁ヨリ起　「仏種従縁起」は『妙法蓮華経』巻一・方便品第二には「諸仏両足尊、知法常無性、仏種従縁起、是故説一乗」（大正九・九中八〜九）とある。『法華経』そのものでは、この「仏種」は仏の種族、仏と成る仏弟子たちの意であるが、中国や日本では一般に成仏をもたらすもとになるもの、仏性の意で解された。

＊22 平更　「ひたすら」（「ひたそら」「ひたさら」とも）に宛字したもの。事をいちずに続けるさまをいう。

＊23 同シ蓮　極楽で一つの蓮台に往生すること。一蓮托生ともいう。

＊24 二世　現世と来世との二つの世のことをいう仏教語で、「にせ」と読み、「ふたよ」とも訓読される。

＊25 世ノ　ナル　底本には「ノ」と「ナ」の間に一文字分の余白がある。

＊26 歎　意に添わぬことがあって悲しむことを意味するが、文脈からすると、人の世の不定や無常を含意するのであろう。

＊27 祢覚　「寝覚」のこと。「祢」は「祢」が正しく、仮名の「ね（ネ）」、もしくは宛字。眠ろうとして床について眠れない場合にも、眠りの途中で目覚めて眠れない場合にもいう。

＊27 路レ（サソワ）「誘」の誤写か。

＊28 有漏 「漏」は煩悩の意。「有漏ノ身」とは煩悩を持つもの、世間の一般の人のこと。

＊29 一切有為法如夢幻泡影 『金剛般若波羅蜜経』の「一切有為法、如夢幻泡影、如露亦如電、応作如是観」（大正八・七五二中二八〜二九）による。なお、底本に「幼」とあるのは、「幻」の誤り。

＊30 三世ノ諸仏 過去・現在・未来の三世の仏。一切の仏のこと。

＊31 アヤフ 「アヤフム（危む）」から「ム」が脱落したか。

＊32 貴理師端 キリシタン（ポルトガル語 Cristão）のこと。通常、漢字表記では「切支丹」「吉利支丹」などが用いられる。「貴理師端」という表記は、キリスト教の正当性・合理性を印象づける意図的な表記と思われる。

＊33 不番（イフカシク） 「番」は「審」の誤写と思われる。

＊34 温故而知新 『論語』為政第二「子曰、温故而知新、可以為師矣（子曰く、故きを温めて新しきを知れば、以て師為る可し）」による。

＊35 偏 底本は「偏」とあるが、「徧」の誤写。「徧」は「遍（隅々まで行き渡る）」に同じ。

＊36 一入再入 「入」は布などを染料に浸す回数のことで、何度も染汁に浸して染めた深い色の紅のこと。『本朝文粋』巻第十「瑩レ日瑩レ風、高低千顆之玉、染レ枝染レ浪、表裏一入再入之紅」（菅原文時「暮春侍二宴冷泉院池亭一同賦二花光水上浮一応レ製」、新日本古典文学大系）による。『平家物語』巻第二「大教訓」にも「その徳のふかき色を案ずれば、一入再入（いちじふさいじふ）の紅にもすぎたるらんとこそおぼえ候へ」（新潮日本古典集成）とある。

＊37 光源氏ノ大将 以下の文章は、『源氏物語』「夕顔」の光源氏が尼となった乳母を五条の家に訪ねる場面を踏まえるが、『平家物語』巻第十二「大原御幸」の後白河院が建礼門院の大原の住まいを訪ねる描写とも情趣は通う。

＊38 人ノ教 「教」は「教ふる（おし）」と読み、「昔、光源氏ノ大将〜栖玉へ」までを人が告げ知らせた内容と捉えた。

＊39 棟門 左右に柱を立て、冠木を貫いて渡し、その上に蟇股を棟木との間に挟み、腕木をもって前後の軒桁を受け、屋根を切妻破風造にした門。公卿など高い身分の邸宅に設けられたが、後には格式の高い武家屋敷にも立てられた。

＊40 扉シ 「シ」は「ヲ」の誤写か。

＊41 柴垣 小樹や低木・樹枝の根本を土中に突き立て、結い束ねて垣としたもの。廉価かつ速成で繊弱であり、庶民一

般の垣とされた。

*42 **御影** 肖像を敬していう言葉。彫像にも画像にもいう。イエスやマリアを描いた聖画と考えられる。

*43 **ハ** 底本はこの箇所に虫損があり不明瞭であるが、残画から「ハ」と見なした。

*44 **前業** 現世の幸・不幸、苦・楽の原因となる、前世での善・悪の行為のこと。

*45 **其** 「其」は、直前の「道心深ヲハスル由」を指すと考える。幽貞の身の上については、先に「聞及ヒケレハ」と人に聞いたことを記しており、それに対応するのであろう。あるいは「共」の誤写か。その場合、「スル由共、人ノ知セ侍シカハ」と解される。なお現代語訳は底本の「其」で訳した。

*46 **サカナサ** 物言いが穏当でないさまで、口やかましいことの意。

*47 **市中ノ山居** 町中にありながら、雑事に煩わされないで、山中にいるかのように心静かに住むこと。

*48 **三界** 一切の衆生が輪廻する欲界・色界・無色界の三つの世界。

(5表)

仏説三界建立ノ沙汰之事

幽貞。ワラワカヤウナル者ノ、争カ此宗ノ貴事ヲ申顕ス事叶侍ン。乍去、無ク成シ妻ノユカリノ人、此宗ノ出家ニテ、(5裏)折々我祖父ノモトヘヲハシテ物語シ玉フヲ、傍ヨリ常ニ承レハ、自耳ニ留ル事モアリ。自然、又、貴ク覚ヘ侍事ヲハ書付置タル事モアレハ、カタハシナリトモ語リ進スヘシ。委事ハ御寺ヘ御供申テ、出家タチノ口ヲモ聞セマヒラスヘシ。サレハ、三界建立ナト、申事ハ、此宗ニハ曾テ無事ト申也。其謂レヲハカツ〳〵左ニ顕スヘシ。理ヲ以分別シ玉フヘシ。

妙秀。何トテ三界建立ノ沙汰ヲ無事トハ宣フソヤ。

幽貞云、無事ト申侍謂レハ、底カラナキ事ヲ偽テ云出タレハ、更ニ跡先首尾モセヌ事ハカリ也。[*1]心ヲシツメテヨク聞玉ヘ。三界ト申ハ、欲界・色界・無色界、是也。[*2]此三界ヲ云立ルニハ、先、須弥山ト云[*3]山ヲ立スシテハカナハス。此山ハイツクニ有ソト云ヘハ、天竺・大唐・日本、此三国ヨリ(6表)遥ニ北ニアリト云リ。然間、三国ヲ合テ南瞻部洲トモ、[*4]此北ニアル須弥山ニ対シテ云事也。爰ヲ以テ偽ナル事ヲワキマヘタマヘ。故如何トナレハ、北ノ極ト云ハ、北極ト云テ北斗ノ星ノ有所ヲ、天ニ於テノ北ノ極トス。然ハ、此世界ニテモ北斗ヲマ頂キニ見ル所ヲ北ノ国ノ極トス。[*5]サレハ、此北斗ノマツ下マテ、日本地ヨリ直ニノリヲハカレハ、一千三百七十一里ニ少シ余レリ。サテ、須弥山ノ高サ広ヲ聞ハ、[*6]

水入事八万由旬、水ヲ出タル事也[*7]八万由旬ナレハ、十六万由旬也。広サ、又、十六万由旬也。サテ、此一[*8]由旬トハイカ程ノ事ソトイヘハ、六町一里ニシテハ四十里。但、爰[*9]元ノコトク三十六町一里ナレハ、一由旬ハ六里廿四町也。此六里廿四町ヲ八万合スレハ、惣テ五十三万三千三百三十三(6裏)里十二町也。シカラハ、此山ハイカニ北ノ極ニアリトモ、此日本マテモ、ハ、カリテ見ヘスシテハ叶フヘカラス。日本ノ事ハ申ニヤ及、此世界ニモ七八十増倍程ハ余ル大サナレハ、アル物ナラハ、何クニカクルヘキヤ。世界ノ大サヲハ、我宗ノ学文ノ上ヨリ、七千七百七十二里余ト知ル也リ。然ニ、五[*10]十万三千三百三十三里ニ余テ、是程大ナル山ノアル物ナラハ、何クヨリモナト見ヘテハ有ヘキソ。是ヲ以、偽ト云事ヲ知玉フヘシ。須弥既ニナキ物ナラハ、忉[*11]利天、三[*12]十三天、帝[*13]釈ノアルト云喜見城モイツクニアルヘキヤ。欲界ノ第一ナル処偽ナレハ、色界・無色界モ、皆ナキ事ヲ作立タル虚[*14]空ノ丈尺ト分別アルヘシ。尚、此上ニ大成虚説ハ、サテ此須弥山ハイツクニスハリテ有ソトイヘハ、三輪ニスワルト云ヘリ。三輪トハ、金輪・水(7表)輪・風輪トテ、此欲界ノスハル第一ノ下ハ風也。其上ハ水、其上ハ金也ト云ヘリ。カヤウノ事コソ、無理ナル事トハ申也。何トシテ、風ノ上ニ此重キ水ノスハリテ有ヘキヤ。但、此風ハ堅[*15]蜜トテ、キヒシク堅シトイハ、ソレハ又風ト云ヘキ物ニアラス。風ハ物ノフレトヲルニ、サワリナキヲ本トス。キヒシクカタキ物ナラハ、風トハ何トシテ名付侍ソ。ヲカシキ事ニアラスヤ。サテ、又此水ノ上ハ金輪トテ、ヲモキ金也トイヘリ。アラ〳〵心タラスノ仏ノ説タマヒヤウヤ。マノ前ニアル事、昔ヨリ一寸ノ金ハ千里ノ水ニモ浮事ナキニ、マシテヤ是ハ厚[*16]サ三億三万由旬トイヘル此金カ、何トシテ水ノ上ニハ浮ヘキヤ。猶シモ偽ハ、三[*17]千大千世界トイヘル事ヲ説ル儀也。是ヲイカホトノ事トカ思玉フ。千ノ須弥、千ノ日月ヲ合テ小千界ト云、又、小千

(7裏)界ヲ千合タルヲ中千界ト云、又、千[*18]界ヲ千合タルヲ大千界トハ申也。惣テ百億[*19]ノ須弥、百億ノ日月トイヘリ。一ツノ須弥サヘナキニ、百億ノ須弥、百億ノ日月ハ何クニ有ヘキヤ。

サテ、其日月ノ事ヲハ、貴理師端ニハ如何沙汰候哉。

幽貞。貴理師端ノ沙汰ハ後ニ申ヘシ。先次ニ仏説ノ違タル所ヲ申ヘシ。サレハ、月日ハ須弥ノ腰ヲ、北ヨリ東南へ向テ横へ回ルトイヘリ。須弥山ナケレハ、此事皆偽ト云ナカラ、先爰ニハ、須弥ヲ有物ニシテ見時ハ、横ニハ回ラス、明カニ東ヨリ出テ、頭ノ上ヲ通リ、西ニ入事ハ、朝夕見玉ハスヤ。何シニ横ニ回ルトハ説レタルヤ。但、榎[*20]ノ子ハナラハナレ、木ハムクノ木ト云ツレナレハ、東ヨリ西へ回ルトモ、横ニ共云ヘシ。サリトテハ、明カニ見ヘタル事ヲ、アラヌヤウニ云ナス事、

(8表)不思儀成。又、月ノ盈虧ハ如何ニト云ヘハ、[*21]月宮殿（ヅウデン）ニ三十ノ天人有テ、十五人ハ青衣（シ）トテ青キ衣ヲキ、今十五人ハ白衣トテ白キ衣ヲキテ、朔ヨリ十五日マテハ、白衣ノ天人一日ニ一人ツヽ、月ノ内ニ入ニヨリ、青衣ノ天人一人ツヽ出テ、月ノ光円満シ、十六日ヨリ晦マテハ、白衣ノ天人一人ツヽ出レハ、青衣ノ天人一人ツヽ入ニヨリ、光カケテ暗クナルト云ヘリ。此盈虧、貴理師端ノ学文ニハ、月[*22]ノ体ニハ光ナフシテ、日輪ノ光ヲウケテ輝ク者也。然ハ、日ノ天、月ノ天、別々ナルニヨテ、朔[*23]ニハ必月カ日ノ下ニ重ルニ依テ、日ノ光ヲウケタレハ、月ニ光ナシ。二日、三日ヨリハ、ハヤ月カ日ノ下ヲ離ルヽニヨテ、少ツヽ日ニ向方ニ光アリ。其証拠ニハ、十五日マテハ日輪月ニ先立テ西ニ入ニ依テ、月ハ其光ヲ西ノ方ヨリ

ウケテ、東ノ方ハ
(8裏)カケ、十五日ニ当ル日ハ、正面ニ月日向ニ依テ、月ノ光モ円満スルニ、又、十六日ヨリ晦日マテハ、月カ日ニ先立テ西ニ入ニヨテ、日ノ光ヲ東ヨリウクレハ、東ノ方ハ月ニ光有テ、西ハカケテ入侍リ、上[24]強(ケン)月、下弦ノ月ト云事ニカナヘリ。

妙秀。月ノ盈虧ノ事ハ承リヌ。日[25]蝕月蝕ノ事ハ如何。

幽貞。是又、仏説ヲ能聞給へ。先、仏ノ六[26]道ト云ル事ヲ立玉リ。其中ニ修[27]羅ト云者アリ。修羅カ内ニ毘摩質多羅ト云ル修羅カ、娘舎脂夫人ヲ、又、羅[28]睺ト云ル修羅ニ契約シケルニ、帝釈是ヲ奪取テ我妻トスルニヨテ、羅睺腹ヲ立、帝釈ノ居ル喜見城ヲ責ントトス。サレハ、喜見城ハ須弥ノ頂キナレハ、高八万由旬ナルニ、羅睺カ身ノ長八万四千由旬、口ノ広サハ千由旬ナルカ、起時ハ身ノ(9表)長一倍ニナッテ十六万由旬ト成テ、大海ノ中ニ立テ、帝釈天ヲ目ノ下ニ直下シ、日月ハ帝釈ノ大臣ニテ光ヲ放スニ、羅睺マハユクシテ眼開カタキニ依テ、手ヲ出シテ日月ヲツカム也。此時、光クラクナルヲ、世上ノ人蝕ト云ヘリ。須弥ノ事サヘナキ事ナレハ、カヽル偽ヲ重ネタル事、是非ニ及ハサル事共也。サテ、此蝕ノ本説ト申ハ、日月ノ天別々ナレハ、マ[29]ワリアシニヨテ有事也。先、月蝕ト申ハ、月ト日ト同シ所ニ重ニヨテ有事也。十四日、十五日、十六日ノ間ナラテハナシ。其故ハ、此時、月ハ東ニ有、日ハ、又、西ニ有テ、日月ニ真正面ニ向フ中ニ世界隔テ、其世界ノカケ月ニ移ル。是ヲ月蝕ト申也。サテ、日蝕ト申ハ、月ノ天ハ日ノ天ヨリモ下ナルニヨテ、月カ日ノ下ニ重ルトキ、日ノ光ヲ(9裏)ヲサユル時節、クラクナルヲ日蝕トハ申也。カヤウニ申分ニテ、分別有難事也。世界ノ図ヲモミテ次第ニ合点行也。仏ノ説ハ[*30]倶舎論世間品ニ注（シルス）間ト云ヘトモ、更信シカタキ事ト、其学者ノ人数モアヤフム事ハカリ也。[*31]倶舎トハ、須弥山ノ南バラ青キカ故ニ、其陰カ移リテ虚空モ青シト思ヘリ。天トテ何モ有者ニハアラス。[*32]月日星モ風ニ乗テ回ルト云リ。月日星風ニ乗テ回物ナラハ、大風西ヨリ起テ頻ニ吹ハ、月日星モ西ノ山端ヨリ東ヘ吹ヤルヘシ。昔ヨリ今ニカヽル例シ一度モナケレハ、風ニ乗シテ廻ルナト、申事ハ、沙汰ノ限ノ事也。三界建立ノ沙汰、何レモ[*33]皆類ヒハカリ也。

　妙秀。サ様ノ道理ヲ聞時ハ、尤、須弥ノ山モナキ（10表）事ト分別申タリ。

　ゲニモ須弥ノ方ニ、日本・唐土・天竺ト、三国ナラヒテ有ト思事ハ、皆ウソニテアル事明白也。サレハ、[*34]仏法ノ沙汰ニハ、天竺唐土ノサカヒハ、[*35]流砂・忩（スウ）嶺ノ嶮難、ワタリカタク越カタキ道也。忩嶺ト申山ノ西北ハ大雪山ニツヽキ、東南ハ海隅ニ聳出タリ。此山ヲ界テ、西ヲ天竺トイヒ、東ヲ震旦ト名付。道ノ渡三千余里。草木モ生セス、水モナシ。銀漢ニ臨テ日ヲ暮シ、白雲ヲ踏テ天ニ上ル。嶮難多有中ニ、殊ニ高フ聳タル嶺アリ。[*36]闕（ケイ）波羅災難ト名付タリ。雲ノ衣ヲ解却而、[*37]苔ノ衣、山ノ岩ノカトヲ拘ヘツヽ、十日ニコソハ越ハツレ。此嶺ニ上リヌレハ、三千世界ノ広狭ハ眼ノ前ニ明ニ、[*38]一円浮提ノ遠近ハ足ノ下ニ集レリ。又、[*39]流砂ト云川ハ、水ヲ渡リテハ川原ヲ行、川原ヲ行テハ（10裏）水ヲ渡ル事、[*40]ケ日ノ間ニ六百三十七度也。昼ハ勁風吹立砂ヲ飛シテ、雨ノコトシ。夜ハ夭鬼（ユウキ）走散テ火ヲトホス事、星ニ似リ。白浪漲リ落テ巌石ヲ穿チ、青淵水巻テ木葉ヲ流ス。設（タトヘハ）、深淵ヲ渡ルト云ヘトモ、夭鬼（キ）ノ害難遁カタシ。縦、鬼魅（マイ）ノ[*41]怖衣ヲ免ル、ト云ヘトモ、水波ノ漂難避カタシ。サレハ、海陸トモニ、大権ノ薩埵モ卒爾ニ往還シカタシト見ヘタリ。サレハニヤ、玄奘[*42]三蔵モ此界ニ趣テ、命ヲ失フ事六度也。次ノ受生ノ時ニコソ、法ヲハ渡シ玉ヒタレナト、、事々シキヤウニ申セトモ、今日此比ハ、京堺ノ商人ヤ、又ハ四国西国ノ者トモ、商買ノ為、支那四百州ノ外ニ、天竺国ノハシ〳〵、御朱印[*43]ヲ申受テ、毎年渡海スルノミナラス、剰ヘ釈尊入滅シ玉シ跋[*44]提何ノ辺マテモ、見テ帰ルナト(11表)申セハ、カヽル目ノ前ノ虚説笑止ヤト、仏弟子ノ中ニ心有人ハ、心中ノ歎キモ、サコソ有ヘケレ。サレハ、眼前ニアル日本・唐土・天竺三国ノツヽキサヘ、アルニモアラヌ事ヲノミ云ヲキタレハ、マシテヤ欲界ノ地ヲ離テ、色界、無色界ナト云事モ、皆正体ナキ事共也ト、カツ〳〵思トリタル上ニ、又、事ヲ分テ、カヤウニ語玉フ時ニコソ、弥ナキ事ニヲトシ付侍レ。

サテ、思ノ外ナル事哉。自ラモ知識達ニ聞進セセシ事共ヲ語進ラセテ、同ハ仏ノ道ニモ引入申サントコソ思シニ、今ノ分ナラハ、ハヤソナタヘ心移行事ハ、案ニ相違シタル事哉。今日モ暮ヌ。明日コソ参リ侍ラメトテ其日ハ帰リニケリ。

＊1　**跡先首尾モセヌ事**　「跡先」は前後の事情、「首尾」は事の成り行きや終始をいう。ここでは、前後を顧みず、思慮分別のないさまを意味する。

＊2　**欲界・色界・無色界**　欲界は欲望のある世界、色界は欲望がなくなり物質（色）のみがある世界、無色界は物質もなく、精神のみの世界。色界・無色界は瞑想の境地を世界観の中に組み込んだもの。

＊3　**須弥山**　古代インドの宇宙説による世界の中心にある高山。スメール（Sumeru）。周囲に七金山八海と鉄囲山があり、最も外側の海に須弥四洲が浮かぶ。山の根元に地輪・金輪・水輪・風輪があり、頂上には帝釈天を中心に三十三天

が住む忉利天がある。四天王が住む中腹を日月が回り、夜と昼とを照らすとする。

＊4　**南瞻部洲**　須弥山の南方にある大洲で、人間が住む所。Jambudvīpa.

＊5　**此世界**　この世界、すなわち地球のこと。幽貞は地球説をとる。「浄土宗之事」（71表～裏）参照。

＊6　**須弥山ノ高サ広ヲ聞ハ**　須弥山については『仏説立世阿毘曇論』数量品第七に「是須弥山、亦復如是。半形入水、八万由旬。半形出水、八万由旬」（大正三二・一八一上一四～一五）とあり、また『長阿含経』巻第十八・閻浮提州品には「須弥山王入海水中、八万四千由旬、出海水上高八万四千由旬」（大正一・一一四下一二～一三）とあるが、これらに基づく説であろう。

＊7　**也**　「また」と読むと思われる。

＊8　**一由旬トハイカ程ノ事ソトイヘハ、六町一里ニシテハ四十里**　一由旬という長さについての説明。由旬は古代インドの距離の単位。『大唐西域記』に「夫数量之称謂踰繕那〈旧曰由旬。又曰踰闍那又曰由延。皆訛略也〉踰繕那者、自古聖王一日軍行也。旧伝一踰繕那四十里矣。印度国俗乃三十里。聖教所載唯十六里」（大正五一・八七五下四～七）とあるように、一由旬は帝王の一日行軍の里程であり、それを六町一里に基づく数え方では四十里になるという。「六町一里ニシテハ」は六町を一里とする単位のことで、＊9の「爰元」に対するものであることから、中国での距離の測り方を指すか。

＊9　**爰元ノコトク三十六町一里ナレハ**　「爰元」は日本を指し、平安時代以降広く行われた三十六町を一里とする距離の単位による数え方。

＊10　**五十万三千三百三十三里**　「五十」の下に「三」が脱落。

＊11　**忉利天**　六欲天の第二。須弥山の頂上にある。閻浮提の上にある天で、八万由旬の所にあるとされる。

＊12　**三十三天**　忉利天のこと。中央に帝釈天が住し、四方に八天ずつあって、三十三天になるとされる。

＊13　**帝釈ノアルト云喜見城**　「帝釈」は、ヴェーダの神インドラで、仏教に取り入れられて護法神となった。「喜見城」は、須弥山の頂にある忉利天の中心の帝釈天が住む城。

＊14　**虚空ノ丈尺**　「虚空」は空間のことで中身のないものの譬え。「丈尺」は一丈の長さの物差しで、それで測り示す長さのこともいう。ここでは、無駄な言葉、大げさな物言いを意味する。

＊15　**堅蜜**　「蜜」は「密」が正しい。風輪が堅密であることは、玄奘訳『倶舎論』巻十・分別世品に、「如是風輪其体堅密」（大正二九・五七上一七）とある。

＊16　**厚サ三億三万由旬**　『倶舎論』巻十一・分別世品には「三億二万」とある（大正二九・五七上二七）。

＊17　**三千大千世界**　須弥山を中心として、九山八海・須弥四洲の範囲を一小世界といい、それを千集めたものを、小千世界、小千世界を千集めたものを中千世界、中千世界を千集めたものを大千世界という。「三千」は千の三乗の意。三千大千世界を一仏の教化の範囲とする。三千世界ともいう。

＊18　**千界**　この上に「中」が脱落。

＊19　**億**　「億」には百万、千万、万々など諸説あるが、千万に当るという説が有力。数の多いことを表わし、必ずしも厳密な意味ではない。

＊20　**榎ノ子ハナラハナレ、木ハムクノ木**　強情で人の言を聞かぬことをいうことわざ。

＊21　**月宮殿**（ツウデン）　月の世界にある宮殿。源信の著作とされる『三界義』に「或所ニハ月ノ宮殿ノ内ニ、三十ノ天子アリ。十五人青衣天子、十五人ハ白衣天子也。月ノ内ニ常ニ有二十五天子一。従二月一日一、白衣天子、一人入二月宮殿一、青衣天子、出二宮殿ノ外一。如レ是」（恵心僧都全集第三巻）とあり、月宮殿は謡曲「羽衣」や「融」などにも見える。フロイスの『日本史』に日蓮宗の上人が同様の説を述べたことが記されており、当時よく知られた説であったことがうかがえる。また、『日葡辞書』には**Guecqiŭ**の項があり、ゼンチョ（**gẽtios**　異教徒）が月の中にあると想像している御殿であって、そこにはアンジョ（**Anjo**　天使）のような人がいて、月を満ち欠けさせるという（『邦訳日葡辞書』参照）。

＊22　**月ノ体ニハ光ナフシテ**　応永二十一年（一四一四）成立の『暦林問答集』上「釈月第四」に「故体自無光。藉日照之乃明、猶以臣自無威。仮君之勢乃成其威」（賀茂在方著・群書類従第二十八輯）と見える。在方はキリシタンであり、『暦林問答集』には西洋天文学の説が摂取されている。また、小林謙貞『二儀略説』上・第四「四　月輪ノ一年ノ事」にも、「（月は）太陽ノゴトクソノ体ニ光リナシ。又天質ノ如クスキ通リタル質ニモ非ズ。タヾ日光ヲヨク受留テ照ル質ナリ」（『近世科学思想』下・日本思想大系六十三、四五頁）とある。小林謙貞は、長崎の人で、天和三年（一六八三）に八十三歳で没。林吉左（または右）衛門から天文地理を学んだが、林がキリシタンとして刑死したため、謙貞も二十一年間入牢したという。『二儀略説』は、イエズス会の日本コレジョ講義に使われたペドロ・ゴ

メスの『講義要綱』（一五九三年成立）の第一部「天球論」と内容・構成が同一であり、同書の日本語訳からキリスト教教理に関する部分を削除し、巻末に全体の要約を付したものである。

＊23 **朔ニハ……月ニ光ナシ**　ここは天動説に基づいて月の満ち欠けを説明している。天動説では、太陽の周回軌道の内側に月の周回軌道があると考える。＊22に引用した『暦林問答集』の続きに「月初未対日、故無光欠。月半而与日相対、故光満。十六日以後漸欠、亦漸不対日也」とある。『二儀略説』上・第四「四　月輪ノ一年ノ事」にも、「或ハ三日月ト見へ、或ハ半月ト見ユルコトハ、光ヲ受タルワキノ方ヲ下界ヨリ見ル故、太陽ニ遠ザカル程光ノ当ル方下界ヨリ多ク見へ、望ノトキ、ノコラズ見ユル故ニ、満月トナルナリ。夫ヨリ又太陽ニ近ヅクホド、太陰ノ上面ニ光リメグル也。故ニ下ナル方ハ次第ニ少ク見ヘテ、ツイニ会スルトキハ、上面計ニ光ヲウケル故ニ、月ノ形ヲ見ルコトナシ」（『近世科学思想』下・日本思想大系六十三、四五頁）とある。朔日は月は太陽と重なるため、地球から見える側は陰になって光はないと考えられていた。

＊24 **上強**（ケン）　底本の「強（ケン）」は「弦」の誤写。

＊25 **日蝕月蝕ノ事**　原拠は『正法念処経』巻十八・畜生品第五「時羅睺阿修羅王、作是思惟、日障我目、不能得見諸天婇女、我当以手障日光輪」（大正一七・一〇七中一六〜一七）以下の記述と思われる。

＊26 **六道**　地獄・餓鬼・畜生・修羅・人・天の六つの状態で、通常の生き物は生前の行為によって、この六つのいずれかに生まれ、輪廻し続ける。

＊27 **修羅**　阿修羅（asura）の略。阿修羅は帝釈天などの善神に戦いを挑む悪神のこと。『別訳雑阿含経』巻二に「帝釈娶毘摩羅質多阿修羅王女、名舎脂」（大正二・三八四下二六〜二七）とあるが、羅睺との関係は未検。

＊28 **羅喉**　羅睺とも書く。仏教・天文学では、日月火水木金土の七曜に、羅睺・計都を加えて九曜とする。

＊29 **マワリアシ**　「廻り悪（あ）し」と解される。太陽と月の周期は異なるため、本来重なることはないが、以下の説明のようにたまたま両者の位置が重なってしまうことを、廻り合わせが悪いと表現したものと思われる。日蝕については、たとえば『二儀略説』上・第五「日蝕ノ事」に「日蝕ハ日月己々ノ右行ヲナスニ依テ、定タル処ト時分ニ当リテ、日月共ニ廻リ逢フコトナリ」（『近世科学思想』下・日本思想大系六十三、五〇頁）とあり、月と太陽が「廻リ逢フコト」によって起こる現象とする。現代語訳では「その廻り合い」と訳した。

＊30 倶舎論世間品　『阿毘達磨倶舎論』巻第十一・分別世品（大正二九・五七上三～）に月の満ち欠けに関する説を載せる。

＊31 倶舎トハ……虚空モ青シト思ヘリ　『阿毘達磨倶舎論』巻第十一・分別世品「謂如次四面北東南西金銀吠琉璃頗胝迦宝、随宝威徳色顕於空、故贍部洲空似吠琉璃色、如是宝等従何而生」（大正二九・五七中一四～一七）による説かと思われる。なお、「倶舎トハ」の下に脱文があり、『倶舎論』についての説明がなされていた可能性もある。

＊32 月日星モ風ニ乗テ回ル　『阿毘達磨倶舎論』巻第十一・分別世品「論曰、日月衆星依何而住、依風而住」（大正二九・五九上二一四）による。

＊33 皆　「皆」で通じなくはないが、「此ノ」を誤記した可能性もある。

＊34 仏法ノ沙汰　以下の「天竺唐土ノサカヒ」に関する描写は、『平家物語』巻第六「祇園の女御」（新潮日本古典集成）に近似する文章が見られる。

＊35 流砂・崧（スウ）嶺　「流砂」はトルキスタン砂漠のこと。「崧嶺」は一般には「葱嶺」と表記し、パミール高原を指す。インドの北に位置し、中国西境からインドに入る難所を象徴的に表現したもの。

＊36 罽（ケイ）波羅災難　未詳。『平家物語』の諸本には、「刹波羅最難（せつはらさいなん）」（百二十句本）、「鶏波羅西南」（覚一本）、「罽波羅最難」（屋代本・竹柏本）、「ケイハラサイナ」（延慶本）などと見える。『大唐西域記』にある仏跡「瞿波羅窟（くはらくつ）」を高峰と誤ったものかとする説や、「カーフィリスターン（ヒンズークシ山脈）」や「カラシャフル（天山山脈）」とする説などがある。

＊37 苔ノ衣　『平家物語』では「雲の表衣をぬぎさけて、苔の衣も着ぬ山の巌のかどをかかへつつ」とあり、苔も生えぬ岩山の意である。現代語訳では底本に即して訳した。

＊38 一円浮提　一閻浮提。＊4の「南贍部洲」に同じ。

＊39 流砂ト云川　「流砂」は、風が吹くと砂が流れ移動する様子から砂漠のことをいう。ここではそれを川に譬えて描写している。

＊40 ケ日　『平家物語』では「八か日があひだ」とする。「ケ」は「箇」の略字。

＊41 衣　「畏」の誤記。

＊42　**玄弉**　底本の「弉」は正しくは「奘」。玄奘三蔵（六〇〇あるいは六〇二～六六四）のこと。唐代中国の訳経僧。『平家物語』でも西域への旅で六度命を落としたとする。

＊43　**御朱印**　戦国時代以来大名が公文書に押した朱色の印のこと。また、その朱印の押された文書、すなわち朱印状のこともいう。

＊44　**跋提何**　底本の「何」は「河」の誤写で「跋提河」のこと。阿恃多伐底河（あしだばっていが）の略。古代インド末羅国の首都拘戸那揭羅（くしながら）を流れる河。釈尊がこの河の西岸にある沙羅林で入滅した。

（11表）

釈迦之因位誕生之事

妙秀、シノ[*1]、メノ明ヲ遅ト出立テ、彼庵室ニ入ケレハ、幽貞、御(11裏)約束ヲ違玉ハテ、能コソ来リ玉ヒトアレハ、其御事ニテ侍フ。昨日帰リ進セテヨリ、御物語アリシ事トモヲクリ返シ案シ侍レハ、皆理リトハ乍思、三界建立ノ沙汰ハ兎モアレカシ、仏ノ教ニテ後生[*2]ヲタニモ助ラハ、ソレマテニテコソアラメト、思フハイカニト有ケレハ、幽貞、承リ候様ニ、仏ノ教ニテ後ノ世ヲサヘ助ラハ、元ヨリ何ノ不足カアルヘキナレトモ、ソレコソナラヌ事ノ第一ニテ侍レ。其謂ハ、此宗ノ出家常ニ語玉シ事ヲ、カタハシ物語申進ラスヘシ。サレハ、先、仏ノ因位[*3]ノ事ヲ釈迦譜[*4]ニ記サレシ分ヲ申ヘシ。昔、中天竺、摩河陀国[*5]ノ主、浄飯王ノ后、摩耶夫人、或時ノ夢ニ、白象ノ右ノ腋ヨリ胎内ニ入ト見テ、其儘身重クナリテ、十月ニマシテ母ノ右ノ腋ヲ破リ、卯月八日ニ生レ、則歩コト七足ヲ運ヒ、右ノ手ヲアケテ、天上天下(12表)唯我独尊ト唱ヘ玉フ。是ヲ悉達太子ト云ヘリ。其后、母ノ摩耶夫人ハ空ク成玉ヒシカハ、姨母（ヲハ）ノ摩[*6]河波闍波提ニ養ヒ立ラレ、十七ト申ニ耶輸陀羅女ヲ妻ト定ラレシ。是ヲ釈迦ノ由来ト申習シタリ。愚ナル人ハ、爰ニテ母ノ白キ象ヲ夢ニ見テ懐姙ナリシ事、其否実ヲ紀サス[*7]。天上天下唯我独尊ト唱シ事ヲモ、皆タフトキ事ト心得リ。サテモ知恵モナキ、愚痴ノ至リニテアラスヤ。理リヲハ紀サス、人ノ書置事ニハ真モ虚言モマシハルヘシト思ハヌ、アサマシキ事也。唐土ノ孟子[*8]ト云人ノ申サレシハ、悉書[*9]ヲ信セハ、書無ランニハシカシト。ケニモ偽モ真モマシルヘキ事ナレハ、[*10]シルサスシテカナハヌ道理ナルヲ、タ、無理ニタフトシト云ハ、浅マシキ迷ニアラスヤ。夢ニ象ヲ見テ妊ミタレハトテ、タフトカルヘキイワレナシ。[*11]父母ノ右ノ腋ヲケ(12裏)破リテ出タレハトテ、何ノタフトカルヘキ事ヤアル。但母ヲ殺タル、是ヤタフトカルヘキ。誠ニ謂レサル事也。又、天上天下唯我独尊ト云事モ、余ニ我身ヲ慢気シテ、却而其徳ヲ失ヒタルニアラスヤ。[*12]真如ハ平等ニシテ浅深高下ナシト申シテ、仏法ニハ、取分尊キ事モ侍ラスト説リ。禅ノ祖師ニ[*13]雲門ト申人ハ、釈尊ノ御事ヲ、[*14]黄面孔曇、傍若無人、我往昔生レ合ハ、一棒ニ打殺シテ、狗子ニ与ヘテキツセシメテ、天下泰平ナル事ヲ見テマシト云ヘリ。是ハ愚痴ナル人ノ、余ニ有難ク思フ事ヲ[*15]モトキテ云ヘル詞ナルヘシ。又、耶輸陀羅女ヨリ羅睺羅ト云ヘル一人ノ子ヲ儲ケ、其身ハ年十九ト云ヘルニ、王宮ヲ出テ、檀特山ニ入、[*16]阿邏々、迦邏々ト云二人ノ仙人ヲ師匠トシ、六年カ(13表)間、難行苦行シ、竟ニ年三十ニシテ、中天竺摩河陀国ノ菩提樹ノ下ニシテ、二月八日ノ夜、明星ヲ見テ悟ヲ開。其ヨリ後、五十年カ間説法ヲシテ、八十ト云二月十五日ニハ、跋提河ノ辺、沙羅林ノ内ニシテ涅槃ニ入玉フト見ヘタリ。然ハ是ハ人ニテ侍ラスヤ。妻ヲ[*17]対シ子ヲ儲ケ、生レツ死ツシタルヲハ、人トナラテハ云ヘカラス。タトヘハ木竹ヲ切ニモ、同木竹ニテハキラス、鉄ノ刃ヲ用テ切事明也。人ノ後生ヲ助ニハ、人ノ上ナル御主ナラテハ叶ヘカラス。仏ト申ハ、早人トハ心得玉ハテ、光ヲ放チ照輝キ、色々ノ徳ヲ有ヤウニ思事ハ皆僻事ニテ侍也。仏ト云ナヲハ、我朝ニテ付タル事也。其謂レヲ尋ニ、[*18]善光寺如来ノ縁起ニ有トテ、或人ノ語シハ、[*19]難波江ニ仏アリ。身煖ニシテ、[*20]ホトヲリケアルニ依テ、和語ニホトケトハ申也。ヲリノ二字ヲ中略シテ、(13裏)ホトケトハ申トカヤ。天竺ノ詞ニハ仏陀ト申侍ヲ翻訳シテ、唐土ノ詞ニハ覚者ト申也。覚者トハ、サトリタル人ト云事也。何事ヲ悟タルソト云ヘハ、[*21]畢竟空トテ、極メ〳〵テハ、仏トテタフトキ者モナク、衆生トテ拙ナキ者モナシ。地獄モ[*22]天堂モ焉クニ有ヘキトソト見開ヲ覚リトハ申也。カヤウニサヘサトル人有ハ、誰トテモ仏ソト申カ仏法ノ極メニテ、更ニ別ノ事ナシ。

妙秀。御物語ノヤウニ、仏モ元ハ凡夫ニテヲハセシ事ハ、其分也。サレトモ、是ハ衆生済渡ノ方便トテ、我等ヲスクヒ玉ハン為ニ、カリニ生死[*23]涅槃ノ相ヲ顕給ヘトモ、久遠ノ昔ヲ思ヘハ、[*24]五百塵点劫トモ尚限ラシ、本来ニテマシマス。是ヲ経ニハ、[*25]自我得仏来、所経諸劫数、無量百千万、億載阿僧祇トモ、又ハ[*26]為渡衆生故、方便現涅槃、而実不(14表)滅渡、常住此説法トモ説玉ヘリ。猥ニ人間トハカリ見玉フコソ僻事ニテ侍レ。其上、又、地獄モ天堂モナシトハカリ心得事ハ誤也。仏法ニハ[*27]断常ノ二見トテ、殊ノ外嫌フ事ニテ侍リ。断見トハナシトノミ見事、常見トハ有トノミ見事也。是ヲ離テ、[*28]中道トテ[*29]有無ノ界ニ[*30]安心ヲスヘ候事ヲ、無上ノ悟トハ申也。

幽貞。[*31]奇特ニ経ノ面ヲ一往ハ能心得玉ヘリ。サレトモ、其上ヲ能[*32]紀セハ、其斗モ辺モナク久キ仏ト申者コソ、因位トテ、人ト申セシヨリモ猶ウトカラヌ者ナレ。又、中道ヲ守ルヲ仏法ノ極トスル事、是又、委ク語侍ヘリヘシ。先、過去久遠ノ昔ヨリハカリモナク久キ仏ニテ侍ルト申事ハ、則虚空トテ何モナキ物ノ事也。是ヲ禅ニハ本分トモ仏性トモ云、天台ニハ真如トモ申也。仏法ノ心ハ、アリトシ有物皆此空ヨリ

出テ、又、空ニ
(14裏)帰ルト見ルカ故ニ、釈迦ニカキラス、今ノ御身モワラハモ、皆昔ヨリノ仏ト云者ハ、即是空トテ、何モナキ事ニテ侍リ。人ノ[*33]五体五輪ト申ハ、地水火風空ニテ、[*34]色心不二トテ、身モ心モ二ツニアラスト云ヘトモ、分テ申時ハ、地水火風ノ四大ヲハ色相トシ、空ノ一ツヲ心法ト心得也。此故ニ空ト云。其言ハ替レトモ、其指所ノ体ハ一ツ也。経ニモ是ヲ、[*35]我心自空ニシテ罪福無主ト説リ。釈迦ノ内証ハ、過去久遠劫ヨリノ仏也。此空ノコトニテ侍リ。タフトカラヌト申モ此事也。有無ヲハナレテ、中道ト云事モヨク心得ヌ上ニハ、別ノ事ノヤウニ侍トモ、中道ト云ハ即心ノ異名ニテ侍。或時ハ虚空ト云、或時ハ仏性ト云、或時ハ心、或時ハ中道ト申也。是、涅槃経ニハ、[*36]虚空ハ即是仏性ト、[*37]々々者、即是如来ト説レタルヲ、[*38]妙楽大師ハ、[*39]虚空モ仏
(15表)性モ、唯是中道ノ異名而已ト釈セラレタリ。爰以、有無ノ中道トハ唯無者ノ唐名ト心得ルナレハ、[*40]虚空ノ空、仏性ノ空トテ、二ツニ空ヲ心得ル事、誤リニテ侍。妙楽ノ釈ニ、[*41]虚仏性、唯是中道異名耳ト有ニテ、二ツナラヌ事ハ能聞ヘタリ。サレハ唯仏性ト申ハ、此無事ヲ知ヘキ道ヲ、[*42]八宗九宗ト分タル斗也。此無ト云事サヘ知侍レハ、何ノ宗旨モ隔ナキ者也。

　[*43]分上ル麓ノ道ハ多ケレト同雲井ノ月ヲ見哉

此雲井ノ月ト云ハ、真如ノ月、真如ノ月ト云カ、即虚空仏性トテ無物事也。

＊1　シノゝメ　夜明け方の、まだ明けやらぬ間。

＊2　**後生**　死後、来世のこと。

＊3　**因位**　まだ悟りを得ていない位。修行の期間。

＊4　**釈迦譜**　梁の僧祐の撰になる中国最古の仏伝。大正五〇所収。ただし、『釈迦譜』の本文をそのまま引用したものではない。また、『釈迦譜』は、後述の『大蔵一覧集』巻一（『昭和法宝総目録』巻三所収）に引用されており、ハビアンは実際には『大蔵一覧集』を参照した可能性がある。ただし、ここに記された程度のことは、当時仏伝として一般に流布していたことで、必ずしも特定の文献によったとは言えない。

＊5　**摩河陀国**　正しくは「摩竭陀国」。摩訶陀・摩掲陀とも書く。マガダ（Magadha）。中インドの王国。頻婆娑羅王が仏陀に帰依した。ただし、仏陀の生誕地とは異なる。

＊6　**摩河波闍波堤**　「河」は正しくは「訶」。マハープラジャーパティー。喬答弥（ガウタミー）ともいう。後に最初の比丘尼となった。

＊7　**紀**　底本の文字は「紀」に見えるが、文脈からは「紦」が正しいと推測する。＊10参照。

＊8　**孟子**　中国の戦国時代の人。儒家。魯の鄒に生まれ、孔子の孫の孔伋（子思）の弟子に学び、後に諸国を周遊して王道・仁義を説き、性善説を唱えた。その言行や学説を記したものを『孟子』という。

＊9　**悉書ヲ信セハ、書無ランニハシカシ**　『孟子』尽心章句下「孟子曰、尽書信、則不如無書、吾於武成、取二三策而已矣。仁人無敵於天下。以至仁伐至不仁、而何其血之流杵也」に基づく。

＊10　**シルサスシテ**　底本には「シルサスシテ」とあるが、＊7の「紀」と「紦」の関係、および文脈からは「タダサズシテ」が適当であると考える。書写の過程で、「紦」の文字が「紀」と誤写され、それを「記」の意に解した結果か。親本では「紦」の文字であった可能性が考えられる。現代語訳は「タダサズシテ」として訳した。

＊11　**父**　底本には「父」とあるが、「又」の誤写か。

＊12　**真如**　絶対不変の真理のこと。真諦訳『大乗起信論』に「一切法真如平等無増減故」（大正三二・五七五下二六）とある。

＊13　**雲門**　雲門文偃（八六四～九四九）。中国の唐末から五代の禅僧。五家七宗の一つである雲門宗の開祖。

＊14　**黄面孔曇、傍若無人（中略）天下泰平ナル事ヲ見テマシ**　『雲門匡真禅師広録』巻中「周行七歩目顧四方云、天上天

下唯我独尊。師云、我当時若見、一棒打殺与狗子喫却、貴図天下太平」（大正四七・五六〇中一六～一九）に基づく。「黄面孔曇」は釈迦を指し、「黄面瞿曇」とも。「傍若無人」は傍らに人がいないかのように勝手気ままにふるまうさまをいう。

＊15 **モトキテ**　他を非難すること。

＊16 **阿邏々、迦邏々**　正しくは阿羅邏迦羅摩（アーラーラカーラーマ）という一人の名前。これは『釈迦譜』巻三に「阿羅羅迦蘭二仙人」（大正五〇・三〇中四～五）とあることに基づく間違い。

＊17 **対**　正しくは「帯」。

＊18 **善光寺如来ノ縁起**　信濃国（長野県）にある善光寺の本尊である阿弥陀三尊に関する縁起。『扶桑略記』欽明天皇十三年（五五二）十月十三日に「善光寺縁起云」として、本尊の阿弥陀三尊を「仏像之最初」と記す。また「応永縁起」とも呼ばれる室町期頃成立の縁起はその後広く知られたが、いずれにも和語「ホトケ」の由来譚は見られない。なお、成立年次不詳の絵巻『善光寺の縁起』には「きんめいてんわう、きやうかうなりて、によらいをおがみまいらせ給ふ。さてもによらいの御身をさぐりまいらせ給へば、あたたかにわたらせ給ひしかは、た□□のほとおりほとけとはなづけたてまつり」（大日本仏教全書〈新版〉）とある。

＊19 **難波江ニ仏アリ。身煖ニシテ**　善光寺の本尊である阿弥陀仏が、三国伝来の生身像であり、難波の堀江に漂着した、もしくは捨てられたとする縁起を踏まえる。＊18に引用した『善光寺の縁起』の説を指すか。なお、「仏」の語源説と結びつけた早い例に、親鸞の「善光寺如来和讃」があり、「善光寺の如来の　われらをあはれみましまして　なにはのうらにきたります　御名をもしらぬ守屋にて　そのときほとをりけとまふしける　疫癘（えきれい）あるひはこのゆへと　守屋がたぐひはみなともに　ほとをりけとぞまふしける　やすくすゝめんためにとて　ほとけと守屋がまふすゆへ　ときの外道みなともに　如来をほとけとさだめたり」（定本親鸞聖人全集二・和讃・漢文篇）と見える。また、清原宣賢の『式目抄』二にも「仏和訓ニホトケト云ハ、此国へ仏像ノ渡リシヲ守屋等カ奏聞ニ依堂塔ヲ破却シ、仏像ヲ難波ノ堀江ニ投入タリシ時、人多クホトオリ病シヲ、此仏像ノ所為也トテ、ホトヲリケト名付タリ。ヲリノ二ヲ中略シテホトケト云」とあり、これらでは語源を疫病の流行と結びつけており、中世にはよく知られた説であったと思われる。

＊20 ホトヲリケ　熱（ほとほり）は、身体や物体に熱気の感じられること。病気などで発熱する状態にもいい、その熱気が残っていること。

＊21 畢竟空　あらゆるものが本質的に実体を欠いていること。

＊22 天堂　地獄に対して、神々の住む天上の世界のことをいう。

＊23 涅槃　底本には「湿枈」と表記されているが、「涅槃」の異体字と解する。本写本に多く用いられる。

＊24 五百塵点劫　『法華経』如来寿量品に説かれるもので、釈尊が成仏してからの長遠な時間のこと。

＊25 自我得仏来、所経諸劫数、無量百千万、億載阿僧祇　『妙法蓮華経』如来寿量品第十六（大正九・四三中一二～一三）。

＊26 為渡衆生故、方便現涅槃。而実不滅渡、常住此説法　『妙法蓮華経』如来寿量品第十六（大正九・四三中一六～一七）。なお、「渡」は『法華経』には「度」とある。

＊27 断常ノ二見　個我が常住不滅であるとする常見と、断滅してしまうとする断見の二つの誤った見解のこと。

＊28 中道　二つの両極対立する思想のいずれにもとらわれない中正真実のあり方。

＊29 有無ノ界　「界」は境界・分かれ目のことで、ここでは有と無とが分かれる中間、すなわち有でも無でもないところを指していると考えられる。

＊30 安心　心を一点にとどめて安住し、不動であること。

＊31 奇特　常人ではなかなか行えない、珍しく感心な行為や志であることをいう。

＊32 紀　＊7と同様「糺」と思われる。

＊33 五体五輪　「五体」は頭と四肢のことであるが、ここは「五大」のことと考えられる。五大は、万有を構成する五つの元素のことで、地水火風の四大に空を加えたものをいう。「五輪」とは、五大がそれぞれ功徳を具足円満するところから、円輪に擬していった語。

＊34 色心不二　色心は色法と心法のことで、物質的存在と精神とが別のものではないことをいう。色心不二は、天台宗の湛然（＊38参照）の説いた「十不二門」のうちの一つ。

＊35 我心自空ニシテ罪福無主　『仏説観普賢菩薩行法経』の「我心自空、罪福無主」（大正九・三九二下二六～二七）に

よる。『平家物語』巻第十二「大臣殿最後」にも引用される。

＊36 **虚空ハ即是仏性**　『大般涅槃経』巻第十三・聖行品之下（大正一二・六八七中二七）。

＊37 **々々者、即是如来**　＊36の経文の後半部に相当する。『大般涅槃経』巻第十三・聖行品之下（大正一二・六八七中二七〜二八）。

＊38 **妙楽大師**　荊渓湛然（七一一〜七八二）。中国・唐代の天台宗の僧侶。天台宗第六祖。

＊39 **虚空モ仏性モ、唯是中道ノ異名而已**　『法華玄義釈籤』巻第九（大正三三・八七七下二三〜二四）。

＊40 **虚空ノ空、仏性ノ空**　「禅宗之事」参照。

＊41 **虚仏性**　前出の引用文には「虚空モ仏性モ」とあり、ここは「空」が脱落している。

＊42 **八宗九宗**　三論・法相・倶舎・成実・華厳・律・天台・真言の八宗と、それに禅宗を加えた九宗とで、仏教史上の全宗派を表す言い方。

＊43 **分上ル麓ノ道ハ多ケレト同雲井ノ月ヲ見哉**　一休宗純の『あみだはだか物語』『骸骨』などに所収される和歌。

（15表）

八宗之事

妙秀。サリトテハ、カ様ニ仏法ノ奥深理ヲ御身ノ[*1]ニ知玉ヘル事、誠ニ驚キ侍也。仏法ニハ元ヨリ権[*2]実ノ二ツアリ。権トハ、暇[*3]ニ
（15裏）面ニハ、仏モアリ、地獄モアリ、天堂モアリト教ヘ、実トテ、真ニハ、地獄天堂ノ沙汰モナキソト、時トシテハ知識達ノ仰ラレシ事ヲモ、今コソ能分マヘ侍レ。サテ、八宗ノ事ハ、如何聞玉ヘルヤ。

幽貞。先、八宗[*4]ト申ハ、倶舎・成実・律宗・法相・三論・華厳・天台・真言、是也。此外ニ、禅・浄土ヲ加テ十宗[*5]、一向宗・日蓮宗マテヲモ加テ、十二宗[*6]トハ申也。是ヲ大乗・小乗トヲシ分テ、大乗[*7]ヲ尚理深ク、タフトキヤウニ用ヒ、小乗ヲハ理モ浅ク、タフトキ事モ薄キヤウニ申也。然、倶舎・成実・律宗ヲハ、一向浅近トテ小乗ト定ラレテ侍リ。サレハ、倶舎宗[*8]ト申ハ、世親菩薩[*9]ノ作倶舎論三十巻[*10]ヲ以立タル者也。三蔵教[*11]、有門[*12]ノ修因[*13]感果ノ相ヲ談シタリ。修因感果トハ、爰ニテ菩薩ノ種ヲ植レハ、当来ニ其実ヲ
（16表）結ヒテ成仏スルソト心得侍ル也。此故ニ、全ク大乗ノ心ニ非ト也。成実宗[*14]ハ、哥梨跋摩菩薩[*15]、成実[*16]論ヲ作ルニ依テ立タル宗ト承ル。茲[*17]論ノ巻数ハ、或十六巻トモ、又ハ廿巻トモ申也。先、成実ト申名ノ心ハ、成[*18]ハ能入ト申テ、悟テ入人ニカヽリ、実ハ所入トテ、悟ラレ入ル、方ニ付也。悟ラレイラル、実ハ何ソナレバ、実儀ナリ。実儀[*19]トハ即空ノ義ニテ侍リ。サレハ、諸法ヲ空也ト決定シ覚方カ、成ノ字ノ

心也。昔ハ、是ヲモ大乗ノヤウニ申ツレトモ、天台大師[*20]、嘉祥大師ナト、小乗ト決セラレタルト也。サテ又、律宗[*21]ト申ハ、戒律[*22]トテ、色々ニ戒メヲ守ル事ヲ宗トセリ。其戒行[*23]、事広ト云ヘトモ、極ル処ハ唯二ツ也。一ツニハ、止持ノ戒トテ、五戒[*24]ヲ犯スヘカラスト止ル方ヲ申也。二ツニハ、作持ノ戒トテ、広ク云ハ、

(16裏)諸善奉行[*25]ト申テ、諸ノ善事ヲ行ヘト云ルツレノ事、是ヲ作持ノ戒ト申也。

妙秀。サレハ、爰ニ不審ナル事侍リ。今マテ仏法ニハ後生モナキソト云ナカラ、無物ナラハ、五百戒[*26]ノ、二百五十戒[*27]ノ、十戒[*28]ノ、五戒ノナト、申事ハ、貴キ道ニ至ヘキ為ト見タリ。サテハ、後生ノ助ル道モアルヘシトヲホヘタルハ、如何。

幽貞。仰ノヤウニ戒律沙汰ヲ申時ハ、仏法ニモ後生ノ助リ有ヤウ侍レトモ、全以サヤウノ事ニテハナシ。仏法ニ、浮ヒ助ルト云事ハ、嬉キ事モ悲事モナキソト教ユ。是ヲ、真如[*29]平等ノ台ニ至ルト申也。此故ニ、極メ〳〵テハ善悪不二[*30]邪正一如ト云リ。サレハ、智度経[*31]ニモ戒ノ沙汰ヲナシテ、終リニハ、一切ノ法皆属因縁無自性者、諸善法皆因悪生、若因悪生如何可着、悪モ是善因、如何可憎、(17表)如是思惟、真入諸法実相観、持戒破戒皆従因縁生故ニ無自性、無自性故畢竟空、故不着、是名般若波羅蜜ト云リ。般若[*32]トハ、空恵ト云テ、無心[*33]無念ノ智恵也。波羅蜜[*34]トハ、到彼岸ト申テ、彼岸ニ至ル事。彼[*35]キシトハ、即真如。ナニモナキ物ニナルヲ、到彼岸トハ申也。仏法ニ後生ノ有ニ依テ、戒律ヲ定タルニアラス。大蔵一覧集[*36]ト云ル物ニモ、既無二レハ死生之可レキ免安ソ有二ン仏戒之可持ト云ヘル頌ノ下ニ、伝灯[*37]ト云ル録ヲ曳リ。其理リハ、或時薬山[*38]ト云ル祖師、高沙弥ニ向ヒ、伱ハ何ノ処ニ去ソト問レシニ、沙弥、

江[*39]陵府ト云所ニ受戒シ去ント答ケレハ、薬山、受戒ハ何ノ用ニ立物ソト問シニ、生死ヲ免ルト答シカハ、薬山、受戒ヲモセス又生死ノ免ルヘキモナキ一人アリ、汝是ヲ知ヤト有シカハ、沙弥答云、然ハ御身何トテ（17裏）仏ノ戒ヲハ用ヒ玉フヤト云シニ、薬山、此饒舌ノ沙汰、サヤウニ口ヲタタキテハ、奇特[*40]ニ唇モ歯モツ、ク事ヲト叱ラレテ、其時、本心[*41]ニ叶イタルニヨリ、更ニ受戒セサリシト也。サレハ、皆受戒[*42]ト申モ、後生ノ有故ニテハナシ。唯色相[*43]トテ、出家ニアタル作法マテニ持ツ也。此故ニ、今時ハ此戒行ニモ当世流カ多アルト見ヘタリ。是ハ先、戒律ノ有ハトテ後生ノアルニテハナキ也

＊1　**ノニ**　底本では一字分空白。「上」か。

＊2　**権実**　権は一時的・便宜的なもの、方便。「実」は真実。

＊3　**暇**　「假（仮）」の誤写。

＊4　**八宗ト申ハ……是也**　八宗は奈良時代に確立した六宗に平安時代に成立した天台・真言を加えたもの。凝然『八宗綱要』では、空海『十住心論』に倣って、最後の三宗を天台・華厳・真言の順にするが、痴兀大慧『枯木集』では華厳・天台・真言の順にし、天台系では天台を真言の後に置く。

＊5　**十宗**　八宗の後に禅・浄土を置くのは『八宗綱要』に始まる。『枯木集』のほか、禅宗系では浄土・禅の順になる。なお、本書の十宗の順列に完全に合致するのは聖冏『決疑鈔直牒』（一三九三年）に記された十宗である。

＊6　**十二宗**　一向宗は浄土真宗のこと。一向宗が独立の一宗として認知されるのは、文禄四年（一五九五）の方広寺大仏供養会以後のこと。日蓮宗は、中世を通じて法華宗（法華衆）を称していたが、天文法華の乱（一五三六年）での敗北により天台法華宗と区別して日蓮宗の宗名を強制された。一三四八年成立の『峯相記』はすでに天台宗と区別して「法華宗」を立てているが、一般的には一向宗と同様、方広寺大仏供養会以後、一宗として認知されること

になる。なお、ロドリゲス『日本大文典』（一六〇四年）では一向宗ではなく時衆を挙げている。

＊7 **大乗・小乗**　大乗（マハーヤーナ）は、偉大な乗物（教え）の意で、西暦紀元前後に誕生した新しい仏教運動の自称。釈尊以来の伝統的仏教（部派仏教）が、輪廻からの脱却である涅槃を目標とするのに対して、超人的な仏に成ることを目標とする。仏教教団は、釈尊死後約百年後に分裂し、その後も多くの分派が生じた。こうした分派集団を部派と呼び、各部派によって伝承された仏教を部派仏教と称する。小乗（ヒーナヤーナ）は、劣った乗物（教え）の意で、部派仏教の一部（特に説一切有部）に対する大乗からの貶称。中国では、部派仏教全体が「小乗」と見なされ、部派が伝承した経（阿含）・律・論（アビダルマ。体系的な教理学）も「小乗」と見なされるようになった。

＊8 **倶舎宗**　玄奘訳『阿毘達磨倶舎論（倶舎論）』を研究する学派。玄奘がインドからもたらした瑜伽行派の教理体系は、説一切有部の教理体系と密接な関係があったため、玄奘は『倶舎論』をはじめ説一切有部の論書を多数翻訳し、弟子たちによって研究がなされた。日本に法相宗を伝えた道昭（六二九～七〇〇）によって伝えられ、延暦二十五年（八〇六）には法相宗の寓宗（付属の宗）として年分度者一名を与えられた。

＊9 **世親**　インドの仏教者ヴァスバンドゥ（五世紀頃）のこと。天親とも訳される。もともと説一切有部に属していたが、兄の無著（アサンガ）の感化によって瑜伽行派に転向したとされる。説一切有部の綱要書である『倶舎論』、瑜伽行派の立場からの『唯識二十論』『唯識三十頌』のほか、多くの著作がある。

＊10 **倶舎論**　ヴァスバンドゥの *Abhidharmakośabhāṣya*（アビダルマの蔵）を漢訳した玄奘訳『阿毘達磨倶舎論』三十巻のこと。

＊11 **三蔵教**　三蔵（経・律・論）に説かれた教え。小乗教を指す。「天台宗之事」参照。

＊12 **有門**　『倶舎論』を有の立場に立つものとし、『成実論』を空の立場に立つとするのは、天台宗による理解の仕方。『法華玄義』巻四下「旧云、成論探明大乗、解菩薩義。此則不然。論主自云、今正自明三蔵中実義。実義者空是。人師豈可誣論主耶。此即空門、明二十七賢聖断伏之位。阿毘曇有門、明七賢七聖断伏之位。委在両論」（大正三三・七二七下七～一一）。『西谷名目』巻上「毘曇有門意、立七賢七聖位。成実論意、明二十七賢聖也。頌云、有門毘曇七賢聖、空門成実二十七〈矣〉」（大正七四・五六七下二一～二三）。『西谷名目』は天台宗の綱要書で、中世以後広く読まれた。本書の「天台宗之事」でも用いている。

*13 **修因感果**　因となる修行を行って、その結果を得ること。

*14 **成実宗**　鳩摩羅什訳『成実論』を研究する学派。中国では南北朝時代に『成実論』が盛んに研究されたが、『成実論』が「小乗」と見なされるに至って衰退した。日本では三論宗の寓宗とされるにとどまった。

*15 **哥梨跋摩**　正しくは訶梨跋摩。ハリヴァルマン（Harivarman）の音写。三世紀から四世紀の人。説一切有部に属していたが、それに飽き足らず、経量部や大乗仏教の立場を取り入れて『成実論』を著したとされる。

*16 **成実論**　鳩摩羅什訳『成実論』二十巻または十六巻のこと。経量部の立場に立ちながら、大乗仏教の立場も取り入れ、広く仏教について論じている。

*17 **玆論ノ巻数ハ……申也**　『歴代三宝紀』巻八「成実論二十巻〈或十六巻〉」（大正四九・七八下二二）。

*18 **成ハ能入ト申テ……付也**　吉蔵『三論玄義』「成是能成之文。実謂所成之理」（大正四五・三中二二～二三）の取意か。

*19 **実儀トハ……侍リ**　*12の『法華玄義』の文に「実義者空是」とある。

*20 **天台大師……ト也**　天台大師（智顗）については*12の『法華玄義』の文を参照。嘉祥大師（吉蔵）については、『三論玄義』に「今以十義証、則明是小乗、非大乗矣」（大正四五・三下六～七）とあり、十の論拠を挙げて小乗の論としている。天台大師智顗（五三八～五九九）は、天台宗の実質上の開祖（伝統的には第三祖とされる）で、天台山に住んだので、後世、天台大師と称される。嘉祥大師吉蔵（五四九～六二三）は、三論宗の大成者で、多くの著作を著した。嘉祥寺に住んだので、嘉祥大師と称される。

*21 **律宗ト申ハ……トセリ**　律宗は、律を研究する学派。律（ヴィナヤ。出家教団の規則）は、種々漢訳されたが、仏陀耶舎・竺仏念共訳『四分律』が広く影響を及ぼした。唐初の道宣（五九六～六六七）の注釈に基づくものは南山律宗と呼ばれ、日本へは鑑真（六八八～七六三）によって伝えられた。鎌倉時代に叡尊らによって復興され、新義律宗として戒律の実践が重視された。

*22 **戒律トテ、色々ニ戒メ**　律は、出家教団の規則。戒は、在家をも含む仏教信者の行動目標。両者は本来まったく別のものであるが、律の各条項を「戒」と呼ぶこともあって、（とくに日本では）しばしば混同される。

*23 **其戒行……唯二ツ也**　戒律の内容を止持（禁止）・作持（当為）に分けるのは、中国唐代の道宣の説（ただし、隋代

の浄影寺慧遠にも同様の説がある）。

＊24　**五戒**　在家者として仏教に帰依した者が守るべき戒。具体的には不殺生・不偸盗・不邪婬・不妄語・不飲酒。

＊25　**諸善奉行**　七仏通誡偈（釈尊に至る七仏が共通に説いた誡め）と通称されるものの一句。七仏通誡偈は「諸悪莫作　諸善奉行　自浄其意　是諸仏教」で、諸処に引用される。

＊26　**五百戒**　比丘尼（女性出家者）の律のこと。日本の律宗が用いる『四分律』では三百四十八戒であるが、「五百戒」と通称される。

＊27　**二百五十戒**　比丘（男性出家者）の律のこと。

＊28　**十戒**　沙弥（比丘見習い）・沙弥尼（比丘尼見習い）が守るべき戒。

＊29　**真如平等ノ台ニ至ル**　何らかの典拠があると思われるが未詳。「台」は楼台。また、極楽の蓮の座台。

＊30　**善悪不二邪正一如**　この言葉は、中世の密教文献に散見するが、瑩山紹瑾の示教とされる『十種勅問奏対集』の以下の文が本書の文脈と類似しており、注目される。「師曰、於涅槃地獄存二見、小乗見解也。於善悪不二邪正一如処、論什麼清浄破戒耶。円覚了義経曰、衆生国土、同一法性。地獄天堂、皆為浄土。一切煩悩畢竟解脱、云云。然則無涅槃可求、無地獄可厭。何論清浄破戒耶」（大正八二・四二三中八～一三）。

＊31　**智度経**　正しくは「智度論」。『大智度論』（龍樹造・鳩摩羅什訳）のこと。以下の文は巻八十一（大正二五・六三一下一一～一六）。『大蔵一覧集』巻三（『昭和法宝総目録』巻三・一三〇二下二六～二九）に引用される（＊37の『景徳伝灯録』の引用の直前にある）。『昭和法宝総目録』所収本（高麗蔵が底本）では「智度論云」として引用されるが、古活字版である京都大学図書館所蔵本（[谷村文庫]、1-20/タ/1貴、2502175）巻三・廿五丁裏一では「智度経云」となっている（同図書館ホームページで閲覧可能）。「終リニハ」と言っているのは、『大蔵一覧集』所引の文の末尾部分のため。

＊32　**般若トハ、空恵ト云テ**　『法華玄義』巻十上「般若即空慧也」（大正三三・八〇一下一三）。

＊33　**無心無念ノ智恵也**　智顗『観音義疏』巻上「理一心者、達此心、自他共無、因不可得、無心無念、空慧相応」（大正三四・九二二下一五～一六）を踏まえるか。

＊34　**波羅蜜トハ……至ル事**　波羅蜜は、梵語**pāramitā**の音写。完成・究極の意。これを「到彼岸」と訳すのは、**pāram**

（向こう側）＋ita（行った）と解し、彼岸（輪廻を脱した境地）に至ったの意とする通俗語源解釈。

＊35 **彼キシトハ、即真如** 真諦訳『摂大乗論釈』巻九「以入真如為究竟。即以入真如為到彼岸」（大正三一・二一六下三～四）を踏まえるか。

＊36 **大蔵一覧集** 十巻。宋代の居士・陳実の編（『明史』「芸文志」に著録されたため、誤って明代の書とされることがある）。大蔵経・禅籍の要文を項目別に分類したもの。宋代に刊行され、高麗版大蔵経再雕版の補版に収められている。日本には栄西によって将来され、『興禅護国論』に利用されている。古版本として五山版・駿河版（徳川家康の刊行）などがある。

＊37 **伝灯ト云ル録** 唐末に至るまでの禅宗史である『景徳伝灯録』のこと。以下の薬山と高沙弥の問答は巻十四「薬山高沙弥」章にあるが（大正五一・三一五下五以下）、『大蔵一覧集』所引のものとは結末が異なる。以下の引用は、『大蔵一覧集』巻三（『昭和法宝総目録』巻三・一三〇三上一～七）。京都大学図書館所蔵本巻三・廿五丁裏一〇～廿六丁表五。

＊38 **薬山ト云ル祖師** 薬山惟儼（七四五～八二八）のこと。澧陽（湖南省）の芍薬山に住した。

＊39 **江淩府** 正しくは「江陵府」。現在の荊州のこと。

＊40 **奇特ニ唇モ歯モツヽク事ヨ** 『大蔵一覧集』では「這饒舌沙弥猶挂唇歯在」、『景徳伝灯録』では単に「猶掛脣歯在」。

＊41 **本心ニ……セサリシ** 『大蔵一覧集』では「師因契本心更不受戒」。『景徳伝灯録』では、この後、さらに問答が続いて、高沙弥は戒を受けず庵を構えて住むことになる。

＊42 **皆** 「皆」でも意は通じなくはないが、「此の」を誤判読したものかとも思われる。

＊43 **色相** 目に見える姿かたちのこと。

（17裏）

法相宗之事[*1]

サテ又、法相、三論ト申モ、大乗ノ名ハアレトモ、猶是モ権大乗[*2]ト申テ、実ノ位ニハ及スト云リ。先、法相宗ハ、唯識宗トテ是ヲ云リ。然者、此宗ニ釈迦一代ノ教ヲ判スル時ハ、三時教[*3]ト云ル事ヲ立。其三時教トハ、初時ハ有教ト申テ、阿含経（18表）等也。一向小乗ト是ヲ定ム。第二時ハ、空教トテ、般若経ナト。是モ尚未了ノ教トス。第三時ハ、中道教トテ、是ヲ実トス。楞伽経[*4]、解深蜜経ナトノ類也。サレハ依経[*5]トテ、此宗ノフマヘトスルハ、別而此解深蜜経也。瑜伽[*6]、唯識論[*7]、是又其宗トスル処也。此宗旨[*8]ノ教、事広侍リ。唯識[*9]・三性[*10]・百法[*11]・四縁[*12]・四分[*13]・種子[*14]・五性[*15]・作業受果[*16]・五位[*17]ノ修行ナト、申事侍ルト也。色々終シモナキヤウニ侍レトモ、是モ究テハ、同仏法ナレハ替事ナシ。サレハ此宗ノ心モ、一切ノ諸法ハ皆我心ヲ離レス、山里海河、不見不知他方世界[*18]ノ浄土ト云ルモ、乃至一実真如[*19]ノ妙理ニテモ、併我心ノ中ニアリ。何況、我身備ル六根[*20]、飲食、衣服ニ於テヲヤ。心ノ外ニ有ト思フハ、迷ニ依ルカ故ニ。無始[*21]ヨリ已来、生死ニ輪廻ナカク（18裏）絶テ、無上覚主[*22]ノ位ニ至ラスト云事ナシ。サレハ、誰モ皆、心ノ外ニ有ト思ヘル万物ノ形ハ、悉、是体性スヘテ無ノ法也。心ヲ取テ実ト思モ、迷乱也。心[*23]ノ外ニ、空ノ相ヲ見カ故ニ。心ノ外ニ有ト覚ヘル相ハ、何モ皆、真ノ法ニアラス。此僻子[*24]ノ形ヲ滅シ失ヒテ、不思儀ノ智ヲ起テ、内ニ一ツ[*25]ヲ悟ルヲ、唯識ノ空実[*26]ノ観ト申也。爰ニ五重[*27]アリ。一ツニハ遣虚存実識。二ニハ捨濫留純識。三ニハ摂末帰本識。

四ニハ隠劣顕勝識。五ニハ遣相証性識也。サレハ、先此内ニ遣虚存実ヲ唯識ト云ハ、此不思儀ノ智ノ一心ノ中ニ、性有、相アリ。性ハ、即、真如ノ妙理、是ヲ[28]円成実性ト名付。円満成就シテ、本来凝然ナルカ故也。相ハ、即、[29]有為トテ、実ナラサル諸法也。是ヲ[30]依他起性ト名付。彼真如ノ上ニ、他ノ(19表)縁ニヨリ、カリニ起ル相ナルカ故也。ソレト云ハ、色・声・香・味・触・眼・耳・鼻・舌・身、其外、金銀珠玉、アラユル物ノ類也。此カリノ相ヲ、カリノ相トモ[31]定スシテ、定テ実ニ有ト思フ心ノ前ニアタリ、現スル彿ケモ[32]遍計所執ト名付。是、渾（すべ）テ無ノ法也。是、則、サキニ申ツル心ノ外ノ僻事ノカタチナリ。アマネクハカラヒ思フ迷ノ心ノ、執スル所ナルカ故ニ、遍計所執ト名付ト也。サレハ、此三性ヲ、タトヘヲ上テ申サル、ハ、[33]譬ハ、縄ヲ見テ蛇ト思トキ、三ノ事アリ。縄ノ性ハワラ也。縄ハ、ワラノ上ニ手足ナトヲ縁トシテ、カリニ起ル形也。其形、極テ[34]クチナワニ似タリ。依之、人誤テ、クチナワト思事アリ。其蛇ノ形ハ、ヒカメル人ノ心ノ上ノ彿ニテ、体・性スヘテ無ナリ。彼縄ノ形ハ、縁ヨリ起リテ、[35]カリニアリ。似レトモ、真ノ体ハナシ。実ノ(19裏)性ハ、唯ワラ也。サレハ、クチナワノ相ハ、其性平[36]更ナシ。縄ノ相ハ、カリニ有。ワラノ体ハ、縄ノ性トシテ、実ニアリ。円成ノ理ハ、其ワラノ如ク、依他ノ諸法ハ、彼縄ノコトシ。遍計所執ハ、彼クチナワノ[37]心ナリト云リ。此理ヲ以、遍計所執ト云ル理モ聞ヘ、円成実性ト云物モシレタリ。是則、クチニ申ツル[38]虚空、[39]仏性、[40]真如トテ、智モナク、徳モナク、何モナキ物ノ事ニテアリ。何モナキ物ヲハ、何トテ実トハ見タルソト申セハ、有物ハ[41]輪変シテ有為也。ナキ物ハ、火ニ入テモ焼ヌ、又水ニ入テモ溺ヌカ故ニ、空ヲ実ニスト也。是仏法ノ極也。サレハ、唯ヨク知ヌ程ハ、皆名迷テ、仏性ト云ヘハ別ノヤウニ思ヒ、虚空ト云ヘハアラヌヤウニ心得、円成実性トイヘハ、又珍敷[42]ソテナキ物ノヤウニ聞ナシ侍ル。難[43]波ノ芦ハ、伊勢ノ浜荻、

(20表)禅ノ本分[44]ハ、法相ノ円成実性ト心得玉ヘ。サアレハ、何モナキ物ノ事ト思食セ。サテ、彼遣[45]虚実識ト云心ハ、円成ノ性ハカリ実ト用ヒ、物ノ形ナトヲハ空キ物トハラヒヤルヨリ、付タル名也。捨[46]濫留純ト云ハ、境ハ妄ナルモノトステ、専、心体ハカリ留ルヲ申侍也。摂[47]末帰本トハ、相見[48]ノ末ヲキワメテ、是皆、識ノ本ヨリ也ト心得ル方也。隠[49]劣顕勝トハ、心所トテ色々ノ念慮[50]ノヤウナル事ヲハ、ヲトリタル者トカクシ、心王トテ、唯有ノマ、ナル心ノ一所ヲハ、勝レタリト顕シ、心所モ此心王ニ依テアリト云ル心也。遣[51]相証性識トハ、相用ヲハ、ヤツテトラス、体性ヲハ、求テ明ムヘシト云心ニテ侍ル也。然、今申ツル遍計所執ト、依他起、円成実性ヲ合、三性ノ法問[52]トハ云也。此三性ヲ、委開時

(20裏)百法ト、無二[53]我ト申事モ、聞侍リ。百法ト申ハ、依他起性ニハ、具ニ九十四法アリ。円成実性ニハ、六種ノ無[54]為ト云事アリ。是ヲ百法トハ申也。無二[55]我トハ、遍計所執ノ空キ事ヲ申ニ有ト也。夫トハ、補特伽羅無我、法無我也。補特伽羅無我トハ、人、梵[56]語也。スヘテ、人法共ニ空スルヲ、二無我トハ申也。空スルトハ、無物トサトル事也。爰以、ワキマヘ玉ヘ。仏法ニハ、後生ノ有様ヲシラサル事ヲ。其故ハ、我云者ナクハ、苦楽ヲ受ヘキヤウナシ。今トテモ、別ノ物トハ云ネトモ別々、死スレハ、唯一[57]マヒノ真如虚空トナルト思ヘリ。此真如、円成実性ニ、六[58]種ノ無為有トイヘルハ、一ニハ虚空無為。二ニハ択滅無為。三ニハ非択滅無為。四ニハ不動無為。五ニハ相[59]受滅無為。六ニハ真如無為也。無為ト云ル事ハ、真如ハ、体性常

（21表）住ニシテ、他ノ為ニ為作セラレス。為作ト云ハ、作リナス義也。作ト云ハ、縁也。此縁ニ四アリ。夫トハ、因縁[*60]、等無間縁[*61]、所縁々[*62]、増上縁[*63]也。因縁トハ、種ハ現行[*64]ヲ縁トシ、又、ヤカテ現行ハ種ヲ縁トスルヲ云也。サレハ、此種ノ、現行ノナト申ハ、何事ソト云ニ、種ト申ハ、心ノ中ニ生ツ滅ツスル諸法ノ気分也。気分ト云ハ、俤ケ、其心得サセ玉へ。譬ハ、先眼識[*65]ト云テ、眼ノ方ヨリ色[*66]ヲ見カ、精ヲ起テ色ヲ見カトスレハ、頓而滅ス。滅スルカトスレハ、頓テ生ス。生スルカトスレハ、ヤカテ色ヲ見也。名[*67]此、念々ニ生滅スル間、其見ラル、色モ、見眼識モ、生[*68]ス時ハ、カ気分ヲ残ス。残ス処ノ気分、俤ハ、色ノモ心ノモ皆隠レ沈テ、其形見カタシ。併、阿頼耶識[*69]（心トモ心得玉へ）ノ中ニヲチ集ル。此気分ヲ種ト名付。然ハ、現行トハ、此種ヨリ色心ノ生スル（21裏）ヲ申也。是ハ、先因縁ニ付ノ事。サテ又、等無間縁トハ、心ノ起ルカ滅スルトキ、次ノ心ヲ引起スヲ云ナリ。後心ハ、前ノ心ヲ縁トシテ生スル故也。所縁々トハ、心ノシル処ノ物ヲ云。心ハ、シラル、物ヲ縁トシテ、生スルカ故也。増上縁トハ、此外ノ諸物ノ縁也。身ハ心ヲ縁トシ、心ハ身ヲ縁トシ、我ハ人ヲ縁トシ、人ハ我ヲ縁トシ、有情[*70]ハ非情[*71]ヲ縁トシ、非情ハ有情ヲ縁トスルヤウニ、重リ行縁ヲ云也。カヤウニ四縁ニヨルハ、即、他ニツクリナサル、也。カ、ル法ハ、皆無常也。然ルニ、真如常住ノ妙理ハ、如此四縁ニ作リ出サレタルニアラス。此故ニ、無為ト名付。但、真如ハ一味平等ナレハ、実六体アルニアラサレトモ、位[*72]ニヨセ、義相[*73]ニヨセテ、六無為ヲ開也。諸ノ障礙ヲハナレタルカ故ニ、虚空無為ト名付。簡択[*74]ノ力ニ依テ、諸[*75]ノ雑（22表）染ヲ滅シテハ証会[*76]スト云ハ、能明シル也。又、知恵ノ簡択ノ力ニ依ラサレ共、真如ノ体ハ、元ヨリ清浄也。或、縁カクル[*77]、時ニ、自不生ノ理顕ル。是ヲ非択滅無為ト名付。縁カクルトハ、何[*78]モ物ノ生スヘキカ、其縁カケテ自生セサル事ヲ申也。又、苦受、楽受ノ滅スル時、顕ル、無為ヲ、不動無為ト名付。苦受トハ、身ニ苦ヲ受心也。楽受トハ、身ニ楽ヲ受ル心也。想受ノ起ラサル時、顕ル、無為ヲ想受滅無為ト名付。想トハ、コトニ物語[*79]ヲシリワキマヘテ、其クサ〳〵ノ名ヲトルヲ云也。受トハ、苦モ楽モ、万心ニ請取ヲ云也ト云リ。此等ノ事、皆法相ノアツカヒニテ侍リ。御覧候へ。兎[*80]云角云、是モ別ノ事ナシ。唯一マヒノ虚空真如ノミヨリ外ハナシ。サレトモ此宗ノヨニカワリタル処ハ、凝[*81]然真如不作諸法ト云テ、真如ハ

(22裏)凝堅マリタルヤウニシテ、有為ノ法ニハナラスト、真[*82]如縁起ヲトカスシテ、有為ヲハ相トシ、無為ヲハ性トシテ、諸法ノ性相ヲ分テリ。弘法大師ノ性[*83]相別論、唯識遮境ト、法相ヲ云ヘルモ是也。此心ハ、性相ヲ別ニ論シ、唯識ヲノミ取テ、境ヲ捨ト也。其外、此宗ニ付、色々ノ事モ侍レトモ、ソレハ終シナケレハ略スル也。

＊1　**法相宗**　南都六宗の一つ。すべての事柄（諸法）の様相（相）を分析することから法相宗といい、すべては唯だ心（識）にあるとすることから唯識宗ともいう。有為（現象）と無為（真如）のすべてを五種に分類して、百法とする（五位百法）。心の根本は阿頼耶識であり、一切の事柄は阿頼耶識の中にある種子から転変して現れるとして、唯心論を説く。真如がそのまま現象であるとは説かず、衆生の宗教的な素質に五つの区別（五性各別）を立てて、それぞれの素質を認める。

＊2　**権大乗**　真実の大乗教に至るための手だてである、便宜的な大乗教。天台宗などの一乗教から見ると、三乗教である法相宗は権大乗となる。

＊3　**三時教**　法相宗における経典の体系化（教相判釈）であり、『解深密経』に基づく。仏は浅い教えから深い教えまでを、有教・空教・中道教の三時に分けて説いたとする。初時の有教は阿含経などの小乗教であり、現実の事象である有を説く。第二時の空教は般若経などであり、有を破するために空を説く。第三時の中道教は、法相宗が拠りどころとする『解深密経』などであり、非有非空の中道を説く真実の教えとされる。

＊4　**楞伽経**　仏が楞伽山で説いた経典。法相宗の開祖である基（六三二～六八二）は、『楞伽経』や『解深密経』などを第三時とする。『説無垢称経疏』巻一本（大正三八・九九九上一〇～一二）。なお、本文『解深蜜経』は『解深密経』が正しい。

＊5　**依経**　その宗の拠りどころとなる経。基『成唯識論述記』巻一本（大正四三・二二九下二八～二三〇上三）に、『解深密経』をはじめとして、法相宗が拠りどころとする六経十一論が挙げられる。

＊6　**瑜伽**　法相宗所依の論書である『瑜伽師地論』百巻。観行である瑜伽（ヨーガ）を行う瑜伽師の修行などを説いて、唯識中道の理に入ることを説く。玄奘（六〇〇あるいは六〇二～六六四）は、『瑜伽師地論』を知るためにインドへの取経の旅に出たと伝える。

＊7　**唯識論**　法相唯識教学の拠りどころである『成唯識論』十巻。世親の唯識三十頌を注釈する十大論師の中でも護法を中心としつつ、他師の説も合わせて玄奘が翻訳した論書。

＊8　**此宗旨ノ教**　以下の記述は、『法相二巻抄』からの引用が多くを占める。中世南都の法相宗の学僧であった良遍（一一九四～一二五二）が著した『法相二巻抄』は、仮名交じり文の唯識入門書であり、唯識教学の平易化を果たした。老母のために書いたと伝えられて現代まで広く読まれているが、ハビアン当時も法相教学の入門書だったと思われる。

＊9　**唯識**　すべての事柄は、自らの心（識）が主観と客観に変化して現れているにすぎず、認識対象の本質も阿頼耶識内の種子から生じたものであるから、唯だ識のみがあるとする。

＊10　**三性**　現象の見方を三種類（三性）に分析する。遍計所執性、依他起性、円成実性の三つ。

＊11　**百法**　五種のカテゴリー（五位）に分けたすべての存在を総計すると百になる。一、心の主体を八識（心八）。二、心のはたらきを五十一（心所五十一）。三、物質的なものを十一（色十一）。四、心でも物でもないものを二十四

（不相応行法二十四）。五、生滅変化がない普遍的なことを六（無為六）。一から五までを合わせて百法となる。

＊12 **四縁**　結果（果）を引き起こす原因であり、四つに分類する。因縁、等無間縁、所縁縁、増上縁である。後に詳述される。

＊13 **四分**　八識（心）とそのはたらき（心所）の一つ一つにある四つの作用。認識の対象である相分、主観として相分を認識する見分、見分のはたらきを認識する自証分、さらに自証分を認識する証自証分の四つ。証自証分はまた自証分によって認識される。

＊14 **種子**　すべての現象を生じる因となる力。心の本体である阿頼耶識の中に貯蔵される。心内の種子があらゆる現象を生じることは、植物の種が草木を生じることに譬えられる。「しゅうじ」と読む。

＊15 **五性**　宗教的素質を五種類に分ける。仏教教団で修行して涅槃に至る声聞種性、教団に属さず自ら涅槃に至る縁覚種性、大乗仏教の修行を行って成仏する菩薩種性、まだ果が定まっていない不定性、迷いの世界を離れ得ない無性有情である。

＊16 **作業受果**　行為によって業を作ることと、その結果を受けること。

＊17 **五位ノ修行**　修行の五段階。菩薩が仏に成るまでには、資糧位、加行位、通達位、修習位、究竟位を経る。

＊18 **他方世界ノ浄土**　この娑婆世界とは別の世界である浄土。

＊19 **一実真如ノ妙理**　無差別平等の真理。

＊20 **六根**　感覚や意識を生じる六つの感覚器官。眼根・耳根・鼻根・舌根・身根・意根。

＊21 **無始ヨリ已来**　現代語訳では「無始ヨリ已来」の前に、『法相二巻抄』に従って「諸法ハ心ニ離レズト知リヌレバ」を補った。

＊22 **無上覚主**　「覚主」は正しくは「覚王」。最高の仏の悟りの境地。

＊23 **心ノ外ニ**　現代語訳では「心ノ外ニ、空ノ相ヲ見カ故ニ」の前に、『法相二巻抄』に従って「心ヲ執テ心ノ外ニ置ク故ニ。空ヲ執テ実ト思モ又迷乱也」を補った。

＊24 **僻子**　『法相二巻抄』では「ヒガゴト」。

＊25 **一ツ**　『法相二巻抄』では「一心」。

＊26　**空実**　『法相二巻抄』では「真実」。

＊27　**五重**　基の創唱した五重唯識観。すべては識の転変したものであることを、遣虚存実識・捨濫留純識・摂末帰本識・隠劣顕勝識・遣相証性識という浅から深に至る五段階で観ずる。基『大乗法苑義林章』巻一・唯識義林章（大正四五・二五八中二一～二五九上二六）。

＊28　**円成実性**　すべての相を離れて無相であり、すべての本質である真如。あらゆるものに円満にそなわり（円満）、それぞれを成立させる（成就）、真実の本性（真実性）である。普遍の本質であるから、それ自体としては変わらない（本来凝然）。

＊29　**有為**　「為」は造作のことであり、「作られたもの」の意。因縁和合によって生じるすべての現象。

＊30　**依他起性**　現象は他に依って起こる（依他起）ものであり、因縁が合すれば生じ、因縁が滅すれば滅する。すべての現象は、仮に有るだけで実は無であるから空である。

＊31　**定**　『法相二巻抄』では「悟ラズシテ、実ニ有リト思フ前ニアタリテ現ズル実有ノ面影ヲ遍計所執トナヅク、コレ都無ノ法ナリ」。

＊32　**遍計所執**　凡夫の迷情（主観）と、凡夫が心の外に実在すると誤認した存在の姿（客観）とのいずれも実在しないこと。凡夫が認識する現象世界は、すべて迷いの情において仮に現れた相であるから、その主観も客観もまったく実体がない。

＊33　**譬**　三性の関係を説明する蛇縄麻の譬え。ハビアンが、麻ではなく藁とするのは『法相二巻抄』による。暗闇で縄を見て蛇と誤認することが、妄想の遍計所執性にあたる。蛇が実は縄であると気づくことが、他に依って起こる依他起性にあたる。縄は麻をよりあわせたものであるから、実体と思った縄も麻という因縁によって仮に生じた空なるものと知ることが、悟りの円成実性にあたる。無性釈『摂大乗論釈』巻六・入所知相分第四（大正三一・四一五下四～一二）、基『大乗法苑義林章』巻一・唯識義林章（大正四五・二五九上一五～二五）。

＊34　**クチナワ**　蛇の古称。

＊35　**カリニアリ**　『法相二巻抄』では「仮ニ有ニ似タレドモ、実ノ体ハナシ」。

＊36　**平更ナシ**　『法相二巻抄』では「ヒタスラニナシ」。

＊37　**心**　『法相二巻抄』では「形」。

＊38　**虚空**　すべてのことが存在する場としての空間。虚空には滞りがなく、妨げられることもないから、真如の性質の一つに譬えられる（虚空無為）。

＊39　**仏性**　仏の本性。仏に成る可能性、種子。

＊40　**真如**　もののありのままのすがた。真実不変である万有の本性。

＊41　**輪変**　転変か。

＊42　**ソテナキ**　然デナキ。違った。

＊43　**難波ノ芦ハ、伊勢ノ浜荻**　同じ物でも、時と所によって呼び名が違うこと。『莵玖波集』巻十四・雑連歌三「波にうきたる浦の松はら　草の名も所によりて変はるなり（夢窓国師）　難波のあしはい勢の浜荻　あしやの沖にふねそたゝよふ（救済法師）」。

＊44　**本分**　本来のもちまえ、面目。本来の人としてのあり方。

＊45　**遣虚実識**　五重唯識観の最初の観法である遣虚存実識。まず三性のうちの遍計所執性は虚妄から生まれたものであり、まったく実体がない無であるから払い捨てる（遣虚）。さらに、現象である依他起性とその実体である円成実性は、有と見て残す（存実）と観じる。

＊46　**捨濫留純**　五重唯識観の第二重の観法である捨濫留純識。主観（心体）も客観（境）もすべてはただ心の内にあるが、心の内でも客観は外に通じるので捨てて（捨濫）、純粋に心の内にある主観を残す（留純）。

＊47　**摂末帰本**　五重唯識観の第三重の観法である摂末帰本識。第二重で残した心の内でも、相分と見分は心の作用であるから、末である相分と見分を摂めて（摂末）、主体である本の自証分に帰す（帰本）。

＊48　**相見**　相分と見分。

＊49　**隠劣顕勝**　五重唯識観の第四重の観法である隠劣顕勝識。第三重で残した心の本体である自証分のうちにも、その主体である心王と、そのはたらきである心所がある。劣った心所を隠して（隠劣）、優れた心王を表す（顕勝）。

＊50　**念慮**　心の作用である感情・意志・思いなど。

＊51　**遣相証性識**　五重唯識観の第五重の観法である遣相証性識。第四重で残した心王の内にも、はたらきの相用である

事と、本質である体性の理とがある。相である事を捨て（遣相）、性を証する（証性）。

＊52 **問**　正しくは「門」。

＊53 **無二我**　『法相二巻抄』では「二無我」。人無我と法無我。

＊54 **無為**　因縁によって造られたものではない、常住不変の存在。

＊55 **無二我**　正しくは二無我。人無我（補特伽羅無我）と法無我。補特伽羅は、サンスクリット語の人（pudgala）。我とは、永遠にあり（常）、独立して（一）、主体であり（主）、支配能力がある（宰）と定義される霊魂ないし本体のこと。このように規定される我は、すべてのものに存在せず（法無我）、人にも存在しない（人無我）。

＊56 **梵語**　インド古典語であるサンスクリット語。梵天が造った言葉とされることから梵語という。

＊57 **一マヒ**　「一枚」で、一様の意。

＊58 **六種ノ無為**　無為は悟りの異名であったが、後に種々の無為を説くようになり、法相宗では無為に六つを立てる。一、種々の障害を離れた虚空無為。二、択滅無為。智恵によって煩悩を断じた境地。三、非択滅無為。真如は本来清浄であり、智恵によって清浄となるのではないこと。生ずべき縁を欠いた事柄は、生じることがないこと。四、不動無為。高度な瞑想（第四静慮）で、苦楽の動きを離れて現れる境地。五、想受滅無為。高度な瞑想（滅尽定）で、一切の想念と感受を滅して現れる境地。六、真如無為。有への執着と空への執着を共に離れて現れる、真実如常で不変の無為。

＊59 **相受滅無為**　想受滅無為。

＊60 **因縁**　四縁の一。果を生じる直接的な原因。

＊61 **等無間縁**　前の瞬間の心が後の瞬間の心を生じる原因となり、後心のための場所をあけて導き入れること。

＊62 **所縁々**　所縁縁。心の客体である認識対象が、主体である心を生じるための縁となること。

＊63 **増上縁**　ある一つの事柄に対して、すべてのことが間接的な原因（縁）となること。

＊64 **現行**　心内の種子より生じる一切の現象。

＊65 **眼識**　物を見る視覚作用。

＊66 **色**　眼で見ることができる物。

＊67 **名此**　『法相二巻抄』では「如」。

＊68 **生ス時ハ、　カ**　原文の一字分空白は、『法相二巻抄』では「各」。

＊69 **阿頼耶識**　サンスクリット語 alaya（蔵）の音訳であり、蔵識ともいう。全八識（眼・耳・鼻・舌・身・意・末那・阿頼耶）の中心となる第八識。無限の過去世からの経験を種子として貯蔵し、種子から現実の世界（環境と自己）をつくりつつ、新たな種子を収蔵して自ら変化してゆく根本的な心。すべては阿頼耶識の種子から現れたものであり、また新たな種子となって阿頼耶識に収められることを阿頼耶識縁起という。

＊70 **有情**　心を持つ生きもの。

＊71 **非情**　心を持たないとされるもの。植物や山河大地など。

＊72 **位**　状態。

＊73 **義相**　意味内容と様相。

＊74 **簡択**　選び分けること。以下「明シル也」までは択滅無為の説明。

＊75 **諸ノ雑染ヲ滅シテハ証会スト云ハ**　『法相二巻抄』では「諸ノ雑染ヲ滅シテ、究竟シテ証会スルガ故ニ、択滅無為トナヅク。簡択ト云ハ智恵ナリ。雑染ト云ハ煩悩ナリ。証会ト云ハ」。

＊76 **証会**　はっきりと理解し、体得すること。

＊77 **カクル、**　活用から考えて、「欠くるる」ではなく、「隠るる」。『法相二巻抄』では「カクル」。ハビアンは下の「不生ノ理顕ル」に引きずられて、「隠る」と誤解したと思われる。

＊78 **何モ物ノ生スヘキカ**　『法相二巻抄』では「何物ノ生スヘキ様ノ縁カケテ」。

＊79 **物語**　『法相二巻抄』には「想ノ心所ハ、殊ニ物ノカタチヲ知リ弁テ」とある。ハビアンは「物ノカタチ」を「物ノカタリ」と誤読したと思われる。

＊80 **兎云角云**　兎角言う。とやかく言う。

＊81 **凝然真如不作諸法**　一般に法相宗の宗旨とされる「真如は現象を超越した絶対不変のものであり、それ自体は決して現象となりえない」（性相別立）ことをいう。華厳宗の法蔵（六四三〜七一二）による法相批判による。『華厳五教章』巻二・所詮差別章（大正四五・四八四下一一）。

＊82　**真如縁起**　真如（性）が、根源的無知（無明）の縁に従って、迷いの現象世界（相）となって顕現すること。如来蔵縁起ともいう。法相宗は阿頼耶識縁起を説き、法相宗以外の宗は真如縁起を説く。

＊83　**性相別論、唯識遮境**　空海『般若心経秘鍵』（大正五七・一一上九）。

(22裏)

三論宗之事[*1]

妙秀。アラ〳〵不思儀ヤ。是ハ相宗[*2]ニ捨[*3]テモ、随分ノ法問[*4]ト聞侍ルカ、何トシテ、カ様ニ明ラカニハシリ玉フソ。

幽貞。御不審尤理也。初ニ申ツルコトク、我妻ノユカリノ出家ハ、千里ノ外ヲモ遠トセス、学徳目出人ノ有トタニ云ヘハ、尋求テ、形ノコトク宗々ノ極メヲモシリ玉ヒタル人ニテヲハセシ故、常ニ語玉ヒシ事ヲ聞侍シニヨツテ也。

(23表)サテ又、三論宗ノ上ヲ申サハ、二蔵、三転法輪ト云ル事ヲ以、一代ノ教門ニツクルト見ヘタリ。二[*5]蔵トハ、一ニハ声聞蔵トテ、諸ノ小乗ヲ納メ、二ニハ菩薩蔵トテ、諸ノ大乗ヲイル。サテ三[*6]転法輪トハ、一ニハ根本法輪トテ華厳ヲ納、二ニハ末[*7]法輪トテ諸ノ小乗ヲ尽、三ニハ摂末帰本法輪トテ、法華、涅槃ヲヲキ、我宗ヲハ般[*8]若ノ上ニ於テ、是ヲ立タリ。此宗ノ所詮ノ理ト申ハ、色[*9]即是空、々即是色ニシテ、今ノ法相ナトノ心ニハ遥ニカハリ、有[*10]為ノ法ノ外ニ無[*11]為ナク、無為ノ法ノ外ニ有為モナシ。性[*12]相平等云ル宗也。但此宗ハ諸宗ノ邪[*13]執トテ、カ[*14]タヲチタル所ヲ嫌ヒ、是ヲ破[*15]ラストイヘトモ、又我宗ノ分ヲタテス。此故ニ、生[*16]・滅・断・常・去・来・一・異トテ、八ツノ迷ノ品ヲアケ、又八不ト申テ、不生・不滅・不断・不常・不去・(23裏)不来・不一・不異ト破トモ、此ハ不ニモト、マラス。其故ハ、言[*17]而無当、破而不取ト云テ、当[*18]事ナケレハ、破テ取ラスト也。此手タテ、誠面白有物ナラハコソ、兎ニモ角ニモ云ヘケレ、仏法ハ畢竟空ナ[19][20]レハ、何共カトモ、詞ニモ及スト也。其上、法仏ノ病ハ、有執ト云テ、アリト思フ事也。此病ヲ愈スニ[21][22][23]ハ、空ノ薬ヲ用ヒスシテ、カナワス。サレハ、病ナヲリテ後ハ、又、空ノ薬ヲモスツベシト也。此故ニ、有ヲ捨、空ニ著スレハ、病又然ナリト云ヘリ。一度ナキ物トサトリテ後ハ、ナタナキ物トモカタク思ヘ[24]ハ、気クルシキニ、イカ様ニモ、成次第ニセヨト云カ、仏法ノ唯中ニテ侍。サテモ、勿体ナキ事ニアラ[25]スヤ。

＊1　**三論宗**　南都六宗の一。龍樹の『中論』と『十二門論』、その弟子提婆による『百論』の三つの論を拠りどころとする。鳩摩羅什が中国に伝え、隋の吉蔵が大成する。二蔵・三転法輪を説き、破邪即顕正として諸宗の偏りを論破することがそのまま中道の真理を顕すこととする。日本には推古天皇の時に伝えられて、東大寺東南院を本拠とするが中世以後は衰えた。

＊2　**相宗**　法相宗。

＊3　**捨**　「於」の誤写。

＊4　**問**　「門」。あるいは「聞」か。

＊5　**二蔵**　声聞蔵と菩薩蔵。声聞蔵は、声聞と縁覚（独覚）の二乗の道を説く。声聞は仏の声（教え）を聞いて四諦の理を観じ、涅槃に至る行者。縁覚は師がおらず、独りで十二因縁を観じて悟る。いずれも涅槃を得ることで満足をし成仏を目指さないために、狭く浅く劣った小乗仏教とされる。菩薩蔵は菩薩の道を説く。菩薩とは仏に成ろうと発心して仏道に入り、六波羅蜜の行を修し、上は菩提を求め（自利）下は衆生を教化して（利他）、仏の悟りを証する。広く深く優れた大乗仏教の教えとされる。三論宗の教相判釈は、この二蔵判が主となる。

＊6　**三転法輪**　二蔵に対して従となる、仏一代の教えを三つに分ける教相判釈。根本法輪は、仏が大菩薩に対して悟り

のすべてをそのまま説いた『華厳経』である。それを聞いても理解できない者のために、声聞・縁覚・菩薩の三乗に分けて説いた教えが枝末法輪である。枝末である三乗教を根本の一乗教に帰して説いた教えが、最後の摂末帰本法輪であり、『法華経』『涅槃経』である。

＊7 **末法輪** 枝末法輪。

＊8 **般若** 智慧の意。ここでは、般若を説く般若経典を指す。般若経典は、『大品般若経』『小品般若経』などがあり、玄奘訳『大般若経』六百巻はその集大成。三論宗は般若経典に説かれる空を根本として、言葉や論理を超えた畢竟空を旨とする。

＊9 **色即是空、々即是色** 玄奘訳『般若波羅蜜多心経』（大正八・八四八下五）。

＊10 **有為** 因縁和合によって生じるすべての現象。

＊11 **無為** 因縁によって造られたものではない、常住絶対の無為法。

＊12 **性相平等** 本質（性）と現象（相）が別のものではないこと。

＊13 **邪執** 誤った見解に執着する。

＊14 **カタヲチ** 片落ち。一方に偏すること。

＊15 **破ラストイヘトモ** ひとまずこのままで解するが、三論宗の立場は「破邪即顕正」とされることを考えると（＊1参照）、ここは「破ルトイヘトモ」の誤りかもしれない。

＊16 **生・滅・断・常・去・来・一・異** 生・滅・断・常・去・来・一・異を誤った八つの見解として、この八つを否定する不生・不滅・不断・不常・不去・不来・不一・不異を八不とする。『中論』冒頭の偈（大正三〇・一下八〜九）では、この八不によって「縁起」を形容する。三論宗では「八不中通」と称し、八不によって執着が破られて、あらゆるものの実相である中道が現れるとする。

＊17 **言而無当、破而不取** 『百論』序（大正三〇・一六七下二九）。

＊18 **当事** あたること。

＊19 **面白有物** おもしろくある物。

＊20 **畢竟空** あらゆるものが本質的に実体を欠いていること。三論宗が拠りどころとする『大智度論』に説かれる十八

空の一。『大智度論』巻三十一・釈初品中十八空義第四（大正二五・二八九中二六～二九〇下二六）、吉蔵『中観論疏』巻第一末（大正四二・一九上一九～二〇上一四）など。

＊21 **法仏** 「仏法」の誤記か。

＊22 **有執** 空である自己や物事を実在と思い、とらわれること。

＊23 **愈ス** 「愈」にも、「いえる」の意はあるが、ここは「癒」の略字と思われる。

＊24 **ナタナキ** 「マタナキ」の誤写と思われる。

＊25 **唯中** 核心。

（23裏）

華厳宗之事

サテ華厳宗[*1]ハ一ヲハンスルニハ五教ヲ立。一ツトハ小乗教。是（24表）阿含[*2]ナトノ諸ノ小乗経也。二ニハ大乗始教[*3]。是ハ解深蜜経[*4]ナトノ諸ノ大乗経幷瑜伽[*5]・唯識[*6]ナトノ諸大乗論也。三ニハ大乗終教[*7]。是ハ涅槃経[*8]ナト也。四ニハ大乗頓教[*9]。是ニハ別ノ経部モナク、諸ノ大乗ノ中ニ即心是仏ノ法門有ヲハ頓教トス。禅法ナト是也。五ニハ大乗円教[*10]。是ニハ花厳・法花ヲキハメ、又分テ別教[*11]・同教ト二ツニスト見ヘ侍リ。法花経ニハ開会[*12]トテ、ヒトシ[*13]〱ユルス心アルカ故ニ、同実故[*14]名同教ト釈セリ。ヒトシクユルストハ何ソナレハ、法花ヨリマヘハ、声聞・縁覚・菩薩ノ三ヲ推分テ、二乗ハ成仏セスト云シカ共、法華ニハ汝等所行即菩薩道[*15]トユルシタレハ、声聞モ縁覚モ菩薩モ同頓同実ナル故、法華ヲハ同教ト云、華厳ヲハ、此別教一乗別於彼三乗[*16]ト釈（24裏）シテ、華厳ハ彼声聞・縁覚・菩薩ノ三乗ニ別ナルカ故ニ、別教ト云リ。サテ此宗ノ所詮ノ理ト云ハ、性海果分[*17]・縁起因分ト、法体ヲ二ツニ分別セラル、ト也。性海果分トハ、機教[*18]未分ト云テ、悟トモ迷トモ立ムカハヌサキナレハ、説ヘキ様モナク云ヘキヤウモナキ本来法爾[*19]トテ、唯アリノマ、ナル所也。此故、此処ヲハ不可説ト云リ。縁起因分トハ、衆生ノ迷フ機起リヌレハ、別[*20]ソレニ向教モ出来タレハ説ヘシト也。是ヲ常ニ因分可説[*21]、果分不可説ト云リ。此心ハ、因分ハ可説、果分ハ説ヘカラスト也。サテ何ト説初タルソト見レハ、仏最初成道トテ、悟ヲ開タル初、彼寂[*22]静樹下ニシテ明星[*23]ヲ見テ、天際、日上ハ、月下ルマテニテ、別ニ謂レハナシト、万法ヲ唯自成理リト打詠メ、万ツノ隔ヲ云物ハ此心ナレハ、此[*24]心ノ外ニ法ハナシト云所ヨリ、経[*25]ノ内、如心偈(25表)ニモ、如心仏亦爾ナリ、如仏衆生モ然、心ト仏ト及衆生ノ是ノ三ハ無ニ差別一、諸仏悉了ニ知一切従レ心転コトヲ一、若能如レ是解[*26]セハ、彼人見ニン真ノ仏ヲ一ト説ルヨリ事起リテ、此心ヲウケツク華厳宗ハ、一切ノ法ノ事[*27]理ヲ円融シテ、サワリナシト心得侍リ。事理ヲ円融スルト申、事トハ、諸法ノ上ニ見タル処、理トハ其内ニコモル性ヲハ理ト申也。円融トハ、事ハ事、理ハ理ト隔ス、事モ理モ一ツナルソト云事ニテ侍。色[*28]即是空々即是色ト云モ、又此心ニテ侍ルヲヤ。事理円融ノ上、尚又事事モ円融シ、理[*29]々モ円融ト説レタリ。金獅子ノ譬ハ、カヤウノ理ヲシラシメンタメニ、或金獅子ノタトヘヲトリ、或六相ノ義門ノアケタリ。香[*30]象大師ニ、唐ノ則天皇后ト申セシ后、花厳大乗ハ事多ク文広ケレハ、タヤスクシリカタシ、近キタトヘヲ以テ我ニシメサレ(25裏)ヨト有シカハ、大師承テ、即御前ニ金ニテ作タル獅子ノアリシヲ譬ニシテ、華厳大乗ヲ講セラレシヨリ起リ侍リ。此獅子ニハ頭モアリ、尾モアリ、目口耳鼻モアリ。此五根ヲ別々ニ見レハ、別々ノ五根、又此五根ヲ以一ツノ獅子ヲ金ニテ作ナセリト見ハ、只一ツノ金獅子ノ外ニハ何モナシ。其コトク、一[*31]法界ノ内ニハ地獄・餓鬼・畜生・脩羅・人・天・声聞・縁覚・菩薩・仏果ノ十界有。此十界ヲ各々ニ見ハ、獅子ノ五根ヲ各々ニ見ル如ク、十界別々ナレトモ、此十界コソ則一法界ヨトミレハ、諸根合テ一ノ金獅子ナルカコトク、別ノ物ニアラス、唯一法界也。六相義ト云モ、是ヲシラスヘキ為ノ道ニテ侍。サレハ、先六[*32]相義ヲハ、

カヤウノ図ヲ以、シメサレタリ。一[*33]ツニハ、惣相トハ、是獅子也。二ニハ、別相トハ、

五根ノ差別也[34]ルトコロ。

（26表）三ニ、同相トハ、彼諸根共ニ一縁起ナル処。四ニ、異相トハ、獅子ノ諸根、耳ハ鼻[35]アラス、鼻ハ口ニアラサル処。五ニ、成相トハ、諸根和合セサレハ、獅子ノ相ヲナス事アタワサル故ニ、和合ノ処ヲ成相トセリ。六ニ、壊相トハ、獅子ノ諸根、眼ニシテ耳ニカ、ワラス、耳ハ耳ニシテ鼻ニカ、ワラス、己々カ体ヲ守ルヲ、壊相トハ申也。壊ハ、破ル、ニテ、ナスノウラナリ。是皆、今申タル一法界ノ体ヲ顕獅子ノタトヘノ再釈也。一法界ト云ハ、即一心ノ異名ト心得玉へ。此心即仏也。此心即空也。空ハ即無也。経ニモ、空[36]即是仏トアルハ、何モナキ処即仏ト也。アラ勿体ナノ事ヤ。是モ又、極メ〳〵テハ、例ノ物、地獄モ天堂モナキ処ニスミ[37]高侍ルソ。

＊1　**華厳宗**　『華厳経』を研究する学派。地論宗（『十地経論』を研究する学派。『十地経』は『華厳経』の中に「十地品」として編入されている。『十地経論』は、『十地経』に対する世親の注釈書）から発展し、智儼（六〇二〜六六八）・法蔵（六四八〜七一二）の師弟の段階で確立された。日本には審祥（？〜七四二）によって伝えられ、東大寺を中心に伝承された。

＊2　**阿含**　「阿含」は梵語アーガマの音写で、聖典の意。初期仏教以来、伝承されてきた釈尊の教説を記したもの。東アジアでは、いわゆる「小乗仏教」の経典とされる。

＊3　**大乗始教**　五性各別を説く唯識思想・法相宗のこと。なお、空思想を説く般若教典や中観派・三論宗については、一切衆生の成仏を説くので、大乗終教に含められるという理解が、日本華厳宗の主流であるが、高弁（明恵）はこれを批判し、大乗始教に入るとしている。

＊4　**解深蜜経**　正しくは『解深密経』（玄奘訳）。唯識思想を説き、中国では法相宗の根本経典となった。

＊5　**瑜伽**　『瑜伽師地論』（玄奘訳）のこと。初期唯識思想の諸教説を集成したもの。

＊6　**唯識**　『成唯識論』（玄奘訳）のこと。ヴァスバンドゥ（世親）の『唯識三十頌』に対する十人の論師の注釈を編集したもので、法相宗の根本論典。

＊7　**大乗終教**　如来蔵（仏性）思想にあたる。

＊8　**涅槃経**　『大般涅槃経』のこと。北本（曇無讖訳）と、北本に謝霊運らが手を加えた南本がある。仏性思想を説く経典として大きな影響を与えた。

＊9　**大乗頓教……是也**　頓教は、漸教（段階を追って説き進めていく教え）と異なり、ただちに仏の悟りを説く教えのこと。これを禅宗に当てるのは、中国華厳宗の澄観（七三八～八三九）以後のことで、上の「即心是仏」の語も澄観に由来する。澄観『華厳経疏演義鈔』巻八「達磨以心伝心。正是斯教。若不指一言、以直説即心是仏、何由可伝。故寄無言以言、直詮絶言之理。教亦明矣。故南北宗禅、不出頓教也」（大正三六・六二中一～四）。

＊10　**大乗円教**　完全・円満な教え。『華厳経』のことであるが、『法華経』も含まれる。

＊11　**別教・同教**　仏の悟りをそのまま高位の菩薩に対して説いたのが『華厳経』で、他の衆生とは別に菩薩にだけ説いたので「別教」と言う。これに対して、様々な衆生を導くために説かれたのが『法華経』で、菩薩以外の衆生にも共通（同）する教えなので「同教」と言う。

＊12　**開会**　開は、一乗の教えを三乗（声聞・縁覚・菩薩それぞれへの教え）に分けて説くこと。会は、三乗の教えを一乗の教えに統一すること。通常、開会という場合は、「会」の方に力点がある。「一乗」は「唯一の乗り物（教え）」の意で、この語が出る『法華経』そのものの文脈では、成仏を目指す菩薩の教えのこと。ただし、天台宗などでは、単なる菩薩の教えを超えた絶対的な教えと解する。

＊13　**ヒトシ〳〵**　「〳〵」は、平仮名「く」を、書写者が誤判読したと思われる。次下に「ヒトシクユルス」とあるので、ここも「ひとしく」が正しい。

＊14　**同実故名同教**　澄観『華厳経疏』巻二「一乗有二。一同教一乗。同頓同実故」（大正三五・五一四上一四～一五）。

＊15　**汝等所行即菩薩道**　『法華経』巻三「薬草喩品」（大正九・二〇中一三）。

＊16　**此別教一乗別於彼三乗**　法蔵『華厳五教章』巻一（大正四五・四七七上一〇～一一）。これは和本系の本文で、宋本

系では「此則別教一乗、別於三乗（此れ則ち別教一乗にして、三乗に別なり）」となる。『華厳五教章』には、日本で伝承された和本系の本文と、朝鮮半島で伝承された宋本系の本文がある。

＊17 **性海果分……ト也**　『華厳五教章』巻一「一別教。二同教。初中亦二。一是性海果分。当是不可説義。何以故。不与教相応故。即十仏自境界也。故地論云、因分可説果分不可説者是也。二是縁起因分。即普賢境界也。此二無二、全体遍収。其猶波水。思之可見」（和本系による。大正四五・四七七上一四～一九）。性海は、仏の悟りを海に譬えたもので、修行の結果得られる仏の境地なので、「果分」という。悟りそのものである「果分」に対して、いまだ悟っておらず修行中の衆生に対して言葉をもって説かれる教えを、「果分」に至る原因という意味で「因分」という。衆生という縁があって発生するので、「縁起」の語を冠する。

＊18 **機教未分**　機は衆生の側の教えを受容する能力。教えと機とがいまだ分かれていないとは、衆生の機を前提として教えを説く以前の仏の悟りそのもののこと。

＊19 **本来法爾**　もともとあるがままの姿が真理そのものであること。

＊20 **別**　「則」の誤写か。

＊21 **因分果説、果分不可説**　悟りに至る修行の段階は説くことができるが、その結果である悟りそのものは説くことができないということ。法蔵『華厳経探玄記』巻十（大正三五・二九八下二九～二九九上一）などに出る。

＊22 **寂静樹**　「静」は「場」が正しい。寂場樹は、釈尊が悟りを開いた場所に生えていた菩提樹のこと。

＊23 **明星ヲ見テ**　『普曜経』巻六「明星出時、廓然大悟」（大正三・五二二中一三）とあるように、明星が出た時に釈尊が悟りを開いたというのは常識的な記述であるが、この後の記述については典拠未詳。

＊24 **此心ノ外ニ法ハナシ**　いわゆる三界唯心説。『華厳経』の偈として、「三界唯一心、心外無別法、心仏及衆生、是三無差別」と伝えられるが、このままの形では経には見えない。「天台宗之事　付日蓮宗」＊62＊118参照。『大方広仏華厳経（八十華厳）』巻三十七・十地品に「三界所有、唯是一心」（大正一〇・一九四上一四）とあり、これに次の「如心偈」を結びつけたものと考えられる。

＊25 **経ノ内、如心偈**　仏駄跋陀羅訳『大方広仏華厳経（六十華厳）』巻十「仏昇夜摩天宮自在品」（大正九・四六五下二〇～四六六上二）。この前に、「心如工画師、画種種五陰、一切世間中、無法而不造」とある。

＊26 **解**　「解」の右傍に傍線がある。これは、本来「如レ是ノ解セハ」となっていたものを、「ノ」の位置を間違えて書写したのではないかと疑われる。

＊27 **事理ヲ円融シテ**　「事」は現象的、個別的な事象、「理」は普遍的な理法、真理。世界を理解するのに、華厳宗では、事法界・理法界・理事無礙法界・事事無礙法界の四法界を立てる。

＊28 **色即……是色**　玄奘訳『般若波羅蜜多心経』（大正八・八四八下八）。

＊29 **理々モ……説レタリ**　日本華厳宗の正統説では、一般に理理円融（理理無礙）を説かないが、朝鮮華厳では、事事無礙の上に理理無礙を立てることがしばしば見え、日本でも一部で受容された。

＊30 **香象大師**　中国華厳宗の法蔵（六四三～七一二）のこと。伝統説では華厳宗第三祖とされる。法蔵が則天武后のために、金師（獅）の喩えを用いて、『金師子章』を説いたというのは史実ではないが、『宋高僧伝』や『仏祖統紀』などに記され、広く信じられた。

＊31 **一法界……十界有**　『金師子章』の中では、金獅子を用いて十玄門について説いているが、地獄界から仏界に至る十界とは結びつけていない。一法界に十界があるというのは、天台宗の所説と混同したものか。智顗『法華玄義』巻三上「一一法界皆具十界」（大正三三・七〇六下一～二）。

＊32 **六相義ヲハ……シメサレタリ**　この図に極めて似たものが智昭集『人天眼目』巻四「法眼宗」の項（大正四八・三二四上）に掲載されている。これは、もともと李通玄『新華厳経論』巻二十四（大正三六・八八六上）にあるものを引用したと思われる。『妙貞問答』所載のものは二重円の内円に「相」とあり、外円に惣（総）・別・同・異・成・壊と記されているが、『新華厳経論』『人天眼目』所載のものは内円に「総」とあり、外円に残りの五相が記されている。六相の趣旨からいうと、『新華厳経論』『人天眼目』所載図の方が整合的である。事物の全体が「総相」、部分が「別相」、部分が同じ一つの全体に属しているという共通性が「同相」、部分がそれぞれに持っている異質性が「異相」、部分が一つの全体を構成していることが「成相」、各部分がそれぞれに独立して存在していることが「壊相」。

＊33 **一ツニハ……獅子也**　ここでの六相の説明は、以下を踏まえる。『金師子章』「第八括六相者、謂師子是総相、五根差別是別相、共一縁起是同相、眼耳各不相到是為異相、諸根合会是成相、諸縁各住自位是壊相」（大正四五・六七〇

中七～一〇)。

＊34 **也** 「也」に見えるが、意味上は「セ」の方が良い。

＊35 **鼻** 「二」が脱落しているか。

＊36 **空即是仏** 実叉難陀訳『大方広仏華厳経（八十華厳）』巻十六「性空即是仏」（大正一〇・八一下一六）。

＊37 **スミ高** 「て（「帝」の崩し字）」を「高」と誤判読したと思われる。

（26表）

天台宗之事　付日蓮宗

（26裏）サテ、天台宗[*1]ト申モ、是又極タル大乗ニテ、事広ク侍リ。サレトモ、先其要ヲ取テ申セハ、一代ヲ分別セラル、ニハ、四教五時ト云事ヲ立タリ。サテ、是四教[*2]ト申ハ、蔵・通・別・円、五時トハ、華厳・阿含・方等・般若・法華是也。先四教ノ内、蔵トハ、三蔵教ト云テ、界内[*3]六道[*4]ノ衆生[*5]、苦ヲ離レ道ヲ得ヘキ旨ヲ明ス小乗ノ教也。何トテ三蔵トハ云ソナレハ、修多羅蔵[*6]・毘尼蔵・阿毘曇蔵トテ、経・律・論、或ハ戒・定・恵ノ三ヲ、三ノ蔵ニ納置ヤウナルニ依テ、三蔵教トハ云ル也。蔵トハ、クラ、ヲサムル方ニテ侍リ。サレハ、是ハ誰ニ対シテ説タル教ソト云ヘハ、正化二乗傍化菩薩[*7]トテ、サシムカヒ本ニ説タル処ハ声聞・縁覚ノ二乗ノ為、カタハラニハ又菩薩ヲモ教ルト也。然、此三蔵ノ為ニハ何事ヲ教タルソト云ハ、諦・縁・度ノ法門ト也。諦トハ四諦[*8]、縁トハ十二因縁[*9]、（27表）度トハ六度[*10]也。四諦ト云ハ、苦・集・滅・道、声聞ノ為ニ是ヲ説タリ。サレハ、此四諦ノ心ヲ申セハ、苦・集ノ二諦ハ世間ノ因果ト申、滅・道ノ二諦ハ出世ノ因果ト申也。諦ノ字ヲ明ムルト読テヨキトヤラン、申サレ侍リ。サレハ、先、苦トハ、此身ヲ苦果ノ依身ト申テ、ウルサキ果報ノ身也トサトル、苦諦ト云。サテ又、カヤウニハ何トシテ成タルソトイヘハ、過去煩悩悪業ヲ集シ処、因ト成テ、今此果ヲ得リトサトルヲ集諦トハ申也。サテ、此苦果ノ依身ヲハ何トシテ解脱スヘキソト云サトリヲ道諦トハ申也。道諦トハ智恵ニテ侍リ。滅諦トハ、此道諦ノ智恵ニテ諸法ニ著スル心ナクナルカ故ニ、此時アラワル、無為

ノ理ヲ滅諦トハ申也。無為トハ、シワサナシト云心也。然ハ、[*11]道諦ハ出世ノ因、滅諦ヲハ出世ノ果ト云
ト心得玉へ。畢竟シテ、此四諦ト云モ
(27裏)[*12]人我ノ身トテ、我有ト思フ此我ハ実ニ有物ニアラス、真ハ無物ソト云事、ヲシヘタル物也。サテ又、
[*13]縁覚ニ対シテ説ル十二因縁ト申ハ、[*14]過去ノ二因、現在ノ五果、現在ノ三因、未来ノ両果ト云事ヲ合テ十
二因縁トハ申也。先、過去ノ二因トハ、此我ナキ前ニ父母ノ起ス妄念ヲ無明ト云テ、一ノ因トセリ。次ニ
又、其念ニ依テナス処ノ業ヲ行ト云テ、二ノ因ト申也。サテ、現在ノ五果ノ第一ヲハ、識ト云リ。是則、
一滴侘胎ノ初也。二ニハ、名色ト云リ。名色トハ、初ノ識ト云ル一滴ノ露カ胎内ニテ次第ニ人形トナルマ
テノ間也。三ニハ、六入ト云リ。是ハ目・口・耳・鼻ナトノ備ル位也。四ニハ、触ト云リ。[*15]触トハ、フ
ル、ナリ。フル、トハ、人ハ生レ出テモ、[*16]三ツ四ツマテハ、火ニモ水ニモフレサレハ、其寒熱ヲシラヌ
カ故ニ、此間ヲ触ト云リ。五ニハ、受ト云リ。受トハ、ウクルニテ、

(28表)苦楽ヲモウケコ、ロミ、[*17]根・境・識モ和合スル[*18]五六歳ヨリ十四五マテ、婬欲ノ起ラヌ程也。是マテ
ヲ、現在ノ五果ト申也。サテ又、現在ノ三因ト申ハ、一ツニハ、愛ト云テ、[*19]十六七歳ヨリ婬欲ノ念ヲ起
シ求ルヲ申也。二ニハ、取トテ、ヨワヒサカンナルニ随テ、愛念ニ著シ、是ヲ専ニトルヲ云リ。三ニハ、
有トテ、彼愛・取ノ業ヲツクル処ヲ云リトソ。是ヲ何トテ現在ノ三因トハ云ソナレハ、過去ノ無明・行ハ
今ノ人ノ因ト成タルコトク、今ノ三、又未来ニ出ヘキ人ノ為ニ因トナルカ故也。サテ又、未来ノ両果トハ、
一ニハ生、二ニハ老死也。惣シテ是カ十二因縁也。サレハ、生トハ愛・取・有ノ業ヲ作レハ、必又前ニ識
ト云レタルコトク、生ヲ受ル者アリ。生ヲ受レハ、必老死ス。是ヲ、今ノ為ニ未来ノ両果トハ申也。然ハ、

四諦・十二因縁ハ、開合ノ不同ト(28裏)テ、四諦ハセハク、十二因縁[*20]ハヒロキマテノ違ニテ侍レトモ、至極ハ無我ノ観ニ至ラシメン為ノ道ナリトウケタマワル。サテ又、菩薩ノ為ニ説シ六度トハ、一ニハ、檀[*21]波羅蜜トテ、布施ノ行、二ニハ、尸[*22]波羅蜜トテ、戒ノ行、三[*23]ニハ、羼[*24]提波羅蜜トテ、忍辱ノ行、四ニハ、毘[*25]梨耶波羅蜜トテ、精進ノ行、五ニハ、禅[*26]波羅蜜トテ、禅定ノ行、六ニハ、般若波羅蜜トテ、知恵ノ行、此等ヲ以、未来ニ成仏スヘシトノ教也。サレハ、此声聞・縁覚・菩薩ノ三乗トハ如何様ナル物ソト云ハ、先、聞ト云物ハ、仏ノ声ヲ聞、其教ヲ信シ、極ハ見[*27]道・修道・無覚[*28]道トテ三ノ位ヲ定メ、四[*29]向四果ノ聖者ト云リ。ソレト申ハ、見道ノ位ニ初テ入タルヲハ、須陀洹向トテ、初心也。是ヲ、預流トモ云リ。婆[*30]沙論ニ其故ヲ出シテ、初テ入ル二聖流一故ニ名テ為二預流一トナリ。

(29表)是則、初テ聖人ノ流ニ預ル心ナルヘシ。須陀含[*31]果ヨリ斯陀含向・斯陀含果・阿耶含向・阿耶[*32]含果マテヲ、修道ノ位トス。須陀含果トハ、今申ツル預流ノ果也。斯陀含向・斯陀含果ヲハ、一来向・一来果トモ云リトソ。故ヲ尋レハ、欲界ニ今一タヒ生来ルヘキヲ以也ト云リ。阿耶含向・阿耶含果ヲハ、不還向・不還果トモ申也。是ハ欲界ニ二度生カヘルマシキ故也ト云リ。阿羅漢向・阿羅漢果、此二ヲ無学道ノ位トス。阿羅漢ト申ハ、翻名トテ、アタリタルヤ[*33]ハラケハナケレトモ、義ニ依テハ、煩悩ノ賊ヲ殺ス故ニ、殺[*34]賊ト云ヒ、三界ノ生ヲハナルレハ、不[*35]生トモ申也。又、見道・修道・無学道ト云心ヲ尋ハ、見道トハ、無[*36]漏智ヲ以、三界ノ見惑[*37]ヲ断シテ、四諦ノ理ヲ見故ニト也。四諦ノ理トハ空也。サテ、修道トハ、見惑ヨリモ又断

(29裏)シカタシ思惑[38][39]ヲ断スル修行ヲスル故也ト云リ。無学道トハ、声聞ノ極メノ位ニシテ、ハヤ学ヘキ事モナキ故也ト云リ。是ハ、先、声聞ニ付テノ事。サレハ又、縁覚ト申ハ、梵語ナレハ[40]辟支仏ト云ヲ、唐ニテハ独覚トモ縁覚トモ申也。十二因縁ヲ観スレハ縁覚ト云、他ニカ、ハラス、山林幽居ヲ頼ミ、飛花[41]落葉ヲ見テ無常ヲ観シ、唯独アル事ヲ本トスル故ニ、独覚トモ云カ、世[42]ノ中ノ人、我ハカリノヤウニスル者ヲハ、独覚心ト云ルモ、此謂レニヤト覚ヘタリ。菩薩トハ、梵語ノ略、具ニハ菩[43]提薩埵ト云リ。然ハ、菩提ヲ唐ニテハ覚ト反ス。覚トハ、サトル也。薩埵ヲハ、唐ニテハ有情ト反ス。有情ハ即衆生ナリ。一[44]切衆生惑有仏性トイヘトモ、中ニツイテ、菩薩ハサトル心アル故ニ、独リ覚有情ト云リ。次ナカラ、仏・菩薩ノカワリモ、爰ニ聞ヘ侍リ。菩薩モ、サトル

(30表)トハ云ヘトモ、ナヲ情想アル故ニ、覚有情ト云。有情トハ、ナヲシ情想ノアル為也。仏ハ情尽シテ、サトル故ニ、有情ノ字ヲ付スシテ、唯覚トハカリ翻セリ。是マテハ、三蔵教ニツキテ、大方申侍リヌ。サテ、通教ト申ハ、先、此心、通シタルヲシヘトイヘル事也。何ニ通タルト云ハ、三蔵教ニハ声聞・縁覚・菩薩ニ別々ニ教タル諦・縁・度ノ法門ヲ、通教ニテハ皆同教タル故ニ、通シタル教トハ申也。是ヲ釈ニハ、三[45]乗同稟ル故ニ名テ為通ト云リ。又色々ニ通タル謂モ侍レトモ、ソレヲハ略申也。サキノ三蔵ヲハ折[46]空観ト申、此通教ヲハ体空観ト申也。先、折空観ト申ハ、三蔵マテハ、別シテ二乗ノ心愚カナル故ニ、人我ノ空ヲモシリカタキニ依テ、折クタキテ物ヲ空シテミセタルニテ侍リ。譬、此扇ハ空シキ物ソト云ヘトモ、地・骨・カナメノツラナリテ、レキ〱タル時ハ、更ニ是ヲ

(30裏)空トワキマヘヌ人ノ為ニ、其扇ヲ骨ハ骨、地ハ地トナシテ、引破テステテントキ、其扇ト思シ形、イ

ツクニアルヘキヤト教ル時、誠扇ト云物ノ相ハナカリケルヨト、ワキマフルカ如ク、四諦・十二因縁ノ法
門ヲトイテ、人ト云者ノ姿モ元来有ヘキ物ニアラサレトモ、父母ノ起ス妄念無明・行ヲ因トシ、其ヨリ
識・名色乃至愛・取・有ナトノ因縁ニヒカレテコソアレ、此因縁ナクハ、争カ人我ノ相モアランヤト皆空
シハツルカ故ニ、三蔵ヲハ折空観ト云侍ルモノカ。又通教[47]ハ、ハヤ大乗ノ初門、調機入頓ノ教ト云テ、
大乗ニ起初乃門、頓教ニ入シムル為ニ機ヲ調ル教ナレハ、体空観ト云テ、是ハウチアカリタル位ト承ル。
然、此体空ニ云ル謂レハ、二乗ノ心モ爰ニテハ次第ニ智恵深クナルカ故ニ、彼扇ノ体ヲ破テミスルニ及ス、
其儘空ソト教タル者也。是
(31表)則、色即是空ト云心ニテ侍。仏法ニハ兎ニ角ニ空カヒトリタチトミヘタリ。サレハ、次第ニ位スク
ル、カ故ニ、三蔵ニハ三賢[48]・七聖トテ次第ノ位ヲタテ侍レトモ、此教ニハ地位ト申テ十地[49]ノ位ヲ定タル
也。此十地モ、委クハ事ナカキ法門ニテ侍ル程ニ、略シテアラ〳〵申ヘシ。一ニハ、乾恵地ト申。是ハ
智恵[50]カイキタル[51]地ト云心ニテ侍。其故ハ、地位ニハ及タレトモ、初心ナレハ、無漏ノ智水ノカワキタル
ト云ルナルヘシ。二ニハ、性地ト申ス。是ハ、無漏ノ性智漸発スル位ナル故ニ、カクハ申也。無漏トハ、
理ヲシル悟リノ方ト心得給へ。此故ニ、此性地ノ心ヲ、弘決[52]トヤランニ、薄ク有二ル理解一故名為性ト釈セラ
レタリ。三ニハ、八人地ト申ス。是ハ、八忍・八智ト申事アリ。其故ニ八人地トハ申ト也。然ラハ、八[53]
人ノ人ノ字ニハ、忍フト云忍ノ字
(31裏)ヲコソ昼[54]ヘケレトモ、人法ニツナキ謂レニ、人ト云字ヲ昼[55]也。都テ心ハ修行ノ道ニハ堪忍ナクテハ
ノ事ニテ侍ルニヤ。四ニハ、見地ト申。是ハ三界ノ見惑ヲ断シ、無始ヨリ已来イマタ見サル理ヲ見位ナル

故ニ、見地ト申也。五ニハ、薄地ト申。是ハ、欲界ノ九品ノ惑ト申事ノ侍フ。其九ツノマヨヒヲ、此位ニ六ツ断スレハ、跡ノマヨヒ薄クナル故、薄地トテ、ウスクナル地トハ申也。九品ノ惑ト申ハ、人ニハ貪・瞋・痴トテ、貪欲・瞋恚・愚痴ノ三毒カ迷ノ首ト成侍ニ、ソレニ上中下ノ三品ヲ合、九品ノ迷トハ申也。六ニハ、離欲地ト申。是ハ、サキニ断シ残ス処ノ三品ノ思惑ヲ、此位ニシテ断シ、欲界ノ生ヲハナル、故ニ、離欲地トテ、欲ヲハナル、地ト云リ。七ニハ、已弁地ト申。是ハ、色界・無色界ニ七十二品ノ思惑ト云ル事

(32表)アルヲ、断シ尽シテ所作既ニ弁ルノ位ナレハ、已弁地トハ申ト也。八ニハ、支仏地ト申。支仏トハ、前ニ申ツル様ニ、縁覚ノ事ニテ侍。サレハ、声聞ハ*[56]七地入空トテ、ヤウ〳〵前ノ七地マテ入、爰ニテ空ニ帰シト、マル故ニ、思惑ノ*[57]習気カ残ルヲ、縁覚ハ、今一地*[58]ス、ミアサツテ、彼習気ヲモ断スル故ニ、八地ヲ支仏地トハ申也。此習気ヲ断スルト申ハ、譬ハ木ヲ焼テ灰ニナシタルハ、思惑ヲ断シタル心、サテ、此灰ヲモ払ヒ捨タルハ、習気ヲ断スルニテ侍ルトソ。九ニハ、菩薩地ト申。是ハ、三乗ノ中ニハ菩薩利根ナル故ニ、第九地ニ進、誓扶習生ノ利益ヲ施スカ為也ト云侍。サレハ、*[59]菩誓扶習生トハ何ソト申セハ、*[60]誓扶習生非実業報ト釈セラレタリ。惣シテ三界ニ生レ来ル事ハ、見惑・思惑ノアル故也。サルニ依テ、(32裏)声聞縁覚ハ、此マヨヒヲ断シ、習気マテヲモ断シテ、三界ノ生ヲ離ル、ヲ、極楽トス。是ハ小根ノ故也トソ。シカルニ、菩薩ハ、*[61]大乗根ノ故ニ、三界ニ入テ衆生ヲ利益スヘキ為ニ、ワサト残ス習気ナレハ、チカツテ習気ヲタスクトハ云ルトノ儀也。カ様ノ事ヲ聞ハ、三界モ有テ、衆生モ救ハル、事カ、仏法ニモ有様ナレトモ、是ハ皆教相ト申テ、唯面ニヲシヘタル分ハカリニテ、誠ハ、初申ツル如ク、三界ト申

モナク、衆生ノ、仏ノナト、云事モ侍ラヌソ。既ニ経[*62]ニモ三界唯一心ト説タル上ハ、三界トテモ、此一心ヲハナレテハ、ナキソトノ教也。サレハ、臨[*63]済ト申禅ノ祖師、三界唯一心ノ心ヲウケツイテ、你（ナンチ）欲ニ識ント三界ヲ、不レ離ニ你今聴法底心地ヲ、你一念心貪是欲界、你一念(33表)心嗔是色界、你一念ノ心痴是無色界、是你屋裏家具子也トテ、三界モ、你カ家ノ内ニツカフ器ソト云タリ。是ハ先、次テナカラ、教相ニ迷ヒ玉ハヌ為。サテ又、十ニハ、仏地ト申。是ハ、第九地ニテ、菩薩ワサト習気ヲ残シテ、利益成就ノ上ニ、第十地ニス丶ミ、一念相応ノ恵ヲ以、其習気ヲ断シ、仏果ニ至ル故ニ、仏地トハ申也。此一念相応ノ恵トハ何ソナレハ、空恵ト一念トヲヒトシク見ヲ申也。又此空恵ハ何ソナレハ、無心無念ノ処。一念トハ、色々起ル念ノ事。相応トハ、如何様ニモ念ハ起ラハ起レ、念[*64]々無自性トテ、自アル性ニテハナシト云処ヲサトルヲ、一念相応トハ申也。是ハ、十地ニツキテ、アラ〳〵申侍ヌ。

妙秀。初ノ程コソ、奇特共心得侍レ、今ハ、ハヤ驚クニタラス。如何ナル知識達モ、カヤウノ理ヲ(33裏)分テ、ヲシヘ玉フ事ナシ。十地ノ仏ナト申セハ、極楽浄土ノ内ニアル事カト思シニ、サテハ、是モサトリ修行ノ位ニテ侍ルソヤ。シカラハ、此通教ノ内ニアル四種ノ仏土ト申モ、定テ此娑婆ノ内ノ事ニテソ侍ラン。又、四門得道ナト申ハ、如何。

幽貞。其事也。知ヌ人ハ、十地ナト、云ハ、ナキ浄土モアルヤウニ心得、其内ノ位カナト思フハ、誠ヲカシキ事ニテ侍。サテ又、四種浄土ト申事モ、仰ノコトク、此娑婆ヲハナレテアル事ニテハナシ。シカレハ、此理ヲモ、四[*65]門得道ノ事ヲモ、大方申侍ヘシ。先四[*66]種ノ浄土ト申ハ、一ニハ常寂光土、二ニハ実報土、三ニハ方便土、四ニハ同居土是也。サレトモ、此四土ニテ、此土ヲハナレテ、別ニアルニアラス。記[*67]ノ十ニモ、直観二レハ此土一ヲ四土具足故此仏身即三身ナリト釈セリ。同[*68]九ニモ、（34表）豈離二伽耶一ヲ別ニ求二シャ常寂一ヲ、非三寂光ノ外ニ別ニ有二娑婆一共云リ。畢竟シテハ、此寂光ト申モ、一心ノ異名也。記[*69]ノ五ニ、今日之前従寂光ノ本垂二レ三土跡一ヲ、至二法華一ニ会二摂シテ三土跡一ヲ帰二ス寂光本一ニト釈セラレタリ。今日之前トハ、法華ヨリサキノ事。寂光ノ本ヨリ三土ノ迹ヲタル、トハ、一心真如ノ内証ヨリ、方便シテ色々ニ説下シタルヲ、法華ニ至テハ、皆是別ニアラス、一心真如ソト教タルヲ、三土ヲ会摂シテ、寂光ノ本ニ帰ストハ申也。サテ、四門得道ト申ハ、四教何ニモアル法門ナレ共、尋玉フ間申ヘシ。[*70]四門トハ有門・空門・亦有亦空門・非有非空門是也。此門トハ何事ソト申ニ、[*71]門者能通ヲ儀トスト釈シテ、是ヨリ真如法性ノ内証ニ入為ノ口ニテ有ト也。然レハ、有門トハ、此目ニ見タル万ノ法ハ皆（34裏）カリト有ト観シテ、法性ニ叶フヲ申侍ルト也。[*72]空門トハ、初ヨリ如幻即空ノ処ニ心ヲカケテ観シ、法性ニ叶ヲ申也。亦有亦空門トハ、或時ハ有門ヲ観シ、或時ハ空門ヲ観シ、一辺ニ不留ヲ云也。非有非空門トハ、万ノ法ヲ、[*73]如幻ニモ非ス、即空ニモ非スト観シテ、法性ニ叶ヲ申ト也。此外、通教ニ猶色々ノ事侍レトモ、是ヲ略シ畢ヌ。次ニ、別教トハ何トテ申ソナレハ、通教ニモ替リ、円教ニモ別ナルカ故ニ、別教ト申。又ハ、二乗ノ人ヲ隔タル故ニモ、別教トハ申ト也。別教ニ色々ノ有中ニ、[*74]五十二位トテ、位、五十二ニ極レリ。是モ、一ツ〳〵申セハ、終シナキ事ナルニ依テ、其都合ハカリヲ申ヘシ。其ト申ハ、[*75]十信・十行・廻向・十地、此上ニ等覚・妙覚ト云事ヲ立テ、五十二位トハ申也。先十信ト云信ノ字ハ、人ノ

(35表)言葉トカキテ、能化ノ云事ヲ疑ハス信スル事ヲ、十信トテ十ノ重ヲ挙タル也。大論[*76]ト云ル書ニ、法大海信為能入トノヘタリ。此心ハ、仏法ノ事広キ事、大海ノコトクナレハ、信ヲ以テ要トスト云ヘルナルヘシ。十信[*77]トハ、十住[*78]入空トテ、前[*79]ノ十信ノ重マテ、空ノ悟ニ入、般若ノ智恵住スル位ヲ云リ。十行トハ、前ニ空ヲサトリタル上ニ、十行出假[*80]ト申テ、カリニ方便化度ノ為ニ出ルヲ申ト也。是則、ヲノカ明メクル空ヲ教ユヘキ為ナルヘシ。十廻向トハ、十行ノ上ニテ、菩薩ノ衆生ヲ利益スル方ヲ、十ノ位ニ分タル事ニテ侍リ。又十地トハ、其名[*81]モ位モ、前通教ノ十地ニハ替リタ[*82]ルトモ、心ハ、是モ断惑証理トテ、マヨヒヲ断シ、理ヲサトル方ナレハ、重テ申ニ及ハス。サテ、此上ニ等覚・妙覚ノ(35裏)二位ヲ立タリ。先等覚ト申ハ、別教ノ心、無明ノ数十二品ヲ立テ、此位ニテハ、ハヤ十一品断シテ、残ル処ノ惑障、唯[*83]一ナル、ヒトシキサトリト読リ。是モ色々ノ理リアルトモ、略シ侍ヌ。妙覚ノ位ハ、十二品ノ無明ヲ惑[*84]断シ尽[*85]シ、惑障残ル処ナケレハ、タヽナルサトリトイヘリ。是則、等覚[*86]一伝[*87]入于妙覚ト云テ、等覚ヲ一[*88]テン伝スレハ此妙覚也トソ。是マテハ、別教ノ大方ニテ侍リ。然レハ又、円教トハイカナル教ソト云ニ、仏意相応ノ機ト申テ、仏ノ心ノコトクナル機ニ対シテ、仏ノ内証ヲアリノマヽ、ニ教ヘタル教ニテ侍ルトソ。ソレトイツハ、生[*89]仏不二迷悟一所ト申テ、衆生モ仏モ二ツニ非ス、迷ヒモ悟リモ只一如ソト悟ラシムルヲ、円教ト申也。訴[*90]詮、円(36表)教トハ一心ノ異名ト心得玉ヘ。其故ハ、万[*91]法円ニ備ル故ニ名テ為スレ円ト釈シテ、円教トハ、十[*92]界三千ノ依[*93]正ノ万法、世間・出世ノ諸法ヲ円満シテ、カヽ[*94]ル処ナシト誦ルカ故ニ、円教ト云トソ。我等カ一心ト云モ、又万法円満ノ体也。サレハ、釈[*95]ニモ一心ハ万法ノ惣体也ト見[*96]之、又、只[*97]心是一切法一切是心トモ釈セリ。是則円教ノ内証也。

妙秀。カヤウニ生仏不二ト聞トキハ、誠ニ仏法トハ何モタウトキ事ハ侍ラス。サレトモ、仏ニハ法*[98]・報・応ノ三身ナト、申事ノアルハ、世ニ有カタキ事トコソウケタマワレ。是ヲハ、イカヽ心得侍ヘキヤ。

幽貞。其御事ナリ。*[99]仏ニ三身ト申事ノアルトテ、是又与祈*[100]ノ事ニテハ侍ラス。真実ハ、衆生ノ身中ニアル事也。是即、寂・智・用ノ三ニテ侍リ。寂トハ、心ノシツマリテ妄念妄慮ノ無(36裏)事、此時ヲ法身トミル。智トハ、心ノ智恵ヲハタラカス事、此時ヲ報身トハ申也。用トハ、ハタラキ、ハタラク事ヲ初トシテ、ミナ是化身也トイヘリ。化身ト云、応身ト云、是又カワル事ナシ。応身ハ一ニテ侍リ。惣シテ、仏法ニハ、何事モ我身ヲ離テアルトハ不申。弘法大師*[101]ノ、夫仏法ハ非レ遥ニ心中ニシテ即近、真如非レ外ニ棄レテ、身何求ント云モ、此心也。サテ、此円教ニハ六即ノ位ト云事ヲ立タリ。六即ト云心ハ、六故*[102]蕑(ケン)濫、即故初後不二ト云リ。此心ハ、衆生モ仏モ迷モ悟モ一往ハ別々ナレハ、一二三四五六ト次第セルヤウナルヲ、六ノ故ニ濫ヲ嫌ト云。又、即故初後不二トハ、誠ニハ衆生モ仏モ無二、迷モ悟モ別ナラヌ処ヲ云リ。其一ツ〳〵ノ名ヲ申サハ、一ニハ理即。是ハ、未仏トモ聞(37表)シラヌ凡夫ノ位、但極テハ是ヲ本ノ仏ト云リ。心要*[103]ナトニハ、一切衆生ノ心性即理即仏ト宣タリ。二ニハ名字即ト申。是ハ、理即ノ凡夫カ、或ハ経巻ナトノ説ヲ聞、知識ノ教ヲウケテ、仏トモ法トモ云名ヲシリタル位ニテ侍。三ニハ観行即。是ハ、字*[104]即ニ於テ聞タル処ヲ修シ行スルヲ云也。四ニハ相似即ト申。是ハ、迷ヲ払テ説法利生ノ徳用アル、此次ノ位ナル分真即ノ悟ニ相似タル故ニ、相似即トハ申也。五ニハ分真即。是ハ、妙覚円満ノ位ニ対シテ、分ノ言葉ヲ置タリ。分トハ、全カラヌ方也。妙覚極果ノ位ニモ一分ハ及ヒタルト也。六ニハ究竟即ト申。究竟ノ二字ヲ極メ極ルト読リ。是即、無明ト云ヲ[105]暗キ迷ノアルヲ晴シテ、法性ノ奥ニ極リタル心也。分真即ハ(37裏)等覚ノ位、究竟即ハ妙覚ノ位トナリ。シカレハ、[106]等覚一転入于妙覚トアルヲ、[107]伝教大師ハ、等覚一転入于理即ト釈セラレタリ。是即、サトリサトレハ未悟ニ同ト申テ、極メ〳〵テ見レハ、仏法ニハ、仏トモ法トモシラヌ凡夫カ仏ニテアルト也。

[108]中々に人里ちかく成にけりあまり山のおくをたつねて

ト読ルモ、此心也。東山鹿ノ谷ヨリ、猶モ山深ク入テ居ヲ、トント分入タレハ、又坂本カ近ク成テ侍ル也。先、是マテカ、四教ノ大方ニテ侍リ。サテ、[109]五教ノ始ハ華厳也。仏ノ説法ヲ五体ニ分タル故ニ、五時ト云也。華厳ハ、三七日ヲ一時トシ、乃至、法花ハ八ケ年ヲ一時トスル也。シカレハ、先華厳ハ何トシテ云ソナレハ、[110]因ノ花ヨリ果ノ徳ヲカサルト云譬也。説処ハ、[111]寂滅道場トテ、彼[112]菩薩樹ノ(38表)下ニシテ、法恵・功徳林・[113]金剛童・金剛蔵ト云四菩薩ニ仰テ、[114]九世相入ノ法門、法界円融ノ悟ヲアリノマ、説シメ、[115]空即是仏ノ理ヲ教シムルトイヘトモ、人皆此機ニ不及シテ如レ[116]聾如レ唖ト云テ、聞テモキカス、云モイワレヌ心地シテ、[117]頭ヲフリ法莚巻返シシカ故、方便ノ為、第二時阿含ノ会カ初リテ侍ルトソ。サレハ、衆生ノ初ニ此華厳ノ説ヲ聞得サリシ謂レヲ尋ルニ、釈迦ノ説法ヨリサキニハ、経ト云事モナク、論ト云事モナク、悟ナト、申ヤウナル事モナカリシカハ、唯自人ハ心ノ教ニ任テ、上ニハ、楽ノトコロ、タウトキアルシノアルヘキ事ヲ思ヒ、下ニハ、魔界ノ厭ヘキ事ヲノミ思ニ、此釈迦出テ、[118]三界唯一心々外無別法トテ、心ノ外ニハ地獄モ天堂モナシ、タウトキアルシモアル

（38裏）事ナシ、空コソ即仏ナレト教ツルカ故ニ、案ノ外ニテ、皆人アキレテ退キタルト見タリ。勿体ナノ釈迦殿ヤ。性徳ノ人ノ心ニ任セヲカハ、後生ノナキナト、云ル事ヲハ、中々思フマシカリツルニ、ヲノカ心ヲ本トシテ人ニ教タルカ故ニ、今ノ世マテモ、後生ハ有マシキソト思フ迷ノ残リテ、人ヲマヨワシ侍也。法華ニハ、[119]自作此経典狂惑世間人トテ、此経典ヲ作シテヨリ、世間ノ人ヲマヨワスト人ノ云ヘキト説ヲキツルハ、誠ニテ侍也。サレハ、此アルト云人ノ心ハヲハ迷ト云テ、ソレヲ除クヘキ為ニ、方便シテ彼寂静樹下ヲ立テ、[120]鹿野苑ト云処ニヲモムキ、十二年ノ間説ルヲ、第二時ノ[121]阿含トハ申也。然ハ、阿含ト云心ハ、阿ハ無ノ儀、含ハ有ノ儀トイヘリ。是即、四諦十二因縁ヲトヒテ、虚空仏性ノ理ヲ（39表）ミスレハ、有ト思フ念モナクナサシムル教ナル故ニ、阿含トハ申也。第三時ハ[122]方等。[123]説時不定ト山ニハイヘトモ、[124]三井ニハ十六年ノ間ノ説法也ト定ラレタリ。是ハ、弾（タン）呵トテ、二乗ヲソシリ嫌ヒタル教ニテ侍リ。何ト嫌ヒ誹リタルソト申セハ、阿含ニテ空理ヲ聞、サテハ我ト思フ者モナカリケルヨト深ク空ニ沈ミタル故ニ、彼二乗ヲ弾呵（ソシリキラヒ）、[125]高原ノ陸地ニハ蓮華ノ生セサルカコトク、二乗ノ心地ニハ仏性ノ蓮華出生スル事アルヘカラス、犬狗野干ノ心ヲハ起ス共、二乗ノ心ヲ起サ、レナント、[126]嫌ハラシニ依テ、二乗ノ心モ錯乱シテ、空ト聞シ程ニ、ゲニモト思ヘハ、又今是ヲ嫌ヒ、有ト説、有トヤセン無トヤセン、何ニテカ有ント、空有ノ二念ニタ、ヨヒタルカ、方等ノ心ニテ侍。サテ、何トヤウニ、空ト（39裏）聞得タルヲ、又爰ニハキラヒシソトミレハ、二乗、空見ニカタマラハ、我ヲシヘモ後ニハ用ヘカラスト思故ニ、又有ヤウニハ云ナシタル物ト聞ヘタリ。今ノ世ニモ、仏法ハ皆此分ト見タリ。有ト云ントスレハ、釈迦ノ心ニソムク、明ニ無ト云ントスレハ、又布施々物モ取ヘキヤウナク、[127]陪堂ノ種モナクナルカ故ニ、後生ハ有物ノ、無物ノ、又有物ノナト、、[*128]病目ニ茶ヲヌリタルトヤラン、[*129]ムサト云テヲクト見ヘタリ。サテ又第四ノ般若ハ、爰ニハ智恵トイヘリ。余経何モ智恵ニアラスト云事ナシトイヘトモ、余経多クハ戒定恵ノ三受ニワタルヲ、此経ニハ畢竟空ノ智ヲ以テ本トスルカ故ニ、トリワケ智恵トハ云ト也。是即、[*130]〓汰ト云テ、右方等ノ空有ノ二念ヲユリソロヘテ、畢竟空ノ処ヲ[*131]十四年ニトキタルモノニテト説タルハ、阿含十二年、方等十六年、般若十四年ナレハ、惣シテ四十二年也。此間ニハ、イマタ真ヲ顕(40表)侍リ。サレハ、此終ニ[*132]無量義経ヲ説テ、法華ノ為ニハ[*133]序品ノ心ニ用タリ。其内ニ四十余年未顕真実サスト云儀也。サテ、其真ヲハ、イツアラワシタルソト申セハ、第五時法華ノ時、此間八ケ年ニ法花一部八巻ヲ真実トテ説ル法門也。其一部八巻ノ要ヲ取テ申セハ、[*134]妙法蓮華経ノ五字ノ題目ニ極リ、此五字一々ノ心尋レハ、妙トハ不可思儀トテ誉タル詞ナリ。何ヲ誉タルソト云ヘハ、法ヲホメタル。義ニ応スル次第ナラハ、法妙ト云ヘキニ、文ノ便ニ任セ、妙法トハツラネタリ。シカレハ、此誉タル法トハ何ソナレハ、法トハ[*135]十界・十如・権実ノ法トイヘリ。是即、人々ノ(40裏)一心法ヲサシテノ事ニテ侍リ。人ノ心、アル時ハ苦テ地獄ト起リ、或時ハ悲テ餓鬼ト起カトスレハ、又無心無念ニシテ仏果ヲアラハス。是ヲ有ト云ントスレハ、其姿ヲ不見。無トイワントスレハ、又十界ノ念起カ故、心ヲサシテ妙法トハ云ル物也。是ヲ直ニワキマヘサル者ノ為、次ノ蓮華ノ二字ヲハソヘテ侍リ。一心ヲ、アノ水中ニアル蓮ニタトヘタル事ニテ侍リ。蓮ハ、淤泥ノ中ニ有テモ濁ニシマス、又花ノ中ニ葉モ実モ備ル物ニテアリ。一心モ、万ノ念ノ其カ其ニモナラサルハ、蓮ノ濁ニシマヌカコトシ。又、此一心ノ、地獄ト起ル因ノ一念ニ、ヤカテ又仏果モアレハ、蓮ニ花ノ因、実ノ果、一ツニ備タルヲ、因果不二ナル此一心ニタトヘタルヲ、譬喩ノ蓮花トハ申也。又当体[*136]ノ蓮花トハ、人々此胸ノ内ニアル(41表)心ノ形、ツホメル蓮花ノコトクナレハ、此赤肉団ヲサシテ、直ニ妙法蓮華トイヘル儀也。次ニ経トハ、タテト読字也。五字ヲタテトシ、四教ヲヌキニシテ、一切ノ法門ヲ織出シタルヲ、経トハ云リ。畢竟シテ、法花ト申カ、此一心ノ事也。サルニヨテ、妙楽[*137]ノ釈ニ、法花一部ハ方寸ト可レ知ト云リ。方寸トハ、即、心ノ事ニテ侍リ。胸中ノ彼赤肉円[*138]ヲ申也。

三種ノ法花ト申事ノアルヲハ、聞玉ハスヤ。サヨウノ珍敷事モヤ侍ヘキ。イツモノ仏法也。サリナカラ、

妙楽[*139]。御物語ノヤウニ、法華ノ談儀ヲモ度々聞シニ、替ル事モ侍ラス。

幽貞。サル事也。伝教大師[*140]ノ釈ニ、於二一仏乗一者根本法花ノ教也、分別説三者隠蜜[*141]法花教也、唯有一乗者顕説法花教也、妙法之外更無一句余経トアリ。爰ニ三種ノ法花ト云事カ聞ヘタリ。(41裏)先其一、一仏乗ニ於テハ根本法花教也トハ、仏ノ内証ヲ、機ニ対シテ未レ顕重ヲ申也。二ニハ、隠蜜法花トハ、顕レテトク処ハ四味[*142]三教ナレトモ、蜜意ヲ以イヘハ、是モ法花也ト云リ。其故ハ、二[*143]モナク三モナキ処ヲ、人ノ機ニ依テ、分別シテ三ト説シヲ以也。三ニ、顕説法花トハ、第五時ノ開会ノ法花也。開会トハ、法花以前ニハ、不成仏ト二乗ヲ嫌ヒシニ、法花ノ時、一実ノ理ニ開シテ会シムル也。経ニ、爰ヲ汝[*144]等所行是菩薩道トアリ。是即、当位[*145]即妙本位不改ト云テ、諸法[*146]実相ノ内証ヒラケテミレハ、初ノ地獄、后ノ仏果、皆一心ノ具徳ナレハ、地獄ト起ル一念モ当位即妙、餓鬼ト起ルモ即妙、乃至、仏果ト起ルモ即妙ナレハ、二乗モ元ヨリ也ト云ヲ、開会トハ申也。開会ノ二字ヲ、ユルシ(42表)カナワシムルト読ヘシト云リ。然ハ、法花已前ニハ、二乗ヲ嫌、キヒシクヘタテ、四[*147]十余年未顕真

実ト説ル程ニ、法花[*148]一乗妙典ニテハ如何ナル真ヲ説ル、カトミレハ、是御覧セヨ、又本ノモクアミ也。穴賢。カ様ノ事、日蓮宗[*149]ノ御房達へ、ワラワカ申タルトハシ語玉フナ。惣シテ、アノ日蓮宗ト申ハ、天台ノ内証ニハカワリ、万ニ私ナル事ヲノミ云テ、此御経ナラテハ助ラスト申也。是ハ皆仏法ニテモ観道[*150]ト云テ、悟ニ暗故ニテ侍リ。禅宗ナトハ、カヤウノ衆ヲハ無眼子[*151]トテ、法ノ為ニハ、メクラノヤウニ云リ。法花一部ヲ釈スルニモ、因縁・約教・迹・観心トテ、四種釈[*152]アル中ニ、観心ノ釈ヲ心得ネハ、唯他ノ宝ヲ数フルニ譬タリ。疏[*153]ニモ、観心ノ釈ニ、日夜数二他ノ宝一ヲ自無二半銭ノ分一、但観己心之高広、扣無窮之聖応、機成

(42裏)致レ感逮得己利ト見タリ。然ルニ、日蓮宗ハ、或ハ因縁ノ釈ニ取ツキ、或ハ約教ノ釈ニ取ツキ、罪障深キ身、殊ニ女人ナトハ、此仏経[*154]・釈迦仏ノ外ニハ助スナトイヒ、又余経ハ皆是法花ノ実ヲ顕ン為ナレハ権教也、法花[*155]最第一トイヒマワルハカリニテ、其法花ノ実ハ観心ニアル事ヲハ夢現ニモワキマヘスシテ、御経ノミカタウトキト見カ、日蓮宗ノ心ニテ侍リ。サレハニヤ、私ナル事ヲ作、念仏無間[*156]、禅天魔、真言亡国、律国賊、法花最第一ト云マワル也。釈籤[*157]（セン）ニモ、若弘ンニ二法華ヲ一偏讃尚失トカ也況復余耶、何ントナレ者（ハ）既ニ言二開権顕実ト一、豈可ンヤ二一向毀ルレ権ト云リ。是ハ、妙楽ナトノ心ニハ、法花ヲ広トテ、偏ニ讃ヘキ事ニサヘモアラサレハ、マシテヤ余経ヲソシランハ、沙汰ノカキリ也、其故ハ、既ニ開権顕実トイヘハ、権ノ外ニ実モナク、

(43表)実ノ外ニ権モナキニ、四十余年未顕真実ト云文ノコトク斗儀ヲ見ルハ法敵ナリト思リ。昔モ今モ、日蓮宗ナトノヤウニ心得タル人モアリツルカ。唐土ニ法花[*158]禅師ト云シ僧ノ侍シカ、法華経一万部モ読誦

セハ成仏セント思タルカ、既ハヤ三千部読テ、其後六祖[159]ニマミエシカハ、六祖、此僧ノ為ニ偈ヲナシテ、
[160]心迷ハ法華転シ、心悟ハ転ニス法華一ヲ、誦コト久シテ不レハ明レ己ヲ、与ニレ義ノ為ニ讎家[161]一、有念ノ々ハ成邪、無念ノ々
ハ即正、有無倶ニ不レハ斗ラ、長ニ御ニス白牛車一ト有シカハ、其時、法達禅師悟リ得、経誦[162]三千部、曹渓一句
ニ亡ト懺悔シテ誦経セサリシト也。サテ此偈ノ心ヲ申スニ、心迷ハ法花転シ心悟転ニ法花一トハ、心マヨヘ
ハ法花経ニミチヒカレ、心悟レハ経ヲミチヒクト也。誦久シテ不レ明レ己、与義為ニ讎家一トハ、読ハカリ
ニテ我心ヲ明メサレハ、却テ
(43裏)アタトナルヘシト也。有念ノ念ハ成邪、無念々即正トハ、色々ノ事ヲ思ハワロシ、仏トモ法トモ思
ワヌカ本ノ事ソト也。有無倶不斗、長御ニ白牛車一トハ、其心ナニケモナクハ、イツモ大白牛車ニノレルソ
ト云心也。白牛車トハ、法華ノ譬[163]ニ、羊車・鹿車・牛車トテ侍リ。其上ニ白牛車ト云カ、実大乗ノ人乗
物也ト云リ。サレハ、譬喩品ニ安置[164]丹枕駕以白牛ト侍リ。此[165]アカキ枕ヲ置ト云カ、無心無念ニ安住スル
事ソト注シタリ。カヤウノ事ヲハ心得スシテ、日蓮宗ハ、唯此経ノ力ナラテハ、後生ヲタスカラヌソナ
ト、、上ツラヲ申也。心法ハ経ニアラワル、正体、経ハ心ヨリ出タル影ニテ侍ルソ。是ヲハシラテ、経ハ
カリヲタウトカルハ、体ヲハトラテ影ヲ取ニテ侍ル也。

妙秀。サヤウニウケタマワレハ、法花経トテモ誠タウトキ
(44表)事モナケレトモ、又此経ハ、八歳[166]龍女サヘモ成仏シヌレハ、殊ニ女ノ信スヘキ御経也ト云時ハ、自ミ
モ法花宗ニテハナケレトモ、アラ有カタノ事ヤト思侍。サテ、龍女成仏ノ事ハ、如何。

幽貞。如仰、法華第一ノ名誉ト云ハ、龍女カ成仏ノ事ニテ侍。サリナカラ、是ハ皆偽ナリ。其故ハ、先

龍宮界ト云所ナケレハ、龍女ト云者モ、又彼カ父ナリト云沙竭羅龍王云者モ、皆有事ナシ。水ノ底ニハ、昔ヨリ今ニ、魚ノ類ヨリ外ハナシ。サレハ、畜類[*167]ニハ後生ノ沙汰ナシ。如何ニ経ニアレハトテ、道理モタ、サテ、皆ソレヲ信スルハ、智恵ヲモチタル甲斐モナシ。惣シテ釈迦程ノウソツキハ候マシ。一休[*168]ノ、

　うそつきて地獄におつる物なくはなきことといひししやかいか、せん

ト読レタリシハ、サスカニ発明ノ僧ニテ侍シ（44裏）ト覚タリ。先、最前申セシ須弥山ナトノ事ヲ初トシテ、今此龍宮世界ナト云事モ、皆ナキ事ニテ侍ルソ。釈迦ノウソツキテ侍ル証拠、又此法華経ニモ偽多事ヲ、ミセマヒラスヘシ。スキタル事ハ、ナカリシヲアリタリトイハ、、水[*169]カケアイトテ、実否カ決セラレ侍ラヌ程ニ、今目ノ前ニミユル偽トモヲ少々取出シテ、ミセマヒラセ、バ[*170]ケヲ顕ハシ申ヘシ。サレハ、先宝塔品[*171]ニハ、爾時仏前ニ有二七宝塔一高五百由[*172]旬、縦広二百由旬、従地涌出住二在其中一ト見テ、又其次ニ、其仏[*173]以二神通願力一十方世界ノ在々所々若有レ説二法花経ヲ一者彼宝塔皆湧出シテ其前ニ在二於塔中一讃シテ言ン善哉々々トアリ。是以、釈迦ノ説法ノトキ、地ヨリワキ出タリシト云五百由旬ノ塔モ、偽ナル事ヲシリ玉ヘ。其故ハ何ソ。

（45表）如何ナル所ニテモ、法花経ヲサヘ説ハ、宝塔ワキ出テ、其中ヨリ善哉々々ト云ントアレトモ、其時ヨリ今ニ至マテ、何クニテサヤウノ事侍シヤ。余所ハ先ヲキ、又都[*174]ノ内ニモ廿一ケ寺トヤラ申カ、其一ケ寺ニモ、五百由旬ハサテヲキ、五寸四方ノ宝塔モ湧出シタル事ナケレハ、元ヨリ多宝モ出テ、ク[*175]サメトモ云タル事ヲハ聞侍ラス。是、ソノウソノ一ツニテ侍リ。又安楽行品[*176]ノ中ニハ、読二ン是経ヲ一者ハ常ニ無ク二憂悩一ムコト又無二病痛一顔色鮮白ナラントハアレトモ、法花ノ御房ノ内ニモ、極テ憂ヘ悩ム人多、病痛人モ其数

ヲシラス。顔色鮮白ナラントイヘトモ、ミメ悪ク色黒ク不人物ナル人幾ソヤ。其ウソノ二ツ也。同品[*177]ニ、若人悪ミ罵ラハ口則閉塞ントテ見タルカ、法花ヲ誹謗スル者幾ラモ侍トモ、一人モ口ノ閉塞リタルヲミス。是又

(45裏)ウソノ三ツ也。又薬王品[*178]ニハ、此経則為ン二閻浮提ノ人病之良薬一若有ン二レ病得ハレ聞二是経一ヲ病即消滅不老不死ナラント見テ侍レトモ、祈禱トテ、此経ヲ誦内ニ、死ヌトハ申サジ[*179]、イキトマリタル人多ク侍リ。不老不死ナラントイヘトモ、法華ノ人トテモ、定命八九十ヲスコスハ、マレ也。是モ、偽ノ四ツトヤ申ヘキ。又普門品[*180]ノ内ニハ、念彼観音力火坑変成池トアレトモ、観音ヲ念セン人ナリトモ、火ノ坑ニツキヲトサハ、焼死ン事ハ云ニ不及、唯其家ニ火ヲカクルトモ、水トハナラテ、焼死ン事、何疑アランヤ。永[*181]万元年七月廿九日ノ事カトヨ、其念セラル、千手ノ御堂、清水寺モ炎上シタリト、平家物語ニ見タリ。サラハ、ヨノ者モ付タル火カ、山法師ヨリ焼レテ侍リ。此文ノ偽ヲトカメタル事、今ノワラワ斗ニテモ侍ラス。

(46表)其時ノ人モ、心アルハヲカシクヤ思ケン、観音ノ火坑変成池ハ如何ニト欺[*182]テ、大門口札ヲ打タレハ、又ヲトラヌヲコノ者有テ、暦劫[*183]不思儀不及力ト札ノ立返シシタリトアル事ハ、今ノ世マテ笑草ニテ侍ラスヤ。サレハコソ、此文ヲモ其偽ノ五トヤ可申。其上、カヤウノ事ヲ申サハ、法花経ノ三分[*184]ニハ皆偽ニテ侍。心ヲ留テ此経ヲ読玉ン人ハ、ワラハカ申事マコトナリトワキマヘ玉ヘ。中ニモ、迹前カンカヘナキ事ハ、湧出品[*185]ノ内ニ、諸菩薩、地ヨリ湧出シテ、釈迦ヲ讃歎ク恭敬スルニ、釈迦黙然トシテ坐セシ事、其間五十劫ヲ経タリ、サレトモ仏ノ神力ノ故ニ、半日ヲ過スカコトクニ諸大衆モ思タリトミヘタリ。コ、ニ

於テ思案シ玉ヘ。ヨシ半日ノ如ニモ大衆ハ思ハ、思ヘ、五十劫ヲ経タルニ於テハ、其(46裏)内ニ幾千万ノ日月カ過スヘキニ、釈迦[*186]ハ八十入滅ト云リ。ケニモ周ノ昭王廿六年ニ当テ生レ、同穆王五十三年ニ当ル時入滅スト見タリ。此間七十九年也。若五十[*187]ニ劫ヲヘタル者ナラハ、何トシテ生死ノ時節、此手記ニ合ヘキヤ。カヤウノ迹前シラスノ云タキ儘ノ云ヤウハ、タワコトニテアラスヤ。アマリニ色々ノ事ヲ申ニ依テ、サキノ龍女カ事モ、ワキヘナリテ侍。サテ、龍女カ成仏ノ事モ、申ツルヤウニ、真ニハナキ事也。サレトモ、コ、ニ、又別ニ心得ヤウアリ。口伝[*188]ノ上ヨリハ、皆人、胸中ニ三寸ノ小蛇アリト申。是カ八歳ノ龍女ト申者ニテ侍ソ。其[*189]三寸ノ小蛇トハ、貪・瞋・痴ノ三毒ノ事、是三寸ノ小蛇ナルカ故ニ、八歳ト云ハ、小ノ方ニナソラヘテ申侍ルトソ。小ノ方ニ(47表)ナソラヘテ六歳トモ不云シテ、何[*190]トテ八歳トハカキリタルソナレハ、人ニハ八識ト云事侍。三毒モ此内ニアル小蛇ナリ。此故ニ、八歳ハ八識ニヨソヘテ云ト心得ル也。九識[*191]モアレトモ、ソレハ本法ノ重ト申テ、ハヤ龍女カ成仏ノ堺、南方無垢世界ニテ侍リ。サレハニヤ、第[*192]九識ヲハ無垢ト申。無垢、ケカレナキ識ト云事、悟ル上也。又南方トハ何トテサシタルソナレハ、南ヲハ火ニカタトレリ。火[*193]ハ、離ノ卦ニテ侍リ。離中断トテ、卦ノ形☲カヤウニ有。是則、心中虚ニシテ、無心無念ナレハ、三毒カヤム方ニテ侍リ。其処ヲ成仏トハ申也。サレハ、無[*194]垢世界ニテノ在堺ヲハ丹枕トナラフト、此龍女カ成仏ニ付テ六ケノ秘事ト云事アル内ニ見ヘテ侍。前モ申ツルコトク、丹[*195]枕トハ無念々々ト云(47裏)事ニテ侍ル程ニ、龍女ト云者モ、身ヲ離テハナシト心得玉ヘ。カヤウノ事ヲハ、アノ日蓮宗ナトニハ夢ニモシラテ、唯御経ノ功力ナラテハ、タスカラヌト云。カタハライタキ事ナラスヤ。此理ヲヨク明メタル臨済[196]ハ、三乗十二分教皆是拭不浄故紙トテ、経トモヲハ、彼ヲノコヒスツヘキフル反古ソト見破ラレタリ。去程ニ、此分ニ申セハ、終シモ侍ハヌ程ニ、法花ノ事ヲハ、先ヲキ申ヘシ。畢竟、天台ト日蓮宗ノカハリハ観心ノ沙汰ヲハイワテ、唯御経カタフトシト私ナルコトヲノミ云カ、日蓮宗也。同万法一心[197]ノサトリ有テ経ノ心ヲ能明ムルカ、替リニテ侍ル也

＊1 **天台宗** 天台山に住み天台大師と称された智顗（五三八～五九八）を実質上の祖とする宗派。伝統的には、智顗の師である慧思（五一五～五七七）を第二祖、慧思の師である慧文を初祖とする。智顗は、それまでに中国に伝わっていた仏教実践を『摩訶止観』で体系化し、『法華経』を中心とする教理体系を作り上げた。日本には、鑑真が天台宗典籍をもたらし、最澄（七六六～八二二）はそれによって天台教学を学習し、比叡山を拠点として、日本天台宗を樹立した。

＊2 **四教** この下「五時」を抹消。蔵・通・別・円の四つの教えのこと。経典の教説を内容面から分類したもの。蔵教は三蔵教のことで、部派が伝承した経典（阿含）のこと。通教は、三乗に共通する教えのことで、円教や別教に属する経典以外の大乗経典。別教は、菩薩に対してだけ説かれた教えで、主として般若経典などのこと。円教は完全・円満な教え。純粋な円教が『法華経』で、『涅槃経』はそれを補足するものと位置づけられる。また、『華厳経』は別教の中の円教とされる。なお、五時は、仏陀が経を説いた順序に五段階を立てたもの。五味ともいう。

＊3 **界内** 「三界の内」の意。三界は欲界・色界・無色界で、輪廻を脱していない衆生がいる領域。

＊4 **六道** 地獄・餓鬼・畜生・修羅・人・天という六種類の生存状態。

＊5 **聚** 正しくは「衆」。

＊6 **修多羅蔵・毘尼蔵・阿毘曇蔵** 修多羅は、梵語 **sūtra** の音写で、「経」（釈尊の言行録）のこと。毘尼は、**vinaya**（の俗語形）の音写で、「律」（出家教団の規則）。阿毘曇は、**abhidharma**（の俗語形）の音写で、体系的な教理書。

＊7 **正化二乗傍化菩薩** 源信『四教五時略頌』。『西谷名目』巻上に引用されている（大正七四・五六六上二一～二三）。『西

谷名目』については、「八宗之事」*12参照。

*8 **四諦**　「諦」は真理の意で、苦・集（苦の原因）・滅（苦の終滅）・道（苦の終滅に至る実践）という四つの真理。

*9 **十二因縁**　苦の発生（と消滅）を、十二の項目から成る因果関係によって説明したもの。無明から始まって、行・識・名色・六処・触・受・愛・取・有・生・老死（老死が苦）。逆に、無明が滅すれば、行以下も順次滅し、老死も滅するとされる。

*10 **六度**　六波羅蜜のこと。波羅蜜を「度（わたる）」と訳すのは、「到彼岸」と訳すのと同じ通俗語源解釈に基づく。

*11 **道諦ハ……心得玉ヘ**　『西谷名目』巻上「此道諦云出世無漏因也。涅槃理出世無漏果也」（大正七四・五六六下三～四）。

*12 **人我ノ身**　正しくは「人我の見」。人我（個我、アートマン）が実在するという考えのこと。

*13 **縁覚……十二因縁**　縁覚（pratyekabuddha）は師なくして独りで悟りを開いた人。独覚。縁（pratyaya）との音の類似から縁覚と訳され、十二因縁と結びつけられる。

*14 **過去ノ二因……十二因縁**　このように十二因縁の各項目を、現在・過去・未来の三世に割り当てるのは、説一切有部の解釈で、三世両重の因縁という。「両重」は過去の因―現在の果、現在の因―未来の果の二重になっていることをいう。

*15 **触トハ、フル、ナリ**　本来は、根（感覚器官）・境（対象）・識（心）が接触するのが触の意味。

*16 **三ツ四ツマテハ**　『西谷名目』巻上では「六触。是生後二三歳時也」（大正七四・五六七上九）。

*17 **根・境・識モ和合スル**　玄奘訳『倶舎論』巻九「従生眼等根　三和前六処」（大正二九・四八中一四。『西谷名目』巻上所引〈大正七四・五六七上六～七〉）とあるように、三和（根・境・識の和合）の前が六処で、三和が触。受で三和を説くのは不正確。

*18 **五六歳ヨリ十四五マテ**　『西谷名目』巻上では「七受。是生五六歳至十四五歳事也」（大正七四・五六七上一三）。

*19 **十六七歳ヨリ**　『西谷名目』巻上では「八愛。是十四五歳已後、求財宝行婬欲也」（大正七四・五六七上一七～一八）。

*20 **ハヒ**　「ハヒ」は「ノ」の上に重ね書き。

*21 **檀波羅蜜**　檀は梵語 dāna の音写。与えること、布施の意。

＊22　**尸波羅蜜**　一般的には「尸羅波羅蜜」だが、玄奘訳より前の諸経典には「尸波羅蜜」という表現もよく使われている。尸羅（śīla）は、自発的な修行規律。

＊23　**三二ハ**　「三二八」は補筆。

＊24　**羼提波羅蜜**　羼提は kṣānti の音写。「忍辱」と訳す。忍耐して、怒りの心を起こさないこと。

＊25　**毘梨耶波羅蜜**　毘梨耶は vīrya の音写。「精進」と訳される。勇敢に、一所懸命努力すること。

＊26　**禅波羅蜜**　禅は、dhyāna の音写。心を集中し、落ち着かせること。

＊27　**見道・修道……云リ**　『西谷名目』では、『倶舎論』により、七賢七聖の修道階梯を述べている。七賢は七方便ともいい、まだ凡夫の段階。以下の説明は七聖に関するものだが、かなり簡略化されている。見道に随信行・随法行、修道に信解・見得・身証、無学道に時解脱・不時解脱があって、合わせて七聖となる。見道は、四諦を理解し無知に基づく煩悩をなくす段階。修道は、四諦に基づき煩悩をなくしていく段階。以上二つが、修学を必要とする「有学」であるのに対して、もはや修学すべきことがない段階が「無学」で、涅槃を達成した阿羅漢のこと。

＊28　**覚**　正しくは「学」。

＊29　**四向四果**　四果は、以下に出る須陀洹（srota-āpanna　預流）・斯陀含（sakṛd-āgāmin　一来）・阿那含（anāgāmin　不還）・阿羅漢（arhan）のこと。「向」は、果に至る前段階。

＊30　**婆沙論ニ……トナリ**　「婆沙論」は玄奘訳『大毘婆沙論』のことだが、このとおりの句はない。同書巻四十六に「問。以何義故、名預流耶。答。流謂聖道。預者謂入。彼入聖道故名預流」（大正二七・二四〇上二七～二八）とある。円測『仁王経疏』巻下末に「初入聖流。故名預流」（大正三三・四一九下一〇）とあり、義真『天台法華宗義集』にも「初入聖流故」（大正七四・二六四下二八）とある。『大毘婆沙論』は、説一切有部の根本論書である『発智論』に対する膨大な注釈で、玄奘訳で二百巻にのぼる。

＊31　**含**　正しくは「洹」。

＊32　**耶**　「那」の誤記。以下同じ。

＊33　**ヤハラケ**　「やはらげ（やわらげ）」。難しい言葉を簡単に言い替えること。

＊34　**殺賊**　arhan を、ari（賊）＋han（殺す）と解した通俗語源解釈。

＊35 不生　arhanを、a（否定の接頭辞）＋ruh（生じる）と解した通俗語源解釈。
＊36 無漏智　煩悩を離れた悟りの智慧。
＊37 見惑　思想上の迷いであり、見道で四諦を理解することによって、消滅する。
＊38 シ　「キ」の誤写か。「き（「祈」の崩し字）」を「し（「新」の崩し字）」と誤判読したとも考えられる。
＊39 思惑　見惑よりも深い実存レベルでの迷いで、修道の段階で消滅する。
＊40 辟支仏（ヒャク）　pratyekabuddhaの音写。「独覚」と訳され、教団に属さず、単独で涅槃に到達する者。「縁覚」とも言われる。＊13参照。
＊41 飛花落葉　安然『真言宗教時義』巻二「又独覚人飛華落葉以証聖果」（大正七五・四〇八下二四）。
＊42 世ノ中ノ……云ルモ　『蓮如上人御一代記聞書』「ワレハカリト思ヒ、独覚心ナルコトアサマシキコトナリ」（大正八三・八一六中二～三）。『西谷名目』巻上「然今世間人、思我事不思他人事、云二乗根性、此意也」（大正七四・五五六上九～一〇）。
＊43 菩提薩埵　bodhisattvaの音写。菩薩。悟り（bodhi　菩提）を求める生き物（sattva　衆生、有情）と解され、「覚有情」と訳される。もともと仏と成る前の釈尊の前世の生存状態を指す言葉であるが、大乗仏教では、仏と成ることを目指す修行者一般、また、仏に成る手前の超人的な救済者を指すようになる。
＊44 一切衆生惑有仏性　「惑」は「悉」の誤写。『大般涅槃経』に頻出する句。あらゆる生き物が、仏性（仏と成るもと、如来蔵　tathāgata-garbha）を有しているという意。
＊45 三乗……云リ　智顗『四教義』巻一（大正四六・七二一下二四）。『天台法華宗義集』にも引用（大正七四・二六六上二六～二七）。
＊46 折空観　正しくは析空観。事物を要素に分析して空を観ずることだが、ここでは「折」を用いて、折りくだく意に解している。それに対して「体空観」は、事物を全体として空と観ずること。
＊47 通教ハ……云テ　湛然『摩訶止観輔行伝弘決（弘決）』巻一之三（大正四六・一六五下二一～二二）。『弘決』は湛然撰『摩訶止観輔行伝弘決』の略称で、智顗撰『摩訶止観』の注釈書。湛然（七一一～七八二）は、唐代中期の天台宗復興者で、智顗の著作に注釈書を著した。

*48 **三賢・七聖** 本書の三蔵教の説明の中では、三賢七聖に触れていないが、『西谷名目』はじめ天台宗の綱要書では詳細な説明がある（七賢のうちはじめの三つを三賢といい、残りを四善根という）。原拠資料を丸写ししたため、「三賢七聖」の語が出ている。七聖は、見道に入る前の段階で、五停心・別相念処・総相念処（以上が三賢）・煖・頂・忍・世第一法のこと。

*49 **十地** 十地は、大乗仏教の修行者の階位で、諸種の経論に説かれるが、以下のものは『大品般若経』などに説かれる。

*50 **智恵……ニテ侍** 『弘決』巻六之一（大正四六・三三二中二六～二七）に基づく表現。

*51 **イ** 意味上、また、後に出てくる「カワキタル」から考えても、「イ」ではなく「ワ」が正しい。これは、「わ（「〇」に由来する変体仮名）」を「い」と誤判読したと考えられる。

*52 **弘決……釈セラレタリ** 『弘決』巻六之一（大正四六・三三二中二七）。

*53 **八人ノ人ノ……昼也** 天台宗での正統的な解釈では、智顗『法華玄義』巻四下「八忍具足、智少一分。故名八人位也」（大正三三・七三〇上一～二）。『西谷名目』巻上も「八忍具足小智少一分。故名八人也」（大正七四・五七七下一三～一四）。

*54 **昼** 「書」を「晝」と誤判読し、それを略字の「昼」で記したと思われる。

*55 **昼** 前注と同じく「書」が正しい。

*56 **七地入空** 長宴『四十帖決』巻三「七地入空是常説也」（大正七五・八四五上二五）。

*57 **習気** 煩悩などが消滅した後も残る潜在余力・習慣的な力のこと。

*58 **ス丶ミアサツテ** 「すすみあざって」。「あざる」は「続けてする。継続する」の意。

*59 **菩** 「菩薩」の「薩」の字が脱落。

*60 **誓扶……ラレタリ** 智顗『法華玄義』巻二上「若通教菩薩、約無漏論相性、六地之前残思受報。六地思尽、不受後身。誓扶習生、非実業報。故唯九無十」（大正三三・六九四下二一）。菩薩はもはや過去の業によって輪廻することはないが、衆生救済のために、僅かな習気に力を加えて再生するという意。

*61 **大乗根** 正しくは「大根性」。

*62 **経ニモ三界唯一心**　『経』は『華厳経』だが、このとおりの句はない。*118参照。

*63 **臨済ト……也トテ**　『臨済録』（大正四七・五〇〇下一三～一六）。臨済義玄（?～八六七?）は、唐中期の禅宗僧。その流れは臨済宗を形成し、中国禅宗の主流となった。

*64 **念々無自性**　永明延寿『宗鏡録』巻七十八「宝積経偈云「諸法自性不可得。如夢行欲悉皆虚。但随想起非実有。世尊知法亦如是」。以一切法念念無住故。念念生滅故。念念不可得故。念念無自性故」（大正四八・八四九中四～八）。

*65 **四門得道**　四門は、有・空・亦有亦空（有でもあり空でもある）・非有非空の四つの見方。『法華玄義』巻十七（大正三三・八〇五中一四以下）によると、三蔵教ではこの四つの見方のいずれかによって悟りを得る。

*66 **四種ノ浄土ト申ハ**　『西谷名目』では、四土のことは、全体の末尾近くで簡単に触れられるにとどまる。浄土の在り方を問題にするのは、本書独自の関心。常寂光土は常住の真理そのもの。残りの三つは修行者の階位に応じて出現する浄土で、同居土・方便土・実報土の順に高い階位に対応している。

*67 **記ノ十……釈セリ**　湛然『法華文句記』（文句記）巻十下（大正三四・三五五中九）。三身は、法身・報身・応身。*98参照。『文句記』は智顗『法華文句』（『妙法蓮華経』の注釈書）の注釈。

*68 **同九ニモ……云リ**　『文句記』巻九下（大正三四・三三三下三～四）。伽耶はブッダガヤー（釈尊が悟りを開いた場所）。

*69 **記ノ五ニ……ラレタリ**　『文句記』巻六上（大正三四・二五八中一二～一三）。大正蔵の底本である康熙四年刊本では巻六上であるが、中世日本での調巻では巻五。貞舜編『柏原宗要案立』では「記五云」（大正七四・四八〇下一四）として、この文を引用する。『柏原宗要案立』は、中世日本天台宗の主要な論義を集めたもの。「至法華会、会摂三土跡」は、正しくは「至二法華会一、摂二三土跡一」（法華の会に至りて、三土の跡を摂して）」。「会摂」という言葉は、「摂者以此普智会摂諸法」（法蔵『探玄記』巻一。大正三五・一四二中一八）、「若見一分、余分性不異。皆融通会摂」（宗性『華厳宗香薫抄』巻一。大正七二・一〇八中一四）、「帰性者、会摂諸法之相差別、泯帰一味真性之義也」（湛睿『華厳演義鈔纂釈』巻一。大正五七・二三一下三～四）といった用例を見ると、華厳宗系統で主に使われた言葉か。

*70 **四門**　『西谷名目』では、四門は三蔵教の中で説明される。

＊71 門者……釈シテ 『四教義』巻三（大正四六・七二九上一一）。

＊72 空門トハ……申也 『西谷名目』巻下では、「今通教意、折破諸法、非観空義。押諸法体、観即空故、名体空。亦云如幻即空観也」（大正七四・五七七中一一～一四）として、通教の体空観を如幻即空観としている。本書が通教のところで四門を説明するのは、このためか。通教が如幻即空というのは、真言宗の頼瑜『大日経疏指心鈔』巻十「寂然即空同通教如幻即空。体法空義決定矣」（大正五九・七二二下二九）にも見える。

＊73 如幼 正しくは「如幻」。

＊74 五十二位 十信・十住・十行・十廻向・十地・等覚・妙覚。

＊75 十信・十行・廻向・十地 「十住」が脱落しているとも考えられるが、本来「十信住行廻向十地」とあったのを、「住」を「十」に書き換えたとも考えられる。

＊76 大論ト……能入 『大智度論』巻一「仏法大海、信為能入」（大正二五・六三上一～一二）。

＊77 十信 文脈上、正しくは「十住」。

＊78 十住入空 『法華玄義』巻三上「十住正習入空、傍習仮中」（大正三三・七〇九上一四～一五）。『西谷名目』巻下「十住者（中略）断見思証空理故、入空位也」（大正七四・五八〇中一六～二〇）。明曠『天台菩薩戒疏』巻上に「十住入空而断見思及断界外上品塵沙」（大正四〇・五八一中二一～二三）とある。

＊79 前ノ十信ノ重マテ この下、脱文があるか。

＊80 出侮（ケ） 正しくは「出仮」。智顗『観音玄義』巻下「十行出仮断無知」（大正三四・八八六中三）、『西谷名目』巻下「十行者（中略）此位云従空出仮位也」（大正七四・五八〇中二三～二六）。

＊81 其名 別教の十地は、『華厳経』「十地品」（十地経）に説かれるもので歓喜地・離垢地・発光地・焰慧地・極難勝地・現前地・遠行地・不動地・善慧地・法雲地。

＊82 タルトモ 終止形＋「とも」はもともと逆接の仮定条件だが、確定的な事柄を仮定的に表して強調に用いることがある。35裏の「理リアルトモ」も同じ。厳密には「タル」「アル」は連体形であるが、この時期には混用されるようになっていた。

＊83 唯一ナル この下、脱文があるか。

＊84 **惑** 「悉」の誤写と思われる。「断惑」を「惑断」と誤写したとも考えられるが、「無明を断惑し尽し」というのは奇妙な表現なので、可能性は低い。

＊85 **尺** 「尽」の誤写。

＊86 **等覚……云テ** 『摩訶止観』巻一下（大正四六・一〇下一七～一八）。

＊87 **伝** 「轉（転）」を「傳（伝）」と誤写したもの。

＊88 **一テン伝** もともと「一轉（テン）」と書かれていたものを誤写したか。

＊89 **生仏不二……ト申テ** 『徹翁和尚語録』巻下「又云、生仏不二、迷悟一致、上無攀、下絶己躬」（大正八一・二六七下一九～二〇）。徹翁義亨（一二九五～一三六九）は大徳寺第一世。なお、日蓮述・日向撰と伝える『御講聞書』にも「所詮法華経ノ意ハ煩悩即菩提、生死即涅、生仏不二、迷悟一体トイヘリ」（「如是我聞事」。大正八四・三四二下二九～三〇）とある。

＊90 **訴詮** 「所詮」の誤写。

＊91 **万法……釈シテ** このとおりの文は大正蔵・卍続蔵では検出できないが、「万法円備」の語は『渓嵐拾葉集』に四箇所ほど用例があり、「葉上流ノ口伝ノ意ヲ云者ハ一ノ方ノ木曼荼羅ヲ安セヨト云者、凡ソ曼荼羅者此ニハ輪円具足ト翻ス。故ニ円形造之ヲ。是則チ万法円備十界皆成ノ意也」（「求聞持事」。大正七六・五七三上二五～二八）とあるように、密教系の言葉遣いか。

＊92 **十界三千** 「三千」は、十界それぞれに十界がそなわり（十界互具）、それぞれに十如是があり、さらに三世間があるので、三千となる。これが一念に具備しているというのが、天台宗の修行論（観門）の究極とされる「一念三千」。なお、「十界」は、地獄・餓鬼・畜生・修羅・人・天という迷いの状態にある六界に、声聞・縁覚・菩薩・仏という悟りの領域に入った四聖を加えたもので、あらゆる生あるものの境遇。「十如是」は、『法華経』方便品に基づくもので、如是相・如是性・如是体・如是力・如是作・如是因・如是縁・如是果・如是報・如是本末究竟等の十のカテゴリー。「三世間」は、五蘊世間・衆生世間・国土世間。

＊93 **依正** 依報と正報。業の報いとして受ける境遇のうち、衆生そのものの身心が正報、環境世界が依報。

＊94 **カヽル** 「カケル」または「カクル」が正しい。単なる誤写とも考えられるが、「く」を踊り字と誤判読したか。

*95 **釈ニモ……也ト** 『渓嵐拾葉集』に「一心万法総体義顕事、円満形勝故、以之為一心体也」（「菩提心論　第五」。大正七六・八二一上一五～一六）と見える。なお、日蓮述・日興記と伝えられる『御義口伝』に「一心者万法総体也」（『昭和定本日蓮聖人遺文』二六五九頁）と見え、『御講聞書』にも「此一心万法総体也」（同上二五八〇頁）とある。

*96 **見之** 「見之（之を見る）」でも意は通じるが、若干文体に合わない。「見て」で、「て（「天」の崩し字）」を「之」と誤判読したかと思われる。

*97 **只心……釈セリ** 『摩訶止観』巻五上「若従一心生一切法者、此則是縦。若心一時含一切法者、此即是横。縦亦不可、横亦不可。秖心是一切法。一切法是心故。非縦、非横、非一、非異、玄妙深絶。非識所識。非言所言。所以称為不可思議境」（大正四六・五四上一八）。不可思議境（一念三千）を明かす箇所の結論部分。

*98 **法・報・応ノ三身** 世界の真理そのものを仏身とみるのが法身、修行の結果、真実の悟りを得たのが報身、衆生救済のために仮の姿をとるのが応身。

*99 **仏ニ三身……三ニテ侍リ** 『祖庭事苑』巻七「三身　謂法・報・化也。法身、盧遮那。此云遍一切処。報身、盧舎那。此云浄満。化身、釈迦牟尼。此云能仁・寂黙。在衆生身中、即寂・智・用。寂是法身。智是報身。用是化身」（新纂卍続蔵六四・四二一下二一～二四）。『祖庭事苑』は宋の睦菴善卿著、大観二年（一一〇八）撰、紹興二十四年（一一五四）重刊で、禅書中最古の事典。この記事は、『人天眼目』巻五にも引用されている（大正四八・三二五中一六～一九）。『人天眼目』は宋の晦巌智昭編、淳熙十五年（一一八八）序刊。禅宗五家それぞれの要点をまとめたもの。両書とも五山版がある。

*100 **与祈** 「与所（=余所）」の誤写。

*101 **弘法大師ノ……此心也** 空海『般若心経秘鍵』（大正五七・一一上一〇～一一）。

*102 **六故……ト云リ** このとおりの文は検出できないが、類文として『止観大意』「即故初後俱是。六故初後不濫」（大正四六・四五九下四～五）、永明延寿『万善同帰集』巻中「六即揀濫。十地弁功。若以即故、何凡何聖。若論六故、凡聖天隔」（大正四八・九七六中九～一一）、伝日蓮述『御義口伝』「即字即故初後不二故也云云」（『昭和定本日蓮聖人遺文』二六四九頁）。「六即」は、以下に出るように、理即・名字即・観行即・相似即・分真即・究竟即で、段階を立てるものの、はじめから衆生と仏の相即が実現されているので「即」という。

＊103 **心要ナトニハ……即仏**　『天台伝南岳心要』（『天台本覚論（日本思想大系）』。四一一上一四〜一五）。『天台伝南岳心要』は、南岳大師（慧思）から天台大師（智顗）に伝えられた悟りの核心を記したものとされる偽書。中世日本天台宗で重視された文献。

＊104 **字即**　「名字即」の「名」の字が落ちている。

＊105 **ヲ**　「テ」の誤写と思われる。

＊106 **等覚一転入于妙覚**　智顗『摩訶止観』巻一下（大正四六・一〇下一八）。

＊107 **伝教大師**　「等覚一転入于理即」は、最澄自身の著作にはなく、中世の偽撰書に出るものと思われるが、未検。理即の成仏は、『三十四箇事書』など、中世の本覚思想文献に見える。

＊108 **中々に……たつねて**　柳生宗厳に帰される『没茲味手段口伝書』や宮本武蔵作とされる『兵法鏡』に引用される古歌。

＊109 **五教**　正しくは「五時」。釈尊の説法活動を、経典に記された年時によって、五つの期間に分けたもの。＊2参照。

＊110 **因ノ……譬也**　これに直接対応するのは、知礼『観音玄義記』巻一「華厳喩諸地因華厳果徳也」（大正三四・八九五中一五）。法蔵『華厳経探玄記』巻一「二、大遠法師以華厳三昧為宗。謂因行之華能厳仏果」（大正三五・一二〇上一一〜一二）に基づく。仏果に至る因（花）である修行を説いて、結果である仏の悟りの世界を明らかにする。

＊111 **寂滅道場**　ブッダが悟りを開いた場所。仏陀伽耶（ブッダガヤー）の菩提樹の下。『華厳経』はここで仏陀が得た悟りの世界を菩薩たちが説く構成になっている。

＊112 **菩薩樹**　「菩提樹」の誤写。

＊113 **童**　正しくは「幢」。

＊114 **九世相入**　九世は、過去・現在・未来のそれぞれの過去・現在・未来で、九世相入は、この九つの時間が融合して隔てがないこと。

＊115 **空即是仏**　『八十華厳』巻十六「法性本空寂　無取亦無見　性空即是仏　不可得思量」（大正一〇・八一下一五〜一六）による表現。

＊116 **如聾如啞**　智顗『維摩経略疏』巻十三「如華厳寂場、初成正覚、説円満頓教。声聞在座、如聾如啞。即是不見仏、

不聞法」（大正三八・六二一上七～九）。仏の悟りの世界が深遠で理解できない様子。

＊117 **頭ヲ……カ故**　「説法のやり直し」ということではなく、『華厳経』の聴衆が座を去ろうとしたことであろう。「頭（かぶり）を振る」は、不承知の動作。

＊118 **三界唯一心々外無別法**　「華厳宗之事」＊24参照。このフレーズの初出は安然『菩提心義鈔』巻二「華厳経云、心如工画師、造種種五陰、一切世間中、莫不従心造、三界唯一心、心外無別法、心仏及衆生、是三無差別云云」（大正七五・四八七中五～七）。

＊119 **自作此経典狂惑世間**　『法華経』巻四「勧持品」十三（大正九・三六下五～六）。「狂」は正しくは「誑」。

＊120 **鹿野苑**　ブッダがはじめて説法した場所。現在のサールナート（ベナレス郊外）。

＊121 **阿含**　サンスクリット語 agama の音写。聖典の意。いわゆる原始経典で、パーリ語のニカーヤに対応する。「華厳宗之事」＊2参照。「阿」は無、「含」は有という意味はない。

＊122 **方等**　もともとは広大という意で、大乗経典を広く指すが、五時説においては、般若・法華涅槃以外の大乗経典をいう。

＊123 **説時……イヘトモ**　『西谷名目』「然方等説時不定者、鹿苑而証二乗果。即有弾呵教故也。仮令鹿苑十二年内、可起方等弾呵教故、云説時不定也」（大正七四・五八三下二〇～二三）。「山」は比叡山延暦寺のこと。

＊124 **三井……ラレタリ**　『西谷名目』「方等説時別立不立異義也。寺門立説時。云方等時十六年般若時十四年也。而山門不定説時。云得果之後即有弾呵」（大正七四・五八三中八～一〇）。「三井」は、園城寺（滋賀県大津市）のこと。「寺門」と呼ばれ、延暦寺（山門）に対抗した。

＊125 **高原ノ陸地ニハ蓮華ノ生セサルカコトク**　『維摩経』に説かれる譬喩（大正一四・五四九中六）。

＊126 **嫌ハラシ**　「嫌はれし」が正しい。「れ（「麗」の崩し字）」を「ら（「羅」の崩し字）」と誤判読したかと疑われる。

＊127 **陪堂**　「ほいとう」と読む。禅宗で、僧堂の外で食事のもてなしを受けること。そこから転じて、ものごいをすること。

＊128 **病目ニ茶ヲヌリタルトヤラン**　当時のことわざと思われるが未検。ごまかしの治療の意か。

＊129 **ムサ**　仏教用語に「無作」があるが、ここではそれでは通じない。要検討。

*130 **［氵＋非］汰**　「洮」の誤写。『法華玄義』巻十下「漸以般若洮汰令心調熟」（大正三三・八一〇下二六）。洗って選び分け、悪いものを捨て、よいものを残すこと。

*131 **十四年……侍リ**　般若時を十四年とするのは園城寺系の説。*124参照。比叡山では三十年とする。『西谷名目』「第四般若経者（中略）是三十箇年四処十六会説也」（大正七七・五八四上一八～二〇）。

*132 **無量義経**　『法華経』を説く直前に説かれたと考えられた経典。曇摩伽陀耶訳。中国で撰述されたと考えられている。「四十余年未顕真実」は本経に出る（大正九・三八六中一～二）。大正蔵の底本である高麗蔵では「未曾顕実」）。

*133 **序品**　正しくは「序分」。『西谷名目』「法華以無量義経為序分」（大正七四・五八四下二九～五八五上一）。「序分」は経典などの本体部分（正宗分）に対して、その導入となる部分。

*134 **妙法蓮華経ノ五字ノ題目**　天台三大部の一つである智顗の『法華玄義』は、経題である「妙法蓮華経」の五字を一字ずつ詳しく説いている。それに基づいて日本の中世天台や日蓮宗教学で五字の解釈が発展した。以下はこのような説に基づいている。

*135 **十界・十如・権実**　「十界」「十如（是）」は*92参照。

*136 **当体ノ蓮花**　日蓮作とされる『当体蓮華鈔』に、譬喩蓮華と当体蓮華について、「一切衆生の胸の内に八分の肉団あり」（『昭和定本日蓮聖人遺文』二一三〇頁）と、本書に近い説が見える。「当体」はあるがままの本性。

*137 **妙楽……云リ**　湛然『法華文句記』巻三下「法華一部方寸可知。一代教門刹那便識」（大正三四・二一四下二八～二九）。「方寸可知」は「方寸と知る可し」ではなく、正しくは「方寸もて知る可し」。『御講聞書』には、本書と同様な解釈が記されている。「我等一心田地、諸法万法起レリ。法華一部方寸可知釈、八年法華経、一心三千開也」（『昭和定本日蓮聖人遺文』二五六〇頁）。「方寸」は一寸（約三センチ）四方で、心臓のこと。

*138 **円**（圓）　「團（＝団）」の誤写。「赤肉団」は、赤い肉の塊で、心臓のこと。

*139 **妙楽**　正しくは「妙秀」。

*140 **伝教大師……トアリ**　『守護国界章』巻上之上（大正七四・一四〇上七～一〇）。「於一仏乗、分別説三」は『妙法蓮華経』巻一「方便品」第二の句（大正九・七中二六～二七）。本文での「唯有一乗」は同じ「方便品」の「十方仏土中　唯有一乗法」（大正九・八上一七）と混同したもので、『守護国界章』では「唯一仏乗」。「唯一仏乗」も同じく

「方便品」の句（大正九・七下九）。『渓嵐拾葉集』「三種法華」には、本文と同じ形態の引用が見える。「山家大師御釈云、於一仏乗者根本法華、分別説、三隠密法華。唯有一乗顕説法花。妙法之外更無一句ノ余経云云」（大正七六・六〇二上二一～二三）。

＊141 **蜜**　正しくは「密」。41裏の「蜜」も同じ。

＊142 **四味三教**　五味（＝五時）・四教（＊2参照）のうち、法華時・円教以外の四味・三教。そこにも密意として法華・円教が籠められているということ。

＊143 **二モナク三モナキ**　＊140に引いた『妙法蓮華経』巻一「方便品」第二「十方仏土中　唯有一乗法」の後に「無二亦無三　除仏方便説」（大正九・八上一八）とある。「二」は小乗の声聞と縁覚、「三」はそれに菩薩を加えたもの。

＊144 **汝等所行是菩薩道**　『妙法蓮華経』巻三「薬草喩品」第四（大正九・二〇中二三）。「汝等」は、迦葉をはじめとする声聞たちで、彼らの修行は小乗の涅槃の獲得で終わるのではなく、実は成仏を最終目標とする菩薩の修行である、との意。

＊145 **当位即妙本位不改**　「当位即妙」「不改本位」はそれぞれ湛然『法華玄義釈籤』巻四・巻六に出る（大正三三・八四三中二二～二三、同八五八上七）。両者をつなげた言い方は、日蓮『波木井三郎殿御返事』（『昭和新修日蓮聖人遺文』七四九頁）などに見える。ただし、「本位不改」と語順を改めた言い方は、一般的ではない。当位（現在の状態）がそのまま妙覚（究極の悟り）でありながら、もともとの状態は変ることがない。

＊146 **諸法実相……具徳ナレハ**　『柏原宗要案立』巻六「六根浄人、於名字即、知一切法皆是仏法、信解成就。横十方竪三世事理万法皆一心具徳三諦一理也ト信知畢」（大正七四・五四六下二五～二七）。「諸法実相」は万物のありのままの真実のすがた。

＊147 **四十余年未顕真実**　『無量義経』の句。＊132参照。

＊148 **法花一乗妙典**　『景徳伝灯録』巻二十七「衡岳慧思」伝に「師常謂、法華為一乗妙典」（大正五一・四三一上六～七）とある。宗快『如法経現修作法』に「一乗妙典」の語は頻用されるが「法華一乗妙典」と熟する例はない。

＊149 **日蓮宗**　日蓮（一二二二～一二八二）を実質上の開祖とする宗派（日蓮自身は特定の一宗を開く意図はなかった）。長らく法華宗を名乗っていたが、天文法華の乱（一五三六年）で敗北し、日蓮宗を名乗ることになった。教学的に

は天台宗と共通する部分が多いが、『法華経』を絶対視し、「南無妙法蓮華経」と唱える。

*150 **観道ト云テ**　やや文脈が通りにくい。「観道」をまだ悟りに達しない修行段階のことと見ているか。修行の段階に見道・修道・無学道の三道を立てることがあるが、その第一段階の見道のことか。

*151 **無眼子**　「眼子」は眼のこと。「無眼子」は、正しい理解力のない人のこと。中国の禅籍には見当たらず、日本で作られた言葉らしい。鈴木正三『驢鞍橋』中巻三十一条に『碧巌録』第二十則の「龍牙山裏龍無眼」を評して「円悟禅師、碧巌集に此の頌は無眼子とせられたりと慥に評す」と言っているが、『碧巌録』には「無眼子」の語はない。

*152 **四種釈**　『法華文句』などで用いられる天台智顗独特の経典解釈法。因縁釈は、人物・事物などの由来を通じて解釈する。約教は、天台宗の四教判（蔵・通・別・円）に基づく解釈。本迹は、本（本来の境地）と迹（現実に現れたすがた）という観点からの解釈。観心は、経典に現れた言葉を観想の対象として意味づけ解釈する。

*153 **疏ニモ……見タリ**　『法華文句』巻一上（大正三四・二中八～一〇）。

*154 **仏**　他処の用例から考えて「御」の誤写か。

*155 **法花最第一**　『法華経』巻四・法師品第十（大正九・三一中一五）。

*156 **念仏無間……律国賊**　四箇格言と言われるもので、念仏（浄土宗）・禅宗・真言宗・律宗に対する日蓮の批判をまとめたもの。

*157 **釈籤（セン）ニモ……云リ**　『法華玄義釈籤』巻七（大正三三・八六八上一六～一七）。

*158 **法花禅師**　正しくは「法達」。*160参照。

*159 **六祖**　慧能（六三八～七一三）のこと。弟子の荷沢神会（六七〇～七六二）によって、中国禅宗の第六祖として位置づけられた。

*160 **心迷……牛車**　『景徳伝灯録』巻五（洪州法達禅師）「心迷法華転　心悟転法華　誦経久不明　与義作讎家　無念念即正　有念念成邪　有無俱不計　長御白牛車」（大正五一・二三八上二四～二七）。『六祖壇経』（大正四八・三五五下二六～二九）も同文だが、敦煌本『六祖壇経』（S5475）では、「心行転法華、不行法華転。心正転法華、心邪法華転。開仏智見転法華、開衆生智見被法華転」（大正四八・三四三上一～三）。

*161 **讎**　「讎（底本では「雔」）」は「双（底本では「雙」）」をミセケチにして、右傍に記している。

＊162 **経誦……亡** 『景徳伝灯録』巻五（洪州法達禅師）「経誦三千部　曹渓一句亡　未明出世旨　寧歇累生狂　羊鹿牛権設　初中後善揚　誰知火宅内　元是法中王」（大正五一・二三八中一五～一八）。『六祖壇経』（大正四八・三五六上二〇～二三）も同文。敦煌本『六祖壇経』（S5475）では、「実未曾転法華、七年被法華転、已後転法華、念念修行仏行」（大正四八・三四三上五～六）。

＊163 **法華ノ……云リ** 『法華経』「譬喩品」第三で説かれる譬喩（三車火宅の喩）。長者の家に火事が起こった時、長者は中にいる子どもたちに彼らの好む羊車・鹿車・牛車を与えると言って家から脱出させたが、実際に子どもたちに与えたのは三車より素晴らしい大白牛車であったという話。天台宗では、羊車・鹿車・牛車が三乗（声聞・独覚・菩薩）を譬え、大白牛車が一乗（仏乗）を譬えると解する。

＊164 **安置丹枕駕以白牛** 『法華経』巻二「譬喩品」第三（大正九・一二下二一～二二）。

＊165 **此アカキ……シタリ** 三車火宅の喩は一般に一乗を説く『法華経』の優越性を主張するものと解されるが、ここでは無心無念という心の状態に帰着するものと解している。中世天台の説に基づくものと思われるが、以下の趣意か。『法華文句』巻五下「釈譬喩品」「安置丹枕者、車若駕運随所到処須此支昂。譬即動而静即静而動。若車内枕者休息身首。譬一行三昧息一切智一切行也。丹即赤光。譬無分別法也。駕以白牛者、譬無漏般若能導諦縁度一切万行到薩婆若。白是色本。即与本浄無漏相応」（大正三四・七二上二五～七二中二）。

＊166 **八歳龍女** 『法華経』「提婆達多品」第十二で説かれる話で、文殊の教化を受けた龍王の娘は、速疾成仏・女性成仏を信じない舎利弗らのために、たちまち男子となり成仏した姿を示したという。なお、「龍」は nāga の訳であるが、中国や日本の龍とは異なる。

＊167 **畜類……ナシ** 動物にはアニマセンシチバ（anima sensitiva 覚魂）はあるが、死後にも存続するアニマラシヨナル（anima racional 理性魂）がないため。「アニマラシヨナルヲ具セル人倫ヨリ外ハ、何レモ後生ト申事侍ラズ」（『妙貞問答』巻下。教三九五頁）。

＊168 **一休……タリシハ** 『一休水鏡』に見える歌。

＊169 **水カケアイトテ** 「水かけ」は、田に水を引くこと。

＊170 **バケ** 「化け」の意。

*171 **宝塔品……見テ** 『妙法蓮華経』巻四「見宝塔品」第十一（大正九・三二中一七～一八）。

*172 **由旬** 梵語 yojana の音写。距離の単位。一説に牛に車をつけて一日ひかせる距離で、約七キロメートル。

*173 **其仏……トアリ** 『妙法蓮華経』巻四「見宝塔品」第十一（大正九・三二下一六～一八）。経文では、「彼宝塔」は「彼之宝塔」、「在於塔中」は「全身在於塔中」。

*174 **都ノ内……申カ** 室町時代、京にあった法華宗（日蓮宗）の中心寺院（本寺）。妙顕寺・妙覚寺・立本寺・妙蓮寺・本能寺・本隆寺・本圀寺・本満寺・本禅寺・宝国寺・上行寺・住本寺・妙満寺・本法寺・頂妙寺・妙泉寺・妙伝寺・弘経寺・大妙寺・学養寺・妙慶寺。天文法華の乱の結果、宝国寺・弘経寺・大妙寺・学養寺・妙慶寺が焼失したまま再興せず、上行寺・住本寺が合併して要法寺となったので、『妙貞問答』当時は十五本寺。

*175 **クサメ** 「くさめ」は、くしゃみをした時に言うおまじないの言葉。つまらない言葉の例。

*176 **安楽行品……アレトモ** 『妙法蓮華経』巻五「安楽行品」第十四（大正九・三九中一四～一五）。

*177 **同品ニ……見タルカ** 『妙法蓮華経』巻五「安楽行品」第十四（大正九・三九中一八）。

*178 **薬王品……侍レトモ** 『妙法蓮華経』巻六「薬王菩薩本事品」第二十三（大正九・五四下二五～二六）。経文では、「若有病」は「若人有病」。

*179 **ジ** 「申サジ」で「……とは言わないまでも」と、下に続くか。

*180 **普門品……アレトモ** 『妙法蓮華経』巻七「観世音菩薩普門品」第二十五（大正九・五七下一八）。

*181 **永万……見タリ** 『平家物語』巻一「清水炎上」。本文にあるように、比叡山の攻撃により炎上した後、「火坑変成池は如何に」との札が大門に立てられ、それに対して「歴劫不思議力及ばず」との札がつけられた。このエピソードは、ハビアンが編纂した天草版『平家物語』では省略されている。

*182 **歟** 「歎」の誤記か。

*183 **暦劫不思儀不及力** 『妙法蓮華経』巻七「観世音菩薩普門品」第二十五「弘誓深如海　歴劫不思議　侍多千億仏　発大清浄願」（大正九・五七下一三～一四）。もともとの経文は、「観音の誓願は非常に深いもので、人知の及ばないほど長い間、何千億もの仏におつかえし、広大で清浄な誓願を立てた」との意。この札は、これをもじって、「人知の及ばないほど長い間かけた誓願であるが、それでも力が及ばなかった」と述べている。

＊184 **三分ニ**　底本では「三分ニ」であるが、「三分二」（三分の二の意）が正しいと思われる。

＊185 **湧出品……ミヘタリ**　以下の文の趣意。『妙法蓮華経』巻五「従地涌出品」第十五「是諸菩薩摩訶薩従地涌出。以諸菩薩種種讃法而讃於仏。如是時間経五十小劫。是時釈迦牟尼仏黙然而坐。及諸四衆亦皆黙然。五十小劫、仏神力故、令諸大衆謂如半日」（大正九・四〇上一七〜二二）。

＊186 **釈迦……年也**　釈尊の生誕を周昭王二十六年、没年を周穆王五十三年とするのは、『勅修百丈清規』による（巻二・報本章第三。大正四八・一一一六中二七、同一一一六下一九以下）。「八十入滅」を満年齢ではなく、数え年（つまり満七十九歳）と考えるのも、同書による。一般的には、昭王二十四年に生まれ、穆王五十二年に没したとする説が優勢である。

＊187 **五十ニ**　底本では「五十ニ」と記されている。「ニ」は衍字と思われる。

＊188 **口伝……侍ソ**　『渓嵐拾葉集』「山王御事」「一切衆生ノ理性ノ海中ニ不三寸蛇形有リ。今第六識ノ是非思量ノ識主也。指レ之習レ龍也。口伝云云。尋云、理性ノ海中ト者何耶　答。（中略）是則本有性徳ノ指ス第六識ヲ也。宝珠者、一乗無価ノ珠也。此ヲ事相ニ習時ハ者、一切衆生ノ第六無障識主也。我等カ肺臓ノ中ニ本有ノ蛇身有レ之。口伝云云」（大正七六・五一七下二七〜五一八上七）。「不三寸」は他処の用例から考えると「方三寸」と思われる。

＊189 **其三寸……ノ事**　三寸＝三毒というのではないが、蛇が三毒を示すという説はある。『渓嵐拾葉集』「山王御事」「凡夫ト者、三毒等分極成体也。三毒極成無作本有形体ハ者必蛇体也」（大正七六・五一七下一八〜二〇）。

＊190 **何トテ……得ル也**　八歳＝八識というのではないが、龍女と八識を結びつけたものとして、以下のような説がある。澄豪『総持抄』「二重蓮華事」「又云、龍女於海中、詣霊鷲山者、転第八識円明因海ヨリ、登第九菴摩羅華台義也」（大正七七・七四中二一〜二三）。

＊191 **九識……申テ**　「本法の重」について、伝日蓮述『御講聞書』「抑本法申、水アツクナリ、火ツメタクナラハ、流転門ナルヘシ。水イツモツメタク、火イツモアツク、地獄何火焔、餓鬼何飢渇、其外万法己当位当位儘ナルヲ、本法体云也。此重説顕経文也。此本法重、法華経也。権教流転也。此流転衆生、本法重引入、仏出世也。其本法云、此経也」（『昭和定本日蓮聖人遺文』二五七三頁）参照。第九識は、本来、第八識（アーラヤ識）が完全に浄化されたもののことであるが、中国・日本では、第八識とは別に実体的に存在しているように解釈された。

*192 **第九識……ト申** 円測『仁王経疏』巻中本（教化品第三）「一、真諦三蔵、総立九識。一阿摩羅識。真如本覚為性。在纏名如来蔵。出纏名法身。阿摩羅識、此云無垢識」（大正三三・四〇〇中二六～二八）。

*193 **火ハ……侍リ** 『易』説卦伝「離為火、為日、為電」。なお、この前後、離卦をめぐる議論は、ほぼ同文が『仏法之次第略抜書』にある（藤田季荘写本一〇三ウ。教四二八頁）。そこでは、「南無阿弥陀仏」の「南」についての説明に用いられている。

*194 **無垢世界……侍** 栄心『法華直談鈔』巻七本（版本三二丁表～三三丁表）に六箇秘法が挙げられており、その第五として次のようにある。「五ニハ、世界ト云ニ付テ無垢ニ、山王院ノ釈ニハ、丹枕ノ下有ト釈タリ。一段ノ相伝也。所詮、無垢世界ト者、南方ト計ハ不レ可ニ心得一。三惑五住ノ煩悩垢ヲ尽シテ有ハ此座カ即無垢世界ナルヘキ也」。山王院は円珍のことだが、出典未詳。

*195 **丹枕トハ……心得玉へ** 43裏に「此アカキ枕ヲ置ト云カ、無心無念ニ安住スル事ソト注シタリ」（*165参照）とあることを指す。丹枕と言っても外界のことではなく、無念という心の問題を言っているのであるから、龍女というのも同様にこの身を離れたことではないという意。「無念々々」の「々々」はわかりにくいが、「云云」の誤りか。または、「無心無念」とあるべきところを「無念無念」と書いたために、書写の際に「々々」を用いたか。

*196 **臨済……トテ** 『臨済録』（大正四七・四九九下二〇）。

*197 **万法一心** たとえば、忠尋『漢光類聚』巻三「一家天台心、従名字即、無悩他業。縦一分有悩他義云、万法一心解了微妙故、悩他義即断絶」（大正七四・三九六下一〇～一三）。

（47裏）

真言宗之事

（48表）妙秀。サテハハヤ龍女カ成仏ノ事モ聞へ侍リ。ケニモ龍宮界トテ、水ノ底ニ国ノアルナト、云ハ軽忽ナル事也。[*1]然レハ法花ノ事ヲハハヤ聞得テ侍ル。真言ノ宗旨ハ如何シタル事ソヤ。是ハ蜜宗[*2]トテ又各別ノヤウニ聞タリ。

幽貞。如仰、真言ハ蜜宗トテ、ヨニカハリタルヤウナトモ、是モ天台ニチカフ事モ侍ス。仮令[*3]、天台ハ顕、真言ハ蜜ト申マテニテコソアル[*4]。譬ハ手モ握レハコブシ、開ケハ掌ト云、其チカイハカリ也。ニキリテモ、ヒラキテモ、両手ハ十ノ指ツラナリタル物ナルカコトク、顕ニテモ蜜ニテモ、仏法ニハ惣シテ十界[*5]ヨリ外ノ事ハ侍ヌソ。サレトモ、ワレノ宗ノタテタル道ハアル事ニテ侍ル程ニ、略シテ申ヘシ。シカレハ、真言ノ宗旨モ事広ケレトモ、六大[*6]・四曼・三蜜ト申事専也。サテ、其六大トハ地・水・火・風・空・

（48裏）識、四曼トハ大・三・法・羯、三蜜トハ身・語・意是也。サレトモ、イマタ此分ニテハ心得カタキマヽ、猶委ク語申ヘシ。真言トハ大日覚王[*7]ト申カ本尊トモ何トモ有程ノ事ニテ侍。サテ、此大日、体[*8]・相・用ト申事ヲ分別スル也。惣シテ先、体ト申ハ、何ニテモアレ、長・短・方・円トテ、ナカクモミチカクモ、又ハ四方ニモ、カヤウノ事ヲハ皆相ト申、此相ノスワリ処ヲ体トハ申也。用トハ其体・相ヨリ出ル所作ノ事也。シカレハ、其大日ノ体ハ何ソト申セハ、地・水・火・風・空・識ノ六大也。土[*9]・水・火・

風ノ四ハ、ハヤ明ニ聞タレハ、申マテモナシ。空トハ何ソナレハ、物ヲ入テモサハラス無碍ナル処、是ヲ虚空ト申。大[10]日経ニモ知[11]空等虚空トテ、空ハ虚空ニヒトシトイヘル処也。サテ又、識[12]トハ分別ヲ性トス（49表）ト申テ、柳[13]ハ緑、花ハ紅トシリワクルモノニテ侍リ。又心トモ意トモ心得ヘシ。心・意・識ノ三ハ一ニテ侍リ。此何モ離レヌ処ヲ即[14]身義ニハ六[15]大無碍常瑜伽也ト云リ。無碍トハ渉[16]入自在トテ、彼ハ是ニ入、是ハ彼ニ入、サワリナキ事。瑜[17]伽トハ相応ト云心。相[18]応渉入ハ即是即ノ義ト云テ、風ハ即是空、々ハ則是識ニテ、六大常ニ一ツナル方。此六ヲ合テ大日之体トハ申也。サテ又、相ト云ハ大・三・法・羯ノ四曼ト申也。金[19]剛頂経ノ説ノコトクナラハ、一一ノ仏・菩薩、相好ノ身、又其形ヲエカケルヲモ大曼荼羅ト申也。二ニハ三昧耶曼荼羅トハ、即其モテル処ノ刀剣・輪[20]宝・金[21]剛・蓮華ナトノ類是也。三ニハ法曼荼羅トハ、本尊ノ種真言幷一切経ノ文義ナト、（49裏）皆是法曼荼羅ト云リ。四ニハ羯磨曼荼羅トハ、則諸仏菩薩ノ種々ノ威儀事業也ト見タリ。此四種曼荼羅ハ皆タカヒニハナレサルニ依テ、同偈ニモ四[22]種曼荼羅各不離トアリ。サテ次ノ用トハ三蜜也。三蜜トハ、一ニハ身蜜トテ、手ニハ印契ヲ結ヒ、二ニハ語蜜トテ、口ニハ真言ヲ唱、三ニハ意トテ、心、三[23]摩地ニ住スル事ニテ侍リ。此等カ則大日ノ体・相・用ニテ侍ル也。

妙秀。不思儀ヤ。今ノ分ハ皆人間ノ作法也。ソレハ大日ノ体・相・用トノタマフ、心得カタキ事也。アヤマリ玉ヒタルカ。

幽貞。尤ノ御不審也。サレハトヨ、大日トテタウトク云ナシ、高ク法流ノイタヽキニカヽツテ不動不退也ナト申セトモ、其大日ト申ハ、此人ヲハナレテアル事

（50表）ニテ侍ラス。ナヲシ人ノミニカキラス、鬼[24]・畜・人・天皆是大日ト申テ有程ノ者ニ、誠、虫ケラ、アノセ[25]、ナケノモ、ホウツキトヤランマテモ大日ト心得レハ、人ハ本ヨリ大日ニテ、六大所成ノ心身ヲハ体ト云。其相ナル四種曼荼羅トハ、先、人間ノ姿カタチ是則大曼荼羅ナリ。民百性ハスキ・クワヲカタケ、武士ハ太刀・刀ヲ携へ、出家ハ袈裟・衣ヲキ、女ハ糸・針ヲ持タルマテモ、是ヲ三摩耶曼荼羅ト心得侍リ。又タトヘハ、御床敷思マヒラセ候ト一筆カキタルマテモ、コレヲ法曼荼羅ト申也。サテ、人ノ起臥立居、是皆羯磨曼荼羅ニテ侍リ。サテ、用ト申、三蜜トハ何ソナレハ、手ヲ挙、足ヲ動シ、爪ハシキ一ツスルマテモ、皆是身蜜印契ニテ侍。出[26]入

（50裏）息則阿字ノ真言ト心得レハ、悪口雑言シ、人言云、恨ミ謗ル事ハ、猶以語蜜真言也。サテ又、心ニハ四方山ノ事ヲ思フ者也。或物ネタミ、又ハウシツラシト思事マテモ、意蜜トテ、心ノ三摩地ニ住シタル也ト云事ニテ侍リ。是見玉へ。大日ハ近[27]来タウトカラヌ物ニテ侍ルソ。

妙秀。サテ〳〵何事モ、聞シニカハリテ、アサマナル事哉。サレトモ、アノ金[28]剛界ノ大日、胎蔵界ノ大日ナト、申事、同[29]両界ノ曼荼羅ナト申ハ、イトアリカタキ事ノヤウニ聞テ侍ルカ、是モ今ノツレノ事トテ侍ルカ。

幽貞。金胎両部ノ大日ト申モ別ノ事ニ非ス。人ノ色心ヲ二ツニ分、色[30]体ノ方ヲ胎蔵界ノ大日ト心得、心法ノ方ヲハ金剛界ノ大日ト習也。色心元ヨリ不二ト

（51表）テ、二ツナラネハ、金胎不二ノ大日トモ、此身ヲサシテ申也。其上、金胎両界ハ、陰陽二トモ心得玉へ。男[31]ハ陽ナレハ、金剛界ノ大日、女ハ陰ナレハ、胎蔵界ノ大日ト云リ。又両部ノ曼荼羅ト云モ、是

ニヨソヘテノ事也。金・胎ノ二ツハ右ノコトシ。サテ、此曼荼羅[*32]ト云ハ梵語ニテ、壇[*33]トモ翻シ、輪円具足トモ翻セリ。此心、スヘテアラフル所[*34]ノ仏・菩薩羅列セルカタチ、仏・菩薩ノミニカキラス、地獄・餓鬼等ノ十界一ツモカケヌカ曼荼ナレハ、輪円具足トハ申也。其上、曼荼羅ニモ色々アリ。或経所説ノ曼荼羅ト申ハ、経・論・釈ニ説ツラネタル仏・菩薩ノ事。又ハ現図ノ曼荼羅トテ、常ニ画像ニシテカケヲク羯・三・徴・供・四・一・理・降・々ノ九会[*35]・十三大院等ノ両界ノ曼荼羅モアリ。又ハ阿闍[*36]梨処（51裏）伝ノ曼荼羅ト云カ、身ヲハナレテ与所ニ尋ル曼荼羅ニアラス。真[*37]言ハ円壇、先置於自体、自足而至臍、成二大金剛輪一、従此而至心、当思二惟ス水輪一ヲ、水輪上火輪、々々ノ上風輪ト即身義ノ偈ニモ見ヘテ侍リ。自体ヲハナレテ何モアル事ナシ。此偈ノ心ヲ次ニ釈シテ、金[*38]剛輪トハ阿字也。阿字ハ即地也。水・火・風ハ父[*39]ノコトクシルヘシ。是明ニ聞タレハ再釈ニ及ハスト也。サテ、円[*40]壇トハ空也。真言トハ心大也ト云リ。両界曼荼羅モ皆此自体ニアリトシルヘシ。大師ノ、夫[*41]仏法ハ非遥、心中即近、真如非外、棄身何求ントイヘルモ、爰[*42]ニテ侍ラスヤ。仏法トハ知法身、即是心法也。真[*43]如トハ理法身、即是心法也。真如トハ理法身、即是色法也。此故ニ両部ノ大日トイフカラカ色心ノ

（52表）実相、理智ノ源底ヲ侍（ニテ）[*44]ルソ。惣シテ阿閦（シュク）[*45]・宝生・弥陀・釈迦・大日ト云五仏モ、与所ニアル五仏ニアラス。自身ノ上ニ五仏ト云事アリ。五智ト云ハ、眼識・耳[*46]ー・鼻ー・舌ー・身ー・意ー・末[*47]耶ー・阿[*48]頼耶ー・無[*49]垢ート申テ、九識ノ侍ルヲ転シテ五[*50]智トナセル者也。第八阿頼耶識ヲ転シテハ大円鏡智ト云、是又東方ノ阿閦（シュク）仏也。第七末耶識ヲ転シテハ平等性智ト云、是又南方ノ宝性仏トス。第六意識ヲ転シテハ妙観察智ト云、西[*51]方ノ阿弥陀。是又北方ノ釈迦也。第九無垢識ヲ転シテハ法界体性智ト云、中央

ノ大日ト云モ是也。爰ヲ以テ五仏ト云モ衆生ノ外ニハ侍ラス。又[52]三十七尊ト云事ヲ立タルモ、自心ノ上ノ[53]作用テ、ヨソニハナシ。薩・王・愛・喜・(52裏)宝・光・幢・咲・法・利・因・語・業・護・牙・拳、是ヲ十六大菩薩ト云。嬉・鬘・歌・舞・香・花・灯・塗、是ヲ八供養ト云。鈎・索・鏁・鈴、是ヲ四接トシ、金・宝・法・羯、是ヲ四波羅蜜トス。是ニ右ノ[54]五仏ト加テ、惣合三十七尊ト云ナリ。サテ、是ヲ自心ノ上ノ作用也ト云事、一ツ〳〵申侍ルニ不及。譬ハ愛ヲ起セハ愛菩薩、欲ヲ起セハ欲菩薩、歌ハ歌菩薩、舞ハ舞菩薩ト云カコトシ。此故ニ、[55]常住妙法心蓮台三十七尊住心城トイヘルモ爰ニテ侍リ。

妙秀。[56]鬼ヲハクラカリニツナケト世ノ常申ツル事ヲハ思シラレテ侍フ。日比タフトク思タル事モ、此分ニ明内証聞ハ、殊勝ゲモナクナレリ。シカレハ、右承リシ識ヲ転シテ知トナストハ何トシタル事ニテ侍ルソ。

幽貞。奇特ナル事ヲ尋玉(53表)物カナ。誠ニテンスルトハ申セトモ、何トスルカテンスルニテアルト云事ヲハ[57]人ゴトニシラス。サレハ、先タトヘハ凡夫ノ妄想ノ念ヲハ意識ト名付、仏法ノサトリノ観恵ヲハ妙観察知ト云。御身ノ上ニ取テモ、地獄カアルカヲソロシヤ、極楽カアルカタノモシヤ、是ハ善、是ハ悪ナト思玉程ヲハ、凡夫ノ意識ト云。サトリヲヒラキテ、ワレ〳〵思心ノ外ニ何クニ地獄・極楽アルヘキソ。善・悪モ、心ノワサナレハ、二ツニアラス。此身ハ元ヨリ仏也トミヒラクヤウナル処ヲハ、妙観察智トモ、又ハ西方ノ阿弥陀トモ心得也。転スルトハ是ニテ侍ソ。サテ〳〵我宗貴理師端ノ教ニハ遥ニチカヒタル事カナ。

妙秀。サテハ、テンスルトハ、サヤウニサトル処ヲ申候也。サレハトヨ、貴理師端ノ教ニコソ、神モナク、仏モナシ、地獄モ天堂モナシトノタマウト

(53裏)ノミ思マヒラセシニ、結句其ウラニテ、キリシタンニハ、地獄ヲモ極楽ヲモアルトノタマフニ、仏法ノ内証、我心ノ外ニハ、神モ仏モ地獄モ極楽モナシト申サル、事ヨ。折々、知識達ノ、妙秀、ヨク聞玉ヘ。地獄ト云モ、極楽ト云モ、神ト云モ、仏ト云モ、御身ノ思玉フヤウナ事ニテハナキソ。乍去、其悟マテハ至リカタクヲハセンマヽ、念仏申テ居給ヘト、事モナゲニ宣ヒシモ、今コソ思シラレテ侍ラヘ。シカレハ、ハヤ識ヲテンシテ智トナスト云事ハ聞テ侍カ、八識ノ九識ノナト申事、タシカニワキマヘカタシ。尤御宗旨貴理師端ニハ成マヒラセンスレトモ、其前ニ[58]トテモノ事ニ、仏法・神道ノ事ヲヨクキヽ、キワメマヒラセタク思侍。智識達ヘ申セハ、秘事カラセテ、サヤウニ有ヤウニ宣[59]ヌ故ニ、今マテ本ノ事ヲ知[60](54表)テ、色々ニイヒスカサレ年月ヲ送シ事ノ悔シサヨ。猶其識ノ事ヲ悟[61]玉ヘ。

幽貞。識ノ事ト申ハ、仏法ニテモ家々ニ替リ、其アツカヒ色々ムツカシク聞ヘ侍リ。サレトモ、尋給事ナレハ、聞マヒラセシ分ヲ略シテ一通可申。惣シテ識ノ数モ、大小乗ニ依テカワリ侍リ。小乗ハ六識分ト申也。其ト申ハ眼[62]識・耳ー・鼻ー・舌ー・意ーノ六、眼ニハ色ヲ見、知㆓赤白㆒、耳ニハ声ヲ聞、鼻ニハ香、舌ニハ味、身ニハ寒熱等ヲ覚シルヲ五識ト申。サテ、此上ニ意識ト云物ハ、五根ニカ、ワラス、惜キ、ホシキ、悪キ、イトシキナト思心カ意識ト云モノニテ侍リ。此六識分ノサトリヤウハ、目モ耳モイマハアレハコソ色ヲモ声ヲモシレ、此五根モ死テナクナリテハ、シルヘキ便モナシ。第六ノ意識モ、タトヘハ雨(54裏)露ノ恵ミヲ受テサカフル程ハ、柳ハ緑、花ハ紅トフルマヘトモ、枯レハ何ニモナキコトク、人モ死

ハ無心ニナルソト云カ、六識分ノサトリニテ侍リ。権[*63]大乗法相等ニハ、八識ヲタテラレタリ。其八ト申ハ、今ノ六ニ第七識末耶、第八識阿頼耶、此二ヲソヘテ立タリ。先、阿頼耶ト云ヲハ、爰ヲハ根本意識ト云。是則[*64]十二因縁ノ現在ノ五果ノ初メ、識トイワレタル物、[*65]一滴侘胎ノ初ナレハ根本意識ト云。諸法ノ根源、諸法ノ本地モ此滴ノ外ニ更ニナシト云リ。則是カ第八識ト也。サテ、第七識末耶トハ、爰ニハ翻シテ意ト云リ。是ハ何トシタル物ソト云ハ、根本意識ト云、阿頼耶ノ無心無念ナル処ヨリ、[*66]忽然トシテ起ル業識元初ノ一念、此阿頼耶識ノ無心無念ヲ

（55表）本ノ事ソト思カ、七識ト云モノニテ侍也。シカレハ七識ト云物ハ、自体アル者ニアラス。申サハ八識ノ用ニテ侍。此八識分ノ宗ノ悟ヤウハ、[*67]一念不生即至仏故ト[*68]香象大師ハ釈セラレタリ。是即、一念モキサ、ネハ、其時仏性カアラハル、トノ儀也。サテ又、[*69]実大乗花厳・天台等ハ此八識ノ上ニ[*70]第九識菴摩羅、コ、ニハ無垢識ト云ヲ立ラレタリ。サレハ、此体ハ何クヲサシテ云ソト申セハ、惣シテ八識ノ上ハアルヘキニアラネトモ、実大乗ハ猶又高ク云アゲンカ為ニ第九識ヲ立タルト也。其証拠ニハ、[*71]如来功徳荘厳経ニ、如来無垢識、是浄無漏界、解脱一切障、円鏡智相応ト説タリ。無垢識トハ今申ツルコトク、第九識菴摩羅ノ翻名也。円鏡智ハ又八識相応ノ智ナルニ、無垢識ヲ

（55裏）以テ円鏡智相応ト云時ハ、是則第九識モ第八識ノ内ニコモルト云事分明ニ侍リ。猶又[*72]大乗一覧集ニ云ニモ、此儀ヲ決セン為ニ[*73]解深蜜経ヲ引テ、[*74]此阿頼耶識、即是真如不レ守二自性一ヲ、随フ二染浄ノ縁一ニ、不レ合シテ而合ス、能含二蔵ス一切真俗境界一ヲ故ニ名ク二蔵識一ト、如シ下明鏡ノ不シテ二与レト影像合而含カ中影像上ヲ。此レハ約スル二有和合ノ儀一ニナリ。若不和合ノ儀者ナラハ、即体常不変故ニ号ス二真如一ト、因テ二合不合一ニ、分ツ二其二義一ヲ。本一真如、湛然不

動ナリ。若シ有レハ下不レシテ信ニ阿頼耶識即是如来蔵一ト別求中真如理上ヲ者、如シ離レテ像ヲ覓鏡ヲ、即是悪恵ニシテ、以未レ了不変随縁ト見ヘテ侍リ。サレハ、八識ノ境界ニ動セラレヌ処ハ九識真如ナレハ、阿頼耶識ノ外ニ九識ヲモ不可尋。花厳ニハ、以[75]七転識皆是本識差別功徳ト見テ侍リ。此心ハ、前五識モ、第六意識モ、第（56表）七末耶識、此七皆是本識上ノ差別功徳ニシテ、別ノ物ニ非ス也。本識ト云カ第八阿頼耶識ノ事也。差別功徳トハ、タトヘハ眼ニテ色ミシレハ眼識ト云。第六識ニ有テ、法ニ縁スレハ意識トイワル、[76]ニ依テコソアレ、其体ハ唯阿頼耶識ソト云儀也。[77]玄奘三蔵ハ[78]法位第八識即為第九識ト云。是モ八識ノ外ニ求ヌ第九識也。又[79]円悟ト申禅ノ祖師モ、[80]納僧ノ受用無二多子一、[81]八識田中ニ下二ス一刀一ヲトイワレタリ。是モ八識ノ境ニ合スル処ヲ、絶断トテ切テスツルカ第九識ト心得タルト見テ侍リ。是又第八識ノ作用ニシテ別ノ物ニアラスト心得玉ヘ。サテ、此真言宗ハ、ナヲ此九識ノ上ニ又[82]一心識ナト云テ、[83]十識・十一識・無量ノ識ヲ立ルト云トモ、是皆彼本識ノ差別功能ニシテ

（56裏）別ノ物ニハアラス。惣シテ於是、仏法ニ申ナル心・意・識ノ三ヲヨクワキマヘ玉ヘ。此三ハ各[84]三体一トテ、名ハ三ナレトモ其体ハ一也。[85]毘婆沙論ニ此義ヲ明ニタトヘヲ引テイワレタリ。[86]心・意・識、何ノ差別カ有ト問タ。無レ有二コト差別一、即心是意、々即是識、皆同一義、如火ヲ名レケ火ヲ名レ焔ト、亦名テ為ルヤレ熾トト答タレハ、用ニ依テ名ハ別ナレトモ、体ハ唯一ニテ侍フ。此タトヘノ心、ヲナシ火ナレトモ、モヘヌトキハ火ト云テ、唯火マテ也。モヘタツトキハ焔ト云。是ホノホナリ。猶又ホノホノ高ク上ル時ハ熾ト云。熾ハ盛也トテ、サカンナルカタチ也。其コトク、何心モナフシテイタルトキハ心ト云、念ノキサストキハ意ト云、ナヲシモ緑・紅トコマカニ物ヲ分別スルトキハ、同心ナカラモ識トソト云事ナレハ、

心・意・識ト云。

(57表) 名ハ用ニ依テカワリタレトモ、其体ハ一モナク、三モナシト心得玉へ。識分ノ沙汰ヲ、略シテハ申カタク侍レトモ、先形ノ如ク語申也。コレニテモ大方ハ聞へ侍へシ。

妙秀。識ノ沙汰、委ク承リテ、今コソ不審モハレテ侍ラヘ。シカレハ又真言ノ阿[87]字観ト云事ハ、何トシタル事ニテ侍ルソ。

幽貞。其阿字観ト申ハ、出入ノ息ヲ観スル事ニテアリ。

妙秀。コヽニ不審有。真言ニ云、[88]阿(ア)・嚩(ハ)・囉(ラ)・河(カ)・欠(ケン)トハ地・水・火・風・空、此五大ノ種也。サレハ、阿字ハ水[89]大ナレハ、息ノ体ヲ観スルニ、地大ノ種阿字ヲ取テ出シタル事、イカナルイワレニテ候[90]也。

幽貞。御不審尤也。先、息ノ体ヲ観スルニ、地大ノ種ヲ取出セルニ、アマタノイワレ侍ル中ニ、先、阿字ハ有程ノ音色ノ初、口ヲ開ハ即アトヒ

(57裏) ラク故ニ、阿字ハ息ノ体トシテ観スルト也。其上、此阿字ヲ釈スルニハ、堅[91]・湿・燸・動・無碍・了別ト云事ノ侍リ。息風トテ、此息ノ風ニハ六大カミナコモリタルト云リ。夫、堅トハ、体ハ打テモ砕ス、切テモキル、ト云事モナキ処ヲ、地大ノカタキ方ニトラレタリ。湿トハ、息ニウルヲヒノ有テ、シメル方ヲハ水ニトリ侍ルトカヤ。燸トテ、息ノアタヽカニカワク心アルヲハ火ニ取ト也。動トハ、息ノ体、元ヨリ風ニテ、ウコキハタラクセイアレハナリ。無碍トハ、息ノ体ハ、物ニフレテサワリナケレハ、空也ト云リ。了別トハ、息ノ体ハ元ヨリ無分別ナレハ、其処ヲ本[92]知ト云トソ。惣シテ、此阿字ト云ハ、自心ヲシラシメン為ト也。其自心ト云カ息也。息ト云字ハ自心ト書リ。

(58表) 此故ニ、文ニ如[93]実知自心ト云事ヲ心ニカケテ観スルト也。実ノコトクトシレト也。此息タユレハ、命モツキ、分別モ、動[94]キハタラク情モナクナルトキハ、息ノ外ニ心ヲモ尋ヌヘカラスト也。大日経ニ、阿[95]字第一命、遍於情非情トアル文モ、有情・非情ノ自体ヲカ、ヘタルハ息也ト云也。又同経ノ第十ニ、命[96]トハ風也、想也、想トハ念也。如此命根出入息想也トアレハ、命モ心モ息ノ外ニナシト云心也。但、息ハ用也、体ハ心性也トイヘトモ、ソレハ一性ニテ人ニ不審ヲナサセシカ為也。其故ハ、既ニ空[97]言ハ、即身成仏ト心得ルカ面目ニテ侍レハ、何ソ色トナル息ノ外ニ心仏ト尋ンヤ。サレハ、阿弥陀ト云ハ、意識ノ妙観察智ト転シタル者也。然ハ

(58裏) 意識ト息トハ一体也。此故ニ、阿弥陀ノ種[98]キリク字ニハ[99]カ字以体トセリ。阿字ハ風也。阿弥陀ト云事ヲ翻シテ無[100]寿ト云。此無量寿トハ即息也。今大日経ノ文、此心ニカナヘリ。阿弥陀而已ニアラス、地蔵・観音ト云モ、此息風・阿字ヲハナレス。仏説地蔵経ニモ、延[101]命菩薩、中心不動、阿字本体トアリ。是則、地蔵トイツハ、地大ノ事トシルヘシ。別ニタウトキ物ニアラス。息風ニテハ堅ノ徳用也。又観音ト云ハ、一切衆生ノ干[102]栗多心トテ、人々ノ胸中ナル赤肉団、是カ真ノ観音ト云也。其ニ依テ、此観音ノ左手ニハ、未敷蓮トテ、ツホメル蓮花ノカタチヲ持、右ニハ開華ノ勢トテ、開ケル体ヲナシタルハ、是則、胸ノ内ナル肉団

(59表) ノ蓮華カ本ノ観音ソト云儀也。泊[103]瀬・清水ノ観音ハ是ヲシラスヘキ方便也。サレハ、此息風ハ胸中ノ蓮台ヨリ出テ、口・舌・唇ニ当テ音声ヲナセハ、阿字トナル。息即観音也。此故コソ、観世音トハ、世ノ声ヲ観スルトハ書侍レ。世ノ声ヲ観スルトハ、法界ニミチフサカリタル風ノ事也。是ヲ自[104]性清浄如

来トモ、無量寿トモ申也。前ニ申タルコトク、阿弥陀ト云モ、息風ナレハ、観音ト阿弥陀ハ一体異名、即因果不二ノ儀ト云リ。爰以、地蔵・観音・阿弥陀トテモ、皆タウトキモノニテハナシ。唯息風ヲ指テ云也。息ヲ、仏トモ、心トモ、意トモ、識トモ心得タル斗也。アナ浅マシノ迷ヤ。出入ノ息ノ風ハ無心無念ニシテ、何タル事ニ縁シテモ、分別智恵ノ
(59裏)ツクヘキモノニ非ス。又是本来トシテ自ラ有シ物ニモアラス。此風ニカキラス、四大・天地ヲ如此アラハセ、ハカラヒ玉フ御主マシマス。是ヲハ此貴理師端ヨリ外ハシラヌト心得玉ヘ。其故ニ、仏法ニハ地獄・極楽・後生ノ沙汰ヲハ、極テハ無物ニスル也。真言ノ事モアマリ長侍ハ、又別宗ノ事ヲ語マヒラスヘシ。

*1 **軽忽** 読み「きょうこつ」。ばかげたこと。
*2 **蜜** 「密」が正しい。本章中に多く見えるが、一々注記しない。
*3 **仮令** 読み「けりょう」。おおよそ。
*4 **アル** 係り結びの原則からすると、「こそ」に対応するので「あれ」が正しい。
*5 **十界** 迷いと悟りの状態を十に分類したもので、地獄界・餓鬼界・畜生界・修羅界・人界・天界・声聞界・縁覚界・菩薩界・仏界。
*6 **六大・四曼・三蜜** 本文に説明されているとおり、「六大」は世界全体を構成する地・水・火・風・空・識という六つの要素。「四曼」は四曼荼羅の略で、曼荼羅のあり方を四つに分けたもので、大曼荼羅・三昧耶曼荼羅・法曼荼羅・羯磨曼荼羅。「三密」は身体・言語・心における行為のことで、仏教一般に言う「三業」のことであるが、密教ではこの三つにわたって仏・菩薩との神秘的合一が実現するので、特に「三密」と言う。

＊7 **大日覚王** 大日如来の別名。「覚王」は、ブッダ（覚った人）を言い換えたもの。

＊8 **体・相・用** 『大乗起信論』に由来する概念で、それぞれ本体・本体の特徴・本体のはたらきを意味する。

＊9 **土・水・火・風** 通常は地水火風。「土」は「地」の略表記である可能性もある。

＊10 **大日経** 善無畏訳『大毘盧遮那成仏神変加持経』六巻のこと。『金剛頂経』とともに、真言宗の根本経典。

＊11 **知空等虚空** 『大日経』巻一・具縁品・第二（大正一八・九中一六）の文。「空は虚空に等しと知る」と読む。

＊12 **識トハ……トス** 世親造・真諦訳『摂大乗論釈』巻五「釈応知勝相」第二「分別章」第三に「識以能分別為性」（大正三一・一八八上二）とある。また、宗泐『楞伽阿跋多羅宝経註解』（四巻楞伽経に対する注釈）巻一上に「識縁者、識以分別為性」（大正三九・三五三下一～二）とある。

＊13 **柳ハ緑、花ハ紅** ものごとのありのままが真理そのものの意で禅宗で広く使われる。

＊14 **即身義** 空海撰『即身成仏義』一巻のこと。

＊15 **六大無碍常瑜伽也** 『即身成仏義』（大正七七・三八一下一七）。「也」は『即身成仏義』本文にはない。

＊16 **渉入自在** 『即身成仏義』に「無礙者、渉入自在義」（大正七七・三八二下一四～一五）とある。

＊17 **瑜伽トハ相応ト云** 『即身成仏義』に「瑜伽者、翻云相応」（大正七七・三八二下一五）とある。瑜伽は梵語ヨーガ（yoga）の音写で、原義は結びつけること。

＊18 **相応渉入ハ即是即ノ義** 『即身成仏義』に「相応渉入即是即身成仏義」（大正七七・三八二下一六）とある。写本によっては「身成仏」はなく、ハビアンが参照したのも「相応渉入即是即義」となっているものであったと考えられる。

＊19 **金剛頂経** 不空訳『金剛頂一切如来真実摂大乗現証大教王経』三巻のこと。『大日経』とともに、真言宗の根本経典。以下の説明は『即身成仏義』での四曼荼羅の説明（大正七七・三八二下一七～三八三上五）を敷衍したもの。

＊20 **輪宝** 梵語チャクラ（cakra）の訳。円盤状の武器。

＊21 **金剛** 金剛杵のこと。金剛（ダイアモンド）でできた杵（両端が尖った棒状の武器）。

＊22 **四種曼荼羅各不離** 『即身成仏義』（大正七七・三八一下一七）。「曼荼羅」は、原文では「曼荼」。

＊23 **三摩地** 梵語サマーディ（samādhi）の音写。三昧とも音訳される。心を平穏にする瞑想。

*24 **鬼・畜・人・天皆是大日**　鬼は餓鬼、畜は畜生。真言宗の引導作法（死者を浄土に送る儀礼）で用いられる句。

*25 **セ、ナケノモ、ホウツキ**　「せせなぎ」は、「きたない物の流れる溝」（日葡辞書）のこと。しかし、「セ、ナケ」が「せせなぎ」の誤表記かは断定できない。全体としては、価値のないものの例を挙げていると思われ、何かしらの典拠があるとも思われるが、未詳である。

*26 **出入息則阿字ノ真言**　『大日経』巻三「悉地出現品」第六に「以阿字門作出入息」（大正一八・一九上一七）とある。

*27 **近来**　意味の上からは「元来」または「本来」。

*28 **金剛界ノ大日、胎蔵界ノ大日**　「金剛界」は、『金剛頂経』に基づいて描かれる金剛界曼荼羅のこと。「胎蔵界」は、『大日経』に基づいて描かれる胎蔵曼荼羅のこと（「界」がつかないのが正しい表記だが、「金剛界」との対で「胎蔵界」と称される）。日本の真言宗では、「金剛界」「胎蔵界」を一体と考え、金剛界＝智、胎蔵界＝理などと解している。

*29 **両界ノ曼荼羅**　胎蔵（界）曼荼羅と金剛界曼荼羅のこと。

*30 **色体ノ方ヲ……ト習也**　空海『秘密曼荼羅十住心論（十住心論）』に「秘密荘厳住心者、即是究竟覚知自心之源底、如実証悟自身之数量。所謂、胎蔵海会曼荼羅・金剛界会曼荼羅」（大正七七・三五九上一六～一八）とあり、自心（心法）を金剛界曼荼羅、自身（色法）を胎蔵曼荼羅に対応させている。

*31 **男ハ……**　たとえば、栄西『隠語集』では、胎蔵界に理・𑖀・本不生・定・女・陰を、金剛界に智・𑖪𑖽・離言説・恵・男・陽を割り当てる（『真福寺善本叢刊』第二期「先徳著作集」）。

*32 **曼荼羅**　マンダラ（maṇḍala）。もともと清浄にした大地を区画し、仏・菩薩などを象徴する事物や像を配置して、経典に説かれる仏の境地を具象化したもの。この中で儀礼を執行することで、超常的な力が発揮されたりすると密教では考える。さらに、実際に大地に設営するのではなく、紙・板に絵画として表現したものも用いられた。中国や日本で主流となったのは、この絵画化されたもの。

*33 **壇トモ翻シ、輪円具足トモ翻セリ**　伝空海撰『四種曼荼羅義』に「古人翻壇、新人翻輪円具足」（弘法大師全集第四輯〈巻十一〉二五〇頁）とある。また、『即身成仏義』の異本の一つである『真言宗即身成仏義』にも「曼荼羅者翻為壇場、即有多義。或名輪円具足、亦名無比味無過上味、亦名発生、亦名聚集也」（大正七七・三八八中三～五）と

ある。

*34 **アラフル**　「あらゆる」と同じ。『日葡辞書』では、「arayuru」と「arôru」の二種の発音を併記している。

*35 **九会・十三大院**　金剛界曼荼羅は九つの区画によって構成され、それぞれが独立の曼荼羅になっている。それぞれの名称は、成身会（羯磨会）・三昧耶会・微細会・供養会・四印会・一印会・理趣会・降三世会・降三世三昧耶会。胎蔵曼荼羅は大日如来を中央に配置した曼荼羅で、十三の部分に区画される。それぞれの名称は、中台八葉院・観音院・金剛手院・遍知院・持明院・釈迦院・虚空蔵院・文殊院・蘇悉地院・地蔵院・除蓋障院・最外院・四大護院（ただし、空海が恵果から伝授された曼荼羅では、四大護院は描かれない）。

*36 **阿闍梨処伝ノ曼荼羅**　「処伝」は「所伝」が正しい。空海が中国で恵果阿闍梨より伝えられたとする曼荼羅。

*37 **真言ハ円壇、……々ノ上風輪ト**　『大日経』巻五・秘密漫荼羅品（大正一八・三二上二五〜二八）。『即身成仏義』（大正七七・三八二中一五〜一八）。「真言ハ」は、経文では「真言者」で、これは「真言の行者」と解釈した方が良い。後注「円壇トハ……心大也」で引用する『即身成仏義』でも「真言者心大也」としており、「真言者」を一つの語句として理解している。

*38 **金剛輪トハ……シルヘシ**　『即身成仏義』「謂金剛輪者阿字。阿字即地。水火風如文而可知」（大正七七・三八二中一九〜二〇）。

*39 **父**　「文」の誤記。

*40 **円壇トハ……心大也**　『即身成仏義』「円壇者空。真言者心大也」（大正七七・三八二中二〇）。

*41 **夫仏法ハ……棄身何求ン**　空海『般若心経秘鍵』（大正五七・一一上七〜八）。

*42 **仏法トハ……心法也**　「知法身」は、智法身が正しい。法身を、真理そのもの（真如）としての理と、理を覚る智慧に二分するもので、『金光明経』に由来する。真言宗では、金剛界の大日如来を智法身、胎蔵の大日如来を理法身と解する。

*43 **真如トハ……心法也**　この一文は衍文とみて省く。

*44 **ヲ**[ニテ]　「ヲ」に「ニテ」を傍注して訂正している。

*45 **阿閦**[シユク]**・宝生……大日**　金剛界曼荼羅で中心的な役割を果たす五つの仏。ただし、正しくは「釈迦」の代わりに「不

空成就如来」が入る。阿閦・宝生・阿弥陀・不空成就・大日如来はそれぞれ東・南・西・北・中央に配置され、またそれぞれ大円鏡智・平等性智・妙観察智・成所作智・法界体性智から成るとされる。

*46 **耳ー・鼻ー……意ー** 「ー」は、字を省略した符号で、ここでは「識」が略されている。

*47 **末耶ー** 「末那ー」が正しい。唯識思想における第七識。第八阿頼耶識を誤って自我と理解する心のこと。以下、本文に繰り返し、「末耶」または「末耶」の形が出るが、いずれも同じで、一々注記しない。

*48 **阿頼耶ー** 「阿頼耶」は梵語アーラヤの音写。「蔵」の意。過去世からのすべての行為を種子として貯蔵し、七識を生み出しているとされる。

*49 **無垢ー** 無垢識は九識説における第九識・阿摩羅（菴摩羅）識のこと。阿摩羅は、梵語amalaの音写で、「汚れがない」の意。もともと、第八識・アーラヤ識が完全に浄化されたもののことであるが、東アジアでは、アーラヤ識とは別に存在する第九の識と解された。

*50 **五智** 大円鏡智・平等性智・妙観察智・成所作智・法界体性智のこと。唯識思想では、修行の結果、八識が四智へと転換すると説くが、密教ではこれに加えて、第九識が法界体性智に転換すると説く。大円鏡智は、アーラヤ識が転換したもので、すべての事象を顕現する智慧。平等性智は、マナ識が転換したもので、すべての事象が平等であることを悟る智慧。妙観察智は、第六識（意識）が転換したもので、各々の事象の特性を把握する智慧。成所作智は、前五識（眼・耳・鼻・舌・身）が転換したもので、あらゆるものを完成に導く智慧。法界体性智は、第九識（無垢識）が転換したもので、真理の世界の本質を明らかにする智慧。

*51 **西方ノ阿弥陀** この後に「前五識（眼識・耳識・鼻識・舌識・身識）を転じては成所作智と云」という趣旨の文が脱落していると思われる。

*52 **三十七尊** 金剛界曼荼羅の成身会のうちに配された三十七の仏・菩薩のこと。五仏・四波羅蜜菩薩（金剛・宝・法・羯磨）・十六大菩薩（金剛薩埵〈以下、「金剛」を略〉・王・愛・喜・宝・光・幢・笑・法・利・因・語・業・護・牙・拳）・内四供養（嬉・鬘・歌・舞）・外四供養（焼香・華・灯・塗香）・四摂菩薩（鉤・索・鎖・鈴）。三十七菩提分法（悟りを得るための基本的な修行法をまとめたもの）を象徴するとされる。

*53 **作用　テ** 「用」と「テ」の間は空欄。

＊54 **五仏ト**　意味上は「五仏ヲ」が正しい。

＊55 **常住妙法心蓮台……心城**　『即身成仏義』の異本の一つである『真言宗即身成仏義』（大正七七・三八九上一六〜一七／定本弘法大師全集三・二〇一）にあるが、同書は空海より後代の作であると考えられている。この頌は不空訳『金剛頂瑜伽最勝秘密成仏随求即得神変加持成就陀羅尼儀軌』（大正二〇・六四五上六）に見えるが、日本では伝円珍撰『入真言門入如実見講演法華略儀（講演法華儀）』で「頌云」として引用され、安然の諸著では『蓮華三昧経』からの引用として示される。本書での引用意図は、「三十七尊住心城」にあり、密教で説く三十七尊は心の中にあるものだと言わんとしている。杲宝撰『開心鈔』巻上には「問。或云、経説三十七尊住心城云云。心城者、当禅宗本分田地云云。有其謂乎」（大正七七・七四二中六〜七）との問答があり、また、春屋妙葩の語録『知覚普明国師語録』巻三では「三十七尊住心城」の句を取り上げ、「如是三十七尊各各三昧元表一心上具徳。故曰住心城」（大正八〇・六六二上一二〜一三）などと解している。

＊56 **鬼ヲハクラカリニツナケ**　当時のことわざと思われる。明るいところでは、鬼の正体がばれてしまうので、「暗がりにつなげ（暗いので正体がわからない）」と言うように、根も葉もない虚誕は簡単に確かめられないようにうまく隠さないといけないという趣旨。

＊57 **人ゴトニ**　「ゴ」は写本そのものに濁点が付されている。

＊58 **トテモノ事ニ**　「このついでに」の意（日葡辞書）。

＊59 **宣ヌ**　「のたまはぬ」と解する。

＊60 **知テ**　意味上、「知らで（知らないで）」と解する。

＊61 **悟**　「さとらせ」と読むこともできるが、「語（かたり）」の誤記という可能性もある。

＊62 **眼識……意ー**　「ー」は文字を略したことを示すもので、この場合は「識」を略している。「舌ー」と「意ー」の間に「身識」が脱落している。

＊63 **権大乗……タテラレタリ**　「権」は、一時的・便宜的なもののこと。方便。法華経・華厳経などに明かされる真実の大乗の教え（実大乗）に対して、それ以外の大乗経典の教えを「権大乗」とする。法相宗は、『解深密経』を拠りどころとするので、天台宗や華厳宗からは権大乗として位置づけられる。法相宗では、インドの瑜伽行派を継承し、

眼・耳・鼻・舌・身・意の六識に末那識・阿頼耶識を加えた八識説を立てる。末那識（対応梵語を直訳すると「マナス（意）と呼ばれる識」）は、阿頼耶識を恒常的自我（アートマン）と誤認する心。阿頼耶識（阿頼耶は梵語アーラヤの音写で、「蔵」の意）は、過去以来のすべての行為を種子として貯蔵し、他の七識やその対象を生み出し続けているとされる。

*64 **十二因縁ノ現在ノ五果**　十二因縁（十二支縁起）のうち、識・名色・六処・触・受のこと。説一切有部では、十二因縁を三世（過去・現在・未来）の因果を明らかにするものと見、過去の因（無明・行）、現在の果（識～受）、現在の因（愛・取・有）、未来の果（生・老死）と解する。この解釈では、「識」は母胎に宿った子ども（受精卵）の最初の心のことなので、以下のように「一滴侘胎ノ初」と同一視される。なお、法相宗では、無明～有を因とし、生・老死を（その次の世での）果とする。

*65 **一滴侘胎**　「侘」は、詫が正しい。男性の精液と女性の経血が融合したものが、子宮に着床すること。

*66 **忽然トシテ起ル業識元初ノ一念**　「忽然トシテ起ル」は、『大乗起信論』の「忽然念起」（大正三二・五七七下六）を踏まえた表現。『大乗起信論』では、無差別平等な真如に相違して忽然として起こる念が無明とされる。「業識」も、『大乗起信論』に由来する概念で、無明によって心が動転した最初の段階のこと。「元初ノ一念」は、天台宗系統で用いられる概念で、伝忠尋撰『漢光類聚』巻三によると天台宗の一念三千における一念について、山外派の静覚（浄覚）は「元初一念」とする説を立てたという（大正七四・三九九下一八）。

*67 **一念不生即至仏故**　出典は、法蔵『華厳五教章』巻第一「頓者、言説頓絶、理性頓顕、解行頓成、一念不生、即是仏等」（大正四五・四八一中一六～一七）。華厳教学における頓教の説明で、「一念さえも生じない根源の状態が、そのまま仏である」ということ。

*68 **香象大師**　唐代則天武后時代の僧侶、華厳宗の法蔵（六四三～七一二）。「香象」は、康蔵の音通で、法蔵の俗姓が康で、康蔵とも呼ばれたことに由来する。

*69 **実大乗**　権大乗（*63参照）に対して、真実の大乗。

*70 **第九識菴摩羅**　*49参照。

*71 **如来功徳荘厳経ニ……円鏡智相応**　この偈は『成唯識論』巻三（大正三一・一三下二一～二四）に引かれている。

これを『如来功徳荘厳経』の引用とするのは、基撰『成唯識論述記』巻三末の説（大正四三・三四四下一一～一二）。

＊72 **大乗一覧集**　原文は「大乗」だが「大蔵」が正しい。「八宗之事」＊36参照。

＊73 **解深蜜経**　『大蔵一覧集』では、「宗鏡云」として『宗鏡録』が引かれており、その中に「解深密経頌云、阿陀那識〈此云執持〉甚深細。阿陀那識甚深細。我於凡愚不開演。一切種子如瀑流。恐彼分別執為我」とある。この偈は玄奘訳『解深密経』巻一「心意識相品」第三（大正一六・六九二下二一～二三）にある。『宗鏡録』の対応箇所は、巻四十六（大正四八・六九二中一五～一八）。

＊74 **此阿頼耶識、……不変随縁**　『大蔵一覧集』巻一「五蘊品」第十八（『昭和法宝総目録』巻三一七九上一九～二七）。「宗鏡云」として引かれているものの一部で、『宗鏡録』の対応箇所は巻四十七（大正四八・六九四下二七～六九五上五）。

＊75 **以七転識皆是本識差別功徳**　『華厳経』そのものにはなく、法蔵『華厳経探玄記』巻十三に「謂七転識、皆是本識差別功能」（大正三五・三四七上一一～一二）とある。

＊76 **イワル、ニ依テコソアレ**　この文、分かりにくい。脱文または誤写があるか。文脈上、「イワル、」の後には、第七識に関する説明が続き、前六識・第七識などの差別は、認識の対象によるもので、「其体ハ唯阿頼耶識ソト云儀也」と続くと推定される。

＊77 **玄奘三蔵**　唐代太宗時代の訳経僧（六〇二～六六四）。中国から密出国し、インドに渡って唯識思想を学び、多数の仏典とともに帰国、膨大な翻訳活動を通じて、事実上、法相宗のもとを築いた。「三蔵」は、三蔵法師の略。三蔵（経・律・論）に通じた僧侶の意であるが、もっぱら訳経僧の尊称として用いられる。

＊78 **法位第八識即為第九識**　基『大乗法苑義林章』「今取浄位第八本識、以為第九」（大正四五・二六六中一八～一九）の取意。この句は、円寿『宗鏡録』・空海『十住心論』・安然『胎蔵金剛菩提心義略問答鈔（菩提心義鈔）』などに引用されており、おそらく、これらからの孫引きと思われる。

＊79 **円悟**　圜悟克勤（えんごこくごん）（一〇六三～一一三五）のこと。宋代の禅僧で、『碧巌録』を編集した。

＊80 **納僧受用無多子**　このとおりの言葉は検出できない。圜悟の語録である『円悟仏果禅師語録』巻十三「小参」六に「若論衲僧受用、直饒棒如雨点喝似雷奔、列千聖下風、立毘盧頂上」（大正四七・七七一上一三～一五）云々とある。

「納僧」は「衲僧」が正しく、衲衣（袈裟）を着けた僧侶の意で、ここでは僧侶の自称として用いられる。「無多子」は、「特別なことはない」の意で、禅宗文献でよく使われる言葉。

*81 **八識田中下一刀**　『円悟仏果禅師語録』巻三「上堂」三に「若是本色衲僧、直下一刀劃断」（大正四七・七二四中二九～下二）とある。また、空谷明応（一三二八～一四〇七。夢窓疎石の孫弟子にあたる）の語録『常光国師語録』巻下所収「特賜仏日常光国師空谷和尚行実」に「何不向八識田中下一刀耶」（大正八一・三九下一～二）とあり、東陽英朝（一四二八～一五〇四。大徳寺五十三世・妙心寺十三世）の語録『少林無孔笛』巻三「仏事」上に「若又真大丈夫、直須向八識田中、快下一刀截断生死根源了、説甚麼五蓋十纏」（大正八一・三八一下九～一二）とある。

*82 **一一心識**　『釈摩訶衍論』巻第二で立てる十種の識（八識＋一切一心識・一一心識）の第十で、真理を対象とする心。

*83 **十識・十一識・無量ノ識**　伝空海撰『秘蔵記』末に「問。顕教立八識。密教立若干識耶。答。立一識、或八識、或九識、或十識、乃至無量識」（弘法大師全集第二輯〈第五巻〉四二頁）とある。なお、保延四年（一一三八）・同五年（一一三九）の談義に基づく著者不明『十住心論打聞集』には「又云。真言宗第九識者十識十一識無量心識ヲ総シテ為第九識也」（大正七七・六七八中三～四）とあり、本書の記述に符合する。

*84 **各三体一**　意味の上から「名三体一（名は三にして、体は一なり）」と思われる。

*85 **毘婆沙論**　玄奘訳『阿毘達摩大毘婆沙論』全二百巻。説一切有部の根本論書である『阿毘達磨発智論』に対する膨大な注釈。

*86 **心・意・識、何ノ差別カ有……亦名為熾**　『阿毘曇毘婆沙論』巻第三十八「問曰。心意識、有何差別。答曰。或有説者、無有差別、心即是意、意即是識、如是等皆同一義、無有差別、如火名火、亦名炎、亦名熾、亦名燋薪」（大正二八・二八一中一一～一四）。『大蔵一覧集』巻一「五蘊品」第十六（*74「此阿頼耶識、……不変随縁」の直後）に、この文が引用されており、文章を比較すると、『妙貞問答』の文によく一致するので、これから孫引きしたと思われる。「毘婆沙論。問曰。心意識、有何差別。答曰。無有差別、心即是意、意即是識、皆同一義、如火名火、亦名焔、亦名熾」（『昭和法宝総目録』巻三、一二七九上三〇～中一）。なお、「心」「意」「識」の区別については諸説あり、「心」は第八識、「意」は第七識、「識」は前六識とする説などある。

*87 **阿字観**　万物の根源であり、不生不滅を表す梵字の「阿（a）」を観想し、仏と一体の境地に至る密教の行法。

＊88 **阿**（ア）**・嚩**（ハ）**・囉**（ラ）**・河**（カ）**・欠**（ケン） 正しくは「阿嚩囉訶佉」。梵字 a, va, ra, ha, kha を音写したもので、順に地・水・火・風・空に対応する。最後の「欠」は、大日如来の真言「阿毘羅吽欠（アビラウンケン、a, vi, ra, hūṃ, khaṃ）」と混同したもの。

＊89 **水大** 正しくは「地大」。

＊90 **候也** 意味上、「也」は平仮名「や」の誤読・誤写と考えられる。

＊91 **堅・湿・煗・動・無碍・了別** これらは、それぞれ地・水・火・風・空・識の六大の性質。杲宝『大日経疏演奥鈔』巻八に「開則六大、合則阿字」（大正五九・七八中一二）とあるように、六大と阿字は一体なので、これらは阿字の性質でもあることになる。

＊92 **本知** 「知」は、正しくは「智」。

＊93 **如実知自心** 『大日経』巻一・入真言門住心品（大正一八・一下一）。「云何菩提（悟りとは如何なるものか）」という問いに対する答えで、『大日経』の思想的核心の一つ。

＊94 **動キハタラク情** 直前に「ウコキハタラクセイ」とあるので、「情」は「精」の誤記と思われる。この「精」は「勢」と同義で、「勢力」の意（日葡辞書、Xei の項）。

＊95 **阿字第一命、遍於情非情** 出典は『大日経』巻五・阿闍梨真実智品「普遍於種種有情及非情、阿字第一命」（大正一八・三八中二八～二九）であるが表現は円珍『授決集』巻下「大日経云。阿字第一命、遍於情非情」（大正七四・三〇八下一四～一五）に近い。

＊96 **命トハ……如此命根出入息想也** 『大日経疏』巻十に「命者所謂風也。風者想也。想者念也。如是命根出入息之想雖復浄妙。猶是想風所成」（大正三九・六八九中八～一〇）とある。

＊97 **空言ハ** 「真言ハ」の誤写と思われる。

＊98 （キリク） 梵字 hrīḥ。阿弥陀仏の種子（仏・菩薩などを象徴する梵字）。

＊99 （カ） 梵字 ha。

＊100 **無寿** 正しくは「無量寿」。阿弥陀は amitābha、または amitāyus の音写で、それぞれ「計り知れない光を有する（無量光）」「計り知れない寿命を有する（無量寿）」の意。

＊101 延命菩薩……阿字本体 『渓嵐拾葉集』に「経云」としてこの文が引かれている（大正七六・六一五中一一〜一三）。「経」の傍注には「地蔵延命経」とある。延命菩薩は、地蔵菩薩に延命の力があることから名づけたもので、地蔵菩薩の異名。

＊102 干栗多心 「干栗多」は梵語 hrdaya の音写で、心臓のこと。観音菩薩が、干栗多心に対応させられるのは、本文にもあるように、手に持っている未敷蓮（まだ開いていない蓮華）が心臓の形に似ているため。

＊103 泊瀬・清水 泊瀬は、奈良の長谷寺、清水は京都の清水寺で、どちらも平安中期より観音菩薩の霊場として有名な場所。

＊104 自性清浄如来……申也 不空訳『大楽金剛不空真実三昧耶経般若波羅蜜多理趣釈（理趣釈）』に「時婆伽梵者如前所釈。得自性清浄法性如来者是観自在王如来異名。則此仏名無量寿。如来若於浄妙仏国土、現成仏身。住雑染五濁世界、則為観自在菩薩。復説者、則其毘盧遮那仏為観自在菩薩」（大正一九・六一二上一〇〜一四）とあり、観音菩薩が自性清浄如来・無量寿（阿弥陀）如来などと同体異名であることが示されている。

＊105 観音ト阿弥陀ハ一体異名 ＊104参照。

(59裏)

禅宗之事[*1]

妙秀。八宗ノ事ハ、聞マヒラセヌ。是ハ、何モ皆同事ニテ侍リ。禅宗ト申ハ、教外別伝[*2]トテ、ヨニカ[*3]ワリタルヤウニ承ルカ、如何様ナル事ニテ侍フソ。

幽貞。サレハ、禅ハ仰ノヤウニ教外別伝トハ申セトモ、是又、別ノ事ニテ(60表)侍ラス。唯同仏法ニテ侍リ。但、教外別伝ト申ハ、釈迦、霊鷲山[*4]ニテ説法セラレシニ、仏一枝ノ花[*5]ヲ捻[*6]シテ、大衆[*7]ニ見セシムルニ、衆皆黙然タリト申テ、其心ヲ悟得サリシカハ、皆、物言事モナカリシニ、迦葉[*8]一人破顔微笑スト云テ、ニツコト笑タレハ、其時、釈迦、我ニ正法[*9]眼蔵涅槃妙心[*10]有、摩訶迦葉ニ付属ストイワレシヨリ已来、教ノ外ニ別ニ伝ルト云心ヨリ、此禅法ハ事起。シカレハ、其付属ストイワレシ正法眼蔵トハ、イカナル事ソト尋ルニ、是又、別ノ事モナシ。一心法ヲヨクミシレ[*11]ハト云事也。サテ、其心ハ有ト伝タルカ、無ト伝タルカト申セハ、無ト侍ルモノニテ侍リ。此故ニ、其伝法ノ偈[*12]ニモ、法ノ本法ハ無法也、無法ノ法(60裏)亦法也。今付[ニスル]無法[一]時、法々何曾法[ナランと]云リ。此心ハ、先、法ト云ハ何ヲ指タルソト云ハ、法トハ心ノ異名ニテ侍リ。此故、鳴猛[*13]ト申セシ西天[*14]ノ祖師モ、所[レ]謂法[ト]者[*15]、謂衆生ノ心ナリ、ト云置レタリ。シカレハ、法ノ本法ハ無法也トハ、本心ト云物ハ、無心無念ナルモノソ、ト云儀也。サテ、無法ノ法亦法也トハ、其心良多カルヘシ。就中、先、一二ヲ挙テ申ヘシ。一ニハ、右、捻シテ見タル花モ、木ヲワリテミレハ、緑モ紅モナケレドモ、マコトハ、ナキ花カ、カリニサキタルコトク、元来ハ無心ナレトモ、時ノ境界ニツレテ、ニクシ、キタナシノ心モヲコレハ、コ、ヲサシテ、無法ノ法亦法也ト云リ。二ニハ、ナキ物カ一ツアルソトイヘル事ヲ、無法ノ法亦法也ト云リ。今付二無法一時、法々何曾法ナラン(61表)トハ、ナキ心ヲ伝ル上ハ、伝ルカ伝ルニモアラス。畢竟、有程ノ事ハ、皆、空無ソトノ心也。西天[16]ノ廿八祖モ、是ヨリ起リ、東土[17]ノ六祖モ、コ、ヨリ始テ侍ルニヤ。初祖菩達磨、二祖[18]恵可大士ニ、心印[19]ヲ伝ラレシトキモ、心[20]ヲ将来、汝カ為ニ安心セント有シニ、恵可、覓心了ニ不可得トイヘルトキニコソ、汝カ為安心セリトハ、印可[21]決定セラレテ侍リ。又、五祖[22]弘忍禅師モ、身[23]ハ是菩提樹、心ハ如二明鏡ノ台一ト、ヌル[24]〳〵トイワレタリ神秀ニハ、衣鉢[25]ヲ伝ヘス。本来[26]無一物、何処カ有二ン塵埃一ト、切テハナシタル盧行者[27]ニ衣鉢ヲ伝ヘテ、六祖トハナサレタリ。サレハトヨ、惣シテ禅ハ、臨済、雲門、曹洞、偽仰[28]、法眼、是ニ楊岐、黄龍ヲ加テ、五家七宗[29]ト申也。五家七宗トモニ、皆、心ハ空無ソト有(61裏)事ヲ識得スルヲ本トセリ。サテ〳〵、仏法ハニカ〳〵シキ教ニテ侍ル物哉。何モ〳〵、皆、此分ニ、後生ハナキソトノミ見破テハ、何カヨク侍ラン。後ノ世ノ事ハ、サテヲキヌ。又、現在ノ作法モ、上[30]ニ恐ヘキアルシヲシラサレハ、道ノ道タル事モ不侍。人ノ心ト申ハ、私ノ欲ニヒカレテ、邪路ニ入ントノミスルニ、無主無我ニシテ、悪ヲ成シテモ罰ヲアタヘン主モナク、善ヲ修シテモ賞ノ行ルヘキ処ナシ。虚空ヨリ生シテ虚空ト成ト、自由自在ニ教タル事ハ、僻事ニテアラスヤ。貴理師端ノ眼ヨリハ、カ様ノ教ヲハ邪法トノミ見ル也。

妙秀。イヤ、禅ニモ、サヤウニ虚空ヨリ生シテ、虚空ニ帰ストノミハミヌトコソ承レ。其故ハ、虚空[31]

ノ空ハ空ニシテ無也、仏性ノ空ハ空ニシテ真也トテ、物ヲ入テモ、サ
(62表)ワラヌ処ノ虚空ノ空ハ、ナキ物ニシ、仏性ノ空、我等カ心性ヲハアル物ニセラレ侍リ。真トハ、空
シカラスト云心ニテアリ、ト云ハ如何。

幽貞。ソレハ、今マテ申ツルコトク、禅ニカキラス、何カ、先、面向ニアルヤウニ申サヌ宗[32]ノ侍ルナレトモ、極テハ皆ナキ物ニヲトシ付也。[33]虚空ト仏性トヲ別ニミルハ、仏法ノ上カラハ、イマタ凡夫、常ノ人ト云リ。黄檗[34]ノ伝心法要トテ、心ノ伝ノ干要ヲカキタル物ニモ、凡人[35]、多不レ肯二空一レ心ヲ、恐テレ落コトヲレ空、不レ知二自心本空ヲ一ト見タリ。此心ハ、凡夫ハ心ハ空ニシテナキ物ソトキケハ、アラ勿体ナノ事ヤ、空見[36]トテ、ソレハ迷也ト云テ、同心セス。是、我心ノ元ヨリ空ナル事ヲシラヌ故也、ト笑ヘリ。又、同、法身即虚空[37]、々々即法身、常人ヲ謂テ下法身ハ遍ク二虚空処一ニ、虚空ノ中ニ含容セリト法(62裏)身ヲ上。不知法身即虚空、々々即法身也ト見テ侍リ。此心、再釈[38]ニ不及。法身ト云カ、仏性ノ空ノ事也。是ミ玉ヘ。二ツトハ云ス、唯一ニ落着シテ侍ルソ。但、此分ニハカリ申セハ、教法[39]ノヤウニ聞ヘテ、参禅、参学ナトノ事ヲシラヌカト思玉フヘケレハ、此上ニテハ隠シ申マテモナシ。大徳寺[40]ニテノ蜜参[41]ノ物ヲミセマヒラスヘシ。是ハ、アナタ[42]ヨリ書テ給タルニテ侍ルソ。僧問二趙州[43]一。如何是祖師西来意。弁、意ハ有ニ似テ無物テ候。拶曰、無キ証拠ヲ弁シ来レ。弁、頭上ヨリ脚下マテ全体ヲ、波[44]ハ皮、肉ハ肉、骨ハ骨、髄ハ髄ト、サキ分テ見トモ、意ト云物ハ、色形モナシ、眼ニミヘヌノミナラス、耳ニモ不聞、鼻ニモカ、レス、舌ニモ味レス、身ニモフレラレス、詞ニモ求ラレヌ也。
(63表)是カ、ナキ証拠テ候。拶曰、無心ナラハ、ヲシヒ[45]、ホシヒ、イトヲシイ、カナシイト思モノハ、何

物ソ。弁来レ。弁、意ハアルニ似タ物テ候。古人云、有非有[*46]、無非無。アルニモ着セス、無ニモ着セス。是モアルニ似テ、ナキト云タ語也。又、古人云、心法[*47]ニ無レ形、通二貫十方一。形ハナケレトモ、唐土、天竺ノ事ヲモ、居ナガラ分別スル程ニ、十方ニ通貫スト云リ。アルニ似テ、ナイソ。又、古人云、心法[*48]ハ如二水中月一、猶如二鏡上影一。水カアレハコソ、人ノ形モウツセ、ソノコトク、人ノ五体六根カアレハコソ、心ト云モノモアレ。別ニ、心ト云テハナシ。是モ有ニ似テナシ。釈迦モ過去[*49]心モ不可得、現在心不可得、未来心不可得ト説玉フソ。三世不可得[*50]ト云タソ。如此、三世無心トサヘ、トリタラハ、何輪廻モアルマイソ。色相ノアル間ハ、念

(63裏)ト云事モ、ヲコライテ[*51]ハカナハヌ物也。タトヘハ、念ヲ起シタリトモ、明眼[*52]ノ上ニテハ、輪廻トハナルマヒソ。三世無心ト悟処、干要也。又、古人、心有[*53]レハ則広劫ニ受二沈輪一ヲ。心無則刹那ニ成二正覚一ヲ。心有トハ、迷タル凡夫ノ事ソ。広劫トハ、一ダン久シク長キ事ソ。沈輪[*54]トハ、生死海ニ沈輪ハテナヒ[*55]上ソ。無心トハ、三世無心ト悟タ上ソ。刹那トハ、髪一筋切程ノ間ノ事ソ、ハヤキト云心ソ。成正覚トハ、悟タト云事ソ。州[*56]云、庭前[*57]ノ白樹子。弁、白樹モ心有ニ似テ、ナキ物テ候。拶テ曰、草木ノ上ニ意アルニニテ、ナキ証拠ヲ弁来レ。弁、柏樹ニカキラス、一切草木、悉、春ハ生シ、夏ハ長シ、秋ハ収メ、冬ハカクシ、四時ヲリ〳〵ヲ知テ、生老病死アリ。又、水ヲソ、キ、ウヘ[*58]ヲカヘハ、ヨロコヒ、花咲、緑ヲイタス[*59]ソ。

(64表)又、切ハ、イタムソ。是ハ、有ニ似タソ。サテ、根・茎・枝・葉ヲ打破テ見ハ、中ニ花ノ種モ、緑ノ種モナシ。是ハ心カナキソ。是ヲ以テ、西来意ト問タニ、柏樹子ト、答話ニ直指[*60]セラレテ候。古人[*61]ノ

歌、

　桜木と砕てみれハ花もなし、花をハ春のうちにもちける

此、古則ニヨク叶タルトノ先師已来ノ沙汰ニテ候。下語[*62]、柳[*63]緑花紅、是モ柳ノ緑モ花ノ紅モ、柏樹ノコトク無心ノ者也。其程ニ、草木モ人心モ有ニニテ、無物ナル故ニ、此句ヲ柏樹子ト云処ニ付タソ。畢竟、三世無心ト云、肝要也。撈曰、如此ミル時ハ、無ノ見ニハ落マヒル。弁、無ノ見ニハ落[*64]テ候。其故ハ、有モノヲ無ト云、無物ヲアルト云カ、無ノ見也。心ト云物ハ、元来ナキ物也。無物ヲナシトミルハ、正知正見テ候程ニ

(64裏)無ノ見ニハ落マイ也。是見給ヘ。申ニ及ハヌ事ナカラ、心ト云物ハ、無物ニ是モスミ[*65]テ侍ルハ、仏法ハ何モ此分ニメツラシカラス。是カ又、万法ノ話ノ蜜参ノ物ニテ侍フ。サレトモ、ヨミマヒラスルニ不及。是モ〳〵ト申セハ、時ウツリ侍ルママ、御目ニカクルマテモナシ。惣シテ、古則ト申ハ、一則モ一[*66]千七百則モ、趣ハ同シ事ト聞ヘタリ。一心ヲサヘ、ヨク明ムレハ、ソレニテスム事[*67]ニテ侍リ。此故ニ、明州ノ大[*68]海法常禅師ト申セシハ、馬祖[*69]ニ逢テ、如何是仏ト問シニ、馬祖、即心即仏ト答ヘラレシ。此言下ニ契[*70]当シテ、直ニ大梅山ニ入テ、白[*71]眼ニシテ他ノ世上ノ人ヲ見シ大悟大徹[*72]ノ人タリシハ、数多ノ古則ヲ見ニ及ハヌ証拠ニテ非ヤ。仏法ニハ、一心ヲサヘモ明ムレハ、何ノ宗ニテモ、コレカ極ニテ

(65表)侍ルソ。此一心カ即本分、此一心カ即仏、此一心カ即地獄、此一心カ則天堂ニテ侍ル、ト云リ。畢竟シテ、此一心カ則無ト云処ニテ、万事カ止侍ルソ。心有則広劫受二沈輪一、心無則刹那ニ成正覚トアル事モ、此事也。

妙秀。イヤ又、禅ニモ、サヤウニハカリ申サヌト承レ。[*73]五祖演ニ、[*74]如何是曹洞宗ト問タレハ、答話ニ馳書不到家トアリシモ、曹洞宗ノ[*75]行李ハ、[*76]落居ヲ嫌フ処也。夫ニ依テ、有無ニ落ヌヲ本トス。イカナレハ、サヤウニ無トノミハ、ノタマフソ。サレハ、此宗ノ[*77]五位君臣ノ沙汰トイヘルモ、中ヲ本トセル処也。是ヲハ、イカ、心得申ヘキヤ。

幽貞。其御事也。曹洞宗ナトハ、有無ノ落去ヲキラハレタリ。サテ、禅法ノ眼カラハ、是カヨキニテ侍ルソヤ。[*78]座頭ノコセ事ナトヲ云カコトク、色々ノ法(65裏)門[*79]タテヲハ、イヒマハレトモ、今時ノ[*80]会下僧ハ、万法一心ノ悟ニハクラク侍ル故ニ、月ヲオカミ、日ヲ拝ミ、[*81]愛宕詣リ、[*82]清水マフテナト云事マテ、[*83]愚痴ノ尼入道ニカワラス。アナタコナタトスル事ハ、有無ノ落去ヲキラヒ、中ヲ守ルノ威徳ニテ侍ルヤ。[*84]ソノカミ、[*85]庵ヲ焼タリシコトキ婆子ノ今モアルマシカハ、カヤウノ僧ニハ宿ヲモカサシ物ヲト、大徳寺、[*86]妙真寺ナトヨリハ、世ニオカシキ事ニ申サル、也。次ニハ、五位君臣ノ沙汰ト申ハ、元ヨリ中ヲ識リ、サマ〳〵欲セサル一理也トイヘトモ、其中トハ何ソ、トイヘル事ヲハ識得セテ、タ、有無ノ落ヲセサル、是ヲ中ノ本意ト心得ルハ、トモニハカルニタラス。袈裟[*87]ヲカキニシテ、僧ト云テ立ル程ノ事ニテアルソト、[*88]仏心宗ノ眼カラハ申サル、也。サレハ、有僧、(66表)[*89]曹山ニ五位君臣ノ旨訳ヲ問テ侍ルニ、山、[*90]正位ハ即空界、本来無物ナリ。偏位即色界、有ニ万形象一。偏中正ト、舎レテ事ヲ入ルレ理ニ。正中偏トハ者、背レテ理就レ事ニ。兼帯トハ、冥ニ応ニ衆縁一、不レ堕ニ諸有一。非染非浄、非正非偏。故曰、虚玄大道、無著真宗ト答ラレシニ、中ト云者ハ、音ヨクキコヘテ侍ルカ、此内ニモ、神ヘ参レ、仏ヲ祈レ、ト云事ハ見ヘ侍ヘラヌソ。此答話ノ心ハ、先、正位トハ、則本位トモ見玉ヘ。其本ノ位ト云カ、則、空界也。空界トハナキ処ノ事ニテアル故ニコソ、本来無一物トハイワレテ侍レ。シカルニ、無ニ落去スルカ、曹洞宗ニワロキトイワ、、先、此宗祖ナル曹山ヲカラ檳[91]出シ、血[92]脈ノフ[93]タヨリモ削リテ捨ヘキ事ニテ侍リ。偏位即色界、有二万形象一トハ、色形アル物ハ皆是本位ニ非ス(66裏)ト云ヲ、偏位トハ云リ。偏中正者、舎事入理トハ、偏カ中正ノ位ニ帰スト云義。ソレトハ、色形ヲハナレテ、唯理ニ入事。焼ハ灰、埋ハ土トナルヘシ。正中偏者、背理就事トハ、正中カ偏位ニナルト云義。是即、正位ノ空ヨリ、此色形ハ出タルソト云心。兼帯者、冥応二衆縁一ニ、不レ堕二諸有一、非染、非浄、非偏、故曰、虚玄大道、無著真宗一トアルカ、即、中ト云者ノ体也。有無ニ落着セヌカ中トノミ思ハ、其用ヲ取テ、体ヲシラヌカ故ニ。ソレハ、七[94]日語ハ尼カ法師カノツレテ、夜カ明侍ラヌソ。此兼帯ト云ハ、一心ヲ指テノ事也。此一心ハ、今ハ空有ヲ兼テ、縁ニ応シテ、地獄、餓鬼ノ至菩薩、仏果、ト色々ノ念慮ヲコレトモ、ソレカソレニモナラヌト云処ヲ、虚玄大道、無著ノ真宗トハ申侍リ。即是カ、法[95]華ニテ(67表)妙法蓮華経ト云タル物ノ事也。サテ、畢竟シテ、此心ハアル物カト云ハ、心有ハ則広劫二受二沈輪一、心無則刹那成二正覚一トアリツルコトク、無心無念トシルヲ、成仏ト心得タル物ニテ侍リ。此処ニ至テハ、祖[96]意モ教意モ、カワル事ハ侍ラス。惣シテガ、祖[97]教一致ニテ侍リ。此心ヲ梁[98]山ノ観禅師ハ、金[99]烏東上、人皆貴。玉兎西沈、仏祖迷ト頌セラレタリ。金烏トハ日輪ニテ、是ヲ教意ニタトヘ、此教ニ依テ、心ノ迷ヲハラス方ヲ、日出テ人貴フニ比シ、玉兎トハ月ニテ、是ヲ祖意ニタトフ。月ノ入ハ、仏祖モ迷ト云タルカ、悟ノ心ナケレハ、仏祖トテモ何ナラス、トイワンカ為也。サレハ、日出テタフトカルト、月ノ入テ迷惑スルト云ハ、詞ハカワレトモ、心ハ同事ニテ侍ル故ニ、祖教一致ノ頌ト、是ヲ

（67裏）申也。其一致処ト云カ、我心自空[100]、罪福無主トアル処ニテ、仏法ハ万事休シタル物也。仏法ニテ無ト落着セヌハ、仏トモ法トモシラヌ人ニテ侍リ。但此無ヲ知テヨリハ、何ト云テモ同事ト思ト故ニ、アラソハヌ心カ出来テ、アルト云人ニハ、アフ中々[101]、後生ハアル事ニテ侍フトイヒ、又、無ト云人ニハ、其事也、後生ト云テ、何カ跡ニ残ランカナト云テ、柳ノ糸ノ西ヘモ東モ、風ノマ、ナルヤウニアルヲ、禅ノ至タル上ト思也。真正ノ見解ヲ用得タル人ハ、袖ノフリ合モミユヘキト云。本分ノ無ヲ、ヨク知得テカラノ事也。兎ニ角ニ、禅トモ申セ、教トモ申セ、教[102]トモ申セカシ。仏法ハ、何モカ様ニ無ニ帰シタル事ハ、勿体ナキ事ニアラスヤ。

＊1　**禅宗**　言葉によらず、坐禅によって仏の心を悟るとして、教外別伝・不立文字を掲げる。六世紀前半に、達磨が中国に伝えて禅宗初祖となった。日本中世には栄西（一一四一～一二一五）が臨済宗（臨済宗黄龍派）を、道元（一二〇〇～一二五三）が曹洞宗を伝えて、宋代禅が主流となった。江戸時代には明代臨済禅の一派である黄檗宗が、隠元隆琦（一五九二～一六七三）によって伝えられた。

＊2　**教外別伝**　言葉や文字による教説ではなく、ただちに心から心へ仏道を伝える。

＊3　**ヨ**　余。ここでは他宗のこと。

＊4　**霊鷲山**　中インドのマガダ国王舎城の北東にあり、山容が鷲に似た山。釈迦が『法華経』などを説いた場所とされる。

＊5　**仏一枝ノ花ヲ捻シテ**　拈華微笑。霊鷲山で釈迦仏が花を手に取った時に、摩訶迦葉だけが、その意味を理解して微笑した。それによって仏法が摩訶迦葉に伝えられた。この霊山会上の仏法祖承が禅宗の起源とされる。『連灯会要』巻一・釈迦牟尼仏章「世尊在霊山会上、拈花示衆、衆皆黙然、唯迦葉破顔微笑。世尊云、吾有正法眼蔵涅槃妙心、実相無相微妙法門、不立文字教外別伝。付嘱摩訶迦葉」（新纂卍続蔵七九・一四上六～八）、『五灯会元』巻一・七仏

章（新纂卍続蔵八〇・二八下一八～一九）など。

＊6 **捻** 正しくは「拈」。本来「つまむ」の意であるが、しばしば「ひねる」と誤解される。

＊7 **大衆** 聴衆。

＊8 **迦葉** 摩訶迦葉。釈迦十大弟子の一人で、よく小欲知足を実践し、行法（頭陀）第一と称される。バラモンに生まれ、釈迦に会って八日で阿羅漢果を証した。釈迦滅後の教団を統率し、王舎城での第一回仏典結集を行った。

＊9 **正法眼蔵** 真理を見る智慧の眼（正法眼）によって悟った秘蔵の法（蔵）で、言葉を超えた悟りの意。師の心から弟子の心へ伝えられる悟りであり、正法眼蔵涅槃妙心といい、略して正法妙心ともいう。

＊10 **涅槃** 「湼柈」は涅槃の宛字。

＊11 **ミシレハ** 見知レバ。

＊12 **伝法ノ偈** 『景徳伝灯録』巻一・釈迦牟尼仏章「法本法無法　無法法亦法　今付無法時　法々何曾法」（大正五一・二〇五下一～二）など。

＊13 **鳴猛** 正しくは馬鳴。二世紀頃のインドの仏教者であり、『仏所行賛』などを著す。『大乗起信論』は馬鳴作とされるが、近代仏教学では否定されている。

＊14 **西天** 天竺。インドのこと。

＊15 **所謂法者、謂衆生ノ心ナリ** 真諦訳『大乗起信論』「所言法者謂衆生心」（大正三二・五七五下二一）。『景徳伝灯録』巻六・越州大珠慧海禅師章（大正五一・二四七下一三）にも「馬鳴祖師云、所言法者、謂衆生心」とある。『景徳伝灯録』では「若心生故、一切法生。若心無生、法無従生、亦無名字」と続くから、諸法を生ずる原理としての衆生心であり、ハビアンが言うように、「法」がそのまま心の異名というわけではない。

＊16 **西天ノ廿八祖** 天竺で、禅法を伝えたとされる二十八人の祖師。摩訶迦葉、阿難尊者、商那和修、優婆毱多、提多迦、弥遮迦、婆須蜜、仏陀難陀、伏駄蜜多、脇尊者、富那耶奢、馬鳴大士、迦毘摩羅、龍樹尊者、迦那提婆、羅睺羅多、僧伽難提、伽耶舎多、鳩摩羅多、闍夜多、婆修盤頭、摩拏羅、鶴勒那、師子尊者、婆修斯多、不如蜜多、般若多羅、菩提達磨。

＊17 **東土ノ六祖** 中国で、禅を伝えた最初の六人。菩提達磨、二祖慧可、三祖僧璨、四祖道信、五祖弘忍、六祖慧能。

＊18 **二祖恵可** 禅宗第二祖慧可（四八七〜五九三）。南北朝末期の僧、洛陽の出身。四十歳で少林寺の菩提達磨を訪ねて師事した。腰まで積もった雪の中で入室を許されず、自ら左臂を切断して求道の心を示して、師事を許されたという伝説がある。達磨より四巻本の『楞伽経』を授けられ、七十二歳で三祖僧璨に法を授けたという。

＊19 **心印** 仏心印の略。仏心である悟りの心は、印形のように決定していることから心印という。

＊20 **心ヲ将来** 心を将来れ。このやりとりは、達磨と慧可の安心問答といわれる。『景徳伝灯録』巻三・菩提達磨章（大正五一・二一九中二一〜二三）、「師曰、将心来与汝安。曰、覓心了不可得。師曰、我与汝安心竟」。

＊21 **印可** 師僧が弟子の悟りを証明し、認可すること。印信許可。

＊22 **五祖弘忍** 禅宗第五祖弘忍（六〇一〜六七四）。唐代の人。七歳で四祖道信に師事して法を嗣ぎ、蘄州黄梅の馮茂山に住して、六祖慧能をはじめとする多くの弟子を育てた。その法門は東山法門といわれ、禅宗興隆の基礎となった。

＊23 **身ハ是菩提樹** 五祖の弘忍が、法を伝えるために弟子らに偈を求めたところ、神秀（六〇六〜七〇六）は「身是菩提樹　心如明鏡台　時時勤払拭　莫使有塵埃」と提示した。『六祖壇経』行由第一章（大正四八・三四八中二四〜二五）、『景徳伝灯録』巻三・第三十一祖道信大師章（大正五一・二二二下二一〜二二）など。

＊24 **ヌル〲トイワレタリ** 「ヌル〲」は、無気力に、不精に、の意。「イワレタリ」は「イワレタル」の誤写か。

＊25 **衣鉢** 三衣一鉢。僧の最も重要な所持物。禅宗では、師僧が弟子に袈裟と鉄鉢を与えることを伝法の証明として「衣鉢を継ぐ」という。

＊26 **本来無一物** 五祖弘忍に対して、慧能は「菩提本無樹　明鏡亦非台　本来無一物　何処惹塵埃」と偈を呈して、伝法を認められて禅宗第六祖となり、その後の南宗禅の祖となったという。『六祖壇経』行由第一章（大正四八・三四九上七〜八）、『景徳伝灯録』巻三・第三十一祖道信大師章（大正五一・二二三上六〜七）など。

＊27 **盧行者** 禅宗第六祖、慧能（六三八〜七一三）。慧能の俗姓は盧氏。剃髪出家以前に、弘忍より法を相続したために、盧行者ともいわれる。五祖弘忍の下で米を挽いて八箇月を過ごして、本来無一物の偈によって認められ法を嗣いだ。他の弟子を避けて南方に隠れるが、印宗法師に認められて剃髪受戒し、正式な僧侶となった。その翌年から説法教化を始めて、多くの崇敬を得た。ただし、その伝記は史実と認められないところが多い。南宗禅の祖として、その後の中国禅宗を築いたとされる。

＊28 **偽仰**　正しくは潙仰。

＊29 **五家七宗**　六祖慧能以後の唐・五代・宋にかけて、それぞれの宗風を掲げて発展した南宗禅各教団の総称。慧能の弟子である青原行思（?〜七四〇）から、洞山良价（八〇七〜八六九）・曹山本寂（八四〇〜九〇一）による曹洞宗、雲門文偃（八六四〜九四九）の雲門宗、法眼文益（八八五〜九五八）の法眼宗が出た。同じく慧能の弟子である南嶽慧譲（六七七〜七四四）からは、潙山霊祐（七七一〜八五三）・仰山慧寂（八〇七〜八八三）による潙仰宗、臨済義玄（?〜八六七?）の臨済宗が成立した。これが五家である。最大勢力となった臨済宗は、宋代に黄龍慧南（一〇〇二〜一〇六九）の黄龍派と、楊岐方会（九九二〜一〇四九）の楊岐派に分かれたため、この二派を加えて七宗とする。

＊30 **上ニ恐ヘキアルシ**　キリシタンのデウス。

＊31 **虚空ノ空……真也**　出典未詳。ハビアンより後の人物である大徳寺二百十二世堅峰紹益（一六一七〜一六九二）の『又玄集』に、仏性を説明する同文がある（『又玄集』第二冊・三一〜三二丁）。虚空と真空を分ける同意の文として、寛永九年（一六三二）に完成した柳生新陰流家伝書に、「空と云事、仏法の眼也。空に、虚空と真空との差別あり。虚はいつはりとよむ、真は真々よむ。然ば、虚空とはいつはりむなしき空にて、何もなき事のたとへに引也。真空とは、真実の空也。即心空也」とある（『兵法家伝書』「活人剣」下）。

＊32 **申サヌ**　「申ス」か。

＊33 **ヲトシ**　落トシ。

＊34 **黄檗**　黄檗希運（生没年不詳）。唐代中期の禅僧、臨済義玄の師。百丈慧海の法を嗣ぎ、福建省の黄檗山を開く。『伝心法要』は、唐の相国裴休が黄檗の説法を記録したものであり、心の捉え方が説かれる。

＊35 **凡人……本空**　『伝心法要』（大正四八・三八二上三〜四）、「凡人多不肯空心。恐落於空、不知自心本空」。

＊36 **空見**　善悪や因果、現象の存在をまったく否定する誤った考え方。

＊37 **法身即虚空、々々即法身**　『伝心法要』（大正四八・三八一上一二〜一五）。

＊38 **再釈**　再び解釈する。

＊39 **教法**　禅に対する教。ここでは机上の教えの意。

＊40 **大徳寺** 京都の臨済宗大徳寺。ハビアンが若年時に参禅したとされる。宗峰妙超（一二八二〜一三三七）によって開かれ、十四世紀には臨済宗寺院の最高寺格である五山第一位となるが、十五世紀には官寺を放棄して林下の禅院となる。応仁の乱などで苦境に陥るが、一休宗純（一三九四〜一四八一）らが復興再建して、戦国時代には茶道の千利休の帰依をはじめとして、多くの大名が尊崇した。江戸時代には沢庵宗彭（一五七三〜一六四五）の紫衣事件（一六二七〜一六二九年）が起こるが、その後三代将軍家光が沢庵に帰依して、再び隆盛を誇った。ハビアンの公案理解は、堅峰紹益と同じであり、大徳寺の禅風を示す。

＊41 **蜜参** 密参帳ともいう。臨済宗の修行で用いる公案について、その答えや参禅の手控えを冊子として作成したものを、密参録、門参、秘参などという。公案とは、手本とすべき仏や祖師の言葉や問答、逸話などのことで、古則・話頭などともいわれる。古代中国における公府の案牘（あんどく）（役所の法律条文）に譬えられ、師家が修行僧の参学する課題として用いる難問。仏や祖師の言行を手本として、公案を常に考え続けて参究し悟りを目指す禅風を公案禅という。

＊42 **アナタ** 彼方。大徳寺。

＊43 **僧問趙州……（64裏）無ノ見ニハ落マイ也** 公案「祖師西来意」は『碧巌録』巻五、第四十五則・趙州万法帰一（大正四八・一八二上一〜二）。堅峰紹益の『又玄集』に、ほぼ同様の記述がある（『又玄集』第二冊・九六〜九九丁）。ここは「祖師西来意」と「柏樹子」の二つの公案解釈であり、この二つは並べられることが多い（『又玄集』第三冊・四五〜四六丁、第二冊・六〜七丁など）。

＊44 **波** 皮の誤り。

＊45 **ヲシヒ** 惜しい。

＊46 **有非有、無非無** 『三論遊意義』第一・明経論遊意章（大正四五・一一六中一〜二）。

＊47 **心法ニ無形、通貫十方** 『臨済録』示衆章（大正四七・四九七下三〜四、四九八上三〜四）。

＊48 **心法ハ如水中月、猶如鏡上影** 柳生新陰流の兵法家伝書に、「心似水中月、形如鏡上影」とあり、心がすみやかに移り行くさまをいう。慶長八年（一六〇三）に、柳生石舟斎が出した口伝書には、「心法無形、通貫十方、水中ノ月、鏡裏ノ像」（『兵法家伝書』「活人剣」三三〇頁・注）とある。堅峰紹益『又玄集』では、この典拠を維摩経としてい

る（『又玄集』第二冊・六丁）。『維摩経』巻上・弟子品「諸法皆妄見。如夢、如炎、如水中月、如鏡中像」（大正一四・五四一中二六〜二七）。

＊49 **過去心モ不可得……未来心不可得**　『金剛般若波羅蜜経』（大正八・七五一中二七〜二八）。

＊50 **三世**　過去・現在・未来の三世。

＊51 **ヲコライテハカナハヌ物也**　起コライデハ叶ハヌ物也。

＊52 **明眼**　悟った人の眼。『正法眼蔵随聞記』第六に「人を愧づべくんば明眼の人を愧づべし」とある。

＊53 **心有……正覚**　『碧巌録』巻一、第一則・武帝問達磨「心有也曠劫而滞凡夫。心無也刹那而登妙覚」（大正四八・一四〇下二八〜二九）。ここでは「正覚」になっている。

＊54 **沈輪**　沈淪。深く沈むこと。

＊55 **ハテナヒ**　果てしない。

＊56 **州**　趙州従諗（七七八〜八九七）。唐代末期の臨済僧。以下の庭前柏樹子や、犬に仏性があるかないかを問題とする狗子無仏性など多くの公案を残して、その問答は「口唇皮上に光を放つ」と評される。

＊57 **庭前ノ白樹子**　『碧巌録』巻五、第四十五則・趙州万法帰一（大正四八・一八二上一〜二）。「白」は正しくは、「柏」。

＊58 **ウヘヲカヘハ**　植エヲ替ヘバ。

＊59 **イタスソ**　出ダスゾ。

＊60 **直指**　言葉や方便によらず、直截に示す。

＊61 **古人ノ歌**　この古人は、一休のこと。『一休水鏡』では、この和歌を挙げた後に「此の歌の心をもちて知るべし。空しき虚空より一切の色を出す事、只春の花のみにあらず、夏秋冬の草木の色の移り変はる事を知るべし」としている。

＊62 **下語**　禅の公案に対する寸評。

＊63 **柳緑花紅**　『一休和尚法語』「柏樹子」に対する下語である。

＊64 **落テ**　落ちで。無の見には落ちない。

＊65 **スミ**　済ミ。

＊66 **一千七百則** 公案の総数。堅峰紹益は、柏樹子を最初の古則として一千七百則も柏樹子に極まるという（『又玄集』第一冊・三五丁、『秘集』第二冊・三〜五丁、同じく第四冊・一七〜一八丁など）。

＊67 **スム** 済む。

＊68 **大海法常** 正しくは、大梅法常（七五二〜八三九）。唐代中期の隠遁僧。馬祖道一に参じて「即心是仏」の説示によって悟りをひらき、大梅山に隠遁し四十年を経た。このやりとりは『景徳伝灯録』巻七・明州大梅山法常禅師章（大正五一・二五四下二一〜三）。また堅峰紹益は、このやりとりの即心即仏は柳緑花紅であり非心非仏である、とする（『又玄集』第二冊・三四〜三五丁）。

＊69 **馬祖** 馬祖道一（七〇九〜七八八）。唐代中期の禅僧であり、俗姓が馬であることから馬祖といわれる。「即心是仏」「平常心是道」を唱えて多くの弟子を輩出し、南宗禅の基盤をつくった。

＊70 **契当** 真理に合致すること、悟ること。

＊71 **白眼** 王維の七言絶句「緑樹の重陰四隣を蓋い　青苔日に厚くして自ずから塵なし　科頭にして箕踞す長松の下　白眼にして他の世上の人を看る」（与盧員外象過崔処士興宗林亭）による。「白眼」は、晋の阮籍が、気に入らない人には白眼で対したという故事（『晋書』阮籍伝）に基づく。

＊72 **徹** 徹か。

＊73 **五祖演** 五祖法演。十一世紀北宋の臨済僧。壮年に出家し、法相や三論などの教学を学んで、白雲首端から法を嗣ぐ。蘄州の五祖山に住す。

＊74 **如何……不到家** 『五祖法演禅師語録』巻上「如何是曹洞下事。師云、馳書不到家」（大正四七・六五五下八）。堅峰紹益『秘集』ではこの語を挙げて、曹洞宗は「本分現成」を知るだけで手紙を送っても道の途中で留まって届かないようであり「ヌルイ」と述べる（『秘集』第一冊・二〇〜二一丁）。

＊75 **行李** 「あんり」と読む。禅僧の日常一切の動作。

＊76 **落居** 決着する。

＊77 **五位** 五位思想は、易経を基として、中国曹洞宗の初祖である洞山良价によって創唱され、第二祖の曹山本寂が大成したとされる教説。正（平等）と偏（差別）を組み合わせる偏正五位や、主君と臣下を組み合わせて説明する君

臣五位などがある。それぞれを五種に組み合わせることにより、現象と真理の関係や修行の段階を説明する。一般に曹洞宗の教説とされるが、臨済宗でも重視された。

＊78 **座頭ノコセ事**　「座頭」は、琵琶法師の四官（検校・別当・勾当・座頭）の一つで、琵琶法師の通称としても使う。「くせごと」（こせ言）は、巧みな言いまわし、洒落のこと。

＊79 **タテ**　立て。

＊80 **会下僧**　道場で修行する禅僧。

＊81 **愛宕詣リ**　京都の北西にある愛宕権現への参詣。火伏せの神として尊崇される。古代より修験道の霊地であり、江戸時代にも愛宕修験が栄えて全国に愛宕社が広がった。

＊82 **清水マフテ**　京都の音羽清水寺への参詣。本尊は十一面千手観音。

＊83 **愚痴ノ尼入道**　愚かな尼や入道。法然『一枚起請文』に「念仏を信ぜん人は、たとひ一代の法を能々学すとも、一文不知の尼入道の無知のともがらに同して、もしやのふるまひをせずして、只一向に念仏すべし」とある。

＊84 **ソノカミ**　その昔。

＊85 **庵ヲ焼タリシコトキ婆子**　老婆が、二十年にわたって禅僧を養って供養していた。ある日、老婆は女子を遣わしてその僧に抱きつかせたところ、僧は「枯木倚寒巌　三冬無暖気」と答えた。老婆は、「二十年、ただ俗漢を供養してきたか」と言って、その僧の住む庵を焼いた故事。『密菴禅師語録』（大正四七・九五九上一三～一七）。

＊86 **妙真寺**　京都の臨済宗妙心寺。花園法皇の命により、関山慧玄（かんざんえげん）（一二七七～一三六〇）が開く。大徳寺と妙心寺は、法脈の上からは兄弟関係にあり、戦国時代に幕府の公認寺院である五山派が衰微した後、臨済宗は両寺の系統に独占された。

＊87 **カキ**　垣か。隠れ蓑の意か。

＊88 **仏心宗**　禅宗の異名。ここではハビアンのいた臨済宗林下の禅風。

＊89 **曹山**　曹山本寂。唐代の泉州莆田に生まれて儒学を学び、十九歳で出家する。洞山良价の法を嗣ぎ、撫州の曹山に住して興隆し、曹洞宗の第二祖となる。

＊90 **正位……真宗**　『撫州曹山元証禅師語録』「正位即空界、本来無物。偏位即色界、有万象形。正中偏者、背理就事。

偏中正者、舎事入理。兼帯者、冥応衆縁、不堕諸有、非染非浄、非正非偏。故曰、虚玄大道、無著真宗」（大正四七・五二七上五～七）。

＊91 **擯出**　正しくは擯出。罪を犯した僧を、教団の外に追放すること。

＊92 **血脈**　釈迦仏から正しい教法が受け継がれてきたことを示す系図。法を伝える証明として、師が弟子に与える。

＊93 **フタ**　札。

＊94 **七日語ハ尼カ法師カ**　七日も話す者は、尼か法師くらいだ。長話をあざける意か。『妙貞問答』下巻、「キリシタンノ教へニ付、色々ノ不審ノ事」章にも「七日語レバ尼カ法師カ」とある。

＊95 **法華**　法華宗。天台宗と日蓮宗を合わせて法華宗と呼んでいるか。

＊96 **祖意モ教意モ**　祖意は祖師の意で、ここでは禅宗のこと。教意は教の意で、教理教学。

＊97 **祖教一致**　禅と教の教えは、究極的には一致すること。

＊98 **梁山ノ観**　梁山縁観は曹洞宗第五祖。

＊99 **金烏東上……仏祖迷**　『丹霞子淳禅師語録』巻下「梁山因僧問、祖意教意是同是別。師曰、金烏東上、人皆貴。玉兎西沈、仏祖迷」（新纂卍続蔵七一・七六九上六～七）。

＊100 **我心自空、罪福無主**　『観普賢菩薩行法経』（大正九・三九二下二六～二七）。

＊101 **アフ中々**　ええ、いかにもそのとおり。

＊102 **教トモ申セカシ**　この一句、衍語か。省いて解する。

（68表）

浄土宗之事　付一向宗

妙秀。今マテハワラハカ宗旨ヲハ、何トモアラハシマヒラセサリシカ、此上ニテハ、イカテカツ、ミ可申。ワラハ、浄土宗ニテ念仏三[*1]昧ノ身ニテ侍リ。サレハ、ヨノ宗旨ハ今マテ語玉フヤウニ、悟ノ観法ノナト申セトモ、コナタニハ唯一[*2]向専修トテ、ヒタスラニ仏名ヲ唱ヘ、西[*3]方極楽ヘ往生セント思フ外ニハ曽テ別ノ事ナシ。シカレハ、ヨノ宗ニハ地[*4]極楽モナシトモノタマヘカシ。浄土ノ一宗ニカキリテハ、サヤウノ事ニテハ侍ラス。既阿弥陀如来ハ五[*5]劫思惟ト申テ、五ノ巌ヲナデツクス間ノ御辛労ヲ以テ、衆生ヲ助玉ン為ノ方便ヲ求メ玉ヒ、四[*6]十八願ヲ起、念仏申サン衆生ヲハ、十[*7]声一声ノ内ニ来迎有テ、西方極楽ヘ迎ヘ

（68裏）取玉ントノ御誓ナルカ故ニ、念[*8]仏衆生摂取不捨トノタマヘハ、万ノ仏ノ願ニモスクレタレハ、超[*9]世ノ悲願トハ是ヲ申也。此故ニ浄土宗ニハ後生ナシトハ申サヌ也。

幽貞。其事ニテ侍リ。度々申ツルコトク、何モ先アルヤウニハ申セトモ、別シテ浄土宗ニハ、今御身宣フヤウニ地獄モ天堂モアルヤウニ申也。浄土ノ宗旨ヲモ如レ形キ、ハンヘリシ事ナレハ、是又大方語マヒラスヘシ。浄土宗モ色々ニカワレトモ、マツ其大ムネハ、法[*10]然ノ下ヨリ鎮[*11]西・々山ト二流ニ分タリ。鎮西流ハ当[*12]得往生ト立テ、命終ノ後マサニ往生スヘシトイヘハ、西山流義ニハ即[*13]便往生トテ、名号ヲ唱ル端[*14]的カ即往生也ト立タリ。故ヲイカニト云ハ、観経ノ中ニ則便ト云詞カ三[*15]処ニ侍リ。ソレハ即[*16]便捨剣ト

アルト、

(69表)[*17]爾時世尊即便微笑トアルト、[*18]発三種心則便往生トアルニテ侍リ。然ハ、前ノ二ノ即便トアル処、イツレモ其端的ヲサシタル事ナレハ、即便往生ト云モ、其端的カ往生ト立タリ。サテ、此往生トハ何ト云事ソト尋レハ、浄土ノ祖師ノ語ニ、[*19]往生者諸宗悟道得法異名也トミヘタリ。此諸宗ノ悟道得法ト云ハ何ソナレハ、真如平等トテ、終ニハ[*20]虚空法界ニシテ、神モナク、仏モナク、地獄モナク、極楽モナシト悟ルヲ悟道得法トハ申也。サレハ、カヤウノ悟リ観法ヲ修スル宗ヲハ、[*21]念仏宗ヨリハ聖道門ト云。是ハ末代[*22]劣機鈍根ノ衆生トテ、末ノ世ノ今ハ機モ心モヲトリタル故ニ、其悟ニハ入難シ。シカルニ、浄土門ト云ル我宗ハ、末ノ世ノ愚ナルヲ洩サシカ為ノ[*23]善行方便

(69裏)ナルハ、唯一筋ニ南無阿弥陀仏ト唱サセ、一息絶断トテ、息ヲヒツキル処ヲ往生ト云リ。是カ諸宗ノ悟道得法ト同事トハ何シニ云ソナレハ、諸宗ノ兼而悟ル此無ニ、念仏ノ行者モ死ル時節ナレハ也ト云心得ニテイヒタル者也。コレ御覧セヨ。浄土宗モ後生ハナキ物ニスルト云事ノ、ハヤソロ〳〵ト見侍ル事ヲ。其上、浄土宗ノ法門ノ所詮ヲ聞玉ハヽ、愈是モ後生ハ無ト立タル事ヲ弁へ給ヘシ。其ト申ハ、浄土宗ニハ[*24]実体・化用・教門・実義トテ四義ノ法門ヲ立タリ。[*25]浄土ノ法門モ事広侍レトモ、畢竟シテハ此四義ニ洩タル事モナシ。サレハ、諸宗何モ極テハ仏モ衆生モ地獄モ極楽モナシト云処ヲ、宗々ニ名ヲカヘテ色々ニ申斗也。禅ニハ本分ト立、天台ニハ真如ト云、法相ニハ

(70表)円成実性トモ名付、三論ニハ空ト云、是何モナキ処ノ名也。シカレハ、浄土宗ノ四義ノ第一ナル実体ト云モ、是即ナキ物ノ[*26]唐名ニテ侍リ。又是ヲ[*27]一法句トモ申也。サテ、此無ヲ根本トシテ、ソレヨリ阿

弥陀ヲ始トシ、其[*28]願力不思儀、五劫思惟ノ功ニムクヘル西方極楽ナト云事ヲ作立タルヲ第二ノ化用トハ申也。又此西方極楽ニハ[*29]三輩九品ナト云事ヲ立テ、[*30]廿九句ノ荘厳ナト、云テ、ナキ極楽ノ[*31]タテノ雑説ヲ有リヤウニ申ヲ第三ノ教門トハ申也。而死スレハ九品ハサテヲキ、一品ノシナモ其極楽モナキ物ニナル処ヲ実儀トハ云也。此処ヲ[*32]曇鸞大師ハ、[*33]本則三々之品ナレトモ、今無二一二之殊一、亦如二[*34]漕澠一味一ナルカ、焉ソ可レ思レ儀ト云レタリ。此心ハ、イキテ有シ時ハ九品ノ浄(70裏)土ノアリト思トモ、死テハ一モナク二モナキ真如虚空ト成テ、我サヘモナクナレハ、思惟工夫ニモ及ハヌ処也ト云ル儀也。又日本ノ中興開山ナル浄土ノ祖師[*35]了誉モ、[*36]浄土ノ実儀無輩品、同一無差薩般若ト略頌ノ内ニ云ルモ、真ノ浄土ト云ハ、三ハイモ九品モナシ、タ、一枚ノ虚空ソト云リ。薩般若トハ、此ニハ妙知ト云也。妙知トハ即[*37]無智虚空ノ重也。是見給ヘ。浄土ノ極モ後生ト云事ハナキ物ニシタリ。サレハ、四義ノ根本、実体ト云カ無ノ事ナレハ、ソレヨリ出タル化用、是又ナキ事ヲ作立タル物也。先、御大将阿弥陀ト申カラ、ナキ事ニテ侍リ。教相ニハ、[*38]月城転輪聖王・殊勝妙顔夫人ノ子也トイヘトモ、実ニハ有タル者ニアラス。

(71表)例無事宣フ釈迦殿カ、[*39]小阿弥陀経ニミヘタルコトク、舎利弗対シテ、[*40]是ヨリ西方十万億ノ仏土ヲ過テ世界アリ、名付テ極楽ト云。其土ニ仏アリ、阿弥陀ト号ス、今現ニマシ〳〵テ法ヲ説給フト云ルカラカ、阿弥陀ト云仏有ト人皆申也。是ハウソノカワニテ侍ルソ。[*41]其故ハ、先西方十万億土ト云カラカ、ナキ事ニテ侍ルソ。惣シテ、世界ハ、終シモナク其形一面ニヒラキ物ニハアラス、丸キ物ナレハ、西・東ト云事ハ北・南ニハ違ヒ、コ、ソト定タル方ナシ。タ、月日ノ出ル方ヲ東トイヒ、入方ヲ西トスレハ、東ト思処ノ西ニナル事モアリ。西ト云方ノ東トナル事モアリ。其故ハ、タトヘハ先此京ニテハ大津[*42]ヲ東トイヒ愛[*43]岩ヲ西トイヘトモ、大津ヲ行トキ、鏡山[*44]ノ方ヘ行ハ、京ニテ(71裏)東トイヒシ大津ハ又西ニナレリ。ソノサキ〳〵モコレニ同シ。又京ニテ西トイヒシ愛岩モ、丹波[*45]ノタキノ方ヘ行ハ、東トナル。ソノサキ〳〵モ次第ニ此分ニシテ、丸キ物ナレハ、西方ト定テ云ヘキ処ナシ。世界ノ丸キ証拠ニハ、西ノ海ニ傾キ入トミヘシ月日、又東ヘメクリ出レハ、世界ノ形終シモナシ。一面ニヒラキ物ニハアラスト云事明也。其上貴理師端ノ国ノ人々、黒船[*46]ト云物ニテ我国ノ湊ヲ出シ、毎日、日ニ向ヒ東ヘ〳〵トハカリ行テ、又元ノ湊ヘメクリ合ハ、丸キイワレニテアラスヤ。又日ヲ帯テ[*47]西ヘ〳〵ト乗行テモ同事、明也。サテ、此一運ノ乗[*48]ハ此前[*49]三界ノ沙汰ノ処ニ申ツルコトク七千七百七十二里余トシルセリ。シカルニ、西方十万億土トハ何クヲ指シテ云タル(72表)事ソ。世界ニヒラハリ[*50]ヲ打テモ是マテハ有ヘカラス。片腹イタキ事トモ也。今ノコトク世界ヲ乗マワシテモ、終ニ西方極楽ト云処ヲハ見スト、キリシタンノ人々ハ、ヲカシキ事ニ思ヘリ。既ニ西方極楽世界ナクハ、阿弥陀モナキ物ナル事、明也。夫ニ依テ、唯心[*51]ノ弥陀、己心ノ浄土ト申テ、一心ヲ弥陀トモ浄土トモ云カ、本ノ事也。観経ニ、釈迦、韋提希ニ告テ、汝今[*52]知ヤ否ヤ、阿弥陀仏去此不遠ト云ルモ此事ニテ侍リ。惣シテ、此釈迦殿ト云仁カ、人モヤトハヌトワス語リノ偽ハカリヲ云テ、阿弥陀ニモカキラス、毘[*53]波尸仏ノ、ヤレ闍[*54]那尸乗仏ノナト云テ、過[*55]去ノ七仏アリシカ、其内ノ燃[*56]焼仏ヨリ授[*57]記セラレテ、今此仏果ヲ得タリナント、云テ、アヒヨミ[*58]モナキイヒタキマ、ナル偽マテヲ(72裏)云置[*59]タレハ、阿[*60]弥陀ニカキル虚空ニアラス。又涅[*61]槃経ニハ三十一十一万九千五百同号同名阿弥陀仏ト云モ、ミナ是無事也。其上、化用ノ内ニテ云ナル五劫思惟ノ沙汰、是又天下ニモハ、カル大ノ虚言ニテ侍リ。先思テモ見タマヘ。[*62]四十里四方ノ[*63]アヲメノ岩ヲ三年ニ一度、天人ノ天ノ羽衣ニテナテ、、[*64]撫尺シタルヲ一劫ノ間トス。サレハ五ノ岩ヲ撫尺ス間、是ヲ五劫ト云。サテ是ハ有ヘキ事ニテ侍ルヤ。方四十里ノ岩ヲハ、ヲキ給ヘ、タ、手ノ内ニ握ル鳥ノタマコ程ナル石ヲ、羽衣ヲモヲキ、イカニモアラキ[*65]四国ダフニテ、毎日毎夜鏡トキノ鏡トクヤウニスリミカ、ンニ、幾万歳ヲ経テ千端万端ノタフハ破レウスルトモ、其石ハウスラク事モアラシ。況四方四十里ノ岩ナラハ、大小ノ金槌・[*66]石破ゲンノフト[*67]ヤラン

(73表)云物ヲ以テ打トモ砕トモ、一ツノ岩モツキ侍ラシ。シカルニ、五ノ岩ヲ羽衣ニテ三年ニ一度撫テ尺ス間、阿弥陀ノ思惟工夫シ難行苦行シタリナト、云ハ、偽トモ何トモイフヘキヤウモナキウソニテ侍リ。サレハ、サキニ申ツルコトク、西方極楽モナク、又此五劫思惟モナキ事ナラハ、弥陀ハアリトモ何ニカセン。其上、阿弥陀モナキ物ニテ侍ルソ。観経ニ此阿弥陀ノ身量ヲ挙テ、[*68]仏身ノ高ハ六十万億那由[*69]化恒河沙由旬、眉間白毫、右旋婉転ス、如二五須弥山一、仏眼如二四大海水一、青白分明ト見タリ。アラヲソロシノ身ノタケ、眼ノ大サヤ。是ヲ以テモ心得玉ヘ。阿弥陀ト云者ハナキ事ニテ侍ルソ。其故ハ、カヤウニ大ニ云ハ、虚空法界ヲサシテ阿弥陀ト云タル物也。ソモヤ

(73裏)色身ヲ具足シタル程ノ者ニ、カヤウニ大ナル事カ侍ルヤ。[*70]観経ニ諸仏如来是法界身也トアルモ此事也。浄土宗ニハ此文ヲ色々私ナル注ヲ付ラレ侍ヘトモ、本ノ心ハ、虚空法界ニ満塞リタル風ヲサシテイヘル事也。サレハ、[*71]真言ノ阿字観ノ処ニモ申タルコトク、阿弥陀ト云モ、此風大ノ事、阿字観ニテシラル、事也。身ノ長ヲヲソロシクイヒタルモ此下心ニテ侍リ。畢竟、此念仏ノ行者、南無阿弥陀仏ノ息ニツ

レテ、極楽世界ニ往生スルト云モ、虚空法界ト帰シテ無ニナルト心得テノ事也。[72]双観経ニ[73]皆受自然空無之身無極之体ト云モ同。[74]又、達空無極、開入泥洹(ヲン)トアルモ、皆是虚空法界ノ空無ニ帰スルト云ル事也。涅槃ト云心、涅槃トハ不生不滅ト云ル儀、虚空仏性ハ(74表)ナキ物ナレハ、元来生滅スヘキ者モナシトノ心得ナリ。大原問答ニ[75]三世ノ諸仏化導ニシテ、心儲ニク聖道浄土二門ヲ一。然ルニ、二種ノ勝法共ニ為レ令レ入ニ無相無念一理ニ一也トアルモ此心也。サレハ、浄土宗ノ、隣里二人モナケニ、鐘ヲタ、キ、頭ヲフリ、軽忽ナル大声ヲ上テ、南無阿弥陀仏〳〵トアマリニ[76]シコル時ニハ、ヨソヨリ聞テハ、タ、[77]大モチナトヲヒク者ノ[78]ユイヤ声カト思程ニ、念仏ヲ申サスルモ、無念無想ニナサシメン為ナリト見タリ。

[79]唱れは仏も我もなかりけり南無阿弥陀仏の声はかりして

ト読ル哥モ、此時ノ事ニテ侍リ。心ト云意ノ字ハ音ノ心トカケリ。サレハ、頻ニウツ、正念ヲヌカシ、南無阿弥陀仏々々トサケフトキハ、仏ト思心モ、衆生ト思心モナクナレハ、南無阿弥陀仏の音斗シテトハ云リ。

(74裏)此声即風也。此風即阿弥陀ニテ侍リ。シカルトキハ、上件ノ理リトモヲ以テ、阿弥陀ト云カ、虚空法界、ナキ物ノ名也ト云事、明也。死スレハ衆生モ是ニ帰シテ無トナルソト云カ下心ナレハ、浄土宗ニモ後生ハナキト心得タル物ニテ侍リ。[80]一向宗ノ開山親鸞ト云シ上人ハ、此処ヲヨク悟タル人ナリシ故ニ、身ヲ安クセント、ソノカミ[81]月ノ輪ノ禅定ノ姫公ヲ取レシカハ、此事天下ニカクレナク、其惶ニ依テ、シハシハ[82]智音院ノ下ナル塚穴ニ隠レ居レシカトモ、後ニハ世モ広クナリタルニヤ、今ニ其門葉世上ニ広マリ、挙世〈但田夫・野人・尼・入道ノ類カ〉*83道ヲ仰キ侍リ。後生ハナキ物トミタル上カラハ、是程大出来ナル宗旨ハ候マシ。持戒*84モ破戒モ、畢竟空ナレハ、隔ナシ。

(75表)南無阿弥陀仏ト云モ、此心ナルヘシ。千秋万歳、アラ心安スノ教ヤ。シカレハ、仏法ト申ハ、八宗、九宗、十二宗共ニ、今マテ申タルコトク、皆後生ヲハナキ物ニシテ置也。袈裟・衣ヲキ、仏事作善ト云モ、唯不断ノ世諦、世間ノミカケ也。後生ノ助リ、後ノ世の沙汰ト申ハ、貴理師端ノ外ニハナシト心得給ヘシ。

＊1 **念仏三昧** 「三昧」は、梵語サマーディ（samādhi）の音写で、心が対象に集中して安定した状態のこと。念仏三昧は、本来的には、仏を念じて心が静まった状態のことであるが、ここでは、口称念仏（南無阿弥陀仏と称えること）に専念すること。

＊2 **一向専修** 「一向」は、「ひたすら、もっぱら」の意。「専修」は、特定の実践のみを行うことであるが、ここでは「専修念仏」の意。「専修念仏」は、法然系統の浄土教を特徴づける術語で、口称念仏のみを行うこと。

＊3 **西方極楽** 康僧鎧訳『無量寿経』によると、阿弥陀仏のいる極楽世界は、我々のいる娑婆世界から十万億の国土を越えた西方にあるとされている。

＊4 **地極楽** 「地獄」の「獄」が脱字。

＊5 **五劫思惟** 『無量寿経』によると、阿弥陀仏の前身である法蔵比丘は、五劫にわたって、国土を清浄にするための行いを思惟したという。「劫」は、梵語カルパの音写（劫波）に基づく。長大な時間の単位であるが、一説には本文にあるように巨大な岩石を柔軟な天女の羽衣で撫でて岩が摩滅し尽くすまでの期間とされる。＊62参照。

＊6 **四十八願** 法蔵比丘が、自らの国土（後の極楽世界）を建設するにあたって立てた四十八の誓願。

＊7 **十声一声** 南無阿弥陀仏と十回ないし一回称えること。『無量寿経』巻上の第十八願に「設我得仏、十方衆生至心信楽欲生我国、乃至十念、若不生者、不取正覚（仮に私〈阿弥陀仏の前身である法蔵比丘〉が仏と成って、十方にい

る生き物たちが、私の国土に生まれたいと心から願い、せめて十回だけでも念ずるならば、生まれることができるようにならなければ、私は覚りを開かない）」（大正一二・二六八上二六〜二七）という文がある。中国浄土教の善導は、この「念」は「声」と同義だと解釈し、南無阿弥陀仏と称えることと理解した。法然はこれを踏まえ、十回は概数で、一回だけでもよいと主張した。

＊8 **念仏衆生摂取不捨**　畺良耶舎訳『観無量寿経』（大正一二・三四三中二六）。同経で説かれる十六観（十六種の極楽世界の観想法）のうち第九真身観（阿弥陀仏そのものの観想）の中の句で、阿弥陀仏の身体から発する光が、阿弥陀仏を念ずる衆生（生き物）をおさめとって捨てることがない（と観想する）こと。

＊9 **超世ノ悲願**　法蔵比丘が立てた誓願のこと。「超世」は、世の凡俗を超えたの意。「悲願」は、大悲（大いなるあわれみ）に基づく誓願の意。『無量寿経』巻上に「我建超世願」（大正一二・二六九中九）とあるのに基づく。

＊10 **法然**　浄土宗の開祖・源空（一一三三〜一二一二）のこと。法然は房号。房号は諱（正式の名）とは別に、他者からの称呼などに用いる僧侶の通称。

＊11 **鎮西・々山**　法然の弟子である証空（一一七七〜一二四七）を祖とするの西山派と、同じく法然の弟子である弁阿（一一六二〜一二三八）を祖とする鎮西派のこと。証空は天台教学を応用した包容的な教学を展開し、鎌倉時代には京都を基盤に大きな勢力を有した。鎮西派は、弁阿の後、弟子の良忠のもとで浄土宗の主流となり、聖冏（＊35参照）のもとで教学が確立された。

＊12 **当得往生**　西山派では、『観無量寿経』の上品上生（極楽世界に生まれかわる者を九段階に分けるうちの最上位）を述べる箇所に「上品上生者、若有衆生願生彼国者、発三種心、即便往生。（中略）復有三種衆生、当得往生」（大正一二・三四四下一〇〜一三）とあるのに基づき、「即便往生」と「当得往生」を区別する。「当得往生」は、臨終に阿弥陀仏の来迎（極楽世界から臨終の死者を迎えに来ること）を蒙って極楽世界に往生する（生まれかわる）こと。

＊13 **即便往生**　西山派の解釈では、「即便」は「たちまち」の意で、阿弥陀仏の本願に帰依することで臨終以前から阿弥陀仏の働きかけがあること。即便往生と当得往生は一体である（即便往生によって当得往生があり、当得往生があったということは即便往生があったということ）というのが西山派の立場。鎮西派では、即便往生は当得往生と同義で、どちらも臨終の来迎を蒙って往生するという。

＊14　**端的**　「その瞬間、まさにその時」の意。

＊15　**三処**　正確には四箇所。下記の三箇所のほかに、「行者即見化仏光明遍満其室。見已歓喜、即便命終」（大正一二・三四五下一九～二〇）とある。

＊16　**即便捨剣**　『観無量寿経』（大正一二・三四一上二九～中一）。同経は、阿闍世王が父である頻婆娑羅王を幽閉し、母である韋提希夫人が釈尊に教えを請うという設定で説かれている。引用の文は、韋提希を殺そうとした阿闍世が、大臣に諫められて、「ただちに剣を捨てた」という箇所。

＊17　**爾時世尊即便微笑**　『観無量寿経』（大正一二・三四一下一）。引用の文は、極楽世界に生まれることを願う韋提希の言葉を聞いて、「その時、世尊（＝釈尊）はたちまち微笑した」という箇所。

＊18　**発三種心則便往生**　「則」は「即」が正しい。『観無量寿経』（大正一二・三四四下一一）。＊12「当得往生」参照。上品上生の者は、「三種の心（至誠心・深心・廻向発願心）を起こせば、たちまち往生する」という箇所。

＊19　**往生者諸宗悟道得法異名也**　聖冏『破邪顕正義』に「祖師上人云、言往生者、諸宗悟道得法異名也已上」（浄土宗全書一二・八三四上一六～一七）とある。『大原談義聞書抄』（法然と諸宗の僧との問答の記録とされるが、真偽未詳）に「言往生者、諸教諸宗之悟道時之名也」（『昭和新修法然上人全集』一〇九六頁）とあるのに基づく。聖冏については、＊35「了誉」参照。

＊20　**虚空法界**　「虚空」は、現代で言う空間のこと。「法界」は、法（現象、もの）がある領域、全世界のことで、それを仏の悟りの世界として見たもの。ここでは、悟りの世界が何もない虚空だと批判している。

＊21　**念仏宗ヨリハ聖道門ト云**　「聖道門」は後に出てくる「浄土門」とともに、唐・道綽撰『安楽集』に基づく概念。「何者為二。一謂聖道、二謂往生浄土」（大正四七・一三下六～七）。それを法然が浄土宗の教判に用いた。阿弥陀仏の極楽世界への往生を願う浄土教（浄土門）以外の、成仏を目指す仏教の教説が「聖道門」。

＊22　**劣機鈍根**　「機」は、仏の教えに対応する衆生の側の能力、「根」は、先天的な素質・能力。機も根も劣悪であり、高度な教えや実践に耐えられない者のこと。

＊23　**善行方便**　正しくは「善巧方便」。「方便」は梵語ウパーヤ（upāya）の訳で、方法・手段の意。「善巧方便」は、衆生を導くための仏の巧みな手立てのこと。

＊24　**実体・化用・教門・実義**　近世の浄土宗教学で用いられる術語。安誉虎角『浄土四義私』に出るもので、『大原談義聞書鈔』に出る実体・化用と、聖冏『二蔵二教頌義』の教門・実義を組み合わせたもの。「実体」は阿弥陀仏の本体としての真理そのもの（真如実相）。「化用」は、阿弥陀仏の智慧のはたらきで、衆生救済のために極楽世界などを出現させることを言う。「教門」は、釈尊によって説かれた方便としての教え。「実義」は、浄土教の根本の教えで、絶対平等の救済のこと。

＊25　**浄土ノ法門モ……事モナシ**　『浄土四義私』に「一代ノ仏法雖広、浄土宗法門、実体・化用・教門・実義トテ、不可出此四義法門」（寛政九年刊本九表）とある。

＊26　**唐名**　中国語の名前という意でも通ずるが、「から（空）名」で、実体のない名前という可能性もある。

＊27　**一法句**　世親造・菩提流支訳『無量寿経憂波提舎（浄土論）』に「一法句者、謂清浄句。清浄句者、謂真実智慧無為法身故」（大正二六・二三一中二四～二五）に由来するもので、阿弥陀仏の本体としての無為法身（常住な真理そのもの）のこと。『浄土四義私』に「浄土論判一法句」（四裏）、「論ニハ天親菩薩ハ一法句ト釈シ玉ヘル也」（九裏）とある。

＊28　**願力不思儀**　「儀」は正しくは「議」。法照『浄土五会念仏略法事儀讃』に「弥陀願力不思議阿弥陀仏　荘厳浄国甚奇希南無阿弥陀仏、南無阿弥陀仏」（大正四七・四八八上六）とあり、浄土教関係の文献によく見える句。阿弥陀仏の本願の不可思議さを讃える言葉。

＊29　**三輩九品**　三輩は『無量寿経』に基づき、極楽浄土に往生する段階を上輩・中輩・下輩に分けたもの。九品は『観無量寿経』に基づき上品上生・上品中生・上品下生・中品上生・中品中生・中品下生・下品上生・下品中生・下品下生の九段階に分けたもの。

＊30　**廿九句ノ荘厳**　世親『浄土論』では、極楽世界の特徴を二十九の句で述べており、これを二十九句荘厳という。

＊31　**タテノ雑説**　「タテ」は「だて」で、物を誇示すること。

＊32　**曇鸞大師**　中国南北朝時代の僧（四七六～五四二）。『浄土論』の注釈『浄土論註』を著す。法然は浄土七祖の一人としている。

＊33　**本則三々之品……焉可思儀**　曇鸞撰『無量寿経優婆提舎願生偈註（浄土論註）』巻下の句（大正四〇・八三八中一三

〜一二四)。「浄土往生を願う者は、もとは九品の差異があったが、浄土に往生すると、何の差別もない。淄水と澠水が同じ味であるようである。どうして思いはかることができようか」という趣旨の文。

＊34 澧澠　「澧」は正しくは「淄」。淄水と澠水のこと。どちらも現在の山東省を流れる川。この二つの川は味が違うと言われており、区別すべきものの譬えに使われる。「如淄澠一味」は、そのように違いのあるものが、同一であるということで、極楽世界において差異がなくなることを譬えている。

＊35 了誉　聖冏(しょうげい)(一三四一〜一四二〇)のこと。「了誉」は号。浄土宗鎮西派中興の祖で、教学を整備し、「五重相伝」と称される法門の伝授を創始し、現在につながる浄土宗の基礎を確立した。

＊36 浄土ノ実儀無輩品、同一無差薩般若　聖冏『浄土二蔵二教略頌』(浄土宗全書一二・一〇下六)。「薩般若」は sarva-jña の音写。一切智。

＊37 無智　「無智」では意味が通じにくい。脱文があるか。または、「妙知」と言っても、結局のところは智慧を超えて、無智となり、何もない虚空のようになるという意か。

＊38 月城転輪聖王・殊勝妙顔夫人　「城」は「上」が正しい。『阿弥陀鼓音声王陀羅尼経』で、阿弥陀仏の父母とされている(大正一二・三五二中二一〜二二)。

＊39 小阿弥陀経　鳩摩羅什訳『仏説阿弥陀経』のこと。『無量寿経』を『大阿弥陀経』と言うのに対して、「小阿弥陀経」と称する。

＊40 是ヨリ西方十万億……法ヲ説給　『阿弥陀経』「爾時仏告長老舎利弗。従是西方過十万億仏土。有世界名曰極楽。其土有仏号阿弥陀。今現在説法。舎利弗」(大正一二・三四六下一〇〜一二)。

＊41 其故　「其」は、直前の「ソ」の左傍に補筆。

＊42 大津　現在の滋賀県大津市一帯。琵琶湖の南西隅で、京都からは北東にあたる。

＊43 愛岩　正しくは「愛宕」。京都盆地の西北にある山。

＊44 鏡山　琵琶湖東岸方向にある山。大津からは北東にあたる。

＊45 丹波ノタキ　丹波国は現在の京都府・大阪府・兵庫県にまたがる地域。「タキ(多紀)」は現在の篠山市一帯で、京都からは西にあたる。

＊46 **黒船**　外国船をその形状から黒船と呼んだ。

＊47 **帯テ**　「おひて（追ひて）」を誤って漢字化したと考えられる。

＊48 **乗**　「のり」。距離のこと。

＊49 **此前三界ノ沙汰ノ処**　「仏説三界建立ノ沙汰之事」6裏参照。

＊50 **ヒラハリ**　仮屋を覆うための布。

＊51 **唯心ノ弥陀、己心ノ浄土**　阿弥陀仏も極楽浄土も自らの心に内在するものにすぎないという天台宗の立場からの表現。なお、一般的には、「唯心浄土、己心弥陀」という方が普通。たとえば『渓嵐拾葉集』「阿弥陀私苗」（大正七六・五五二上五）など。

＊52 **汝今……去此不遠**　『観無量寿経』「爾時世尊告韋提希。汝今知不。阿弥陀仏去此不遠」（大正一二・三四一下四～六）。

＊53 **毘波尸仏**　正しくは、「毘婆尸仏。」過去七仏の第一。＊55参照。

＊54 **罽那尸乗仏**　正しくは「罽那尸棄仏」。釈尊が過去世で菩薩の修行をしていた時に仕えた仏の一人。『大智度論』巻四に「釈迦文仏、従過去釈迦文仏到剌那尸棄仏、為初阿僧祇」（「剌」は石山寺古写本・元版・明版では「罽」。大正二五・八七上一二～一三）とあり、智顗述『摩訶止観』巻六上にこれを引いて「釈迦菩薩初値釈迦仏発心、至罽那尸棄仏、是初阿僧祇」（大正四六・七四中一～二）としている。

＊55 **過去ノ七仏**　釈迦如来を含む、過去に出現した七人の仏。①毘婆尸仏、②尸棄仏、③毘舎浮仏、④倶留孫仏、⑤倶那含牟尼仏、⑥迦葉仏、⑦釈迦仏。

＊56 **燃焼仏**　正しくは「燃灯仏」。釈尊以前に現れた仏で、過去世の釈尊に成仏の予言を授けたとされる。

＊57 **授記**　仏が修行中の菩薩に対して将来悟ることを予言すること。

＊58 **アヒヨミモナキ**　「アヒヨミ（相読み）」は同じものを一緒に読んだり数えたりすること。「相読みも無い」は、確認した者や証人がいないこと。

＊59 **置**　「直」に抹消記号を付して、左傍に「置」と訂正している。

＊60 **阿弥陀ニカキル**　この下脱文あるか。「ル」は、「キ」の左脇に小さく補筆されている。

＊61 **涅槃経……阿弥陀仏** 以下の文は曇無讖訳『涅槃経』には存在しないが、王日休撰『龍舒増広浄土文』巻四に「三十六万億一十一万九千五百同名同号阿弥陀仏」（大正四七・二六二上二九〜中一）とある。それを対応させると、「三十六万億一十一万」なので、「六万億」の三字が脱落したとも考えられるが、「涅槃経ニハ三十」と「一十万」の間に何らかの脱文がある可能性もある。『涅槃経』巻二十四に「善男子。西方、去此娑婆世界、度三十二恒河沙等諸仏国土、彼有世界名曰無勝。彼土何故名曰無勝。其土所有厳麗之事、皆悉平等無有差別。猶如西方安楽世界。亦如東方満月世界」（大正一二・五〇八下二五〜二九）云々の文があり、この趣旨を述べたものが「涅槃ニハ」として引用されていた可能性もある。

＊62 **四十里……問トス** 『大智度論』五「四千里石山、有長寿人、百歳過持細軟衣、一来払拭、令是大石山尽、却未尽」（大正二五・一〇〇下一二〜一四）などに基づく。

＊63 **アヲメノ岩** 「アヲメ」は「青目」で、青い色あいのこと。

＊64 **尺** 「尽」の誤記。

＊65 **四国ダフ** 「ダ」の濁点はママ。四国太布。楮などの皮の繊維をつむぎ織った粗い織物。四国の山間で産出していた。

＊66 **石破ゲンノフ** 「ゲ」の濁点はママ。石破玄翁。槌を差し、玄翁和尚がかつて九尾の狐であった殺生石を破ったことに由来する。

＊67 **ヤラン** 「ン」は紙端が断ち切られているため、残画から判断する。

＊68 **仏身ノ高ハ……青白分明** 『観無量寿経』「真身観」の文、「仏身高六十万億那由他恒河沙由旬。眉間白毫如五須弥山。仏眼如四大海水。青白分明」（大正一二・三四三中一七〜二〇）。大正蔵（底本は高麗蔵）では、「仏眼清浄」「清白分明」だが、流布本では「仏眼」「青白分明」。須弥山は、インドの世界観で、世界の中央にある山で、高さ三百三十六万里、横幅も同じとされる。五須弥は、須弥山が五つの集合したほどの大きさのこと。四大海は、須弥山の周りにある海のこと。

＊69 **化** 「他」の誤記。

＊70 **観経ニ諸仏如来是法界身也** 『観無量寿経』に、「諸仏如来、是法界身、遍入一切衆生心想中」（大正一二・三四三上一九〜二〇）。

＊71 **真言ノ阿字観ノ処**　「真言宗之事」58表〜裏参照。

＊72 **双観経**　康僧鎧訳『無量寿経』二巻のこと。二巻の経という意味で「双巻経」とするのが正しいが、「双観経」という表記も広く用いられた。

＊73 **皆受自然空無之身無極之体**　『無量寿経』巻上「皆受自然虚無之身無極之体」（大正一二・二七一下九）。

＊74 **又、達空無極、開入泥洹**　『無量寿経』巻下（大正一二・二七五中一七）。「泥洹」は涅槃のこと。

＊75 **三世ノ諸仏……也**　『大原談義聞書』（『昭和新修法然上人全集』一〇九三頁）。「心」は正しくは「必」。

＊76 **シコル**　「専心し熱中する」の意。

＊77 **モチ**　「もち（mochi）」で「船の滑車の或る輪」（日葡辞書）。

＊78 **ユイヤ声**　「ユ」は「エ」の誤りか。「エイヤ声（yeiyagoye）」は「えいや」と掛け声をかけること（日葡辞書）。

＊79 **唱れは仏も我もなかりけり南無阿弥陀仏の声はかりして**　一遍上人作と伝える道歌。『法然・一遍』（日本思想大系三一九頁一二行目）。

＊80 **一向宗ノ開山親鸞**　浄土真宗は中世から近世にかけては通例一向宗と呼ばれた。親鸞はその開祖。

＊81 **月ノ輪ノ禅定ノ姫公**　「月ノ輪ノ禅定」は、藤原兼実（出家後、月輪禅定太閤と呼ばれた）のこと。親鸞が彼の娘玉日を妻としたという伝承は広く流布していた。那須英勝「不干斎ハビアンの一向宗批判——キリシタン知識人の見た徳川黎明期の浄土真宗——」（『印度学仏教学研究』五三—二）参照。

＊82 **智音院**　浄土宗総本山知恩院のこと。法然終焉の地に建てられた廟堂を前身とし、文暦元年（一二三四）に再興され、四条天皇より知恩教院の名を与えられたという。親鸞が知恩院の下の塚穴（法然の遺骨が埋納されていた場所？）に隠れていたというのは荒唐無稽であるが、この時期に流布していた伝承か。

＊83 **田夫・野人**　いなか者のこと。一遍上人語録「田夫・野人・尼・入道・愚痴・無智までも平等に往生する法なれば、他力の行といふなり」参照。

＊84 **持戒モ破戒モ**　法然「鎌倉の二位の禅尼へ進ずる御返事」に「有智・無智、善人・悪人、持戒・破戒、貴・賤、男・女モヘダテス」（『昭和新修法然上人全集』五二七頁）とあるのを踏まえるか。

現代語訳（上巻）

妙貞問答上巻〔1表〕

〔序〕

中国やわが国の、ある人は四句七言の漢詩に作り、ある人は三十一文字の和歌に詠み、または古い経典の文句にも、世の中が無常であることを言い表していますが、そのことに気づかずにおりました間は、ただ、流れる水に数を書くように儚く時を過ごしておりました。

さて、慶長五年の秋の初め頃、石田治部少輔三成が道理に反した策略をめぐらして、今の征夷大将軍である家康公の、その頃はまだ内大臣でいらっしゃったのが、武蔵国に下向していたその隙に、国中の人々を説得して家康公に逆らいましたところ、太平であった世の中はにわかに乱れ、日本の六十余の国々は二つに分かれて、三成に従う者を京方といい、家康公に味方する者を関東方といって、その心を知らぬという不知火の筑紫の果てまで、ここかしこで戦が行われましたが、家康公はもとより古今〔1裏〕に類い稀なる名将でいらっしゃいますので、本陣で軍略を練り、遠くの敵を打ち破ることを考えておられたのでしょう。このことは、都から頻繁に届く知らせをお聞きになっても、とりたてて一大事と思っておいでのそぶりもなさいませんでしたので、畿内からお供をされていた大名たちでさえも心が乱れることは様々でした。まして、その配下の兵士たちは、深いお考えを知らずに、ご上洛は有るのか無いのか、遅ければ早ければと、いろいろもどかしく言い合うのも、判断もつかぬ者であれば、まことに当然のことだと思われました。

ついに九月の初め頃、〔家康公は〕江戸を発ってご上洛なさいました。京勢は、また、伏見城を陥れた後はますます勝利に勢いづき、先鋒がすでに美濃国大垣城まで攻め下ったところで、九月十四日には家康公も関ヶ原へ到着されました。両陣営互いに拮抗する勢力で相対するかと思いましたが、予想に反して、将軍ご自身が出向いてこられたと（2表）知れると、京勢は最初の意気込みにも似ず、ここに小声で物を言い、あちらでひそひそ言いして、事の顛末はもはや良いようには見えませんでした。そうこうして、夜もしだいに明けてゆき、明け方近くの有明の無情な月影も傾いて、伊吹山から吹き下ろす風が露を吹き分けるその先の野や山で、皆が不安に思い合っていたところに、将軍の御旗が先頭に進む軍勢の近くに見えたということがありました。かろうじて一戦を交えようかとしたところで、すぐに京勢は敗北して、方々へ散り散りに逃げまどう有様は、風に木の葉が舞い散るようで、みっともないものでございました。

名声を思い体面を重んじる者は討ち死にして、関ヶ原の浅茅に置く露の如く儚く亡くなってしまいになりました。その中に、私が若かりし頃より「偕老同穴」と思い、互いに愛情深く慕い合った夫も、京方として亡くなりましたので、淵にでも瀬にでも身投げして、同じ道へ参りたいと百度も千度も思いましたが、以前から祈禱などをお願いしておりました貴い聖人が、私の悲嘆が浅くないことを見知りなさって、〔聖〕「もったいないことですよ、命を捨てることなど思い立ちな（2裏）さいますな。先立った故人のためにも、まったく良くないことですぞ」と諭してくださり、〔聖〕「仏種（仏に成る種）は縁より起こるということがあります。これを追善の拠りどころとして、出家もし、念仏を唱え、ひたすら亡き人の菩提を弔いなされればこそ、極楽では同じ蓮台に往生する縁にもなり、現世のみならず来世まで続く夫婦の因縁の約束となるに違いありません」とおっしゃったので、その後は、いかにもそのとおりと思い、墨染めの衣に身をやつし、妙秀と名を改め、都の内裏近くの山々や寺々に、貴い高徳の僧がいらっしゃると聞けば、足を運ばぬ所もなく、移り変わる世の□であることも、まことにそのようにとこそ心に染みました。
さだめし年も若く、在俗であって家も貧しくなく、嘆きをも知らぬ人は、床について眠れぬ夜も安穏に過ごすのであろうと、哀れにも気の毒にも思います。春の桜は、暖かくなった風を迎え、朝にたなびく霞に咲きはじめると見えても、夕べの嵐に吹かれて散ってしまい、秋の月は、晴れた空に隈なく澄み上っても、暁には千切れた雲に隠されてしまいます。人の一生を思いますと、風の前の塵、水の上の泡と同じで、煩悩を持つ身は、（3表）この世にあると思う間もなく、すぐに滅んでしまいます。仏の「一切の有為（うい）法は夢幻泡影の如し（すべての現象的存在は、夢や幻や泡や影のように儚いものである）」と説かれたことも、なるほど、尊いお言葉よと思われ、後世に悟りを得るためでなければ、他に励むこともありません。どのようにしても、過去・現在・未来の諸仏も慈悲の眼をめぐらしなさって、浄土へお導きくださいましと、念仏の他には朝夕心にかけることもございませんでした。

ところで、少々不安に思うことがございます。この頃、世間に持てはやされるキリシタンの教えは、ある人は尊いと言い、またある人は恐ろしいことのようにも噂しますので、いったい、どのようなものか知りたいと思い、「故（ふる）きを温めて新しきを知る（昔のことに習熟して新しいことをわきまえる）」ということもありますので、ぜひ詳しく教えてくれる人がいらっしゃればと思っておりましたところ、都のうちに広く知られるほどに熱心な道心者で、ある人は法師であり、ある人は尼である、一人や二人ではない、元の教えを捨ててこの宗に入信し、今はひときわ後世への嘆願も色濃く、それは何度も染めかえした深い紅のように、よりいっそう強く思っておいでの人たちがおられます。その上、私と同じ思いから世を遁れた尼も、その中にいらっしゃることを（3裏）聞きつけましたので、どのようにしても探し出して、お目にかかって話をお聞きしたいと、その人の居所を探していると、「昔、光源氏の大将が、ままならぬこの世の歎きから、探し歩き回ったという五条あたりに貴い尼は住んでいらっしゃいます」と人の教えるのに従って行って訪ねてみると、その辺りの棟門の高い邸宅も混じる傍らに、板の扉を侘びしげにとり付けて、脇には山里めかした柴垣などを立て、実に寂しげな風情で、時は秋の末であれば、物悲しさも余所とは様子が異なる庭に蔦や朝顔が枯れて、草々を踏みにじった道は、一筋がそうはいっても残っていて、そちらへ行く子供がいました。それをたよりに何とはなしに軒の近くまで歩み寄り、〔妙秀〕「どなたかいらっしゃいますか」と問うと、中から五十歳ほどの尼が出て来て、〔尼〕「誰を訪ねていらっしゃったのですか」と言うので、〔妙秀〕「いえ、とくにお訪ね申し上げる方もございません。世を厭わしく思う者は、親しきも疎遠なるも同じことでしょうから、中へ入れてくださいませ」と言うと、聞き入れるでもなく、ほんのしばらくの間中へ入り、（4表）すぐにまた同じ人が外へ戻ってきて、〔尼〕「ご遠慮なさらず、こちらへお入りください」と言うので、入ってみると、思っていたよりはまだ年も若い人で、実に熱心なご様子と見えて、何の飾りもない壁の傍らの障子に見慣れぬ肖像画を掛け、濃い墨染めの衣にやつれたお姿は、たとえようもございません。しばらくして、〔幽貞〕「思いがけないことです。どのような方がお越しになられたのでしょうか。こちらへお出でくださいませ」と言って、いかにも親しげな態度でしたので、ひとまず心は落ち着いて、嬉しく思いました。

〔妙秀〕「どういった者であろうかと不審にお思いでしょうから、まず、私の身の上をお話しいたします。先の世の乱れである関ヶ原の戦で、連れ添った夫に先立たれ、名残のつきぬ別れの悲しさから、同じ道へとの願いもございましたが、さすがに捨てることのできぬ命であり、今日まで生き長らえ、このような姿になりました、妙秀と申す者でございます。この数ヵ月は、あちこちの貴い寺々へ詣り、高僧方にもお会いして、御法話も数多くお聞きし（4裏）ましたが、理解いたしますことも浅く、その上、前世の業も拙いゆえでしょうが、いかにもこれこそと得心することもございませんでした。そうしておりましたところ、ご自身も同じ思いから世を遁れ、道心が深くおありでいらっしゃる由、それを人が知らせて来ましたので、一緒に同じ悲しみをも語り合えれば、心を紛らわせることもあろうと思い、こちらまで訪ねて参りました。またこの機会に、キリシタンの教えを少しなりともお教えくださいませ。納得のいくことがございましたら、真の道へ入り、後の世の友ともできればと、思い立ちましたこの志を、軽く受け取りくださいますな」と言うと、主人である尼の様子も実に嬉しそうに見えました。

〔妙秀〕「不躾なことを申しますが、これほどまでに世を捨てておいでなら、どうして都の内から遠く離れて、山里に庵を結ばれないのでしょうか。窮屈な都の内では、どれほどか朝夕のお勤めにも差し障りがございましょうに」と尋ねると、〔幽貞〕「まことにもっともなお疑いです。おっしゃるとおり、いまだ年も若いので、山里に引き籠り、人気(ひとけ)のない所へ参り(5表)ますと、世間が口やかましく言い、ありもしない浮き名も立つことになりましょう。この家の主は、私にとっては祖父に当たりますので、同時に親に従い孝行することにもなり、また一方では、市中の山居ということもあれば、けっして疑わしいことなどあるはずはないのです」とおっしゃったので、妙秀は、「ただそのように大方は思っておりましたが、実になんと強く決心をなさった御方でしょう。心の至りの深さよと、世を離れた住まいよりも、かえって尊いことだと理解いたしました。では、キリシタンの教えはどのようなものでございましょうか。仏が説く三界建立の説を、どのようにご理解なさっておいでなのでしょうか。まず大概をお聞きして、浅いところから深いところへと道を踏みならして参りたいと存じます」と言いました。

（5表）仏説三界建立の沙汰の事

幽貞「私のような者が、どうしてこの宗の尊いことを申し顕せましょう。そうは申しますものの、亡くなった夫の縁の方がこの宗の出家者で、（5裏）折々に私の祖父の元にいらっしゃって語られましたのを、傍らでいつも伺っておりましたので、自然と耳に留まることもございます。たまたま、それとは別に、尊く思われましたことを書き付けておきましたものもございますので、一端だけでもお話し申し上げましょう。詳しくは、教会堂へお供して、出家者たちの意見をお聞かせいたします。そうしましたら、三界建立などということは、この宗では決して無いことと申します。その理由をさしあたって左に明らかにいたしましょう。道理に基づいてご判断くださいませ」。

妙秀「どうして三界建立のことを無いこととおっしゃるのですか」。

幽貞が言うには、「根拠の無いことと申します理由は、本来有りもしないことを偽って言い出したことであれば、まったく後先を顧みない、算段もないことばかりだからです。心を落ち着けてよくお聞きください。

三界といいますのは、欲界・色界・無色界のことです。この三界を言い立てるには、その前に須弥山（しゅみせん）という山を想定しなくては不可能です。その山はどこにあるかといえば、インド・中国・日本のこの三つの国より（6表）遥かに北にあると言っています。そうしますと、三つの国を合わせて南瞻部洲（なんせんぶしゅう）というのも、この北にある須弥山に対していうことになります。このことによって偽り事であるとご理解なさいませ。その理由は何かと申しますと、北の極というのは、北極といって北斗星のある所を天においての北の極限とします。そのため、この地球においても、北斗星を頭の真上に見る所を北の国の果てとします。そこで、この北斗星の真下まで、日本の地より真っ直ぐに距離を測りますと、一千三百七十一里に少し余ります。そして、須弥山の高さと広さを尋ねますと、〔高さは〕水より下が八万由旬で、水から出ている上の部分はまた八万由旬ですので、〔合わせて〕十六万由旬になります。広さは同様に十六万由旬です。ところで、この一由旬とはどれほどの長さかといいますと、六町一里では四十里です。ただし、ここ日本のように三十六町一里で計算すれば、一由旬は六里二十四町になります。この六里二十四町を八万倍しますと、合計で五十三万三千三百三十三里十二町(6裏)になるのです。そうしますと、この山はどれほど北の果てにあるとしても、この日本まで遮られて見えないということはあり得ないのです。日本のことは申すまでもありません。この地球の七、八十倍以上の大きさであれば、存在するものであるのなら、いったいどこに隠れているというのでしょう。地球の大きさは、我が宗の学問によって七千七百七十二里程度と理解しています。それにもかかわらず、五十〔三〕万三千三百三十三里を超える、それほど大きな山が存在するのであれば、どこからであってもどうして見えないことがありましょうか。これによって偽りだということをお知りなさいませ。須弥山がすでに存在しないものであるなら、忉利天や三十三天、帝釈天がいるという喜見城も、どこにあるというのでしょう。欲界という第一の場所が偽りであれば、色界と無色界もすべて有りもしないことをでっち上げた、大げさな物言いだとご理解ください。

さらにその上に、大きな作り事は、はてさてこの須弥山はどこにあるのかといえば、三輪に据えられているというではありませんか。三輪とは、金輪・水輪(7表)・風輪といって、この欲界が据えられた一番下は風なのです。その上は水、さらにその上は金だといいます。このようなことこそ、無理なことだと申すのです。どのようにして、風の上にこの重い水が据えられましょうか。ただし、この風は堅密といい、緻密で堅いといえば、それはもう風と呼ぶべきものではありません。風は物に触れて通る時に支障がないことを本質とします。緻密で堅い物であるなら、風とどうして名付けるのでしょうか。滑稽なことではございませんか。それからさらに、この水の上は、金輪といって、重い金であるといいます。なんという思慮のない仏の説かれようでしょう。実際に、昔から一寸の金は千里の水であっても浮くことなどないのに、ましてこれは厚さ三億三万由旬もあるそれほどの金が、どうして水の上に浮くことがありましょうか。

なおさら偽り事であるのは、三千大千世界を説く論法です。それをどれほどのこととお思いでしょうか。千の須弥山、千の日月を合わせて小千世界といい、そして、小千世界を（7裏）千個合わせたものを中千世界といい、さらに、中千世界を千個合わせて大千世界と申しています。それらを合わせて百億の須弥山、百億の日月というのです。一つの須弥山さえ無いのですから、百億の須弥山、百億の日月はいったいどこにあるというのでしょう」。

〔妙秀〕「それでは、その日月のことを、キリシタンの方ではどのように理解されていらっしゃるのでしょうか」。

幽貞「キリシタンの説は後に述べます。先にまず、仏説の間違っているところを申しておきましょう。

そもそも、月と太陽は、須弥山の中腹を北より東南へ向かって横に回るといいます。須弥山が存在しないのですから、このことはすべてでたらめといえますが、ひとまずここでは、須弥山をあるものとみなすとしても、横には回らず、はっきりと東から出て、頭の上を通って西に沈むことは、朝夕ご覧にならないのでしょうか。何ゆえ、横に回るとお説きになるのでしょうか。ただし、強情で人の言うことを聞かぬのを、「榎(え)の子(み)はならばなれ、木は椋(むく)の木」と言ったりしますから、東より西へ回るとも、横にとも言うのでしょう。だからといって、明らかに見えていることを、事実とは違っているように拵(こしら)えて言うなど、（8表）とんでもないことでございます。

また、月の満ち欠けはどうかといいますと、月の宮殿に三十人の天人が居て、十五人は青衣といって青い衣を着ており、残り十五人は白衣といって白い衣を着、朔日より十五日までは、白衣の天人が一日に一人ずつ月の内部に入ることにより、青衣の天人が一人ずつ出て、月の光は円満し、十六日より晦日までは、白衣の天人が一人ずつ出て、青衣の天人が一人ずつ入ることによって、光が薄らいで暗くなるというのです。
この満ち欠けについては、キリシタンの学問では、月の本体には光は無く、太陽の光を受けて輝くものとします。つまり、日の天と月の天は別々のものであることから、朔日には必ず月は太陽の下に重なることになり、太陽の光を受けると、〔地球から見える側は陰になって〕月に光はないのです。二日、三日からは、早くも月が太陽の下を離れるので、少しずつ太陽に向く側に光が当たるようになります。その証拠に、十五日までは日輪は月に先立って西に沈むため、月はその光を西側から受けて、東の方は欠け、（8裏）十五日に当たる日は正面に月と太陽とが向き合うことにより、月の光も円満し、さらに、十六日から晦日までは月が太陽に先立って西に沈むため、太陽の光を東から受けると、月の東側は光が当たり、西側は欠けて沈んでいきます。これは上弦の月、下弦の月ということに符合します」。

妙秀「月の満ち欠けのことはわかりました。日蝕と月蝕のことはいかがでしょうか」。

幽貞「このことは、また仏説をよくお聞きなさいませ。最初に、仏が六道ということを定められました。その中に阿修羅という者がいます。阿修羅の中に毘摩質多羅（びましったら）と呼ばれる修羅がおり、娘の舎脂（しゃし）夫人を、また羅睺（らご）という修羅〔に嫁がせる〕と約束していたにもかかわらず、帝釈天が娘を奪い取って自分の妻としたため、羅睺は腹を立て、帝釈天の居る喜見城を攻めようとしました。そうしたところ、喜見城は須弥山の頂上にあるので、高さは八万由旬になりますが、羅睺の身長は八万四千由旬で、口の広さは千由旬になるものが、起きあがる時は身長が倍に（9表）なって十六万由旬となり、大海の中に立って、帝釈天を眼下に見下ろすと、帝釈天の大臣である太陽と月が光を放っているので、羅睺は目映（まばゆ）くて眼が開けにくいため、手を伸ばしてその太陽と月を掴みました。この時、光が暗くなったのを世の中の人が蝕と言ったのです。須弥山さえ無いことですから、このような虚偽を重ねることは、善し悪しを論ずるにも及ばぬことといえるでしょう。

さて、この蝕の真実の説と申しますのは、日月の天は別々ですので、その廻り合いによって起こる現象です。まず、月蝕といいますのは、月と太陽とが同じ所に重なることによって起こります。十四日、十五日、十六日の間でなければ起こりません。その理由は、この時、月は東に有り、太陽はまた西に有って、太陽と月とが真正面に向きあった間に地球を隔て、その地球の影が月に映ります。これを月蝕というのです。一方、日蝕といいますのは、月の天は日の天よりも下にあることから、月が太陽の下に重なる時に、太陽の光を遮って(9裏)いる間、暗くなることを日蝕と申すのです。このような説明ではご理解いただきがたいと存じます。地球の図をも見ていただければ、おいおい納得されることでしょう。

仏の説は、『倶舎論（くしゃろん）』世間品に記しているといいますが、まったく信じられないことだと、仏教の学者の多くも不審に思うことばかりです。『倶舎論』というのは、須弥山の南腹が青いことを理由に、それが投影して大空も青いと考えているのです。〔しかし、〕天といっても、何もあるわけではありません。月や太陽や星も風に乗じて回るといいます。月や太陽や星が風に乗って回る物なら、大風が西から起こって盛んに吹けば、月も太陽も星も西の山の端から東へと吹き飛ばされてしまうではありませんか。昔から今に至るまで、そのような例は一度もないのですから、風に乗じて回るなどと申すのは論外のことです。三界建立の説は、いずれもすべて同じ類いのことばかりです」。

妙秀「そのような道理をお聞きしますと、ごもっともで、須弥山もないものと(10表)理解いたしました」。

〔幽貞〕「いかにも、須弥山の方に、日本・中国・インドと三国が並んで存在すると考えることは、すべて嘘であることは明白です。ところで、仏法の教えでは、インドと中国の境界は、流砂（トルキスタン砂漠）と葱嶺（そうれい）（パミール高原）の難所があり、進みがたく越えがたい道とします。葱嶺という山の西北は大雪山（ヒマラヤ山）に続き、東南は中国の南海岸に迫って聳えています。この山を境に、西を「天竺（インド）」といい、東を「震旦（中国）」と名付けています。道の遠さは三千里ほどです。草木も生えず、水もありません。銀河を間近に見て日を送り、白雲を踏んで天に昇るのです。

難所が多くある中に、とりわけ高く聳える嶺があります。「罽波羅災難（けいはらさいなん）」と名付けています。衣を脱ぎ捨てるように雲を突き抜けた苔の衣をまとった山の岩角にすがりすがって、十日も要すれば越えることもできましょう。この嶺に上れば、広大な全世界の広狭が眼の前にはっきりと見渡され、人間世界の遠近が足下に展開するのです。さらに、「流砂」という川（砂漠）は、水（流砂）を渡っては川原（草原）を行き、川原（草原）を行っては水(10裏)（流砂）を渡ること、□日の間に六百三十七度になります。昼は強い風が吹き立てて砂を飛ばし、まるで雨のようです。夜は魔物が走りまわって、あたかも星のように瞬きます。白浪が溢れ落ちて巌石に穴を空け、水を青々と湛（たた）えた淵は渦を巻き、木葉を流します。たとえば深い淵を渡るとしても、化け物の危害は免れられないでしょう。たとえ悪鬼の恐怖を逃れたとしても、水に溺れてしまうに違いありません。そのため海も陸もともに、大権現の菩提薩埵であったとしても、にわかに往き来することは難しいと見えてございます。

だからこそ玄奘三蔵もこの地に赴いて、六度も命を落とすことになったのです。次に生を受けた時にこそ、仏法を〔中国に〕請来なされたなどと大げさに言いますが、最近では、京や堺の商人やあるいは四国や西国の人たちが、商売のために、中国の四百州以外にも、インドの隅々にまで、〔貿易のための〕御朱印を申し受けて毎年渡海するだけでなく、そのうえ釈迦が入滅なさった沙羅林にある跋提河（ばっだいが）の岸辺までも見て帰るなどと言う(11表)のですから、このような一目瞭然の偽り事は滑稽であると、仏弟子の中でも思慮のある人は、心中の歎きもさだめしおありのことと存じます。

このようなことですので、眼の前にある日本・中国・インドの三国の連なりさえ、あるわけもないことばかりを言っており、まして欲界が地を離れて存在し、色界や無色界などということも、すべて実体のないものと、ともかくもご理解いただいた上で、さらによくご判断なさって、このように語りなさる時にこそ、まさしくありもしないことだと確信してください」。

〔妙秀〕「なんとまあ、思いがけぬことでございましょう。私自身も、高僧たちにお聞きいたしましたことなどをお話し申し上げて、いっそのこと、〔あなた様を〕仏の道にもお誘いしようと思っておりましたのに、このようなお話を伺っては、すでにもう、あなた様へ心が移り行くことは、予想とは異なることでございます。今日も日が暮れました。明日、また参上いたします」と言って、その日は帰っていきました。

（11裏）釈迦の因位誕生の事

妙秀は、夜が明けるのを今や遅しと家を出て、幽貞の庵室に入ってみると、幽貞が、（11裏）「お約束を違えなさらず、よくお出でくださいました」と言うので、〔妙秀〕「そのことでございます。昨日は帰宅いたしましてから、お話しいただいたことを繰り返し思案しておりましたら、すべて道理とは思いながらも、三界建立の事はさておきましても、仏の教えにおいて後生さえ助かれば、それで充分だと思うことはいかがお考えでしょうか」と言いましたら、幽貞は、「お聞きしますように、仏の教えでは、後の世さえ助かれば、元より何の不足があるのかというのですが、それこそ良くないことの第一でございます。その理由として、この宗の出家者がいつも語られますことを、ほんの少しお話しいたしましょう。

それでは、まず、仏の因位（修行の期間）について、『釈迦譜』に記された事柄を申し上げます。昔、中インドの摩竭陀（まかだ）国の王であった浄飯（じょうぼん）王の后の摩耶夫人が、ある時の夢に、白象が右の脇から胎内に入るのを見て、そのまま身籠もり、十ヵ月間いらして、〔胎児は〕母の右の脇を破って、四月八日に生まれ、ただちに歩いて七歩足を運び、右の手を上げて、「天上天下、（12表）唯我独尊」と唱えられました。これを悉達太子といいます。その後、母の摩耶夫人は亡くなられましたので、叔母の摩訶波闍波提（まかはじゃはだい）に養い育てられ、十七歳の時に耶輸陀羅（やしゅだら）女を妻に定められました。これを釈迦の由緒と言い習わしてございます。

愚かな人は、ここで母が白い象を夢に見て懐妊したことを、それが事実か否かを問い質すこともしません。「天上天下、唯我独尊」と唱えたことも、すべて尊いことだと思っているのです。それにしても、智慧もない愚かしさの極致ではありませんか。道理を明らかにもせず、人の書き記したことには真実も嘘も混じっていると思わぬとは、情けないことでございます。中国の孟子という人が言われたことには、「悉く書を信ぜば、書無からんにはしかじ（書物をすべてそのまま信じるくらいなら、書物などない方が良いであろう）」と。まことにそのとおりで、偽りも真実も混交するものであれば、正さないでは通用しない道理であるものを、ただ無理に尊いと言うことは、みっともない迷妄ではございませんか。夢に象を見て懐妊したといって、尊いとする理由はないのです。母の右の脇を蹴破っ（12裏）て出て来たといって、何ほどの尊いことでありましょうか。あるいは、母を殺したこと、これが尊いことなのでしょうか。まったく根拠のないことでございます。さらに、「天上天下、唯我独尊」と唱えたことも、過度に我が身を奢った態度であり、かえってその徳を損なうことではないでしょうか。

　真如（ありのままの真理）は平等であり、浅深高下なしといって、仏法には、別して尊いことなどはないと説いています。禅の祖師の一人、雲門という人は、釈迦のことを、「黄面孔曇、傍若無人、我れ往昔に生まれ合へば、一棒に打殺して、狗子に与へて喫せしめて、天下泰平なる事を見てまし（釈迦は自分勝手な振る舞いをした。私は昔に生まれていたら、一棒のもとに打ちのめし、狗に与え喰らわして、偏に天下の泰平を求めたであろう）」と言っています。これは、愚かで道理をわきまえない人の、度を越して〔釈迦を〕尊ぶことを非難して言った言葉です。

　そして、〔釈迦は〕耶輸陀羅女との間に羅睺羅（らごら）という一人の子（13表）を儲け、自身は十九歳の時に王宮を出て、檀特山（だんどくせん）に入り、阿邏々（あらら）、迦邏々（からら）という二人の仙人を師匠として、六年間難行苦行し、ついに三十歳にして、中インドの摩竭陀国の菩提樹の下において、二月八日の夜に明星を見て悟りを開きました。それ以後、五十年間は説法をして、八十歳の二月十五日には、跋提河のほとりの沙羅林の中で涅槃にお入りになったと見えてございます。

　そうしますと、これは人ではございませんか。妻帯して子を儲け、生まれて死ぬというのを、人でなくては言うことではありません。たとえば、木や竹を切るにしても、同じ木や竹では切りません。鉄の刃を用いて切ることは明らかです。人の後生を助けるには、人より上位の存在である御主でなければできないことです。仏というものは、あらかじめ人であると理解なさらないで、光を放ち照り輝き、様々な徳を備えているように思うことは、すべて誤った考え方なのでございます。

仏という名は、我が朝で付けたものです。その由来を尋ねますと、善光寺如来の縁起にあるといって、ある人が語りましたことには、摂津国の難波江に仏像があり、その身は温かく、熱気（ほとをりけ）があったことから、和語で「ほとけ」と申すのです。〔「ほとをりけ」の〕「をり」の二字を略して、「ほとけ」（13裏）と申すとかいうことです。インドの言葉では仏陀と申しますのを翻訳して、中国の言葉では覚者といいます。覚者とは、悟った人という意味です。何事を悟ったのかといいますと、畢竟空（あらゆるものが本質的に実体を欠いていること）といって、突き詰めると、仏といっても尊い者もなく、衆生といっても愚かな者もいない。地獄も浄土もどこに有るのがよいかと理解することを、悟りとは申すのです。このようにして悟る人があれば、誰であっても仏だというのが仏法の極意であり、それより他のことはないのです」。

妙秀「お話しくださいましたように、仏も元は凡夫でいらっしゃったことは、そのとおりです。そうはいいますものの、これは一切の人々を教え導き、悟りの境地に至らせるための方便であり、我々を救済なさるために、仮に世に生まれ、入滅する姿を顕されたのですが、遥か昔を思いますと、それは、五百塵点劫という長い時間にさえ限定されることのない、本来より仏でいらっしゃったのです。このことを経典には、「我仏を得てより来（このかた）、経たる所の諸劫数、無量百千万、億載阿僧祇なり（私が成仏して以来、無量劫という無量無限の時間が経った）」とも、あるいは、「衆生を度せんが為の故に、方便して涅槃を現ず。而も実には（14表）滅度せず、常に此に住して法を説く（衆生を救うために、便宜的に世を去る姿を示した。しかし真実には世を去らず、常にここにあって教えを説いている）」とも説かれています。無闇に人間とばかりご理解なさることこそ、思い違いでございましょう。その上さらに、地獄も浄土もないとお考えになるのは誤りでございます。仏法では、断見と常見という二つの見方を格別に嫌います。断見とは、無いとだけ見ること（世界も人も完全に無に帰するという考え方）であり、常見とは、有るとだけ見ること（世界は常住不滅で、自我は不滅であるという考え方）です。このような考え方を離れ、断見にも常見にも偏らない中正真実の道といって、有無の二見（有と見る見方と、無と見る見方）の境目に心をとどめ安住することを、最も優れた悟りとは申すのです」。

幽貞「殊勝にも経文の表面を一通りはよく理解なさっておられますこと。しかしながら、そのお考えを糺明しますと、その無量無辺の長久の仏と申す者こそ、まだ修行の身といって、人というよりは、心もち未熟でない者のことをいうのです。また、中道を守ることを仏法の極意とすることについては、あらためて詳しく申し上げます。

まず、過去久遠の昔より計り知れないほどの長い間仏でいるということは、すなわち、「虚空」といって、何もないもののことです。これを、禅には「本分」とも「仏性」とも言い、天台では「真如」とも申します。仏法の真意は、すべて存在する物は、皆、この「空」より出て、ふたたび「空」に帰る(14裏)と考えるため、釈迦に限らず、今のあなた様も私も、皆、昔よりの仏というものは、「即是空」といって、何もないことをいうのでございます。人の五大五輪と申すのは、「地水火風空」であり、「色心不二」といって、身も心も二つではないといいますが、「色」と「心」を）分けて言う時は、「地水火風」の四大を「色相」（肉眼で見ることができる色形）として、「空」の一つを「心法」（心のはたらき）と理解します。このことにより「空」というのです。言葉は変わっても、その指すところの本体は一つです。経典にも、これを「我が心自ずから空にして、罪福も主なし（心はそのままで空であり、罪にも福にも、もはや主はいない）」と説いています。

釈迦の心内の悟りは、過去久遠劫以来の仏です。この「空」のことです。尊くないと申しますのもこのことなのです。「有無」を離れて、「中道」ということも充分に理解しない間は、別のことのようでしょうが、「中道」というのは、すなわち「心」の異名です。ある時は「虚空」と言い、ある時は「仏性」と言い、ある時は「心」、ある時は「中道」と言うのです。これは、『涅槃経』には、「虚空は即ち是れ仏性（虚空は仏性である）」と、「仏性は即ち是れ如来（仏性は如来である）」と説かれており、それを、妙楽大師（荊渓湛然）は、「虚空も仏性も、(15表)唯是れ中道の異名のみ（虚空も仏性も、単にこれは中道の異名にすぎない）」と説明されました。このことによって、「有無の中道」とは、単に「無い者」の中国での名であると了解すれば、「虚空の空」、「仏性の空」と二通りに「空」を理解するのは誤りということになります。妙楽大師の注釈に「虚空も仏性も、唯是れ中道の異名のみ」とあることにより、二つでないことはよくおわかりでしょう。ですので、ただ「仏性」というのは、この「無」であることを知る道を、八宗九宗の各宗派に分けただけのことなのです。この「無」ということさえご理解なされば、いずれの宗旨であっても相違はないのです。

分け上（のぼ）る　麓の道は　多けれど　同じ雲井の　月を見る哉（山を分け登っていく麓からの道は多くあるが、いずれの道を通っても、同じ雲井の月を見ることであるよ）

この雲井の月というのは、真如の月のことであり、真如の月というのが、つまり虚空・仏性といって、無い物のことなのです」。

八宗の事(15表)

妙秀。それにしても、そのように仏法の奥深い道理を、あなたのような方がご存じであることは、まことに驚きました。「仏法には、もとから権と実（方便と真実）の二つがある。権といって、仮に表向き(15裏)は仏もあり、地獄もあり、天国もあると教え、実といって、真実には地獄や天国といったことはないのだ」と、時として仏教を教えてくださる方々がおっしゃられたことも、今になってよくわかることです。さて、八宗のことは、どのようにお聞きになっていますか。

幽貞。八宗といいますのは、倶舎宗・成実宗・律宗・法相宗・三論宗・華厳宗・天台宗・真言宗のことです。この他に禅宗・浄土宗を加えて十宗、一向宗・日蓮宗を加えて十二宗といいます。これらを大乗と小乗に分けて、大乗の方を道理も深く尊重すべきもののように扱い、小乗の方は道理も浅く尊重すべき度合いも低いようにいうのです。それで、倶舎宗・成実宗・律宗を、まったく浅薄なものということで、小乗と定められているのです。

それで、倶舎宗といいますのは、世親菩薩が作った『倶舎論』三十巻によってできたものです。三蔵教の中の有の立場での「修因感果（因を修し果を感ず）」のありさまを論じたものです。「修因感果」とは、今ここで菩薩の修行という種を植えれば、未来にそれが実を結(16表)んで仏に成るのだと考えるのです。このため、まったく大乗の考えではない、と言われるのです。

成実宗は、訶梨跋摩（かりばつま）菩薩が『成実論』を作ったことによって立てられた宗であるとうかがっています。この論の巻数は、十六巻とも二十巻ともいわれています。まず、「成実」という名前の意味は、「成」は「能入」（入る主体）といって、悟って入る人のことを述べ、「実」は「所入」（入られる対象）といって、悟られて入られる方に関していうのです。悟られ入られる「実」は何なのかというと、「実義」（真実の教え）です。「実義」というのは、「そのまま空である」という教えでございます。それゆえ、あらゆるものを空であるときっぱり定めて悟ることが、「成」という字の意味です。昔は、これも大乗のように言っていたのですが、天台大師（智顗）や嘉祥大師（吉蔵）などが、小乗であると判断されたとのことです。

それから、律宗というのは、戒律といって、いろいろと戒められたことを守ることを根本としています。その戒律として行わなければならないことは多種多様ですが、結局のところはただ二つだけです。一つには、「止持」の戒といって、「五戒を犯してはならない」と禁止する方のことをいいます。二つには、「作持」の戒といって、詳しくいうと「(16裏)諸善奉行（諸の善は奉行(ぶぎょう)せよ）」といいまして、いろいろな良いことを行えといったたぐいのことを、「作持」の戒といいます。

妙秀。そこで、これに関して不審に思うことがあります。今まで仏法には死後のこともないのだと言っておきながら、もしないのでしたら、五百戒だの、二百五十戒だの、十戒だの、五戒だのといったようなことは、貴い世界に至るためのものだと見えます。そういうことなら、死後に助かる方法もあるに違いないと思われるのは、どうでしょうか。

幽貞。おっしゃるように、戒律を話題にする時は、仏法にも死後に助かることがあるようでございますが、まったくそうしたことではありません。仏法で助かるということは、嬉しいことも悲しいこともないのだと教えるもので、これを真如平等の台(うてな)に至るというのです。こういうわけで、突き詰めていくと、善悪不二・邪正一如と言っています。それで、『智度経』にも戒のことを話題にして最後には「一切の法は皆、因縁に属す。自性無き者なり。諸の善法は皆、悪に因りて生ず。若し悪に因りて生ぜば、如何が着す可き。悪も是れ善の因なり。如何が憎む可き。

（17表）是くの如く思惟せば、真に諸法実相観に入る。持戒・破戒、皆、因縁より生ずるが故に自性無し。自性無きが故に、畢竟じて空なるが故に、着せず。是を般若波羅蜜と名づく（すべての現象は、すべて何らかの原因に基づいて存在している。固定的な本性のないものである。善いことはすべて、悪を原因として生じる。どうして執着してよいだろうか。悪も善の原因である。どうして嫌悪してよいだろうか。このように考えると、本当に、すべての現象の真実のすがたを観察する境地に入る。戒を守ることも、戒を破ることも、どちらも、原因があって生じるので、固定的な本性はない。固定的な本性がないので、完全に実体を欠いているので、執着しない。これを、智慧の完成というのである）」と言っています。「般若」というのは、「空慧」といいまして、無心無念の智慧です。「波羅蜜」というのは、「到彼岸」といいまして、「彼岸（向こう岸）」に至ることです。向こう岸というのは、つまり、真如という、何もないものになることを、「到彼岸」というのです。仏法で死後があることによって戒律を定めたのではありません。

『大蔵一覧集』といわれるものにも、「既に死生の免る可き無ければ、安（いずく）んぞ仏戒の持つ可き有らん（脱出する必要のある輪廻が存在しない以上、どうして保持する必要のある仏の戒があるだろうか）」と言っている頌の下に、『伝灯録』といわれる語録を引いています。そこで説いているのは、次のようなことです。ある時、薬山といわれる祖師が、高沙弥に向かい、「お前はどこに行くのか」とお訊きになったところ、沙弥が「江陵府という所に戒を受けに行きます」と答えたので、薬山は「戒を受けることは何の役に立つものなのか」と質問したところ、「輪廻の苦しみを免れます」と答えたので、薬山は「戒を受けることもせず、また免れなければならない輪廻の苦しみもない一人の者（本来の自己）がいる。お前はこれを知っているか」と仰せになったので、沙弥が答えて言うには「お師匠様は、どういうわけで（17裏）仏様の定めた戒をお用いなのですか」と言ったところ、薬山は「ああ言えばこう言う。そのように無駄口をたたいては、よくもまあ、口が減らないものよ」と叱られて、その時、心の迷いが晴れたので、戒を受けることもなかったとのことです。そうですので、戒を受けるというのも、死後があるからというわけではありません。ただ「色相（目に見える姿かたち）」といって、出家に相当する作法として持つだけなのです。こういうわけで、この頃は、この戒律を実行することにも、今風のやり方が多くあるように見えます。これは、戒律があるからといって死後のことがあるということではないのです。

法相宗の事(17裏)

〔幽貞〕さて、さらに、法相宗や三論宗と申しますのも、大乗仏教と名乗っても、やはりこれも「権(ごん)(かり)の大乗」と申して、実の大乗には及ばないものといえます。

まず法相宗とは、唯識宗と、この宗をいいます。そうしますと、この宗においては、釈迦の生涯の教えを判別する時は、三時の教えということを立てます。その三時の教えとは、釈迦が説いた最初の時は「有教」と申して、『阿含経』など(18表)を説きました。純粋な小乗教として、これを定めます。二番目の時は「空教」といい、『般若経』などです。これもまだすべてを明らかに説いてはいない教えとします。三番目の時は「中道教」といって、これを真実とします。『楞伽経』や『解深密経』などの類です。それゆえ「依経」といって、この宗の踏まえる経典は、とりわけこの『解深密経』になります。『瑜伽師地論』や『成唯識論』、これらもまた尊ぶところです。

この宗派の教えは広うございます。唯識(唯だ識のみ)、三性(現象の三種のあり方)、百法(すべての事柄を分類した百項目)、四縁(物事を生じる四つの原因)、四分(心の四つの作用)、種子(しゅうじ)(物事を生じる心の中の原因)、五性(五つの宗教的素質)、作業(さごう)受果(業を作り果報を受ける)、五位の修行(修行の五段階)などと申すことがございます。いろいろ果てしない教えのようですけれども、これも突き詰めれば同じ仏法ですから、異なるものではございません。

それゆえこの宗の教えも、あらゆる事柄は皆自らの心を離れない、つまり山・里・海・河や、見たこともなく知りもしない異世界である浄土ということも、無差別平等の妙なる真理に至るまで、すべては自らの心の中にあります。ましてや、我が身に備わる六つの感覚とその器官、飲みものや食べものや衣服が、心の中にあることは言うまでもありません。

〔物事が〕心の外に有ると思うのは、迷いによるものです。〔すべてのものは心から離れないと知れば〕始まり無き時よりこのかた、生まれかわり死にかわってきた輪廻が永遠に終（18裏）わって、最上の覚りに至らないということはありません。それゆえ誰もが皆、心の外に実在すると思っているすべてのものの形は、本体も本性もすべて無であるものなのです。

〔だからといって〕心が実在すると思うのも迷いです。〔なぜならば、心の外に心という実体を置いているからです。さらに空に執着して、空を実体と思うのも迷乱です。なぜならば〕心の外に、空という様相を見ているからです。心の外に有ると思っている様相は、いずれも皆、真のものではありません。この誤った形を滅して、不思議な智慧を起こして、内なる一心を悟っていくことを、唯識の真実の観と申します。これに、五つの観があります。一番目は遣虚存実識、二番目は捨濫留純識、三番目は摂末帰本識、四番目は隠劣顕勝識、五番目は遣相証性識です。

さて、まずこの中で、遣虚存実を唯だ識のみといいますのは、この不思議の智の一心の中には、本性があり、様相があります。本性とは真如の妙理であり、これを円成実性と名付けます。〔真如の妙理は〕円満に成就し、本来じっとしていて不動だからです。様相は、有為と申しまして、真実ではない諸の現象です。これを依他起〔他に依って起こる〕性と名付けます。なぜならば〔現象とは〕真如の上に、他の縁に（19表）依って、仮に起こっている相だからです。それは、色・声・香・味・触の感覚や、眼・耳・鼻・舌・身〔皮膚〕の器官をはじめとして、そのほか金銀珠玉などあらゆる物のたぐいです。この仮の様相を仮の相とも知らず、これらは必ず実在すると思う心によって現れる面影を遍計所執と名付けます。これはまったく存在しないものです。これこそが先ほど申しました、心の外にあると考えている誤りの形なのです。あまねく〔遍〕計らい思う迷いの心が執するところですから、「遍計所執」と名付けるのです。

それゆえこの三性について、譬えを挙げて申しますと、たとえば縄を見て蛇と思う時には、三つのことがあります。縄の本性は藁です。縄は、藁と、さらにそれを編む人の手足などを縁として、仮に起こっている形です。〔その形は〕蛇に極めてよく似ています。このことから、人は誤って、〔縄を〕蛇と思うことがあるのです。その場合の蛇とは、思い違いをした人の心に浮かんだ面影であって、実体や本性はまったくありません。縄という形は、縁によって起こって仮にあるものです。存在するかのように見えていますが、真の実体はありません。その真実の本性(19裏)は、藁だけです。それゆえ蛇という形は、なおさらまったく存在しません。縄の相は、仮に有るにすぎません。藁という体は、縄の本性として実在します。〔このたとえを三性にあてはめれば〕円成実性の真理は藁にあたり、依他〔起性〕の諸の事象は、縄にあたります。遍計所執は蛇と思う心である、といえましょう。この道理によって、遍計所執という理屈もわかり、円成実性というものもわかります。これは、つまり〔仏僧が〕口で申している、虚空や仏性や真如とは、智慧もなく徳もなく、何もない物のことなのです。何もない物をどうして真実と見たのかと申しますと、存在する物は生滅転変して無常ですが、存在しない物は火に入れても焼けず、水に入れても溺れないから、空を真実としたのです。ここが仏法の究極です。

それゆえ皆〔仏法を〕よく知らない間だけは、名前に惑わされて、仏性といえば別のもののように思い、虚空といえば非存在と心得て、円成実性といえばまた珍しく〔仏性や虚空とは〕違った物のように聞いてしまいます。しかし「難波の芦は　伊勢の浜荻〔名前は違っても同じ物という譬え〕」と申しますように、(20表)禅でいう本分とは、法相の円成実性であるとお心得ください。ですから〔本分も円成実性も〕何もない物のことである、と思ってくださいませ。

さて、遺虚存実識という意味は、円成の性だけを実として用いて、形ある物などは空しい物として払い捨てることから付いた名前です。捨濫留純といいますのは、認識対象は妄想として捨てて、専ら心の本体だけを留めることを申しております。摂末帰本というのは、客観と主観の根本を見極めて、これらは皆、識の根本（自証分）から起こると心得る方策です。隠劣顕勝とは、心作用（心所）を劣ったものとして隠し、ありのままの心自体（心王）だけを優れたものとして顕して、心作用はこの心自体に依ってあると知る心です。遣相証性識というのは、様相や作用を捨てて、実体や本性を求めて明らかにすべきである、という心でございます。そういうわけですから、今申しました遍計所執と依他起、円成実性を合わせて三性の法門といいます。

この三性を委しく説明しますと、（20裏）百法と二無我と申すことも聞きました。百法と申すのは、依他起性には、詳しくは九十四法あります。円成実性には、六種類の無為（不変のもの）があります。〔九十四法と六無為とを合わせて〕これを百法と申すのです。二無我とは、遍計所執は存在しないことを申すためのもので、補特伽羅（ふとがら）無我と法無我です。補特伽羅無我とは、〔補特伽羅は〕梵語で人のことです。人と物をすべて空ずることを、二無我と申すのです。空ずるとは、物は存在しないと悟ることです。ここでおわかりになってくださいませ、仏法は、後生のありさまを知らないということを。そのわけは我というものがないのですから、苦・楽を受けようがありません。今でも、別の物とはいわないけれども別々、死ねば唯一つの真如虚空となると思っています。

この真如である円成実性に、六種類の無為が有るというのは、一には虚空無為、二には択（ちゃくめつ）滅無為、三には非択滅無為、四には不動無為、五には想受滅無為、六には真如無為です。無為というのは、真如の体と性は常に変わら（21表）ず、他のものによって為作されるものでありません。「為作」とは、作り為すことです。作るというのは、縁〔によって生まれること〕です。

この縁には、四種類あります。因縁、等無間（とうむけん）縁、所縁縁、増上縁です。因縁というのは、種子は現象として現れること（現行(げんぎょう)）を縁とし、現行は種子を縁とすることをいいます。それゆえ、この「種子」や「現行」などと申しますのは何かといいますと、種子と申しますのは、心の中で生まれては滅している諸の事象の気分(けぶん)です。気分というのは、〔事象のあとにのこる〕面影だと、そのようにお心得ください。たとえば、まず眼識といって、眼が物を見ようとしたり、視覚を起こして事象を見ようとすれば、〔その視覚は〕すぐに滅します。滅したと思えば、すぐに生じます。生じたかと思えば、そのまま事象を見ます。このように瞬間瞬間に生滅する間に、その見られる事象も見る視覚も生ずる時は、それぞれの気分を残します。残される気分である面影は、事象の気分も視覚の気分も、皆〔心の中に〕隠れ沈んで、その形は見えません。しかしながら、阿頼耶(あらや)識——これは心とお心得ください——の中に落ちて集まります。この気分を種子と名付けています。それゆえ現行とは、この種子から、事象と心が生ずること（21裏）を申すのです。これが、まずは因縁についてのご説明です。

さてまた、等無間縁とは、起きた心が滅する時に、次の心を引き起こすことをいいます。後に起こる心は、前の心を縁として生じるからです。所縁縁とは、心が知る対象をいいます。心は、知る物を縁として生じるからです。増上縁とは、これら以外の諸々の縁です。身体は心を縁とし、心は身体を縁とし、自分は他人を縁とし、他人は自分を縁とし、生物は非生物を縁とし、非生物は生物を縁とするように、重なっていく縁をいうのです。このように四縁に依っているものは、他によって作り為されているのです。こうしたものは、皆、無常です。

しかし真如常住の妙理は、このような四縁によって作り出されたものではありません。このゆえに無為と名付けます。真如は一味平等ですから、〔真如に〕六つの実体がある訳ではないのですが、状態や意味様相に応じて、六種の無為を説きます。諸々の障害を離れていますから、虚空無為と名付けます。えらびわける力に依って、諸々の（22表）煩悩を滅するとは〔諸々の煩悩を滅して究極的に悟ることですから、択滅無為と名付けます。えらびわけるのは智慧であり、雑染とは煩悩です。悟るというのは〕よく明らかに知ることです。また、智慧のえらびよりわける力に依らなくとも、真如の本体は、もとより清浄です。縁が隠れる時に、自ずから不生の真理が顕れます。これを非択滅無為と名付けます。縁が隠れるというのは、何物かを生ずべき縁が欠けたために、〔その物が〕自ずと生じないことを申します。また、苦痛や快楽が滅した時に顕れる無為を、不動無為と名付けます。苦受とは、身体に苦痛を受ける感覚です。楽受とは、身体に快楽を受ける感覚です。感受の心作用が起きない時に顕れる無為を、想受滅無為と名付けます。想とは、とくに物の形を知って、それにいろいろな名前を付けることをいうのです。受とは、苦も楽もすべて心に受け取ることをいいます。これらのことは皆、法相宗の扱うことです。

御覧くださいませ。とやかく言いますけれども、これも特別なことはございません。ただ一つの虚空の真如だけで、それ以外にはないのです。それでも、この宗が変わっているところは「凝然の真如は諸法を作らず〔不変不動の真如は、諸現象を生じない〕」と言って、真如は(22裏)凝り固まって不動であるから、無常転変する事象にはならないとします。〔この宗は〕真如が現象を生じるという真如縁起を説かずに、事象を様相とし、真如を本性として、諸法の本性と様相を分けています。弘法大師〔空海〕が、法相宗を「性と相とを別に論じ、唯だ識のみにして境を遮す〔本性と様相を別のものとして論じ、唯だ識のみ存在して外界を否定する〕」と言うのも、このことです。この意味は、本性と様相とを別々のものとして論じ、唯だ識だけを取って、認識の対象となる外界を捨てることです。その外にもこの宗についてはいろいろなこともございますが、それはきりがないので略します。

（22裏）三論宗の事

妙秀。あらあら、不思議なことです。これは法相宗についても、非常によくご存じのようにうかがいましたが、どうやってこのように、はっきりとお知りになられたのですか。

幽貞。御不審に思われるのは、ごもっともです。はじめに申し上げたように、私の夫の縁（ゆかり）の僧は、学徳すぐれた人がいると聞けば、千里の外も遠しとせずにたずねて行って、ひととおり各宗の究極の教えもご存じだった人でした。その方が、いつもお話しになられることを聞いておりましたからです。

（23表）さてまた、三論宗のことを申しますと、〔この宗では〕二蔵・三転法輪ということを、釈迦の生涯の教えとすると思われます。二蔵とは、一つは声聞蔵であり、小乗の教えを納めます。もう一つは菩薩蔵であり、大乗の教えを納めます。さて三転法輪とは、一つ目は根本法輪であり、『華厳経』の教えです。二つ目は〔枝〕末法輪であり、さまざまな小乗の教えを尽くします。三つ目は摂末帰本（しょうまつきほん）法輪であり、『法華経』と『涅槃経』であり、自らの三論宗は『般若経』の上に立てました。

この宗で説く理と申しますのは、「色は即ち是れ空、空は即ち是れ色（現象は空であり、空は現象である）」として、今述べた法相などとはまったく異なって、現象の外に無為はなく、無為の外に現象はありません。本性と様相は同じであり平等である、というのです。ただしこの宗は、〔なんらかの教えを主張する〕諸宗を偏った邪執であるとして嫌うので、諸宗を論破しないとはいうものの、自宗特有の教えを立てないのです。

こういうわけで、〔三論宗は〕「生・滅・断・常・去・来・一・異」といって八つの迷いを挙げます。また「八不」と申しまして、「不生・不滅・不断・不常・不去・（23裏）不来・不一・不異」と、八つの迷いを否定するけれども、否定するだけにはとどまりません。そのわけは「言いて当ること無し、破して取らず（言葉は真実を言い当てることがなく、他を論破して取ることはない）」と言って、言葉は真実を言い当てられないから、ただ他を論破するだけで、言葉で示すことはしないのです。この方法は、誠に面白いものでございます。とにもかくにも言うけれども、仏法は畢竟空ですから、なんともかとも言葉では表すことはできないといたします。

その上、仏法でいう病とは有執といいまして、〔物事や自分が〕実在すると思うことです。この病を治すには、空という薬を使わなくてはできません。そして病が治った後には、空の薬も捨てなくてはいけない、といたします。こういうわけですから、有を捨て空に執着すれば、それもまた病であるといいます。一たびすべては無い物と悟ってから後は、物事は無い物だと固く思いこめば、また心が苦しくなりますから、〔有るとも無いともせずに〕どのようにでも成りゆき次第にせよ、というのが、仏法の核心でございます。さてこれは、おかしなことではございませんか。

華厳宗の事(23裏)

〔幽貞〕さて、華厳宗は、釈尊の生涯の教えを判別するにあたって、五つの教えを立てます。第一は、小乗教。これは阿含(24表)などの諸々の小乗経です。第二には大乗始教。これは『解深密経』などの諸々の大乗の経、ならびに『瑜伽論』『成唯識論』などの諸々の大乗の論です。第三には、大乗終教。これは『涅槃経』などです。第四には大乗頓教。これには、〔これを説く〕固有の経のグループもなく、諸々の大乗の中に、即心是仏の法門があるのを頓教とします。禅の法門などがこれです。第五には大乗円教。これには『華厳経』『法華経』の趣旨を包含し、また、〔二経を〕分けて別教・同教にすると見えております。『法華経』には、開会といって、〔諸教を〕等しく許す趣旨があるので、「同じく実なるが故に同教と名づく〔同じく実教であるので、同教と名づける〕」と説明しています。「等しく許す」とはどういうことかというと、『法華経』より前は、声聞・縁覚・菩薩の三つを分けて、二乗〔声聞・縁覚〕は成仏しないと述べていましたが、『法華経』には〔声聞に対して〕、「汝等の行ずる所は菩薩道なり〔あなたたちの実践しているのは、菩薩道である〕」と許しましたので、声聞も縁覚も菩薩も「頓教に等しく、実教に等しい」ので、『法華経』のことを同教といいます。『華厳経』については、「此の別教一乗は、彼の三乗に別なり〔この別教一乗は、三乗とは別である〕」と説明して、(24裏)『華厳経』は声聞・縁覚・菩薩の三乗と別ですから、別教といいます。

さて、この〔華厳〕宗で説く教理というのは、性海果分・縁起因分というように、真理そのものを二つに弁別なされるといいます。性海果分とは、機教未分といって、悟りとも迷いとも〔特定して相手に〕向かう前なので、説きようもなく、言いようもない、本来法爾といって、ただありのままであるところです。こういうわけで、ここを不可説というのです。縁起因分とは、衆生の迷う機が起こってしまうと、特別にそれに対応する教えも出てくるので、説くことができるというのです。このことをいつも、「因分可説、果分不可説」というのです。この趣旨は、〔修行過程である〕因分は説くことができるが、〔悟りそのものである〕果分は説くことができない、ということです。

さて、どのように説き始めたのかと見てみると、仏は、最初成道と言って、悟りを開いた時に、菩提樹の下で明星を見て、地平線に日が昇れば月が沈むだけで、特別な理屈はないのであり、すべてのものはただ自ずからそうなる道理だと達観しました。様々な差異を言うものは自らの心ですので、この心の他に事物はないというところから、『華厳経』の中の「如心偈」にも(25表)、「心の如く仏も亦爾（またしか）なり、仏の如く衆生も然り。心と仏と及び衆生の是の三は差別無し。諸仏、悉く、一切は心より転ずることを了知す。若し能く是の如く解せば、彼の人、真の仏を見ん〔心のとおりに仏はあり、衆生も仏と同様である。心と仏と衆生との三つは、相違がない。仏たちは皆、一切は心から展開することを知っている。もしこのように理解することができたなら、この人は真の仏を見る〕」と説いていることから始まって、この趣旨を受け継ぐ華厳宗は、一切のものの事と理とを円融して、隔絶がないと理解しているのです。事と理とを円融するというのは、事というのは、様々なものの上に見えているところであり、理というのは、その〔事の〕中にこもっている本性を理というのです。円融というのは、事は事、理は理というように隔てずに、事も理も一つであるということです。「色は即ち是れ空なり。空は即ち是れ色なり〔形あるものは実体のあるものではない。実体のないものが形あるものである〕」というのも、またこの趣旨なのでありましょう。事と理との円融の上に、さらにまた、事と事も円融し、理と理も円融すると説かれています。

このような道理を教えるために、ある時は金でできた獅子の譬喩を用い、ある時は六相の説を挙げています。金でできた獅子の譬えは、香象大師〔法蔵〕に、唐の則天皇后という后が、「華厳大乗は、内容が多岐にわたり経文も浩瀚なので、容易に知りがたい。身近な譬えによって、私にお示しください」(25裏)と問われましたので、大師は仰せを受けて、たちまち、后の御前に金で作った獅子があったのを譬えに用いて、華厳大乗を講義されたことから生まれたものです。

この獅子には、頭もあり、尾もあり、目・口・耳・鼻もあります。この五官を別々に見れば、別々の五官です。また、この五官〔という形〕によって、一つの獅子を金で作り上げていると見れば、ただ一つの金でできた獅子の他には何もありません。これと同じように、一法界の中には、地獄・餓鬼・畜生・修羅・人・天・声聞・縁覚・菩薩・仏の十界があります。この十界を個々別々に見れば、獅子の五官を個々別々に見るように、十界は別々ですが、この十界が一法界に他ならないと見れば、身体各部が合わさって金でできた一つの獅子になるように、別のものではありません。ただ一法界だけです。

六相の説というのも、このことを教えるための方法であります。それで、まず、六相の説を、

このような図によって示されています。一つには、総相とは、獅子です。二つには、別相とは、五官の差異があることです。（26表）三に、同相とは、この五官全体が一つの因果関係にあることです。四に、異相とは、獅子の五官の中で、耳は鼻ではなく、鼻は口ではないことです。五に、成相とは、五官がくみあわさらなければ、獅子としての形をなすことができないので、一体になるところを成相とします。六に、壊相とは、獅子の身体各部は、目は目であって耳とは関係なく、耳は耳であって鼻とは関係がありません。それぞれがそれぞれの本体にだけとどまるのを壊相というのです。壊は、破れることで、「成す」の逆です。

これらは皆、今申しました一法界のあり方を明らかにする獅子の譬えを説明し直したものです。一法界というのは、一心の異名に他ならないとご理解ください。この心は仏に他ならないのです。この心は空に他なりません。空とは無のことです。『華厳経』にも、「空は即ち是れ仏なり（実体を欠いていることは、仏に他ならない）」とあるのは、何もないところが仏に他ならないということです。何とまあ、おかしなことでありましょう。これもまた、とどのつまりは、いつものことです。地獄も天国もないところに住んでいるのです。

（26表）天台宗の事〈付論、日蓮宗〉

（26裏）〔幽貞〕さて、天台宗といいましても、これもまた〔華厳宗と同様に〕この上ない大乗でして、内容は幅広いことでございます。そうは申しましても、まず要点を取って言いますと、釈尊の生涯の教えを区分けなさる時には、四教五時ということを立てています。さて、この四教といいますのは、蔵・通・別・円、五時というのは華厳・阿含・方等・般若・法華のことです。

まず四教のうち蔵というのは三蔵教といいまして、三界の中の六道の衆生が苦を離れて悟りを得ることができるという趣旨を明かす小乗の教えです。どうして「三蔵」というのかといいますと、修多羅（しゅたら）蔵・毘尼（びに）蔵・阿毘曇（あびどん）蔵といって、経・律・論であり、あるいは戒・定・慧の三つを三つの蔵に収納するようなものですので、三蔵教というのです。「蔵」というのは、「くら」のことで、納めるところのことでございます。

それでは、これは誰に対して説いた教えなのかといいますと、「正しくは二乗を化し、傍には菩薩を化す（二乗を本来の教化の対象とし、菩薩を副次的な対象とする）」といって、面と向かって本来の相手として説いたところは声聞・縁覚という二乗のためで、そのついでにまた菩薩にも教えるというのです。それで、この三蔵教では、どういうことを教えたのかといいますと、諦・縁・度の法門というものです。「諦」というのは四諦、「縁」というのは十二因縁、（27表）「度」というのは六度のことです。

四諦といいますのは、苦・集・滅・道で、声聞のために説いたのです。それで、まず苦というのは、いまのこの身は苦という結果の拠りどころとなっている身であるといいまして、わずらわしい果報の身であると悟るのです。これを苦諦といいます。そこでまた、このような状態にどうしてなってしまったのかといいますと、過去の煩悩による悪業を集めたものが原因となって、現在この結果を得たのだ、と悟るのを集諦といいます。そこで、この苦という結果の拠りどころである身からどうやって脱出できるのかという悟りを、道諦というのです。道諦というのは智慧のことでございます。滅諦というのは、この道諦の智慧によって、様々なものに執着する心がなくなるので、この時に現れる無為の真理を、滅諦というのです。無為というのは、わざと行うことがないという意味です。そういうことで、道諦は悟りの世界に入る原因で、滅諦というのは悟りの世界に入った結果であるというのだと、ご理解いただければと思います。結局のところ、この四諦といいますのも、(27裏)「人我の見（恒常的な自我があるという間違った思想）」といって、自分というものが有ると思っている、この自分は、本当は有るといえるものではなく、真実には無いものなのである、ということを教えているのです。

それで次に、縁覚に対して説いた十二因縁といいますのは、過去の二つの原因、現在の五つの結果、現在の三つの原因、未来の二つの結果ということを、合わせて十二因縁というふうにいうのです。まず過去の二つの原因というのは、この自分が生まれる前に、父母が起こすよこしまな思いを無明といいまして、一つの原因としています。次にまた、その〔よこしまな〕思いを原因として実行する行いを、行といいまして、二つ目の原因というのです。

さて、現在の五つの結果の第一というのを、識といいます。これは、つまり、〔男女の体液が一つになったものの〕一滴が胎内に宿る最初の段階です。第二は、名色といいます。「名色」というのは、初の「識」という一滴の露が胎内で次第に人の形になるまでの間のことです。第三は、六入といいます。これは、目・口・鼻・耳などが全部できあがる段階です。第四は、触といいます。「触」というのは、触れることです。触れるというのは、人は母胎から生まれ出てきても、三歳とか四歳になるまでは、火にも水にも触れませんので、それが熱いか冷たいかもわかりませんから、この間の段階を「触」といいます。第五は、受といいます。「受」というのは、受けることで、(28表)苦しいことや楽しいことも受けて、それを探ろうとし、根・境・識が結び付く五、六歳から十四、五歳まで、まだ婬欲が起こらない頃のことです。ここまでを現在の五つの結果と言います。

それで次に、現在の三つの原因といいますのは、愛といいまして、十六、七歳から婬欲が心の中に起こり、〔異性を〕求めることをいうのです。第二に取というのは、成長するにつれて、「愛」の思いにとらわれて、これをひたすら「とる」ことをいいます。第三には有（う）といって、その「愛」「取」に基づく行いをなすところをいうとのことです。これをどうして現在の三つの原因というのかというと、過去の「無明」に基づく「行」が今いる人が生まれる原因となったように、今の〔取・愛・有の〕三つもまた、未来に生まれる人にとっては原因となるからです。それで次に、未来の二つの結果というのは、第一には生であり、第二には老死です。以上まとめて、これらが十二因縁です。

それで、生というのは、愛・取・有に基づく行いをすると、必ずまた前に識と言われたように、生を受ける者があります。生を受けると、必ず老いて死にます。これを、現在の立場に立って未来の二つの結果というのです。そこで、四諦・十二因縁は詳細か簡略かの違いと（28裏）いって、四諦は短くまとまり十二因縁は幅広いというだけの違いではありますが、結局のところは無我という洞察へと至らせるための手立てであるとうかがっています。

それで次に、菩薩のために説いた六度というのは、第一には檀波羅蜜といって、施しの実践。第二には尸（し）波羅蜜といって、自己規律の実践。第三には羼提（せんだい）波羅蜜といって、忍耐の修行。四には毘梨耶（びりや）波羅蜜といって、勇敢さの実践。第五には禅波羅蜜といって、心を静める実践。第六には般若波羅蜜といって、知恵（洞察）の実践。これらによって、未来に仏に成ることができるという教えです。

それでは、この声聞・縁覚・菩薩の三乗というのは、どのようなものかといいますと、まず〔声聞の〕聞という意味は、仏の声を聞き、その教えを信じて、最後には見道・修道・無学道といって、三つの段階を定め、四向四果の聖者といっています。それはどういうことかといいますと、見道の段階に初めて入った者を須陀洹(しゃだおん)向といって初心のものです。これを預流(よる)ともいいます。『婆娑(ばしゃ)論』にその理由を出して「初めて聖流に入るが故に名づけて預流と為す（初めて聖人の部類に入るので、「預流」と名づける）」とあります。(29表)つまり、初めて聖人の流れに預かるという意味なのでしょう。須陀含果から斯陀含(しだごん)向・斯陀含果・阿那含(あなごん)向・阿那含果までを修道の段階とします。須陀含果というのは、今述べました預流の結果です。斯陀含向・斯陀含果というのは、一来向・一来果ともいうとのことです。その理由は何かというと、欲界にもう一度生まれてくることになっているからであるといいます。阿那含向・阿那含果というのは、不還向・不還果ともいうのです。これは、欲界に生まれ変わって戻ってくることが二度とないからであるといいます。阿羅漢向・阿羅漢果、この二つを無学道の段階とします。阿羅漢といいますのは、翻訳語といって、ぴったりした簡単な言い換えはありませんが、意味に基づくと、煩悩の賊を殺すので、「殺賊」ともいいますし、三界での生存を離れるので「不生」ともいうのです。

それで、見道・修道・無学道という意味は何かというと、見道というのは煩悩のない智慧によって三界の見惑を断ち切り、四諦の真理を見るからであるといいます。四諦の真理というのは、空のことです。それで、修道というのは、見惑よりもさらに(29裏)断ち切ることが難しい思惑を断ち切る修行をするからであるといいます。無学道というのは、声聞の究極の段階であり、もう学ばなければならないこともないからであるといいます。以上はまず声聞に関してのことです。

それで次に、縁覚といいますのは、梵語ですと辟支仏(びゃくしぶつ)というのを、中国では独覚とも縁覚ともいうのです。十二因縁を思索するので、縁覚といい、他人と関係をもたず、山林で静かに暮らすことに身をまかせ、ひらひらと舞う花や散る落ち葉を見て無常を思索し、独りだけでいることを普段のあり方にしているので、独覚ともいいますが、世の中の人が、自分だけがというような振る舞いをする者を「独覚心」というのも、この意味かと思われるのです。

菩薩というのは、梵語を省略したものです。詳しくは菩提薩埵といいます。そうしますと、菩提を中国においては覚と翻訳します。「覚」というのは、「さとる」ことです。薩埵というのを、中国においては有情と翻訳します。「有情」は衆生のことに他なりません。「一切衆生は悉く仏性有り（あらゆる生き物には仏と成る素質がある）」とはいうものの、とくに菩薩は悟る心があるので、菩薩だけを覚有情と言います。話のついでではありますが、仏と菩薩との違いも、ここでわかるのでございます。菩薩も悟るとは(30表)いいますが、それでもまだ情想があるので、「覚有情」といいます。「有情」というのは、依然として情想があるためです。仏は、情を完全になくして悟るので、「有情」という字を付けずに、ただ「覚」とだけ翻訳します。これまでは、三蔵教についてだいたいのところを述べてまいりました。

そこで、通教といいますのは、まずその意味は、通じている教えということです。何に通じているのかといいますと、三蔵教では、声聞・縁覚・菩薩に別々に教えていた諦・縁・度の法門を、通教においては皆同じように教えたので、通じている教というふうにいうのです。これを注釈書には「三乗同じく禀くるが故に名づけて通と為す（三乗が共通して受けるので、「通」と名づける）」と言っています。それ以外にも、いろいろと「通じている」という意味もございますが、それについては省略いたします。

先の三蔵教については折空（析空）観といいますが、この通教については体空観というのです。まず折空観といいますのは、三蔵教までは、とくに二乗の心が愚かでありますので、人我（自我）が空であることも理解することが困難だということで、折って砕いて物を空にしてみせたものでございます。譬えを引くと、この扇は空しいものだといいましても、地紙・骨・要が一緒になって、紛うことなくある時には、これが空で（30裏）あるとはどうしてもわからない人のために、その扇を、骨は骨、地紙は地紙というふうにして、無理やり破り捨て、その時、さっきまで扇と思っていた形はどこにあるというのかと教えた時に、扇という物の見かけのすがたは〔本当は〕なかったのだなあ、とわかるように、四諦・十二因縁の法門を説いて、人という物のすがたももともと有るはずの物ではないけれども、父・母が起こす妄念つまり無明や行を原因として、そこから識・名色から愛・取・有などに至るまでの次から次へと起こる原因によって導き出されるだけで、この原因がなければ、どうして人我という見かけのすがたもあるだろうか、というふうにすべてを完全に空にしてしまうので、三蔵教については折空観というのでございましょうか。

一方、通教はもうすでに「大乗の初門、機を調（ととの）へて頓に入らしむ（大乗のはじめの教えであり、能力を増進させて頓教に入らせる）」の教えといいまして、大乗が起こるはじめの入り口であり、頓教に入らせるために聴衆の能力を養成する教えなので、体空観といいまして、これは〔先ほどの折空観よりも〕向上した段階とうかがっています。そこで、この体空観で述べていることは、二乗の心もここにおいては次第に智慧が深くなりましたので、さっきの扇そのものを破ってみせる必要はなく、そのままで空なのだと教えているものです。これがつま（31表）り、「色即是空」という意味でございます。仏法では、とにもかくにも、空が独尊自存のものと見えます。

それで、〔修行をしていくと〕次第に段階が向上していくので、三蔵教では三賢七聖といって次第に段階を立てるのでございますが、此の〔通〕教には地位といいまして十地の段階を定めているのです。この「十地」も、詳しく言えば、長い説明が必要になる法門でございますので、はしょってだいたいのところを申し上げましょう。第一には、乾慧（けんね）地と言います。これは智慧が乾いている地という意味でございます。そのわけは、地という段階には到達しましたけれども、修行を始めたばかりなので、無漏(むろ)の智慧の水が乾いているということなのでしょう。第二には、性地と言います。これは無漏の性(しょう)智（煩悩を離れた本性の智慧）が段々に現れてくる段階ですので、このようにいうのです。「無漏」というのは、真理を知る悟りのこととご理解ください。こういうわけで、この性地の意味を、『弘決』とかいうものに「薄く理解有り。故に名づけて性と為す（真理に対する理解がかすかにある。それゆえ、「本性としては」と名づける）」と解釈されています。第三には、八人地といいます。これは、八忍・八智ということがあります。それゆえ、八人地というふうにいうのだとのことです。そういうことでしたら、「八人」の「人」の字には「忍ぶ」という「忍」の字の（31裏）方を書かなければなりませんが、人と法との二つがあるのではないということから、「人」という字を書くのです。いずれにせよ、言わんとすることは、修行の道には忍耐がなくてはいけないということでございましょうか。第四には、見地といいます。これは、三界の見惑（知的な迷い）を断じ、無始の時よりこのかた見たことのない真理を見る段階ですので「見地」と申します。第五には薄地といいます。これは欲界の九品の惑ということがございます。その九つの迷いをこの段階で六つ断ち切ると、残りの迷いが薄くなるので、薄地といって、薄くなる地というふうにいうのです。「九品の惑」といいますのは、人には貪・瞋・痴といって貪欲・瞋恚・愚痴という三毒が迷いのうちでも最大のものでございますが、それぞれに上・中・下の三等級をつけ、合わせて九等級の迷というふうにいうのです。第六には、離欲地といいます。これは前に〔見地で〕断ち切るに至らなかった三等級の思惑を、この段階において断ち切り、欲界の生存を離れるので、離欲地といって、欲を離れる地といいます。

　第七には、已弁(いべん)地といいます。これは、色界・無色界に七十二品の思惑というものがある（32表）のをすべて断ち切って、なすべきことをすでになしとげたという段階なので、已弁地というふうにいうのだとのことです。第八には、支仏地といいます。〔辟〕支仏というのは、前に申し上げましたように縁覚のことでございます。それで、声聞は「七地入空（七地に空に入る）」といって、やっと前の七地まで入って、ここにおいて空に帰入して留まるので、思惑（情的な迷い）の習気が残ってしまうのですが、それを縁覚はさらに一段階進み続けて、その習気をも断ち切るので、第八地を支仏地というふうにいうのです。この習気を断ち切るというのは、譬えを引くと、木を焼いて灰にしたのは思惑を断ち切ったこと、それでこの灰さえもきれいに捨てたのは習気を断ち切ることでございますとのことです。

第九には、菩薩地といいます。これは、三乗の中では菩薩はすぐれた能力を持っているので、第九地に進んで、「誓ひて習を扶けて生ず（残っている煩悩に力を加えて、再び生まれてくることを誓う）」という利益を広く与えるためであるということでございます。そこで、菩薩の「誓ひて習を扶けて生ず」というのは何なのかといいますと、「誓ひて習を扶けて生ず。実の業報には非ず（かすかに残っている煩悩に力を加えて、再び生まれてくることを誓う。これは、実際に行った過去世の行為の結果なのではない）」と説明されています。一般的に、三界に生まれてくることは、見惑・思惑があるからです。そういうわけで、声聞(32裏)・縁覚は、この迷いを断ち切り、習気さえも断ち切って、三界の生存から離れるのを、極楽とします。これは能力が劣っているからであるとのことです。しかし、菩薩は大乗にふさわしい能力を持っているので、三界に入って衆生を幸福にしようとするために、わざと残す習気なので、誓って習気を扶けるというふうにいわれるということです。

このようなことを聞くと、三界も実在して、衆生が救われることが、仏教にもあるようですが、これはみな教相といいまして、ただ表面的に教えた範囲のことだけでして、真実には、はじめに申し上げましたとおり、三界というものもなく、衆生だの、仏だの、なにやかやといったこともございませぬ。すでに経にも「三界は唯だ一心のみ（輪廻の領域である三界はただ一つの心だけである）」と説いている以上は、三界といっても、この心そのものを離れては無いのだという教えです。それで、臨済といいます禅の祖師は、「三界は唯だ一心のみ」の趣旨を踏まえて、「你（なんぢ）、三界を識らんと欲するや。你の今聴法する心地を離れず。你の一念の(33表)心の瞋、是れ色界なり。你の一念の心の痴、是れ無色界なり。是れ你の屋裏の家具子（かぐす）なり（おぬしは、三界を知りたいのか。それは、おぬしが今教えを聞いているこの心と別にあるのではない。おぬしの心に一瞬起こる貪り、それが欲界だ。おぬしの心に一瞬起こる腹立ち、それが色界だ。おぬしの心に一瞬起こる迷い、それが無色界だ。つまりは、おぬしの〈心という〉家にある家具に他ならぬ）」と言って、三界もお前の家の中で使う器なのだと言っています。これは、先に、話のついでに、教相にお迷いなさらないために申しました。

そこで次に、第十には、仏地といいます。これは、第九地において、菩薩はわざと習気を残して（三界において衆生に対して与える）利益を完成した上で、第十地に進んで、一念相応の智慧によって、その習気を断ち切り、仏という結果に至るので、仏地というふうにいうのです。この「一念相応の智慧」とは何なのかというと、空慧と一念とを等しく見ることをいうのです。さらに、この「空慧」は何なのかというと、無心無念の状態であり、「一念」とはいろいろと起こる想念のことです。「相応」とは、どのように想念が起ころうとも、「念々、自性無し（一瞬一瞬に生じる心には固定的な本性がない）」と言って、それ自体として有る性分ではないということを悟るのを、「一念相応」というふうにいうのです。以上は、十地について、だいたいのところを述べたのでございます。

妙秀。初めのうちだけは、素晴らしいことだとも思っていたのでございますが、今となってはもはや驚くにも及びません。どのような善知識たちも、こうした道理を整(33裏)理して、お教えくださったことはありません。十地の仏などといいますと、極楽浄土の中にいることかと思いますが、そうと知ってみれば、これも悟り・修行の段階のことでございましょうか。そういうことであるなら、この通教の中にある四種の仏土というのも、きっとこの娑婆世界の中のことなのでございましょう。それに、四門得道などといいますのは、どうなのでしょう。

幽貞。そうなのです。知らない人は、十地などと言いますと、ありもしない浄土もあるように考えて、その中の段階なのかなと思うのですが、本当におかしなことでございます。それで次に、四種浄土ということも、おっしゃられたように、この娑婆世界から離れてあるものというのではありません。そこで、この道理についても、四門得道のことについても、大体のところを申し上げることにいたしましょう。

まず、四種の浄土といいますのは、第一には常寂光土(じょうじゃくこうど)、第二には実報土、第三には方便土、第四には同居土(どうごど)、以上です。とはいうものの、この四土というものは、この世界から離れて別にあるのではありません。『文句記』の巻十にも、「直(じき)に此の土を観ずれば、四土具足す。ゆえに、此の仏身即ち三身なり（直接、この世界を観察してみれば、そこには四つの世界がすべてそなわっている。それゆえ、この仏の身が〈法身・報身・応身の〉三身である）」と説明しています。同巻九にも、「(34表)豈に伽耶(がや)を離れて別に常寂を求めん。寂光の外に別に娑婆有るに非ず（どうして、現実のブッダガヤーの地を離れて、それとは別に常寂光土を探すのか。常寂光土の外に、それとは別に娑婆世界があるのではない）」とも言っています。結局のところ、この寂光土といいますのも、心そのものの異名です。『文句記』の巻五に、「今日の前、寂光の本より三土の跡を垂れ、法華に至りて三土を会摂(えしょう)し、寂光の本に帰す（〈法華経を説く〉この日より前には、常寂光土という本体から、他の三つの世界という二次的なものを出現させたが、法華経に至って、この二次的な三つの世界を統合して、常寂光土という本体へと統一したのである）」と説明されています。「今日の前」というのは、法華経より以前のことで、「寂光の本より三土の跡を垂るる」というのは、一心真如の内証から適宜の手立てを用いていろいろに説いてあげたものを、『法華経』に至った時には、「どれも皆別々のものではない。一心真如であるのだ」と教えましたのを、「三土を会摂して寂光の本に帰す」というふうにいうのです。

それで、四門得道といいますのは、四教のいずれにもある法門ではありますが、お尋ねのことですので、申し上げましょう。「四門」というのは、有門・空門・亦(やく)有亦空門・非有非空門、以上です。この「門」というのはどういうことかといいますと、「門は能通を義と為す（門というのは、〈他の場所に〉通じるものという意味である）」と説明して、ここから真如法性の内証に入るための入口であるとのことです。ですので、有門というのは、この目に見えるあらゆる物事は皆仮（34裏）に有ると思索して、法性から外れないようになることをいうのでございますとのことです。空門というのは、最初から如幻即空ということに心を集中して思索し、法性から外れないようになることをいうのです。亦有亦空門というのは、ある時は有門を思索し、ある時は空門を思索して、どちらか一方にとどまらないことをいうのです。非有非空門というのは、あらゆる物事を如幻でもなく即空でもないと思索して、法性から外れないようになることをいうのです。この他にも、通教にはまだいろいろなことがございますが、それは省略しました。

次に、別教というのはどうしてそういうのかというと、通教とも違い、円教とも別なので、別教といいます。あるいは、二乗の人を差別していることからも、別教というふうにいうとのことです。

別教の教えにいろいろのことがあるなかに、五十二位といって、段階は五十二と決まっています。これも一つひとつ申し上げましたら、きりのないことですので、その要点だけを申し上げましょう。その五十二位といいますのは、十信・十住・十行・十廻向・十地、この上に等覚・妙覚ということを立てて、五十二位というふうにいうのです。まず、十信という「信」の字は、「人の言」（35表）と書いて、教える側の人の言うことを疑わずに信じることを、十信といって、それに十の段階を挙げているのです。『大論』という書物に「仏法の大海は信を能入と為す（仏法という大海は、信じることによってそこに入るのである）」と述べています。この意味は、仏法の幅広いことは大海のようなものなので、信を肝要とする、ということなのでしょう。十住というのは、「十住は空に入る（十住の段階で、

〈すべての事象は〉実体を欠いているという理解に至る)」といって、前の十信の段階までに、〔……〕空の悟りに入って、般若の智慧にとどまる段階をいいます。

十行というのは、前に空を悟ったことを前提に、「十行は仮に出づ（十行の段階で、現象的なものへと出ていく）」といいまして、仮の方へと、適宜の手立てによって衆生を救済するために出ることをいうとのことです。これは、つまり、自分が明らかに理解してきた空を教えようとするためなのでしょう。十廻向というのは、十行を前提にして、菩薩が衆生に利益を与えることを、十の段階に分けたものでございます。次に、十地というのは、その〔各段階の〕名前も〔菩薩としての〕段階も、前の通教の十地とは異なっていますが、言わんとするところは、これも「断惑証理（惑を断じ、理を証す）」といって迷いを断ち切り真理を悟ることなので、重ねて言うまでもありません。それで、この上に等覚・妙覚という二(35裏)つの段階を立てています。まず等覚といいますのは、別教の趣旨からは、無明の数に十二の等級を立てて、この（等覚の）段階においては、もはや第十一等級の無明まで断ち切って、残っている惑障はただ一つです。「等しい覚り」と読みます。これもいろいろの理屈がありますが、省略いたしました。妙覚の段階は、十二等級の無明をすべて完全に断ち切って、惑障の残りがないので、「妙なる覚り」といいます。これは、つまり、「等覚一転して、妙覚に入る（等覚の段階から、もう一展開して、妙覚に至る）」といいまして、等覚を一転すると、この妙覚であるとのことです。ここまでは別教のだいたいのところでございます。

円教というのは、どのような教えなのかといいますと、「仏意相応の機」といいまして、仏の心のような能力の者に対して、仏の内証をありのままに教えた教えでございますとのことです。そういいますのも、「生と仏とは不二にして、迷と悟とは一致なり（衆生と仏は別々のものではなく、迷いと悟りは一致している）」といいまして、衆生も仏も二つのものではなく、迷いも悟りもただ一如だと悟らせるのを、円教というのです。

結局のところ、円教(36表)というのは、心そのものの異名とご理解いただければと思います。そのわけは、「万法、円に備はるが故に、名づけて円と為す（すべての事象が円満にそなわっているので、円教と名づける）」と説明して、円教というのは、十界三千の依正のあらゆる物事、世間・出世間のすべての物事を完全に満たして、欠けているところがない、と高らかに言うので、円教というのです。我等の心そのものといいましても、〔仏と〕同じくすべての物事を円満に備えている本体なのです。それで、注釈にも「一心は万法の総体なり（心はすべてのものを収める本体である）」と見えています。また、「秖だ心は是れ一切法、一切法は是れ心（心はすべての事象であり、すべての事象は心であるということに他ならない）」とも説明しています。これが、つまり、円教の内証です。

妙秀。このように「生と仏とは不二なり（衆生と仏とは二つのものではない）」と聞く時は、本当に、仏法というのは少しも尊いものではございません。そうはいいましても、仏には法・報・応の三身などということがあるのは、いかにも尊いことだとばかり、うかがっております。これはどのように考えればよろしいのでしょうか。

幽貞。おっしゃるとおりです。仏に三身ということがあるといっても、これもまた別のことではございません。本当のところは、衆生の身の中にあることなのです。これは、つまり、寂・智・用の三つなのでございます。「寂」というのは、心が鎮まって妄念・妄慮が無い(36裏)ことで、この時を法身と見ます。「智」というのは、心が智慧をはたらかせることで、この時を報身というふうにいうのです。「用」というのは、「はたらき」で、はたらくことをはじめとして、すべて化身であると言っています。化身といいましても、応身といいましても、これもまた違うことはありません。応身は一つでございます。およそ、仏法においては何事も、我が身を離れて有ると言いません。弘法大師が「それ仏法は遥かに非ず。心中即ち近し。真如は外に非ず。身を棄てて何をか求めん（仏の教えというものは、遥か遠くにあるのではない。心の中にあって、少しの距離もない。ありのままの真理は、外にあるのではない。この身を捨てて、どこに探すのか）」と言いますのも、この意味です。

さて、この円教には、六即の段階ということを立てています。六即という意味は、「六のゆえに濫を簡び、即の故に初後不二なり（六つあることによって、序列を乱すことを排除する。〈その六つがすべて〉「即ち（仏である）」ということによって、最初と最後が別々ではない）」と言っています。この意味は、衆生も仏も迷も悟もひとまずは別々なので、一・二・三・四・五・六というように順番に並んでいるようであるのを、「六の故に濫を嫌う」と言います。また、「即の故に初後不二なり」というのは、真実には、衆生も仏も二つのものがあるのではなく、迷も悟も別々ではないということをいいます。

その一つひとつの名前をいいますと、第一には理即。これはまだ仏とも聞いたことのない（37表）凡夫の段階で、ただし、究極的にはこれを本来の仏といいます。『心要』などには、「一切衆生の心性は即ち理即の仏なり（あらゆる生き物の心の本質は、理即の仏である）」とおっしゃっています。第二には、名字即といいます。これは、理即の凡夫が、たとえば経巻などの説を聞いて、善知識の教えを受けて、仏とも法ともいう名前を知っている段階でございます。第三には、観行即です。これは、名字即において聞いたところを実際に修行することをいうのです。第四には、相似即といいます。これは、迷いを捨て去って、説法し衆生に利益を与える能力があることが、この次の段階である分真即の悟と似ているので、相似即というふうにいうのです。第五には、分真即です。これは、妙覚の完全な段階に対して、「分」という言葉を加えています。「分」というのは、完全ではないことです。妙覚という最終の結果の段階にも、一部分は到達している、とのことです。第六には、究竟即といいます。「究竟」の二字を、極め極まると読んでい（37裏）ます。これは、つまり、無明という暗い迷いがあるのを晴らして、法性の奥底まで到達した境地です。分真即は等覚の段階、究竟即は妙覚の段階とのことです。そうですので、「等覚一転して、妙覚に入る」とあるのを、伝教大師（最澄）は「等覚一転して、理即に入る」と説明されています。これは、つまり、悟りを極めれば、まだ悟っていないのと同じであるといいまして、とことんまで極めてみれば、仏法では、仏とも法とも知らない凡夫が仏であるとのことです。

なかなかに　人里ちかく　成にけり　あまりに山の　おくをたづねて

と詠んでいるのも、この意味です。東山の鹿ヶ谷から、さらに山深く入ってとどまっているのを、どんどん分け入って行くと、また坂本が近くなることでございます。まずこれまでが四教のだいたいのところです。

さて、五教のはじめは、華厳時です。仏の説法を五つのまとまりに分けているので、五時と言うのです。華厳時は三七日（二十一日）を一つの時期とし、中間は省略して、最後の法華時は八ヵ年を一つの時期とします。それで、まず「華厳」はどうしてそういうのかといいますと、原因という花（華）によって結果の美点を飾るという譬えです。経を説いた場所は、寂滅道場といって、例の菩提樹の下において（38表）法慧・功徳林・金剛幢・金剛蔵といいます四人の菩薩に仰せつけて、九世（くせ）相入の法門や法界円融の悟りをありのままに説法させ、「空は即ち是れ仏なり（実体を欠いていることは、仏に他ならない）」という真理を教えさせたのですが、人々は皆、この経を理解する能力に達しておらず、「聾の如く、啞の如く（耳が聞こえない人のように、口がきけない人のように）」といいまして、聞いても耳に入らず、言おうとしても言葉にできない心境で、頭を振って、説法の座の莚を巻き返して（退座）しまったので、衆生を導く手立てのために第二時の阿含の説法の座が始まったのでございますとのことです。

それで、衆生がはじめにこの『華厳経』の説を聞くことができなかった理由を探ってみると、釈迦が説法する以前には、経といいますこともなく、論といいますこともなく、悟りなどといいますようなこともありませんでしたので、ただ自然と心が導くままに、上の方には安楽な場所と尊い主があるはずだろうと思い、下の方には魔界があって嫌悪すべきであるとだけ思っていたのに、この釈迦が出現して、「三界は唯だ一心なり。心の外には別の法無し（三界は一つの心に他ならない。心の外に、それ以外の事象は存在しない）」と言って、「心の外には地獄も天国も無い。尊い主もいらっしゃる（38裏）ことは無い。空こそ仏に他ならない」と教えましたので、意外に思って人々は皆、退座してしまったと思われます。とんでもないことです、釈迦殿よ。自然にそなわった人の心に任せておいたなら、死後の生が無いなどといったことを決して思わなかったでしょうに、自分の心をもとにして人に教えたので、現在に至るまでも、死後の生はあるはずもないと思う迷いが残って、人を迷わしているのでございます。『法華経』には、「自ら此の経典を作り、世間の人を誑惑す（自分でこの経典を作り、社会にいる人々を欺瞞する）」といって、この経典を作ったことによって、世の中の人を迷わすと、人は言うだろうとあらかじめ説いてあるのは、本当にそのとおりでございます。

それで、この「有る」という人の思いを迷いといって、それを除き去ろうとして、衆生を導く手立てを設けて、例の菩提樹の下から立ち上がって、鹿野苑という場所に赴き、十二年の間説いたのを、第二時の阿含時というふうにいうのです。それで、「阿含」といいます意味は、「阿」は無の意味で、「含」は有の意味だといっています。これは、つまり、四諦・十二因縁を説いて、虚空仏性という真理を見せて、（39表）「有り」と思う思いも無くす教えなので、まさに「阿含」というのです。

第三時は、「方等は説時不定（方等時は、いつ説いたのか特定できない）」と比叡山ではいいますが、三井寺では「十六年の間の説法である」と判定されています。これは「弾呵（だんか）」といって、二乗を非難し嫌った教えなのでございます。どのように嫌って非難したのかといいますと、阿含で空の道理を聞いて、「では、自分というふうに思う者もなかったのだな」と、深く空に耽溺してしまったので、そのように思った二乗を指弾して、「高原の陸地には蓮華が生じないように、二乗の心という大地には仏性という蓮華が生じることはあり得ない。犬や野干（ジャッカル）の心を起こすことがあっても、二乗の心を起こさない」と嫌いました。このように、二乗の心持ちについては嫌われたことによって、二乗の心も思い乱れて、「空と聞いたので、そのとおりだと思ったら、今度はこれを嫌い、有と説く。有としようか、無としようか、どちらであるのだろうか」と、空・有という二つの考えの間にただよっているのが、方等部の趣旨でございます。それでは、どうしたわけで、空と聞(39裏)いたものを、またここでは嫌うのかと見ると、二乗が空という考えに固執するなら、自分の教え（仏法）も〔空であると思いこんで〕後には用いないに違いないと思って、また有るように言っておいたものだといわれています。現在でも、仏法はすべてこうしたものと思われます。有ると言おうとすると、釈迦の心に背きます。はっきりと無いと言おうとすると、また布施の施物も取ることができないし、食事の供養を受ける手がかりもなくなるので、死後・来世は、有るものだとか、無いものだとか、また有るものだとか、といったように、「病気の目に茶を塗った」といった具合で、無思慮に言っておいたと思われます。

さてまた、第四の般若は、漢訳では智慧といっています。他の経は、どれも智慧ではないということはないのですが、他の経は多くの場合、戒・定・慧の三学全体にわたるのに、この経には畢竟空（完全に実体性を欠いていること）の智を根本としているので、とくに智慧というとのことです。これはつまり、洮汰といいまして、先に述べた方等の空・有の二念をゆさぶってととのえて、畢竟空のところを十四年の間説いたもので(40表)ございます。それで、この終わりに『無量義経』を説いて、『法華経』に対しては序分にあたるものとしたのです。その中に「四十余年には未だ真実を顕さず（四十余年の間は、まだ真実を説いていない）」と説いているのは、阿含十二年、方等十六年、般若十四年なので、合わせて四十二年です。この間には、まだ真実を顕していないという意味です。

さて、その真実をいつ顕したのかといいますと、第五時である法華の時で、この間の八年に、『法華経』一部八巻を、真実として説いた法門です。その一部八巻の要点をとって言いますと、「妙法蓮華経」という五字の題名に帰着します。この五字の一字一字の趣旨を探ってみますと、「妙」というのは不可思議といって誉めている言葉です。何を誉めているのかというと、「法」をほめています。意味に基づく順番でいえば、「法妙」と言うべきところ、言葉の通りの良さに従って「妙法」という順番にしています。それでは、この誉めている「法」とは何なのかといえば、「法」とは十界・十如・権実の法であるといいます。これはつまり人々の(40裏)一心のことを指しているものでございます。人の心は、ある時は苦しんで地獄として現れ、ある時は悲しんで餓鬼として現れ、またその一方では、無心無念の状態で仏果を現します。これを、「有る」と言おうとすると、その姿を見ることができません。「無い」と言おうとすると、また十界の念が起こるので、心を指して妙法とはいわれるのです。

これを、すぐに理解できない者のために、次の「蓮華」の二字を添えているのでございます。一心を、あの水中にある蓮に譬えていることでございます。蓮は、泥の中にあっても、濁りに染まりません。また、花の中に葉も実も備わっているものです。一心も、無数の念が、心そのものとはならないのは、蓮が濁りに染まらないようなものです。また、この一心が地獄として現れる、その原因である一念に、そのまままた仏果があるので、蓮に、花という原因と実という結果が一つに備わっていることを、因果不二であるこの一心に譬えたのを、譬喩の蓮花というのです。また、当体の蓮花とは、人々のこの胸の中にある(41表)心臓の形が、つぼみの状態の蓮花のようであるので、この赤い肉の塊を指して直ちに「妙法蓮華」と言っているのです。次に、「経」とは「たて」と読む字です。〔妙法蓮華経の〕五字を縦糸とし、四教を横糸にして、一切の法門を織り出したのを「経」とは言っています。結局のところ、法華というのが、この一心のことです。そういうことによって、妙楽大師の注釈に、「法花一部は方寸と知る可し

（法華経の全体は、心臓であると知らなければならない）」と言っています。「方寸」とは、すなわち心臓のことでございます。胸の中のあの赤い肉の塊をいうのです。

妙秀。お話のように、法華の談義をもたびたび聞きましたが、変わったこともございません。いつもの仏法です。とはいうものの、「三種の法華」ということがあるのをお聞きではありませんか。そうした珍しいこともあるのではございませんか。

幽貞。そのことです。伝教大師の注釈に「「一仏乗に於いて」は、根本法華の教なり。「分別して三と説く」とは、隠密法華の教なり。「唯、一乗のみ有り」とは、顕説法華の教なり。妙法の外、さらに一句の余経無し（法華経の「唯一の仏の教えについて」の句で説いているのは、根本法華の教えである。「〈その唯一の仏の教えを〉分割して、三つの教えとして説く」という句で説いているのは、隠密法華の教えである。「〈しかし、本当に三つの教えがあるのではなく〉唯一の教えがあるだけである」という句で説いているのは、顕説法華の教えである。〈法華経に説かれる〉深遠な法以外に他の経典は一句すら無い）」とあります。ここに、「三種の法華」ということが、言われています。

（41裏）まず、一つ目に、「「一仏乗に於いて」は根本法花の教なり」というのは、仏の内心の悟りを、聴衆の能力を考慮して明らかにしない段階を申します。二つ目に隠密法華というのは、表立って説くものは四味三教であっても、秘密の思し召しからいうと、これも法華であるというのです。その理由は、二も無く三も無いものを、人の能力によって、区別して三と説いたからです。三つ目に「顕説法華」というのは、第五時の開会の法華です。「開会（かいえ）」というのは、『法華経』以前には、「成仏できない」と言って、二乗を嫌っていたのですが、『法華経』の時、唯一の真実の理へと開いて、そこに帰着させるのです。『法華経』に、このことを、「汝等の行ずる所は是れ菩薩道（君たち〈『法華経』で未来の成仏を保証された声聞たち〉の実践は、そのまま菩薩の道である）」とあります。これはつまり、

「当位即妙にして、本位改まらず（今の修行段階がそのまま妙覚であり、もともとの修行段階は変わらない）」といって、「諸法実相」という内心の悟りが開けてから見ると、〔十界の〕最初の地獄界も最後の仏果も、すべて一心に備わった徳なので、地獄界として起こる一念も、当位即妙であり、餓鬼界として起こる一念も即妙であり、その後の七界も同様で、仏果として起こる一念も即妙なので、二乗も当然そうだということを「開会」というふうにいうのです。「開会」の二字を「ユルシカナワシムル」(42表)と読まなければならないと言っています。そういうわけで、法華経以前には、二乗を嫌い、きびしく区別をつけていたのに、「四十余年には未だ真実を顕さず」と説かれたので、法華一乗妙典では、どのような真実をお説きになるのかと見ると、これをご覧ください。また、もとのもくあみです。

決して、日蓮宗の僧侶方に私がこのようなことを言ったなどとはお話しにならないでください。おしなべて、あの日蓮宗と言いますのは、天台宗の考えとは違い、何ごとにも自分勝手なことだけを言って、「この経（『法華経』）でなくては、助からない」と言うのです。これはすべて、仏法でも「観道」といって悟りのことをわかっていないからなのでございます。禅宗などは、こういったような人々のことを「無眼子（むげんす）」といって、仏法に対しては盲目であるように言っています。『法華経』を解釈する場合にも、因縁・約教・本迹・観心といって四種釈がある中に、観心の釈がわからなければ、ただ他人の宝を数えるようなことだと譬えています。注釈書（『法華文句』）にも観心の釈について、「日夜、他の宝を数ふるも、自ら半銭の分も無し。但、己心の高広を観じて、無窮の聖応を扣（たた）く。機成じて、感を致し(42裏)、己れの利を得（毎日毎夜、他の人の宝を数えても、自分には半銭の分け前もない。自分の心が広大であることを観察して、尽きることのない仏からの応答を求める。宗教的能力が成熟すると、仏がそのことを感じ、自分の救済が達成されるのである）」とあります。

ところが、日蓮宗の迷いは、因縁の釈を頼りとしたり、あるいは約教の釈を頼りとして、「罪障が深い人々、特に女性などは、この経（『法華経』）と釈迦仏の他には助けてくれない」などと言い、また「他の経はすべて、この『法華経』という真実を顕すためのものなので、権経（ごんきょう）（方便の教え）である。『法華経』こそ最高第一である」と、いたるところで言いふらすだけで、その『法華経』の真実は観心にあることを、夢にも考えないで、経だけが大事だと見るのが、日蓮宗の考えでございます。

そういうことだからでしょうか、自分勝手な言い分を立てて、「念仏無間（むけん）、禅天魔、真言亡国、律国賊、法華最第一〈浄土宗の念仏は、〈極楽往生どころか〉無間地獄に堕ちる。禅宗は、〈釈尊の教えを破壊する〉天魔である。真言宗は〈鎮護国家どころか〉国を亡ぼす。律宗は、〈最澄が仏教者を「国宝」と言ったのとは逆で〉国賊である。法華経が最高の教えである〉」と、いたるところで言いふらすのです。『釈籤』にも、「若し法華を弘めんには、偏へに讃むるも尚ほ失なり。況んや復た余をや。何となれば、既に「権を開き実を顕はす」と言へば、豈に一向に権を毀（そし）る可けんや〈もし『法華経』を広めようとするなら、『法華経』だけを讃歎するのでも、まだ落ち度がある。まして、その他のやり方〈他経を謗る〉ではなおさらである。なぜかといえば、「一時的な教えの真意を明かし、真実を顕す」と言っている以上、どうしてひたすら一時的な教えを謗ってよいであろうか〉」と言っています。これは、妙楽大師などの考えでは、『法華経』を広めるということで、ひたすら褒めるだけでもよくないのだから、まして他の経を謗るのは、もってのほかです。その理由は、「権を開き実を顕はす」と言っている以上、権の外に実もなく、（43表）実の外に権もないのに、「四十余年には未だ真実を顕さず」という文のように考える様子を見ると、仏法の敵と思ったのです。

昔も今も、日蓮宗などのように心得ている人もあったのでしょうか。中国に法達禅師という僧がいらっしゃったのですが、「法華経を一万回も読誦すれば、成仏するだろう」と思って、すでに三千回も読んで、その後、六祖〈慧能〉にお会いしたところ、六祖はこの僧のために偈を作って、「心迷へば法華転じ、心悟れば法華を転ず。誦久しうして己を明らめずは、義のために讐家と為る。有念の念は邪と成り、無念の念は即ち正し。有無倶に計らず、長く白牛の車を御す（心が迷っていると『法華経』の方が君を操り、心が悟っていると『法華経』を使いこなす。長らく経をとなえていても、自分自身を明らかに知らなければ、正しい教えの敵となる。作用がある心は、間違ったものとなり、作用のない心は、そのままで正しい。有とも無とも考えることがなく、いつまでも白い牛に引かれた牛車を乗りこなす）」とおっしゃったところ、その時、法達禅師は悟りを得て、「読誦三千部、曹渓の一句に亡ず（三千回も『法華経』全体を読誦したが、曹渓〈慧能〉の偈の一句で、それは帳消しになった）」と懺悔して、経をとなえるのをやめたとのことです。そこで、この偈の意味を言いますと、「心迷へば法華転じ、心悟れば法華を転ず」というのは、「心が迷えば『法華経』に導かれ、心が悟れば経を導く」ということです。「誦久しうして己を明らめずは、義のために讐家と為る」というのは、「〔経を〕読むだけで、自分の心がはっきりわからなければ、かえって害をなす(43裏)」ということです。「有念の念は邪と成り、無念の念は即ち正し」というのは、いろいろのことを思うのは悪いことで、仏とも法とも思わないのが根本のことであるということです。「有無倶に計らず、長く白牛の車を御す」というのは、その心に「何」という思いが少しもなければ、いつも大白牛車に乗っているようなものだ、という意味です。「白牛車」というのは、『法華経』の譬えに羊車・鹿車・牛車というのがございます。その三つの上に、白牛車というものが、実大乗の人が乗るものであると言っています。それで、「譬喩品」に「丹枕を安置し、駕するに白牛を以てす（赤い座席を置いて、白い牛に牛車を引かせる）」とございます。この「赤い枕（丹枕）を置く」というのが、「無心無念に安住することである」と注釈されています。このようなことを心得ないで、日蓮宗は「この経の力でなくては、後生は助からないぞ」などと、表面上のことを言うだけなのです。心というものは経に現れる本体であり、経は心から出た影なのです。このことを知らず経だけを大事にするのは、本体を取らないで影を取るようなものです。

妙秀。そのようにお聞きしますと、『法華経』といっても、本当に尊いこと(44表)もないのですが、一方、「この経は八歳の龍女でも成仏したので、とくに女性が信じなければならない経である」と言われると、自分も法華宗ではありませんが、「何とありがたいことでしょう」と思うのです。それで、龍女の成仏のことはどうでしょうか？

幽貞。お言葉のとおり、『法華経』で最も名高いのは龍女の成仏のことでございます。そうはいいますものの、これはすべて偽りなのです。その理由は、まず龍宮界という場所がないので、龍女という者も、さらにはその父であるという沙竭羅（しゃがら）龍王という者もすべているはずがありません。水の底には、昔から今まで、魚のたぐいより他には何もいません。それで、動物には死後・来世についての議論はありませんので、いくら経にあるからといって道理を調べることもせず、すべてそれを信ずるのは、智慧を持っている値打ちもありません。大体が、釈迦ほどの嘘つきはいないでしょう。一休が、

うそつきて　地獄におつる　物なくは　なきことといひし　しやか（釈迦）いかがせん

と詠まれたのは、さすがに頭の良い僧だったと思われる(44裏)のです。まず、先ほど言いました須弥山などのことをはじめとして、今取り上げた龍宮世界などということも、すべて実際には存在しないことなのです。釈迦が嘘をついている証拠、それに、この『法華経』にも偽りが多いことをお示ししましょう。過去のことは、もし無かったことを有ったと言えば、「互いに我田引水する」といって真偽が決まりませんので、今、目の前に見える偽りを少々取り出してお見せし、ごまかしを明らかにいたしましょう。

そこで、まず（『法華経』の）「宝塔品」には「爾（そ）の時、仏前に七宝の塔有り。高さ五百由旬、縦横二百由旬なり。地より涌出し、其の中に住在す（その時、仏の前に七つの宝石で飾られた塔が出現した。高さは五百由旬で、縦横は二百由旬であった。大地から飛び出して、その中にとどまった）」とあります。また、その次には「其の仏、神通願力を以

て、十方世界の在々所々に、若し法花経を説くこと有らば、彼の宝塔皆、其の前に涌出し、塔の中に在りて讃めて「善きかな、善きかな」と言はん〈その仏〈多宝仏〉は、超常的な力と誓願の力によって、十方のどの場所でも、もし『法華経』が説かれることがあれば、この仏を収めた宝でできた塔はどれでも、その場所に飛び出て、塔の中で「よろしい、よろしい」と讃歎の言葉を発するであろう〉」とあります。こういうわけで、釈迦の説法の時、〔宝塔が〕地から涌き出たという五百由旬の塔も偽りであることを、お知りください。その理由は何かといいますと、(45表)どのような場所であっても、『法華経』さえ説けば、宝塔が涌き出て、その中から「善きかな、善きかな」と言うとあるのですが、その時から今に至るまで、どこに、そのようなことがありましたでしょうか。他の場所はさておいても、都の中にも二十一ヵ寺とか言いますが、その一つの寺にも、五百由旬はさておき、五寸四方の宝塔も涌き出たことはありません。し、多宝如来が出現して「くさめ」程度のことを言ったことさえ聞いたことがありません。これは、その嘘の一つでございます。

また、「安楽行品」の中には、「是の経を読む者は、常に憂悩無く、又、病痛無し。顔色、鮮白ならん〈この〈法華〉経を読む人は、常に悩みがなく、さらに、病いの苦痛がない。顔の色は、透き通るような白さである〉」とありますが、法華宗のお坊さんの中にも、ひどく心を痛め悩んでいる人はたくさんいますし、病気になって苦しんでいる人も数えきれないほどです。「顔色、鮮白ならん」と言っていますが、見た目も悪く、色の黒い、不細工な人が、どれほどいることでしょう。これが、その嘘の二つ目です。

同じ「安楽行品」に、「若し人、悪罵せば、口則ち閉塞せん〈もし人が〈法華経に基づいて実践する人を〉罵倒すれば、その人の口は開かなくなる〉」というように見えますが、法華宗を誹謗する者はいくらでもいますが、一人も口が閉じて塞がった者を見たことがありません。これも、(45裏)嘘の三つ目です。

また、「薬王品」には「此の経は則ち為れ閻浮提の人の病ひの良薬なり。若し病ひ有りて、是の経を聞くを得ば、病ひは即ち消滅し、不老不死ならん（この〈法華〉経は、閻浮提の人の病いの良薬である。もし病いがあっても、この経を聞いたならば、病いはたちまち消滅し、不老不死であろう）」と見えますが、祈禱ということで、経をとなえているうちに、「死ぬ」とはあえて言いませんが、息が止まってしまった人は、たくさんいらっしゃいます。「不老不死ならん」といいますが、法華宗の人であっても、享年が八十とか九十を越えるのは滅多にいません。これも、偽りの四つ目と言った方がよいでしょうか。

また、「普門品」の中には、「彼の観音の力を念ぜば、火坑、変じて池と成る（その観音菩薩の力を心に思い浮かべれば、火の燃えさかる穴は池に変わる）」とありますが、観音を念ずる人であっても、火が燃えさかる穴に突き落としたら、焼け死ぬことは言うまでもありません。その家に火をつけるだけでも、水にはならず、焼け死ぬことは、何の疑いがあるでしょう。永万元年七月二十九日のことだそうですが、「普門品」に言うように念じられていた千手観音の御堂も清水寺も炎上してしまったと、『平家物語』に見えます。それなら、他の者がつけた火かというと、（まさに『法華経』を信奉する）比叡山の法師によって焼かれたのでございます。この「普門品」の文が偽りであることをとがめたのは、この私だけではございません。(46表)その当時の人も、心ある人は奇妙に思ったのでしょう、「観音の「火坑、変じて池と成る」はどうなったのか」とバカにして、清水寺の大門の口に札をつけたところ、また、それに劣らないふざけた人がいて、「歴劫不思議、力及ばず（観音の誓願は人知の及ばないほど長い間かけたものだが、それでも力が及ばなかった）」と札を立てて応じたということは、現在まで笑いの種となっているのではないでしょうか。こういうことだからこそ、この経文も『法華経』の偽りの五番目だと言った方がよいでしょう。

その上、もしこうしたことを言いましたら、『法華経』の序分・正宗分・流通分は、みな偽りでございます。注意してこの経をお読みになる方は、私が言いましたことが真実であるとご理解ください。そのなかでも、後先の考えがないことは、「湧出品」の中で、「菩薩たちが大地から涌き出て、釈迦を褒めたたえ、うやまったところ、釈迦は黙って坐っておりましたが、その間に五十劫が過ぎました。しかし、仏の神通力のために、半日が経ったように、人々が思った」と書かれています。このことについてお考えください。半日のように人々が思うことはあったとしましょう。五十劫が過ぎたというのですから、その間に（46裏）、幾千万の月日が過ぎたということになりますが、釈迦は八十歳で亡くなったと言われます。実際に、周の昭王二十六年の時に生まれ、同じ周の穆王五十三年の時に亡くなったと見えます。この間は七十九年です。もし五十二劫が過ぎたのでしたら、どうして生誕・死没の年時が、この記録に合うことがあるでしょうか。このように後先かまわず、言いたい放題の言いぶりは、たわごとではないでしょうか。

あまりにいろいろなことを言いましたので、先に取り上げた龍女のことが二の次になってしまいました。さて、龍女の成仏のことも、すでに言いましたように、実際には存在しないことなのです。しかし、これについてはまた、別の考え方があります。口伝の教えによると、あらゆる人の胸の中に三寸の小蛇がいるといいます。これが八歳の龍女であるというのでございます。その三寸の小蛇というのは、貪・瞋・痴の三毒のことで、この三寸の小蛇なので、八歳というのは、小さいということにこと寄せて言うのだということです。小さいということにこと（47表）寄せて、六歳とも言わないで、どうして八歳に限るのかというと、人には八識ということがございます。三毒もこの中にある小蛇です。こういうわけで、八歳は八識にこと寄せて言うと理解するのです。九識もありますが、それは「本法の重」と言って、実は龍女が成仏する場所である南方無垢世界なのでございます。そういうことだからでしょうか、第九識のことを無垢というのです。無垢とは、汚れのない識ということで、悟りの上のことです。また、南方というのは、どうして南を指したのかというと、南は火を象徴しています。火は離の卦でございます。「離中断」といって、卦の形である☲は、このようです。これはつまり、心の中が虚で、無心無念であれば、三毒が鎮まるということでございます。そこを成仏というのです。それで、無垢世界にいるという境地を「丹枕」と言いならわしていると、この龍女の成仏について六箇の秘事ということがある中に、見えております。前にも言いましたように、「丹枕」とは無念々々ということ(47裏)でございますので、龍女という者も、この身を離れては存在しないとお心得ください。

このようなことを、あの日蓮宗などは、夢にも知らず、ただ「経の功力でなくては、助からない」とばかり言っているのです。かたはら痛いことではないですか。この道理をよく理解していた臨済は、「三乗十二分教は皆是れ不浄を拭ふ故紙（三乗とか十二分教とか言われる釈尊のすべての教えは、どれもこれも、汚れたものを拭う古紙だ）」と言って、経などというものは、あれを拭い捨てるための反古だと見破られたのです。そういうわけで、この調子で申し上げれば、果てしもないほどですので、法華宗のことはとりあえずここまでとしておきましょう。結局のところ、天台宗と日蓮宗の違いは、観心に基づく議論を言わず、ただ「経が尊い」と、自分たちの言い分だけを言うのが日蓮宗です。〔天台宗は〕同じように、万法一心（すべてのものは心に他ならない）の悟りがあって、経の真意をよく理解しているのが、〔日蓮宗との〕違いなのでございます。

真言宗の事（47裏）

（48表）妙秀。さてすでに龍女が成仏することも理解しました。確かに龍宮界といって水の底に国があるなどということはばかげたことです。そこで法華宗（天台宗）のことをすでに理解することができました。〔次に〕真言宗の教えはどのようなものでしょうか。これは「密宗」といって、また特別なもののように聞いています。

幽貞。おっしゃるとおり、真言宗は「密宗」といって他〔の教え〕とは変わっているようですが、これも天台と違うことはありません。おおよそ天台は顕教、真言は密教というまでです。たとえば手も握ればこぶしができ、開けばてのひらとなるという違いがあるだけです。握っていても開いていても、両手は十本の指が連なってできたものであるように、顕教でも密教でも仏法には一般に十界より外のものはありません。しかしながら自分の宗派が立てている教えがあることですので、簡略に言いましょう。

さて、真言宗の教えも事柄はたくさんありますが「六大・四曼・三密」ということで尽きています。さてその「六大」とは地・水・火・風・空・識（48裏）のことで、「四曼」とは大・三・法・羯のことで、「三密」とは身・語・意のことです。しかしながらまだこれだけでは理解しにくいので、さらに詳しくお話ししましょう。真言とは、大日覚王（大日如来）というものが本尊とか何とかと言ってあるというだけのことです。

さてこの大日如来の体・相・用ということを説明しましょう。一般的にまず「体」といいますのは、どんなことでも長・短、四角・丸といって、長さも短さについても、また四方についても、そのようなことをすべて「相」といいます。この「相」が基づくところを「体」といいます。「用」とはそれら体・相から出るはたらきのことです。そうであるので、その大日如来の「体」は何かというと、地・水・火・風・空・識という六大です。地・水・火・

風の四つはすでに明らかにわかることなので、説明するまでもありません。空とは何かというと、〔そこに〕物を入れても抵抗がなく、妨げのないところを虚空といいます。『大日経』にも、「空は虚空に等しと知る（空は虚空に等しいと知る）」といって、空は虚空と同じであると言っています。さてまた識というのは〔物事を〕区別するのを本性とするとい（49表）って、「柳は緑、花は紅」と区別して理解するものです。また心とも意ともいうと理解すべきです。心・意・識の三つは一体です。これらはどれも〔互いに〕離れないということを〔弘法大師の〕『即身成仏義』には、「六大は無碍にして、常に瑜伽なり（六大は疎隔がなく、常に瑜伽である）」と言っています。無碍とは渉入自在といって、こちらのものがあちらに入り、あちらのものがこちらに入るのに妨げがないことです。〔梵語で〕瑜伽（ヨーガ）というのは、「相応」という意味です。「相応渉入は即是即（そのまま）の義」といい、風はそのまま空、空はそのまま識であって、六大は常に一つです。この六大を合わせて大日如来の「体」といいます。

さてまた「相」というのは、大・三・法・羯の四曼といいます。『金剛頂経』の説のとおりならば、一つひとつの仏・菩薩のお姿（相好の身）です。またその〔仏菩薩の〕形を画いたものを大曼荼羅といいます。第二に三昧耶曼荼羅というのは、その〔仏菩薩の〕持っている刀剣・輪宝・金剛・蓮華などのことです。第三に法曼荼羅というのは本尊の種子・真言ならびに一切経の文章・意味などす（49裏）べてを法曼荼羅といいます。第四に羯磨曼荼羅というのは、諸仏・菩薩の様々の振る舞いやはたらきと言われています。これら四種の曼荼羅は皆お互いに離れていないので、〔『即身成仏義』の〕同じ偈にも「四種の曼荼羅は各おの離れず（四種類の曼荼羅は互いに離れていない）」とあります。

さて次の「用」とは三密のことです。三密とは第一には身密といい、手に印契を結び、第二には語密といって、口には真言を唱え、第三には意密といって心が三摩地に安住することです。これらが大日如来の体・相・用です。

妙秀。不思議なことです。今おっしゃったことはみな人間〔が行う〕作法です。それを大日如来の体・相・用とおっしゃられるのは理解しがたいことです。〔あなたのおっしゃっているのは〕間違っておられるのではないでしょうか。

幽貞。もっともなご不審です。そういうことですから、大日如来といって尊くいいなし、自らの法流を頂きに高く掲げて「不動不退である」などといっていますが、その大日如来というのは、この人間を離れて存在するもの(50表)ではありません。さらに人のみに限らず、「鬼・畜・人・天は皆是れ大日〔餓鬼も畜生も人も天〈神〉もすべて大日如来である〕」といって、存在しているもの、まことに、虫けら、あの下水の桃やほおずきというような〔つまらない〕ものまでを大日如来と理解するのですから、〔それらより尊い〕人は言うまでもなく大日如来であって、六大からなる心身を「体」といいます。その「相」である四種曼荼羅とは、まず人間の姿形、これは大曼荼羅です。民百姓は鋤・鍬をかつぎ、武士は太刀・刀を携え、出家〔の僧〕は袈裟・衣を着、女は糸・針を持っていることまでも三摩耶曼荼羅と理解するのです。また、たとえば「御ゆかしく思ひまひらせ候」と一筆書くことまでも法曼荼羅というのです。さて人の行住坐臥はすべて羯磨曼荼羅です。

さて、「用」という三密とは何のことであるかといえば、手を挙げ、足を動かし、爪はじきを一つすることまでもすべて身密の印契です。〔口から〕出入りする一息(50裏)そのままが阿字の真言と理解するなら、悪口雑言し、人のことを話し、恨み謗ることは、それでもやはり語密の真言です。さてまた、心には四方山(よもやま)のことを思うものです。ある時は物を妬み、または憂し辛しと思うことまでも意密と言って、〔それは〕心が三摩地に安住しているということです。これをご覧なさい。大日はもともと尊くないものです。

妙秀。さてさて何事も前に聞いたこととは違って何と浅薄なことでしょう。しかしながら、あの金剛界の大日如来、胎蔵界の大日如来などということ、同じく両界の曼荼羅などということは、大変ありがたいことのように聞いておりますが、これも今のと同様のことでしょうか。

幽貞。金胎両部の大日如来というのも〔今申し上げたのと〕別のことではありません。人の色心〔肉体と心〕を二つに分け、色体の方を胎蔵界の大日如来と理解し、心法の方を金剛界の大日如来と理解します。色と心とは元から不二といって(51表)、二つではないので、金胎不二の大日如来とも、この身体を指していうのです。その上に、金胎両界は、陰陽の二つであるとも理解しなさい。男は陽なので金剛界の大日、女は陰なので胎蔵界の大日といいます。また両部の曼荼羅というのも、これになぞらえているのです。金胎の二つは、以上のようなものです。

さてこの曼荼羅というのは梵語であって、「壇」とも翻訳し、「輪円具足」とも翻訳します。その意味はすべて、あらゆる仏・菩薩がずらりと並んでいるかたちで、仏・菩薩だけに限らず、地獄・餓鬼などの十界の一つも欠けないのが曼荼〔羅〕であるので、「輪円具足」というのです。その上、曼荼羅にもいろいろあります。あるいは「経に説かれている曼荼羅」というのは、経典・論書・注釈に長々と説いている仏・菩薩のことです。また「現図の曼荼羅」といって、常に画像にして〔壁に〕懸けている羯・三・徴・供・四・一・理・降・降といった九会・十三大院などの両界の曼荼羅もあります。また「阿闍梨が伝えた曼荼羅」(51裏)というのは、自分の身体を離れて別に求める曼荼羅ではありません。「真言は円壇にして、先ず自体に置き、足より臍に至り、大金剛輪を成し、此より心に至り、当に水輪を思惟すべし、水輪の上に火輪、火輪の上に風輪あり〈真言〈の行者〉は円壇をまず自分の身体に置いて、足から臍に至るまで大金剛輪を完成させ、ここから心臓に至るまでを、水輪であると思いなさい。水輪の上に火輪が、火輪の上に風輪がある〉」と『即身成仏義』の偈にもあります。自分の身体を離れてはどんなものも存在することはありません。この偈の意味を次に解釈して「金剛輪とは阿字である。阿字は地そのものである。水・火・風は字のとおりに理解しなさい」と。これは明らかにわかることですので再び解説するには及びません。

さて、「円壇とは空なり。真言〔者〕とは心大なり」と言っています。両界曼荼羅も皆、この自らの身体に存在すると知るべきです。弘法大師が〔『般若心経秘鍵』で〕「夫れ仏法は遥かにあらず。心中にして即ち近し。真如は外に非ず。身を棄てて何をか求めん〔そもそも仏法は遥か遠くにあるのではなく、心の中すぐ近くにある。真如は〈自分の〉外にあるのではない。〈自分の〉身体を棄てて何を求めるのか〕」とおっしゃっているのもこのことではないでしょうか。「仏法」とは智法身がそのまま心法であり、「真如」とは理法身がそのまま心法であることです。

このために、両部の大日如来ということからして、色心の実相、(52表)理智の根底でございます。一般的に、阿閦(あしゅく)・宝生・弥陀・釈迦・大日という五つの仏も、〔自分と〕別にある五つの仏ではありません。自分の身体の上に五つの仏があるということです。五智というのは、眼識・耳識・鼻識・舌識・身識・意識・末那(まな)識・阿頼耶識・無垢識といって、〔これら〕九つの識を転換して五智とするのです。第八阿頼耶識を転換したものを大円鏡智といい、これはまた東方にいる阿閦(あしゅく)仏のことです。第七末那識を転換したものを平等性智といい、これはまた南方にいる宝性仏のことです。第六意識を転換したものを妙観察智といい、西方にいる阿弥陀のことです。〔眼識から身識までの五つの識を転換したものを成所作智といい〕これまた、北方にいる釈迦〔不空成就如来〕です。第九無垢識を転換したものを法界体性智といい、これを中央にいる大日といいます。これらのことから五仏というのも衆生の外にあるのではありません。

また三十七尊ということを立てるのも、自分の心の上の作用であって、〔それと〕他にあるのではない。薩・王・愛・喜・宝・(52裏)光・幢・咲・法・利・因・語・業・護・牙・拳、これらを十六大菩薩といいます。嬉・鬘・歌・舞・香・花・灯・塗、これらを八供養〔菩薩〕といいます。鈎・索・鏁・鈴、これらを四摂〔菩薩〕とし、金・宝・法・羯、これらを四波羅蜜〔菩薩〕とします。これらに先ほどの五つの仏を加えて、全部で合わせて三十七尊というのです。さてこれらは自分の心の上の作用であるということを、一つひとつ説明するには及びません。たとえば、愛を起こせば愛菩薩、欲を起こせば欲菩薩、歌なら歌菩薩、舞なら舞菩薩というようなものです。これゆえに「常に妙法の心蓮台に住し、三十七尊の心城に住す（法身の仏は、常に妙法という心の蓮華の上に居住し、三十七尊の心城に居住している）」というのも、このことです。

妙秀。「鬼をば暗がりに繋げ」と世間でいつもいわれていることがつくづくと分かります。日ごろ、尊く思っていることも、このように明らかに真意を聞けば、勝れているような感じもなくなります。そうでしたら、以上の承った識を転換して智とするということはどういったことでございましょう。

幽貞。殊勝なことをお尋ねなさいます(53表)ことですね。たしかに転換するとはいいますが、どうすることが転換することであるのかということを、誰も知りません。そうであるので、まず、たとえば、凡夫の妄想の念を意識と名づけ、仏法の悟りの洞察を妙観察智といいます。あなたの身の上にとっても、地獄があるのは恐ろしいことだ、極楽があるのは頼もしいことだ、これは善、これは悪などと、お思いになることを凡夫の意識といい、悟りを開いて、「私たちの思考が働く心の外にどこに地獄、極楽があるはずがあるでしょう。善悪も心のなすことなので、別個のものではありません。この身体は元から仏です」と本当に理解するような状態を、妙観察智とも、または西方の阿弥陀とも理解するのです。転換するとはこのことです。さてさて私の宗旨であるキリシタンの教えとは、大変に違っていることです。

妙秀。それでは転換するとは、そのように悟るところをいうのですか。そうであれば、キリシタンの教えでこそ、神もなく仏もない、地獄も天堂も存在しないとおっしゃられるとのみ(53裏)思っておりましたが、結局、その反対で、キリシタンでは地獄も極楽も存在するとおっしゃるのに、仏法の真意は、自分の心の外には、神も仏も地獄も極楽も存在しないとおっしゃるのですね。折々、仏法を教えてくださる方たちが「妙秀よ、よく聞きなさい。地獄というのも極楽というのも、神というのも仏というのも、あなたのお思いになるようなことではありません。しかしながら、その悟りまで至るのは難しいので、念仏を称えていなさい」と事もなげにおっしゃられたのも、今ようやく思い当たります。さて、すでに識を転換し智とするということは聞きましたが、八識・九識などということは、はっきりとは理解しがたいものです。もっとも〔私はあなたの〕ご宗旨のキリシタンになろうと思いますけれども、その前に、ついでのことに、仏法・神道のことを、よく聞いて、極めたく思っております。仏法を教えてくださる方たちへ質問申し上げると、秘事めかして、そのようにありのままにはおっしゃいませんので、今まで本当のことを知らず、(54表)いろいろに言いまどわされて年月を送ったのが、悔しいことです。引き続きその識のことをお教えください。

幽貞。識のことというのは、仏法のなかでも宗派ごとに変わり、その扱いはいろいろと難しいと言われています。しかしながらお尋ねのことですので、人から聞いたことだけを簡略に一通り申しましょう。一般的に、識の数についても大乗・小乗によって変わります。小乗では六識分といいます。というのは、眼識・耳識・鼻識・舌識・〔身識〕・意識の六つです。眼では色・形を見、赤や白を知り分けます。耳では音声を聞き、鼻では香、舌では味、身体では寒熱などを知覚するのを、五識といいます。さて、その上に意識というものは、五つの感覚器官に関係せず、惜しい、欲しい、憎い、愛しいなどと思う心が、意識というものです。この六識分の悟りのありさまは、目も耳も今存在すればこそ、色・形も音声も知覚するので、この五つの感覚器官も死んで存在しなくなっては、知るようすがもありません。第六の意識も、たとえば、〔草木は〕(54裏)雨露の恵みを受けて栄えている間は「柳は緑、花は紅」と振る舞っても、〔雨露が〕枯れては何もなくなってしまうように、人も死んでしまえば無心になるというのが、六識分の悟りです。

権大乗である法相宗などでは、八識を立てています。その八識というのは、今〔述べた〕六識に第七識の末那識、第八識の阿頼耶識というこの二つを加えて立てたものです。まず阿頼耶識というのを、ここ〔漢字文化圏〕では根本意識といいます。これはつまり、十二因縁のうち、現在の五果のはじめの識といわれているもので、一滴託胎のはじめであるので、根本意識といいます。諸法の根源、諸法の本体もこの滴の外には何も存在しないといいます。つまり、これが第八識です。さて、第七識の末那識とは、ここ〔漢字文化圏〕では翻訳して「意」といいます。これはどのようなものかといえば、根本意識といわれる阿頼耶識の無心無念であるところから、忽然として起こる業識の最初の一念が、この阿頼耶識の無心無念を(55表)根本であると〔誤って〕思い込むのが、第七識というものです。そうであれば、第七識というものは固有の本体があるものではありません。あえて言えば、第八識の作用です。この八識分〔を立てる〕宗の悟りのありさまは、「一念不生は、即ち仏に至るが故に（一念も生じない状態は、そのまま仏に至るから）」と香象大師は解釈なさっています。これはつまり、一念も起こらなければ、その時に仏性が顕現するという意味です。

さてまた実大乗である華厳宗・天台宗などでは、この八識の上に第九識の菴摩羅(あんまら)識、ここ〔漢字文化圏〕では無垢識というのを立てます。さて、この本体は何を指していうのかといえば、一般的に八識より上のものは、あるはずはありませんが、実大乗ではさらにまた〔自らの教理を〕高くほめそやすために、第九識を立てたとのことです。その証拠には、『如来功徳荘厳経』に「如来無垢識は、是れ浄無漏界なり。一切障を解脱し、円鏡智と相応す（如来の無垢識は浄無漏界であり、一切の障(さまた)げから解放され、円鏡智と対応している）」と説いています。無垢識とは今申し上げたとおり、第九識である菴摩羅識の翻訳語です。円鏡智とは、また第八識に対応する智であるのですが、無垢識を円鏡智(55裏)に対応したものという時は、第九識も第八識の内に含まれているということは明らかでございます。さらにまた『大蔵一覧集』というものにも、このことをはっきりさせようとして『解深密経』を引用し、「此の阿頼耶識は即ち是れ真如にして自性を守らず、染浄の縁に随う。合せずして合す。能く一切真俗境界を含蔵す。故に蔵識と名づく。明鏡の影像と合せずして影像を含むが如し。此れは有和合の儀に約するなり。若し不和合の儀ならば、即ち体は常に不変なるが故に真如と号す。合不合に因って其の二義を分つ。本、一真如にして湛然不動なり。若し阿頼耶識は即ち是れ如来蔵と信ぜずして、別に真如の理を求むること有れば、像を離れて鏡を覔(もと)むるが如し。即ち是れ悪恵にして、以て未だ不変随縁を了せず（この阿頼耶識は真如に他ならないが、本性を固く守るのではなく染浄の対象〈縁〉に随う。〈対象と本性とは〉完全に合致しているわけではないが、結合している。一切の真俗の境界を包含しているので、蔵識と名づける。澄んだ鏡が、そこに映る像と結合せずに、その像を包含しているようなものである。これは、結合があるという面から述べたものである。結合がないという面から言えば、本体が常に不変であるので、真如〈ありのまま〉と名づける。〈対象との〉結合と不結合によって、その〈随縁と不変という〉二つの意味を分けるのである。本来は単一の真如であり、静寂で不動である。もし「阿頼耶識は真如に他ならない」と信じないで、別に真如という原理を求めるのであれば、映像を離れて鏡を探し求めるようなものである。これは誤りのある知性であり、まだ不変と随縁とを理解していないのである）」とあります。そうであるので、八識が対象によって動かされないところが第九識すなわち真如なので、阿頼耶識の外に第九識を求めるべきではありません。

華厳宗の文献では、「七転識と謂うは、皆是れ本識の差別功徳なり（七つの転識はすべて根本識の種々に分化した作用である）」とあります。この意味は、前の五つの識も第六意識も第七末(56表)那識も、これら七つはすべて根本の識の上にある分化した作用であって、〔根本の識と〕別のものではありません。根本の識というのが、第八阿頼耶識のことです。「分化した作用」とは、たとえば眼で色を知覚すれば「眼識」といいます。第六識にあって概念を対象とすれば、「意識」といわれます。〔第七識についても同様です。このように識が区別されるのは対象が違うからであり〕その本体は、ただ阿頼耶識のみであるという意味です。玄奘三蔵は「法位の第八識を、即ち第九識と為す〔本来の状態の第八識を第九識とする〕」と言います。これも第八識の外に〔所在を〕求めない第九識です。また円悟という禅宗の祖師も、「納僧の受用、多子無し。八識の田中に一刀を下す〔わしが得たことといっても特別のことはない。八識の奥まで刀を突き立てるのじゃ〕」とおっしゃっています。これも八識が対象と結合するところを「絶断」といって切って捨てるのを第九識と理解していると見えます。これまた第八識の作用であって、〔第八識と〕別の物ではないとご理解ください。

さてこの真言宗は、なおこの第九識の上に、さらに一切一心識などといって十識、十一識、無量の識を立てるというものの、これはすべて、先ほどの根本識の分化した作用であって(56裏)〔根本識と〕別のものではありません。一般的にここで仏法でいう心・意・識の三つをよく理解してください。この三つは「名は三なるも体は一なり〔名前は三つであるが本体は一つである〕」といって、名前は三つですがその本体は一つです。『大毘婆沙論』にこの意味を明かすため譬えを引いて述べています。「心・意・識、何の差別か有る〔心・意・識にどのような区別があるのか〕」と質問して、「差別有ること無し。即ち心は是れ意にして、意は即ち是れ識にして、皆同一の義なり。火を火と名づけ、焔と名づけ、亦た名けて熾とするが如し〔違いはない。心は意に他ならず、意は識に他ならず、どれも同じ意味である。火を、火と呼んだり、焔と呼んだり、熾と呼んだりするようなものである〕」と答えていますので、用(はたらき)によって名前は別々であるけれども、本体はただ一つでございます。この譬えの意味は、同じ火であっても燃えない時は火といって、ただ火であるだけです。燃え立つ時は「焔」と言います。これは炎です。さらに炎が高く上る時は「熾」

と言います。「熾は盛也」といって、盛んである形です。そのように、特別な心がなくそのままである時は、「心」といい、思念が現れ出した時は、「意」といいます。さらに、緑・紅と物を細かく区別して認識する時は、同じ心であっても「識」ということなので、〔三つに分けて〕心・意・識と言います。(57表)名前は用(はたらき)によって変わりますが、その本体は二でも三でもなく〔唯一である〕とご理解ください。識に関することは、簡略には言いにくいことでございますが、まずひととおりお話ししました。以上のことで、大方は理解されたことでしょう。

妙秀。識のことを、詳しくおうかがいして、今ようやく不審も晴れました。そうであれば、また真言の阿字観ということはどんなことでございましょう。

幽貞。その阿字観というのは、出入りする息を観察することです。

妙秀。そこにわからないところがあります。真言宗で「阿(ア)・嚩(バ)・囉(ラ)・訶(カ)・欠(ケン)(佉(キャ))」というのは、地・水・火・風・空、これら五大の種子(しゅじ)(象徴的音節)です。そうであれば、阿字は水大であるので、息の本体を観察すると〔風に対応する訶字であるはずなのに〕、地大の種子である阿字を選び出していることは、どのような理由があるのでしょう。

幽貞。ご不審はもっともです。まず、息の本体を観察するときに、地大の種子を選び出しているのに数多くの理由がある中で、まず阿字はすべての音色の初めで、口を開けばただちに「ア」と開くので、(57裏)阿字を息の本体として観察するとのことです。その上、この阿字を解釈するのには、堅・湿・煗(なん)・動・無碍・了別ということがあります。息風といって、この息の風には六大すべてがこめられているといいます。そもそも「堅」とは、本体は打っても砕けず、切っても切断されるということもないところを、地大の堅いという面に引きよせて理解したのです。「湿」とは、息に潤いがあって、湿っているという面を水と解釈しているとのことです。「煗」といって、息が暖かで乾く意味があるのを火と解釈するのです。「動」とは、息の本体は元より風であって動き働く力があるからです。「無碍」とは、息の本体は物に触れて妨げがないので空であるといいます。「了別」とは、息の本体は本来、弁別知がないのでそこを本来の状態というのです。全体として、この阿字というのは自らの心を認識させるため（にあるとのこと）です。その自らの心というのが息です。息という字は自心と書きます。（58表）それ故経文に「如実に自心を知る（ありのままに自らの心を知る）」と言われていることを念頭に置いて観察すると言うのです。ありのままに知れということです。この息が絶えると、命も尽き、弁別知も動き働く力もなくなるときは、息の外に心を求めることもできないとのことです。

『大日経』に、「阿字は第一命にして、情と非情とに遍ず（阿字は第一の命であって、生き物にも、生き物でないものにもすべてに行き渡っている）」とある文も、有情・非情の本体を支えているのは息であるということです。また同じ経典の第十巻に、「命とは風なり。想なり。想とは念なり。此くの如く命根は出入する息想なり（命とは風である。想である。想とは念である。このように命根は出入りしている息想である）」とあるのは、命も心も息の他にはないという意味です。ただ息は用（はたらき）で本体は心性であるといいますが、それはただ一つの本性であるといって、人に不審を起こさせないため（に分けていうの）です。その理由は、すでに真言宗はこの身のままで仏に成る（即身成仏）と理解するのが（真言宗の）主張であるので、どうして「色（しき）」に分類される息の外に心とか仏を求めるのでしょうか。

そうであるので阿弥陀というのは意識が妙観察智に転換したものです。そうであるので（58裏）意識と息とは一体です。そのため、阿弥陀の種子であるキリク字は、カ字を本体としています。阿字は風です。阿弥陀ということを翻訳して無量寿といい、この無量寿とはそのまま息のことです。今の『大日経』の文はこの意味に適っています。

阿弥陀だけではなく、地蔵・観音というのも、この息風である阿字を離れたものではありません。『仏説地蔵経』

にも「延命菩薩、中心不動、阿字本体（延命菩薩〈地蔵菩薩のこと〉は、内心は不動菩薩であり、阿字が本体である）」とあります。これはつまり地蔵というのは地大のことと理解しなくてはなりません。特別に尊いものではありません。息風としては堅のはたらきです。

また観音というのは、あらゆる生き物の干栗多（かりだ）心（心臓）といって、人々の胸の中にある赤い肉塊が真の観音というのです。そういうわけで、この観音の左手には「未敷蓮華（開いていない蓮華）」といって、蓮華の蕾の形を持ち、右には「開華の勢（花が開いた姿）」といって、開いた形をしているのは、つまり胸の内にある肉塊の（59表）蓮華が本当の観音であるという意味です。泊瀬寺（長谷寺）・清水寺の観音はこのことを知らせるための方便です。そうであるので、この息風は胸中の蓮の台座から出て、口・舌・唇に当たって音声を出すと、阿字となります。息はそのまま観音です。それゆえにこそ、観世音とは、世間の声を観察すると書くのでございます。世間の声を観察するとは、世界全体に満ち満ちている風のことです。これを自性清浄如来とも無量寿ともいいます。前に言いましたように、阿弥陀というのも息風であるので、「観音と阿弥陀は一体異名で、因果不二の意味に他ならない」といいます。こういうわけで、地蔵・観音・阿弥陀といっても皆尊いものではありません。ただ息風を指していうのです。息を、仏とも心とも意とも識とも理解しているだけです。

ああ、なんと哀れな（59裏）迷いであることでしょうか。出入りする息の風は無心無念であって、どんなことにつけても、弁別知や智慧がそなわるはずのものではありません。またこれは本来的に自立して存在する物でもありません。この風に限らず、四大・天地をこのように現し、計らいなさる御主がいらっしゃいます。このことをこのキリシタンより外〔の教え〕では知らないと理解しなさい。それゆえに、仏法では、地獄・極楽・後生のことを究極的には存在しないものとするのです。真言のこともあまり長くなりましたので、また別の宗旨のことをお話しいたしましょう。

（59裏）禅宗の事

妙秀。八宗のことは、うかがいました。これはいずれも皆、同じことでございます。禅宗と申しますのは、「教外別伝」といって、他の教えとは異なるようにうかがっておりますが、どのようなことでございましょうか。

幽貞。仰せのように、禅は「教外別伝」とは申しますけれども、これもまた違うものでは（60表）ございません。ただ同じ仏法でございます。ただし「教外別伝」と申しますのは、釈迦が霊鷲山で説法された時に、〔釈迦〕仏が花一枝をつまみあげて〔聴聞していた〕大衆に見せたところ、皆黙っていたと申します。その心を悟れなかったので、皆、何も言えなかったのですが、迦葉一人が破顔微笑、にっこりと微笑しました。そのときに、釈迦は「私に、正法眼蔵涅槃妙心がある。摩訶迦葉に授けよう」と言われたのです。それ以来、教えの外に別に伝えるということから、禅の教えは始まりました。それでは、その釈迦が迦葉に授けた正法眼蔵とはどういうことかと尋ねますと、これもまた特別のことでもありません。一心をよく見て知る、ということです。さて、その心が有ると伝えたか、無いと伝えたか、といえば、心は無とするものでございます。

こういうわけで、〔釈迦仏が迦葉に仏法を伝えた時の〕伝法偈でも、「法の本法は無法なり　無法の法も亦た法なり　今無法を付する時　法々何ぞ曾て法ならん〔法の本法は無法である　無法の法もまた法である（60裏）　今、無法を伝える時、様々の法はどうして法であることがあろうか〕」と言っております。この意味は、まず「法」とは何を指しているのかといえば、法とは心の異名です。この故に馬鳴という天竺の祖師も「ここで言う法とは衆生の心である」と言い置かれています。ですから〔第一句〕「法の本法は無法である」とは、〔法を心と読み替えて〕本心というものは、無心無念のものである、ということです。

さて、〔第二句〕「無法の法もまた法である」には、たくさんの意味があります。このなかで、まずは一、二を挙げて申しましょう。

一つには、〔釈迦が〕つまみあげた花も、〔その花が咲いた〕木を割ってみれば、〔木の中には〕緑も紅もないのですけれども、本来は存在しない花が仮〔の存在として〕咲いているように、元来〔人は〕無心なのですが、その時々の環境に対して「憎い」「汚い」という心も起こります。このことを指して「無法の法もまた法である」（本来はないことも仮のかたちで存在している）といいます。二つには、「ない物が一つある」ということを、「無法の法もまた法である」といいます。

〔第三句・第四句〕「今、無法を伝える時、様々の法はどうして法であることがあろうか」とは、(61表)もとより無い心を伝えるのですから、「伝える」とは、何か（実体を）「伝える」ことではないのです。結局、あらゆるものごとは皆、空無である、という意味です。

西天二十八祖もここから起こり、東土の六祖も、ここから始まったのでしょう。禅宗初祖の菩提達磨が、第二祖慧可大士に、悟りを伝えられた時も、〔達磨が〕「心を将来れ。汝が為に安心せん（あなたの心を持ってきなさい。あなたのために心を安んじよう）」と言ったところ、慧可は「心を覓むるに、心了に不可得。（心を求めましたが、心はついに得られません）」と言いました、まさにその時に〔達磨が〕「汝が為に安心せり（あなたのために心を安んじた）」と、〔慧可の〕悟りをはっきりと認められました。

また、禅宗の第五祖である弘忍禅師も、「身はこれ菩提樹　心は明鏡の台の如し（身はこれ菩提樹　心は澄んだ鏡を置く台のようである）」と、なまぬるく言った神秀には、袈裟や鉢を伝えませんでした。「本来無一物　何れの処にか塵埃有らん（本来何物もありえない　いったいどこに塵やほこり〈煩悩〉があろうか）」と、言い切った盧行者（慧能）に衣鉢を伝えて、禅宗第六祖となさいました。そういうわけで、すべて禅は、臨済・雲門・曹洞・潙仰・法眼、これに楊岐・黄龍を加えて、五家七宗と申します。五家七宗すべて皆、心は空無であると(61裏)知ることを本といたします。

さてさて、仏法とは、なんと残念な教えでありましょうか。どれもこれも皆、このように後生はないとだけ見破ってしまえば、何のよいこともありません。後世のことはさておきます。現在の倫理についても、〔天〕上に恐るべき主（デウス）がいらっしゃることを知らないので、道が道であるということもございません。人の心と申しますのは、私欲にひかれて邪な路に入ろうとばかりしますのに、〔仏法のように〕主も無く我も無く、悪をなしても罰を与える主も無く、善を修しても賞されることもありません。虚空より生まれて虚空と成る、と勝手気ままに教えたことは、間違いではございませんか。キリシタンの眼から見れば、このような教えは邪法であるとしか見えません。

妙秀。いいえ、禅でも、そのように虚空から生まれて虚空に帰る、とだけ見るわけではないと承っております。その理由は「虚空の空は、空であって無である。仏性の空は、空であって真である」として、物を入れてもさま(62表)たげのない虚空の空は存在しない物としますが、仏性の空である我等の心性は存在する物とされておられます。本当のところは、空しくないという趣旨である、ということについては、如何でしょうか。

幽貞。そのことは、今まで申しましたように、禅に限りません。まず表向きには、何かが有るように申す宗がございますが、最後には皆、無い物に落としこむのです。虚空と仏性を別に見るのは、仏法の上では、いまだ凡夫、常人というのです。

黄檗の『伝心法要』という、心を伝える肝要を書いたものにも、「凡そ人、多く空心を肯はざることは　空に落つることを恐れて　自心本空を知らず（そもそも人が多くの場合、空心を認めないのは、空に落ちることを恐れるからであり、自心はもとより空であると知らないのである）」とあります。この意味は、「凡夫は「心が空であって無い物である」と聞けば「なんということだ、それは空見といって迷いなのだ」と言って、同意しない。これは、我が心が本来空であることを、知らないからである」と、笑いものにしております。

また、同じく『伝心法要』で「法身は即ち虚空にして、虚空は即ち法身なり。常人は、法身は虚空処に遍ねく、虚空の中に法身を含容せりと謂えり。(62裏)法身は即ち虚空にして、虚空は即ち法身なることを知らず（法身は虚空である。虚空は法身である。常人は「法身は虚空に遍くひろがり、虚空の中に法身を含んでいる」と考える。法身がそのまま虚空であり、虚空がそのまま法身であることを知らない）」とあります。この意味は、もう解釈するにも及びません。法身というのが、仏性の空のことです。これをご覧なさい。〔虚空の無と、仏性の真という〕二つとは言わず、唯一つ〔空無〕に落着しております。

ただこれだけ申しますと、教理だけのようにお聞きになって、〔実際の〕参禅や参学などは知らないのかとお思いになるでしょうから、もうこうなっては隠すまでもございません。大徳寺での密参を記したものをお目にかけましょう。これは、あちらから、書いてくださったものでございますよ。

〔大徳寺密参物〕「僧、趙州に問う。如何が祖師西来意（僧が趙州に問うた。達磨はなぜインドから中国にやってきたのか）」と。

弁（説明する）　意は、有に似て無い物である。

拶して曰く（切り込んで問いつめる）　無い証拠を説明してみよ。

弁　頭上から爪先まで体全体、皮は皮、肉は肉、骨は骨、髄は髄と裂き分けてみても、意という物は、色も形も無い。眼に見えないだけでなく、耳にも聞こえず、鼻にも嗅げず、舌にも味わえず、身体でも触れられず、言葉でも表現できない。[63表]これが無い証拠である。

拶して曰く　無心であれば、惜しい・欲しい・愛おしい・悲しいと思う主体は、何ものか。説明してみよ。

弁　意は、有るに似た物である。古人は「有にして有に非ず、無にして無に非ず〔有であって有ではなく、無であって無ではない〕」と言った。有るとも執着せず、無しとも執着しない。この言葉も「有るに似て無い」といった語である。

また、古人は「心法に形無く、十方に通貫す〔心法に形は無く、十方に行きわたっている〕」と言った。〔心に〕形はないけれども、唐や天竺のことまでも、ここを動かずに分別するから、心は十方に行きわたっていると言う。〔心は〕有るように似て、実は無い。また、古人は「心法は水中の月の如く、なお鏡上の影の如し〔心法は水中の月のようであり、鏡に映る影のようだ〕」と言う。水があるからこそ人の形を映すように、人の肉体と感覚があればこそ、心というものも有る。それと別に心という実体は無い。心も有るように似て、〔実は〕無い。釈迦も「過去心得べからず、現在心得べからず、未来心得べからず〔過去心も現在心も未来心もとらえることはできない〕」と説かれた。「三世〔過去・現在・未来〕は得ることができない」といったのだ。このように、三世が無いとわかったら、どのような輪廻もありえない。肉体がある間は、念という[63裏]ことも、起こらざるをえないものだが、たとえ念を起こしたとしても、〔悟った〕明眼〔の人〕にとっては、〔念は〕輪廻〔の因〕とはなるまい。三世無心と悟ることが肝要だ。

また、古人は「心有れば則ち広劫に沈輪を受く。心無ければ則ち刹那に正覚を成ず〔心が有れば広劫に輪廻に沈み、心が無ければ刹那に正覚を成ずる〕」と言った。「心が有る」とは、迷う凡夫のことである。「広劫」とは、久しく長い永遠〔の時間〕である。「輪廻に沈む」とは、生死の海に沈んで果てしがないことだ。「心が無い」とは、三世無心と悟ったことだ。「刹那」とは、髪一筋を切るほどの瞬間のことで、速やかということである。「成正覚」とは、悟ったということだ。

「州云く「庭前の柏樹子」」と。

弁　柏樹も心が有るに似て無い物である。

拶して曰く　草木に関して心があるに似て、無いという証拠を説明してみよ。

弁　柏樹に限らず、すべての草木は悉く、春は生じ、夏は生長し、秋は収獲し、冬は貯蔵して、四季折々に応じて変化し、生老病死がある。また、水をそそいでやり、植えかえてやれば、喜び、花が咲き、緑となる。(64表)また、切れば、傷つく。こうしたことは、〔植物に心が〕有るようだ。しかし、根茎枝葉を破って見ても、その中には、花の種も緑の種もない。これは、心がないのだ。これが、「西来意」と尋ねると、答えて「柏樹子」と直截に言われたところだ。古人〔一休〕の、

　桜木を　砕いてみれば　花もなし　花をば春の　うちにもちける（桜の木を砕いて中を見ても花は無い　花は春のなかにある）

という歌は、この古則〔庭前柏樹子〕によく叶うと、先師からの意見である。

下語「柳は緑花は紅」とは、柳の緑も花の紅も、柏樹のように無心のものである。このように、草木も人の心も、有るに似て無い物であるから、この句を「柏樹子」の解釈としたのである。煎じ詰めれば、三世無心ということが肝要である。

拶して曰く　このように見たら、無の見〔すべてが無であるという誤った考え〕に落ちてしまう。

弁　無の見には落ちない。そのわけは、有る物を無いと言い、無い物を有ると言うのが、無の見である。心という物は、元来無い物である。無い物を無いと見るのは、正しい見方であるのだから、無の見には落ちないはずだ。(64裏)
〔以上、大徳寺密参物〕

これをご覧なさいまし。申すに及ばぬことですが、心という物は無い物と済ませておりますのは、仏法は何でもこれで、珍しくありません。このことがまた、あらゆる密参録のお話でございます。けれども、お読みになるには及びません。これもあれもと申しておりますと、時間が経つばかりですので、お目にかけるまでもありません。総じて公案と申しますのは、一則も千七百則も趣旨は同じことと知られています。一心さえ、よく明らかにすれば、それで済むことでございます。こういうわけで、明州の大梅法常禅師と申す方は、馬祖(ばそ)に逢って「如何なるか是れ仏」と問いましたら、馬祖は「即心即仏」と答えられました。この言を聞くやいなや〔法常が〕悟って、直ちに大梅山に入り、世間の人を白眼に視る大悟の人となったのは、〔悟るために〕数多の古則を見る必要がないという〔何よりの〕証拠ではございませんか。

仏法では、一心さえ明らかにすれば、どの宗でもそれが極みです。(65表)この一心が本分であり、この一心が仏であり、この一心が地獄であり、この一心が天堂であるといいます。とどのつまりは、この一心が無である、ということに万事が止まるのです。「心有れば則ち広劫に沈輪を受く。心無ければ則ち刹那に正覚を成ず（心が有れば広劫に輪廻に沈み、心が無ければ刹那に正覚を成ずる）」ということも、このことです。

妙秀。いいえ、禅でもそのようにばかりは申さないと承っております。五祖法演に「如何なるか是れ曹洞宗（曹洞宗とはどのようなものでしょうか）」と尋ねたところ、答えて「馳書は家に到らず（手紙を送ったのに、家に届かない。

途中で留まって目的地に到着しない）」と言われましたように、曹洞宗では決めつけるのを嫌います。それですから、有か無かと決めないことを本分といたします。どうして、それほど無とだけおっしゃるのですか。曹洞宗でいう五位君臣の教えも、中を本とするところです。これをどのように心得ればよろしいのでしょうか。

幽貞。そのことです。曹洞宗などでは、有無の決めつけを嫌われます。さて禅の教えから見れば、これがよろしいのでございましょうか。座頭の洒落句のように、いろいろなことを言う（65裏）だけで、今時の修行僧は、万法は一心にあると悟らないものですから、月を拝み日を拝み、愛宕詣りに、清水寺詣でなどすることは、愚かな尼・入道と変わりません。あちらこちらへ、うろうろふらふらすることは、有無の決着を嫌い、中を守るという立派な徳でございましょうか。「〔もし今の世に〕その昔、庵を焼いたような老婆がいたならば、このような僧には宿も貸さないだろうに」と、〔臨済宗の〕大徳寺・妙心寺などからは、世にもおかしいことと申しております。

次に、五位君臣のことと申しますのは、もとより中を知り得て、様々に乱れることのない一理とはいっても、その中とは何かということを知らないまま、ただ有無の決着をしないことを中の本意である、としているのは、まったく共に語るに足りません。袈裟を垣（隠れ蓑）にして僧としているだけだ、と仏心宗（禅宗）からは申します。

僧が、（66表）曹山に五位君臣について尋ねましたら、曹山は「正位は即ち空界、本来無物なり。偏位は即ち色界、万の形象有り。偏中正とは事を舎（す）てて理に入る。正中偏とは、理に背きて事に就く。兼帯とは、冥に衆縁に応じ、諸有に堕せず。染に非ず浄に非ず、正に非ず偏に非ず。故に曰く、虚玄大道、無著真宗なりと。（正位とは空であり、本来無物である。偏位とは色であり、万の形象が有る。偏中正とは、事を捨てて理に入る。正中偏とは、理に背いて事に就く。兼帯とは、ひそかに諸縁にかないながらも諸の有に堕さず、染ではなく浄ではなく、正ではなく偏ではない。だから、虚玄の大道、無著の真宗であるという）」と答えました。

中という音のきこえはいいですが、その中にも神へ参れ、仏を祈れということは見えません。この答えの意味は、まず「正位」とは、本位のこととご覧ください。その本の位というのが、つまり空界です。「空界」とは無い処の事であるからこそ、「本来無一物」といわれるのです。ですから、曹洞宗で無に落ち込むのが良くないというのであれば、まず宗祖である曹山からして教団を追放し、血脈の札を削って捨てなくてはなりません。

「偏位は即ち色界、万の形象有り（偏位とは即ち色界であり、万の形象が有る）」とは、色形がある物は、皆本位（空界）ではないということを、(66裏)「偏位」というのです。「偏中正とは、事を舍てて理に入る（偏中正とは、事を捨てて理に入る）」とは、偏が中正の位に帰すということで、〔物が〕色形を離れて、ただ理（空無）になること、つまり焼けば灰になり、埋めれば土になるということです。「正中偏とは、理に背きて事に就く（正中偏とは、真理に背いて事象に就く）」とは、正中が偏位になるということで、正位（真理）である空から色形（現象）が生じてきたという意味です。

「兼帯とは、冥に衆縁に応じ、諸有に堕せず。染に非ず浄に非ず、偏に非ず。故に曰く、虚玄大道、無著真宗なりと（兼帯とは、ひそかに諸縁にかないながらも諸の有に堕さず、染ではなく浄ではなく、偏ではない。だから、虚玄の大道、無著の真宗であるという）」とあるのは、中というものの本体です。有無に落とし込まないことが中とだけ思うのは、その作用だけを取って本体を知らないからで、「七日語りは尼か法師か（七日も話し続けるのは尼か僧くらいのもの。長話の譬え）」のたぐいで、〔らちが明かず〕夜が明けません。この「兼帯」というのは、一心を指しています。この一心は、今は空と有とを兼ねており、縁に応じて地獄や餓鬼から菩薩や仏に至るまでのいろいろな念慮を起こしても、それが実体とはならないということを「虚玄の大道、無著の真宗」と申します。つまりこれが法華経の教えでは、(67表)妙法蓮華経という物のことです。

つまるところ、この心は有る物なのかといえば、「心有れば則ち広劫に沈輪を受く。心無ければ則ち刹那に正覚を成ず（心が有れば広劫に輪廻に沈み、心が無ければ刹那に正覚を成ずる）」というように、無心無念と知ることを成仏と心得ているものです。この点においては、禅も教も変わることはございません。総じて禅教一致でございます。

このことを、梁山の縁観禅師は「金烏東に上れば、人皆貴ぶ。玉兎西に沈めば、仏祖も迷う（金烏が東に上れば、人は皆これを貴ぶ。玉兎が西に沈めば、仏祖も迷う）」と頌になさいました。「金烏」とは日輪のことで、これを教理の趣旨に譬えて、教に依って心の迷いを晴らすことを太陽が出て人が貴ぶことに比し、「玉兎」とは月のことで、これを祖師の伝えることに譬えます。「玉兎西に沈めば、仏祖も迷う（月が西に沈めば、仏祖も迷う）」と言ったのは、悟りの心がなければ仏祖であっても何にもならない、と言うためです。それゆえ日が出たら貴く思うことと、月が沈んだら惑うということは、（月が沈めば日が出るので）言葉は異なっても同じことです。だから、これを祖教一致の頌と申します。(67裏) その（禅と教が）一致するところというのは、「我が心自ら空なり、罪福主無し（我が心は自ら空であり、罪福に主は無い）」というもので、仏法は万事済んでおります。

仏法で無と落ち着かないのは、仏も法も知らない人でございます。この無を知った後は、何を言っても同じことだと思いますから、争わない心が出てきまして、「有る」と言う人には「ええ、いかにも、後生は有ることでございます」と言い、また「無い」と言う人には「そのとおりです、後生といっても何が後に残りましょうか」などと言って、柳の糸が西へも東へも風の吹くままなびくようであることが、禅の至上の境地と思っております。真正の見解を得た人ならば、袖を振り合うことも見る価値があるというのは、本分の無をよく知り得てからのことです。とにかく禅と言おうと、教と言おうと、仏法は、いずれもこのように無に帰することは、もってのほかのことではございませんか。

浄土宗の事〈付論、一向宗〉(68表)

妙秀。今までは、私の宗旨を、何であるとも明らかにしてきませんでしたが、こうなった上では、どうして包み隠しておけましょう。私は浄土宗で念仏三昧している身でございます。ですから、他の宗旨は、今までお話しくださったように、悟りだの、観法だのと申しますが、こちらではただ一向専修といって、ひたすらに仏の御名を唱え、西方極楽へ往生しようと思う外には、まったく別のことはありません。そうであるので、他の宗では地獄・極楽も存在しないともおっしゃってかまいませんが、浄土宗一宗に限っては、そのようなことではございません。すでに阿弥陀如来は五劫思惟と申しまして、五つの大岩石を〔すりへるまで〕撫で尽くす〔ほどの極めて長い〕間のご苦労をなさって、衆生を助けなさるためのてだてをお求めになり、四十八の誓願を起こし、念仏を唱える衆生を、十度唱えたり一度唱えたりする間に来迎が有って、西方極楽へ迎え取り(68裏)なさるとの御誓いでありますから「仏を念ずる衆生、摂取して捨てず〔阿弥陀仏を念ずる衆生は、包容して、捨てることはない〕」と〔『観無量寿経』の中で〕おっしゃっていますので、あらゆる仏の願いよりも勝れていますので、「超世の悲願」というのはこのことをいうのです。こういうわけで浄土宗では後生が存在しないとは言わないのです。

幽貞。そのことでございます。たびたび申しましたとおり、どの宗でも、初めは、後生があるように言いますけれども、特に浄土宗では、今あなたがおっしゃるように、地獄も天堂も存在するかのようにいいます。浄土の宗旨も、人並みには聞いたことですので、これまた、だいたいのことをお話ししましょう。

浄土宗といってもいろいろ違いがありますが、まず、その大綱としては、法然の下から鎮西・西山という二つの流れに分かれました。鎮西流は「当得往生」と主張し、「命終の後に、ようやく往生することができる」というのに対し、西山流の教えでは「即便往生」といって、「仏の御名を唱えるその瞬間がそのまま往生である」と主張します。その理由はどのようであるかといえば、『観無量寿経』の中に「則（即）便」という語が三ヵ処にあります。それは「即便に剣を捨てる（すぐさま剣を捨てる）」とあるのと、「その時、世尊、即便に微笑す（その時、世尊は、たちまち微笑した）」とあるのと、「三種心を発せば、則（即）便に往生す（三種心を起こすと、たちまち往生する）」とあるところでございます。そこで、〔そのうち〕前の二つの「即便」とある箇所がいずれもその瞬間を意味していることですので、「即便往生」というのも、その瞬間の往生であると主張するのです。(69表)

さて、この往生とはどういうことであるかと尋ねてみると、浄土宗の祖師の言葉に「往生は、諸宗の悟道得法の異名なり（往生は、諸宗でいう悟道得法というものの異名である）」と見えています。この「諸宗の悟道得法」というのは何かといえば、真如平等といって、最終的には虚空法界であって、神もなく、仏もなく、地獄もなく、極楽もないと悟るのを「悟道得法」というのです。そうであるので、そのような悟りや観法を修行する宗を念仏宗からは「聖道門」といいます。これは、「末代劣機鈍根の衆生（釈尊の時代から遠く隔たった時代の、宗教的感受性も劣り、宗教的能力も鈍い衆生）」といって、末世である今は、宗教的感受性も心も劣っているために、そうした悟りには入り難いのです。ところが、「浄土門」といわれる我が宗は、末世の愚かなる者を洩らさない為の巧みなるてだて（善巧方便）であるので、ただ一筋に南無阿弥陀仏と唱えさせ、「一息絶断」といって、息が切れるところを往生といいます。これが諸宗の悟道得法と同じことであるというのは、どうしてそう言うのかといえば、諸宗が以前から悟るこの無に、念仏の行者も死ぬ時節には、〔その無に〕なるからであるという考えで言ったのです。(69裏)

それご覧なさい。浄土宗も後生は無いものとするということは、すでに少しずつ見えてきたことでしょう。

その上、浄土宗の法門の究極のところをお聞きになれば、いよいよこれも、後生は無いと主張していることをご理解なさるでしょう。それというのも、浄土宗には実体・化用・教門・実義といって、四義の法門を立てます。浄土の法門も幅広いものでございますが、結局はこの四義から洩れることはありません。それ故、諸宗いずれもつきつめていけば仏も衆生も地獄も極楽もないというところを、宗ごとに名前を変えていろいろと言っているにすぎません。禅宗では本分と立て、天台宗では真如といい、法相宗では(70表)円成実性とも名付け、三論宗では空といいますが、これらはいずれも無いということの名前です。そうであるので、浄土宗の四義の第一である「実体」というのも、つまりは無いものの漢語表現に他ならないのでございます。またこれを「一法句」ともいいます。

さて、この無を根本として、それから、阿弥陀をはじめとして、その願力不思議、五劫思惟の功徳の報いとしてできた西方極楽などということを作り立てるのを、第二の「化用」というのです。

また、この西方極楽には、三輩九品などということを立て、二十九句の荘厳などといって、ありもしない極楽の見せかけの雑説を、あるかのようにいうのを、第三の「教門」というのです。

そして、死ねば、九品はともかくとして、〔そのうち〕一品の品も、その極楽も、無いものになるところを「実義」というのです。

これについて曇鸞大師は「本は則ち三三の品なれども、今は一二の殊無し。亦た淄澠(しじょう)一味なるが如し、焉(いず)んぞ思議すべき（本来は三×三の九品であったが、今は一とか二といった差異はない。もともと味が異なる淄水と澠水が一つの味となるようなものである。どうして思いはかることができようか）」と言われています。その意味は、生きている時は、九品の〔区別のある〕(70裏)浄土が存在すると思っていても、死んでからは、一もなく二もない真如虚空となって、自分自身さえも無くなるので、思慮も省察も及ばないところであるという意味です。

また、日本における浄土宗の中興開山である祖師了誉も「浄土の実義は輩品無く、同一無差にして薩般若(さっはんにゃ)なり

〔浄土の真実の意味は三輩も九品もなく、同一無差別で薩般若〈仏の一切智〉である〕」と、略頌の内で言っているのも、真の浄土というのは、三輩も九品もなく、ただひたすらなる虚空であるというのです。薩般若とは、こちら〔漢字文化圏〕では妙知といいます。妙知とは、即ち無智虚空の段階です。ご覧ください。浄土宗の究極のところも、後生ということは無いものとしているのです。それ故、四義の根本である実体というのが、無のことですので、それから出た「化用」も、これまた無いことを作り立てたものです。まず御大将である阿弥陀というのからして、無いことでございます。教学の上では、「(71表)〔阿弥陀如来は〕月上転輪聖王と殊勝妙顔夫人の子である」と言いますが、実際には実在した者ではありません。常識外のことをおっしゃる釈迦殿が、『小阿弥陀経』に見られるように、舎利弗に対して、「ここから西方十万億の仏国土を過ぎて世界がある。その名を極楽と言う。その国土に仏がいる。阿弥陀という名である。今現にいらっしゃって法をお説きになっている」と言ったことからして〔真実ではないのに、それに基づいて〕、阿弥陀という仏が実在すると皆言うのです。これは嘘の皮でございます。その理由はまず西方十万億土ということからして無いものでございます。

一般的に言って、世界は果てしもなくその形が一面に平らな物ではなく、丸い物なので、西・東ということは、北・南とは違って、ここであると定まった方向は存在しません。ただ月や太陽の出る方を東といい、入る方を西とするので、東と思っているところが西になることもあります。西と言っていた方が東となることもあります。その理由は、たとえば、まずこの京都では大津を東と言い愛宕山を西と言いますが、大津へ行くとき、鏡山の方まで行けば京都で(71裏)東と言った大津は、今度は〔鏡山から見て〕西になります。その先々についてもこれと同じことです。また京において西と言っていた愛宕山も、丹波の多紀の方へ行けば東となります。その先々も順次にこの調子であって、〔世界は本当は〕丸い物なので西方と定めて言えるような場所はありません。世界が丸い証拠には、西の海に傾いて〔地平線に〕入ったと見える月や太陽が再び東へ巡り出るので、世界の形は果てしがないのです。〔世界が〕一面に平らな物ではないということは明らかです。その上、キリシタンの国の人々が、黒船というもので自分の国の港を出航し、毎日、太陽に向かい合って東へ東へとばかり行って、再び元の港へ巡り着くのは、〔世界が〕丸い根拠ではないでしょうか。また太陽を追って西へ西へと乗って行っても、同じことなのは明らかです。さて、このひと巡りの道程は、以前に三界について説明したところで申しましたように、七千七百七十二里余と書かれています。それなのに、西方十万億土とはどこを指して言ったことでしょうか。(72表)幕を張って世界を延長していっても、そこまではあるはずがありますまい。片腹痛いことです。今のように世界を乗り回しても、ついに西方極楽という場所を見たことがないということで、キリシタンの人々はおかしなことと思っています。

すでに西方極楽世界が無い以上、阿弥陀如来も存在しないものであることは明らかです。そういうことからして、「唯心の弥陀、己心の浄土」といって、一心を弥陀とも浄土ともいうのが本当のところです。『観無量寿経』に釈迦が韋提希に告げて、「汝今知るや不や、阿弥陀仏、此を去ること遠からざるを〔汝よ、今知っているか。阿弥陀仏はここから遠くないところにおられることを〕」と言うのもこのことです。総じて、この釈迦殿というお方が、人から頼まれもしない問わず語りの偽ばかりを言って、阿弥陀にも限らず、毘婆尸仏だの、やれ罽那尸棄仏だのなどと言って、過去に七仏がいたのを、その内の〔最後の〕燃灯仏から〔釈迦は将来仏になると〕予言されて、今、この仏としての果報を得たなどと言って、証人もいない言いたい放題の偽りまで言い置いて(72裏)いるので、阿弥陀に限った〔……〕虚空ではありません。また『涅槃経』には「三十〔……〕一十一万九千五百の同じ名前の阿弥陀仏がいる」というのも、皆これらは無いことです。

その上、「化用」の中で言っている五劫思惟ということも、これまた全世界に憚るべき大いなる虚言でございます。まず思ってもみなさい。四十里四方の青目の岩を、三年に一度、天人の天の羽衣で撫でて、撫で尽くしたのを一劫という期間とします。それ故、五つの岩を撫で尽くす期間を五劫といいます。さて、これはあり得ることでございましょうか。四十里四方の岩はともかくとしても、ただ手の内に握れる鳥の卵ほどの石を、羽衣についてもともかくとして、いかにも粗い四国太布で、毎日毎夜、鏡研ぎが鏡を研ぐように摩り磨くに、何万年を経て千万の太布は破れて無くなっても、その石は薄くなることもありますまい。まして四十里四方の岩ならば大小の金槌や石破玄翁などというような物に(73表)よって、打っても砕いても、一つの岩も尽きることはありません。それなのに、五つの岩を羽衣で三年に一度撫でて、撫で尽くすだけの期間、阿弥陀如来が思慮・検討し、難行苦行したなどというのは、偽とも何とも言いようもない嘘でございます。

　それ故、先に申しましたように、西方極楽も無く、またこの五劫思惟も無いことならば、弥陀はあったとしても何になりましょう。その上、阿弥陀も〔実際には〕無いものでございますぞ。『観無量寿経』にこの阿弥陀の身の大きさを挙げて「仏身の高さは六十万億那由他恒河沙由旬にして、眉間の白毫は右旋婉転すること五須弥山の如し、仏眼は四大海水の如く、青白分明なり（仏身の高さは六十万億那由他恒河沙由旬であり、眉間の白毫は右まわりにめぐっていて五須弥山のようである。仏眼は四大海水のようで、黒目と白目がはっきりしている）」と見えます。なんと恐ろしい身長、眼の大きさでしょうか。このことからしてもご理解なさい。阿弥陀如来というものは無いことでございますぞ。その理由は、このように大きく言うのは、虚空法界を指して阿弥陀と言っているものです。一体全体、肉体を(73裏)具えているようなものに、このように大きいことがありますか。『観無量寿経』に「諸仏如来は、是れ法界身なり（諸の仏・如来は、法界身である）」とあるのもこのことです。浄土宗ではこの経文にいろいろと自分勝手な注を付けておりますが、本当の意味は虚空法界に満ち満ちている「風」を指して言っているのです。それ故、真言宗の阿字観のところでも申しましたように、阿弥陀というのも、この風大のことであって、阿字観によって知ることができます。身長を恐ろしく言っているのも、この底意でございます。

結局、この念仏の行者は、南無阿弥陀仏の息につれて、極楽世界に往生するというのも、虚空法界へと帰着して無になると理解してのことです。『無量寿経』に、「皆な自然虚無の身、無極の体を受く（極楽世界にいる衆生は皆、自然虚無の身・無極の体を受けている）」というのも、同じです。また「空の無極に達し、泥洹（ないおん）に開入す（仏の教えは衆生に空の無極を悟らせ、涅槃を悟らせる）」とあるのも、みな虚空法界の空無に帰着するということです。涅槃という意味は、涅槃とは不生不滅という意味で、虚空仏性は〔実際には〕無（74表）い物なので、元来、生じたり滅したりするものも無いという理解なのです。『大原問答』に、「三世の諸仏の化導にして、必ず聖道浄土二門を儲く。然るに、二種の勝法、共に無相無念一理に入らしめんがためなり（三世の諸仏の化導は、必ず聖道・浄土の二門を設ける。しかし、この二種のすぐれた教えはどちらも無相無念の一理に入らせるためのものである）」とあるのも、この意味です。それ故、浄土宗が、隣近所に人がいないかのように、鐘を叩き、頭を振り、軽はずみな大声を上げて、南無阿弥陀仏、南無阿弥陀仏と、あまりに熱中する時には、他から聞いては、ただ大きな滑車などを引く者の「えいや」というかけ声かと思うほどに、〔信徒に〕念仏を唱えさせるのも、無念無想にさせようとするためと思われます。（一遍上人が）

唱れば　仏も我も　なかりけり　南無阿弥陀仏の　声ばかりして

と詠んだ歌も、この時のことでございます。心という「意」の字は、音の心と書きます。それ故、頻りにまともな意識を無くし、南無阿弥陀仏、南無阿弥陀仏と叫ぶときは、仏と思う心も、衆生と思う心もなくなるので「南無阿弥陀仏の音ばかりして」と言うのです。（74裏）この声は「風」に他なりません。この「風」は阿弥陀如来に他ならないのでございます。そのようなときは、上述の道理などによって、阿弥陀というのが虚空法界、すなわち無い物の名前であるということは明らかです。死ねば衆生はこれに帰着して、無となるのだというのが底意なので、浄土宗でも〔本当のところは〕後生は無いと理解しているのでございます。

一向宗の開山である親鸞という上人は、そのところをよくわかっていた人であるために、自分の身を楽にしようと、その昔、月輪の禅定太閤（藤原兼実）の姫君を娶られたので、この事は天下に隠れなく、その畏れによって、しばらくは知恩院の下にある塚穴に隠れて居られましたが、後には世間も寛容になったのでしょうか、今にその門流は、世間に広まり、世を挙げて（ただし〔信徒は〕田舎者や尼・入道のたぐいでしょうか）教えを仰いでおります。後生は無いものと見る上からは、これほど上出来な宗旨はありますまい。持戒も破戒も究極的には空なので、隔てがありません。（75表）南無阿弥陀仏というのも、この意味にちがいありません。年々歳々いつまでも、なんと安心な教えであることでしょうか。

そうですから、仏法というのは、八宗・九宗・十二宗ともに今まで申したように、皆、後生は無いものとしているのです。袈裟・衣を着、仏事をなし、善行をなすというのも、ただいつもの世間的な正しさ、世間の見かけです。後生に救われること、来世のことについての議論というのは、キリシタンの外にはないとご理解ください。

Ⅱ 論文篇

『妙貞問答』をめぐって

末木文美士

はじめに

不干斎ハビアンの生涯は、分からないところが多い。若い頃、おそらくは大徳寺で禅の修行を行ない、その後、キリシタンになったと思われる。外国人宣教師の日本語教材として『平家物語』を編纂し直した『天草本平家物語』で頭角を現し、慶長十年（一六〇五）には、日本の諸宗教を批判した『妙貞問答』を著して、広く注目されるようになった。その翌年には、林羅山が訪問して問答を交わしている。ところが、慶長十三年（一六〇八）、突然一人のベアスタ（修道女）とともに出奔してしまう。その動機は不明であるが、『破提宇子』に、修道院の中での日本人差別が告発されていることなどを考えると、教団のそのようなあり方への不満に加えて、女性問題が絡んだのではないかと推測される。その後、キリシタン取り締まりが厳しくなる中で、キリシタン批判の書『破提宇子』を元和六年（一六二〇）に著し、翌年に亡くなっている。

『妙貞問答』は、上巻で仏教批判、中巻で儒道・神道批判を行ない、その上で、下巻でキリスト教の教理を展開するという構造になっている。ただ、全三巻のうち、中・下巻は以前から知られていたが、上巻は散逸したと考えられ、別の著作『仏法之次第略抜書』によって補われていた。ところが、その上巻を含む写本（中巻の途中まで中断）が一九七二年に天理図書館吉田文庫から発見され、注目を浴びることになった。海老沢有道・井手勝美・岸野久編著『キリシタン教理書』（教文館、一九九三年）にはじめて全巻が校訂収録され（海老沢・井手氏の担当）、ようやく全貌が明らかになった。本文篇では上巻を特に取り上げて、天理図書館本の影印・翻刻・注・現代語訳を収めた。

以下、論文篇において、各論文が『妙貞問答』のさまざまな問題を取り上げて論じている。そこで、それらの問題は各論文に譲り、本稿は序論として、ハビアンの著作『仏法之次第略抜書』『妙貞問答』『破提宇子』の論調を概観することにしたい。なお、ハビアン並びに『妙貞問答』に関する研究史・研究状況については、西村論文・米田論文を参照されたい。また、『妙貞問答』の書誌的な問題は、新井論文を参照されたい。

一 『仏法之次第略抜書』の論点

『妙貞問答』（以下、『妙貞』と略す）は、どのような観点から日本の諸宗教に対するキリスト教の優越を論証しようとしているのであろうか。この点を考えるためには、先に触れた別の著作『仏法之次第略抜書』（以下、『抜書』と略す）を手がかりにすることができる。『妙貞』は、かなり長大なもので、論点が多岐にわたるのに対して、『抜書』は比較的短いので、分かりやすい。ちなみに、『抜書』は、もともといわゆる浦上一番崩れ（一七九一～一七九五年）の際に、長崎奉行所が没収した資料の中にあったものというが、原本不明であり、断簡のつなぎ合わせ方にも問題があって、扱いに慎重を要する。しかし、『妙貞』と重なる記述が多いところから、ハビアンの著作と考えて問題ない。ここでは、前掲『キリシタン教理書』を用いる。なお、同書で書名が『仏法之次第略抜書　他』とされているのは、別文書の冒頭部と「神道之事」を合わせていることによる。『妙貞』との前後関係も確定できないが、『妙貞』のほうがしっかりした構成になっていることを考えると、『妙貞』以前のものと考えるのがよさそうである。

『抜書』では、「仏法ト云ハ、弥陀・釈迦・大日是也」（教四二一頁）と、三仏に集約して論ずる。この三仏を法身・報身・応身の三身と、貪欲・瞋恚・愚痴の三毒に対応させる。

大日――法身――愚痴
弥陀――報身――貪欲
釈迦――応身――瞋恚

三毒と仏を対応させるのは他にないと思われるが、要は「是皆、人間ノ一心ニ具足スル者也」（同）とあるように、仏と言っても人間の心を離れないということを言うのであり、さらに「人間ノミニモ限ラズ、鬼畜、人ン天、皆是、大日」（同）だとされる。それ故、「釈迦モ草木国土悉皆成仏トトカレタリ」（同）と言うのである。要するに、そこでは究極の価値が人間存在を超えておらず、さらには鬼畜人天から自然まで、区別なく同一視されることが批判されている。これが第一の論点である。

さらに、第二点として、仏の悟りを「無トサトリタルヲ仏ツトハ云也」（教四二二頁）と、仏教が「無」に帰着するため、「後生ハ無シ」（同）ということになってしまう点が指摘されている。このことは、『妙貞』でもっとも中心的な仏教批判の論点となっている。それに対して、本書では、第一点の仏が人間的であって、超越性を持たないところが大きく取り上げられているところに特徴がある。

その先を見ると、釈迦・弥陀・大日のそれぞれについて論ずるが、釈迦がもともと人であったことは当然として、弥陀に関しても、天竺西城国善照太子とする特異の前世譚を展開し、「我等ニ替ヌ人間」（教四二三頁）であることを言い、それでは後生を助ける力がないという議論を展開している。『妙貞』が、極楽も結局「無」に帰すというところから、浄土宗の後生を否定しているのと、いささか論点がずれている。

次の大日の箇所は、やや論点が異なり、金剛界の大日は男、胎蔵界は女で、畢竟五仏というのも人間の身体のことであり、「仏ト云コト、人ノ身ヲ離レテアルコトニテハナシ」（同）と、凡夫即仏的な発想が批判されている。釈迦・弥陀の場合とはやや異なるが、仏を人間と同一レベルで捉えることで、その限界を言う点は同じである。密教の仏を人の身心に帰着させることで批判するのは、『妙貞』も同じである。

その後の禅宗批判の箇所は、「仏法ハ無ニ極也」（教四二五頁）と、仏教を「無」と決めつける論法が表に出ている。それ故に、「後生ハ空無〔ニ〕極ル」（教四二四頁）とされるのである。『妙貞』のほうでは、こちらが批判の中心的な論点とされることになる。

この「無ニ極也」という論点は、単に「後生」の幸福というだけではなく、現世の道徳にも関わる。「無」に極まれば、善悪の区別もなくなり、「善悪不二、邪正一如」（教四二五頁）ということになってしまう。「無主無我ト云テ、何タル悪ヲ作リテモ罰ヲアタエン主モナク、善ヲ勧メテ利生ヲ行ルヘキ所モナシ。只、何事モ空生空寂ト云テ自由自在ニ教テハ、ナジカワヨクアラン」（同）という道徳無視に陥る。この論点は、『妙貞』では必ずしも大きく取り上げられないが、今日に至るまで、仏教批判の一つの重要な論点である。

『抜書』はさらに浄土信仰、阿弥陀信仰に関してかなりの分量を割いて批判する。その第一は、経典が荒唐無稽の虚言であることをつく。「彼シヤカト云仁ガ、人モヤトウ（ワ）ヌ問ズガタリ〔ノ〕、偽斗リヲ云置テ」（教四二六頁）とか、「五劫思惟ノ沙汰、是又天下ニハ、カル大虚言也」（同）のように、頭から馬鹿にしたように、虚言と決めつけている。『妙貞』では、このような頭ごなしの否定はあまり目立たなくなる。それは、あくまで対話によって仏教徒を説得しようという態度を取るためと考えられる。

第二には、このように外に浄土を立てる立場が成り立たないことから、「惟心ノ浄土、己心ノ弥陀」（教四二七頁）こそが本説であるとして、「唱フレハ仏モ我モナカリケリ　南無阿弥陀仏ノコエバカリシテ」（同）という空也上人の歌（通常は一遍上人の作とされる）を引いている。これは、『妙貞』に継承される。

第三に、それと関係しながら、結局それが「空無」に帰することを言い、最終的に浄土宗から再び仏教全体の問題に戻り、「回向ハ地獄・餓鬼・畜生・修羅・人・天・声聞・縁覚・菩薩・仏ツ界千界アリト雖モ、是皆現在ノ有様ニテ、万事ハ皆目前ノ境界ニシテ、カツテ以、後生ノコトニアラス」（教四二八頁）と言う。六道輪廻は仏教の根本にあるもので、それが認められれば、「後生」があることになる。ハビアンはそれを「現在ノ有様」「目前ノ境界」に過ぎないとして、「後生」を否定する。これは、『妙貞』には見られない論である。

ちなみに、『抜書』には、親鸞と一向宗について二つのエピソードを伝えている。一つは、親鸞が「月ノ輪ノ禅定□（法）王ノ姫君」（同）を盗み取り、「知恩院ノ下ナル塚穴」（同）に隠れていたという話で、「持戒モ破戒モ畢竟空」（同）という例として挙げている。この話は、『妙貞』にもそのまま使われている。もう一つは、仏は「後生ノコトハ一字モ□（説）カス」（同）ということを、「諸宗トモニ秘密書ニシテ、人ニハ伝サル」（教四二九頁）ということで、その例として、「一向宗ノ開山、親鸞聖人ヨリ伝ヘラレシ『経行信抄』（『教行信証』）ト云秘書」（同）のことを挙げている。『妙貞』では、禅宗に関して大徳寺の密参を引くが、『教行信証』を挙げるのは、『抜書』のみである。

以上、『抜書』の仏教批判を概観した。それをまとめると、仏教批判の論点として、以下のような点が挙げられている。

1、仏も結局は人間であり、超越的、絶対的な原理となりえない。
2、密教の凡夫即仏や浄土教の「惟心ノ浄土、己心ノ弥陀」など、人間の身体や心に還元される。
3、仏典には荒唐無稽の話ばかり伝え、みな虚言である。
4、究極的にすべて「無」に帰してしまい、後生善所が不可能となる。
5、そのために道徳無視に陥る。
6、地獄・餓鬼などの六道や悟りの世界は後生ではなく、現世のことである。

このように、さまざまな批判の論点が挙げられている。それに対して、『妙貞』では、他の論点も挙げられるが、4にもっとも力を入れて、それ故、仏教には後生の救いはないという点を批判の中心に据えている。それだけ論旨が通って分かりやすくなっているが、他の論点は必ずしも十分に展開されなかった。

『抜書』は、仏教批判だけでなく、「神道之事」で神道批判を含んでいる。ここでの批判の論点は、第一に、泰伯日本人祖先説を使ったもので、それによって、日本神話は虚偽であると批判している。これは中世末から出た説で、儒者によって主張されたものを、いち早く摂取している。この論法は、『妙貞』にも用いられている。

第二に、八幡・天神などは、もともと人であり、それ故、現世安穏、後生善所を祈っても役立たないと指摘している。これもまた、『妙貞』に摂取されている。

『抜書』には途中脱落があり、つながらないところがあるが、現存する中で、第三の論点としては、神道は、「遠クハ天地陰陽ノ上ニ付テ」のことだが、「近クハ我等カ身上ニ取テ」（教四三一頁）のことであるとして、「我等ガ一身其マ、天神七代ナリ」（同）と、我が身＝神こそ神道の極意だとする。

以上のように、神道に関する三つの批判は、第一は仏教批判の第三と、第二は第一と、第三は第二と関連する。これらはいずれも『妙貞』の神道批判に受け継がれる。

二『妙貞問答』の筋道

『妙貞』は、妙秀と幽貞という二人の尼の問答という形を取って展開していく。冒頭の序とも言うべきところに、その由来が述べられているが、これは上巻の発見によって、はじめて明らかになった。それによると、妙秀の夫は関が原の合戦で西軍方として出陣して戦死し、妙秀は出家して念仏三昧の日を送っていた。その時、世間で評判になっているキリシタン（貴理師端）の教えを知りたいと思い、京の五条あたりに隠棲しているキリシタンの尼幽貞を尋ねて、そこで問答が始まることになる。[*1]

もちろんフィクションだが、本書が成立する時代背景がきわめて巧みに述べられている。関が原の合戦の戦死者の妻たちが出家して菩提を弔う生活に入ったというのは、実際に多く例があったと思われる。また当時、京の新しい風潮としてキリシタンが流行し、まじめな僧尼が「一人ナラス二人ナラス、元ノ教ヲ捨テ此宗ニ立入」（3裏）るというようなことがあったのも、実情を反映しているであろう。

『天草本平家物語』の作者だけあって、ハビアンは優れた文学的才能の持ち主で、このあたりの描写は見事である。「昔、光源氏ノ大将、アラヌ浮世ノ思ニテ、求行キ玉ヒシ五条アタリニコソ貴キ尼ハ栖玉へ」（同）と、『源氏物語』を踏まえ、「ソノ辺リ棟門高キ家モマシハリタル傍ニ、板ノ扉シワヒシケニサシ付テ、カタヘハ山里メキタル柴垣ナトシテ、真ニ物サヒタルニ、折節秋ノ末ナレハ、物悲サモ与所ニハ様替リタル庭ノ面ニ、蔦槿ウラカレテ、草々踏シタキタル道ハ、一筋サスカニ残リタル方ニ、ソナタヘ行童ヘアリ」（同）などと、いかにも擬古的な描写である。このように、『妙貞』は、南蛮風の異国的な描写を避けて、伝統的な流れの中でキリシタンに導入しようとしている。

　これは単にレトリックだけではなく、ここに本書の目指す方向が知られる。それは、頭ごなしに日本の伝統宗教・思想を否定するのではなく、それが求める方向を追求していけば、自ずからその欠点が明らかになり、もっとも優れた教えであるキリシタンに到達せざるを得ないという流れになっている。女性を主人公にしたのもまた、硬い議論を和らげる効果を持っている。

　そこには、跋文に、「右、此妙貞問答ノアタル心ロハ、ヨシ有人ノ、婦人、后室ナト申ハ、出家トテモ、男子ニハタヤスク見テ、法ノ理リナカラモ尋玉フニ便ナキカ故ニ、願イ有テモ空ク過シ玉フノミ也。去ハ、カヤウノ人々モ、身ツカラ是ヲ誦ミ明メ、キリシタンノ教ヘノ、有難程ヲモワキマヘ玉フヘキ為ニツゞリ出ス所」（教四一七頁）と言われるように、実際に女性を対象としているというかなり明確な目的があったと思われる。

　『妙貞』は、上巻では、仏教に関して、釈迦の生涯からはじめて、法相宗・三論宗・華厳宗・天台宗（付日蓮宗）・真言宗・禅宗・浄土宗（付一向宗）の順で、諸宗の教えを取り上げて批判し、中巻は儒道・神道を批判し、それらが頼るに足りないことを示し、その上で、下巻で唯一信ずるに足るキリシタンの教理を展開する。

　詳しい分析や思想の位置づけに関しては、以下の各論文をご覧いただくことにして、大まかな流れだけここで見ておきたい。前川論文が指摘するように、仏教の各宗の批判は、必ずしも統一的とは言えず、「パッチワーク」的とも言える。ハビアンは各宗すべてに通じていたとは言えず、無理に諸宗を並べたためにばらつきが出ており、その批判も必ずしも一貫したものではない。しかし、『抜書』に較べると、そこに大まかな流れとして、「現世安穏、後生善所〔処〕」（現世を安穏に過ごし、来世に善いところに生まれる）、とりわけ「後生」の問題を大きな筋として展開していると言うことができる。

このことは、妙貞は浄土宗の尼であり、「後生ノ一大事ナラテハ、別ノ勤モ侍ラス。イカニモシテ三世ノ諸仏モ慈悲ノ眸リヲ回シ玉ヒテ、浄土ニ導引玉ヘカシト、是ナラテハ朝夕心ニカクル事ナシ」（3表）と、「後生ノ一大事」にもっぱらであるという設定からきている。

仏教の諸宗をめぐる批判は必ずしも一貫していないが、この観点から見るならば、上巻の仏教批判は、「後生」の安心を得たいという目的にもかかわらず、「諸宗何モ極テハ仏モ衆生モ地獄モ極楽モナシト云処ヲ、宗々ニ名ヲカヘテ色々ニ申斗也」（69裏）ということで、後生の救済は得られない、というところに持っていくという流れで見ることができる。

それでは、なぜ仏教では後生の救いが得られないのか。仏教では究極的には、「仏モ衆生モ地獄モ極楽モナシ」ということになってしまうというのである。ここで、「無」ということがポイントとなる。仏教の究極的立場を「無」と捉えるのは、キリシタンの伝来の早い頃からであるが（前川論文参照）、おそらく禅宗の立場が中心として考えられているのであろう。『妙貞』でも、禅宗においてもっとも「無」の問題に力を入れて論じられている。しかし、禅宗でも、「曹洞宗ナトハ、有無ノ落去ヲキラハレタリ」（65表）と言われているように、必ずしもすべて「無」を強調するわけではない。まして、他宗の結論を「無」に持っていくのは、かなり強引なことになる。しかし、『妙貞』はその方向に議論を詰めている。

どの宗をとっても、仏教は結局のところ、仏も衆生も地獄も極楽もない。すなわち「無」に帰するのであり、仏や浄土を立てるのは、あくまで方便であり、真実にはそんなものはないというのが、仏教の究極的な立場だというのである。「仏法ニテ無ト落着セヌハ、仏トモ法トモシラヌ人ニテ侍リ」(67裏)ということになる。それでは、なぜ「無」ではいけないのか。

上巻の最後は、「仏法ト申ハ、八宗、九宗、十二宗共ニ、今マテ申タルコトク、皆後生ヲハナキ物ニシテ置也。袈裟・衣ヲキ、仏事作善ト云モ、唯不断ノ世諦、世間ノミカケ也。後生ノ助リ、後ノ世の沙汰ト申ハ、貴理師端ノ外ニハナシト心得給ヘシ」(75表)と結ばれている。すべて「無」であれば、後生はなくなってしまう。それでは、出家したり、あるいは善行をなしたところで、世間的な見かけだけであって、本当の救済の役には立たない。こうして、後世の救済を求めるのであれば、キリシタン以外にないという結論が導かれる。

すなわち、『妙貞』の仏教批判は、「後生善所」を求めるという浄土宗の目的を前提として、にもかかわらず、禅(特に臨済宗)の「無」の立場で仏教全体を捉え、それに従うならば、後生の極楽もなくなってしまう、という論法で、仏教では目的とする「後生善所」が達せられないと結論する。そして、それを満たすのはキリシタンしかないと、キリシタンに導くという筋道を立てている。

『妙貞』中・下巻についても簡単に見ておこう。中巻は儒道・神道が論じられる。儒道については、「天地陰陽ノ外ニハ人物ノ根源トモ云フベキハ、別チニナシ」(教三六五頁)というところが結論的である。それ故、必ずしも「無」に帰するわけではないが、結局、内在論であり、「此天地陰陽ノ作者」(教三六四頁)を認めないところに限界がある。ただし、「儒者ノ如キハ、ナツウラノ教ヘト申テ、性得ノ人ノ心ニ生レツキタル仁義礼智信ノ五常ヲ守ルヤウナル所ヲハ、キリシタンノ教ニモ、一段ホメラレサフラフ」(教三六七頁)と、仏教に較べて道徳を認めている点を、限定つきながら評価している。

神道批判については、ブリーン論文を参照されたい。そこでは、『抜書』に挙げられていたような論拠に加えて、当時の唯一神道を中心に批判している。中心神とされる国常立尊でも、結局は「開ケタル天地ノ間ヨリ生シタル」（教三七一頁）のであるから、その天地の「開キ手」（同）がいなければならないというのである。

こうして、中巻の最後で、幽貞は、「仏法、神道ハ、何レモ真ノ天地ノ主ヲ知ラネハ、正体ナキ事ノミニテ侍。現世安穏、後生善所トイノルニモ、先、此天地ニ主在マス事ヲ知ネハナラヌ事ニテサフラフソ」（教三八三頁）と、「現世安穏、後生善所」を本当に実現するのは、キリシタンの教え以外にないという結論を下し、妙秀もそれを認めて、下巻に移るのである。

このような筋道に従って、『妙貞』下巻では、最初にその絶対神Ds（デウス）を説くのに、「現世安穏、後生善所ノ真ノ主一体在マス事」と、「現世安穏、後生善所」という目的の連続の中で捉えている。すなわち、そのためには、まず真の創造者であるDsを認めなければならないことを述べる。次には、それでは現世で終わるのではなく、後生の幸福を得るために、後生に残るのは何かという議論に進み、それを、植物とも動物とも違う、人間だけの霊魂である「アニマラシヨナル」（理性的魂）であると説く。これも、仏法・儒道・神道のいずれとも違うキリシタンの大きな特徴であり、日本の諸宗教が認める「天地同根、万物一体」（教三九六頁）という見方を徹底的に否定する。

次には、「後生ノ善所ハ、ハライソト云イテ天ニアリ、悪所ハ、インヘルノト云イテ地中ニアル事」と、ハライソ（天国）とインヘルノ（地獄）をそれぞれ真の後生の善所、悪所と解している。ここでは、ハライソは「一度ヒ至リテヨリハ、二度ヒ退ク事ナシ」（教四〇四頁）とする一方、インヘルノに関して、堕天使であるルシヘルらが天から追放されて堕されたところとして、「此所ニ堕タル者モ二度ヒ浮ブ世ト云コトナシ」（教四〇五頁）とその罰が永遠に続くことが言われる。この永遠性もまた、東洋・日本の宗教にないものである。このように、日本の在来の宗教との相違を言う一方で、堕天使を「天狗」と言うように、日本で通じやすい表現を用いている点も注目される。

次の章は、「後生ヲハ何トスレハ扶リ、何トスレハ扶カラヌト云事」と題され、阿壇(アダム)と恵和(エワ)の原罪から、ゼズキリシトによる救済、そして「十のマタソント(メ)」(十戒)を守ることが後生救済のために必要だと説かれている。

最後の「キリシタンノ教ヘニ付、色々ノ不審ノ事」は、キリシタンに対する疑問に答えているが、そこで、日本神国論を取り上げ、「キリシタンニ成ナハ、国家モ乱レ、王法モ尽キナン」(教四一一頁)という問題を論じていることは注目される。それに対しては、逆に、「邪ナル仏神ヲ敬フカ故ニ、日本ハ天罰トシテ他国ヨリモ兵乱ハシケシ」(教四一三頁)として、「日本モ皆キリシタンニ成候ハデハ、達シテ治マリサフラフヘカラス」(同)と、国中がキリシタンになることによって平和がもたらされると論じている。

以上のように、本書の論点は必ずしも一つにまとまるとは言えないが、少なくともその中心的な筋として、「現世安穏、後生善所」というきわめて仏教的、とりわけ浄土教的な希求を設定し、それを真に実現するのはキリシタン以外にないという結論に導いている。亡夫の菩提を弔う女性を主人公にしていること、それに答えるキリシタン側も隠者的な尼であることなど、いずれもキリシタンの異質性を和らげ、あたかも仏教の一派であるかのように、連続的に捉えている。すなわち、キリシタンは「現世安穏、後生善所」を達成する上でもっとも優れた教えではあるかもしれないが、仏・儒・神などと同じレベルで選択可能なものと見られている。その立場からすれば、仏・儒・神も、徹底的に排除すべき悪魔的な邪教というわけではない。

おそらく中世から近世への過渡期のこの時代は、このように自由に教えを選びうるような状況があったのであろう。惺窩による儒教の自立も、こうした時代状況の中で、初めて可能であったと考えられる。ハビアンの入信もそのような自由な状況の中でなされたのであろう。それが、ハビアン自身がイエズス会で活動し、西洋から来た宣教師たちと関わる中で、次第に彼らの言動が自分の求めていたところと違うのではないか、という疑問を大きくしていったとしても不思議はない。唯一神を絶対視する立場からは、日本の諸宗教は悪魔の邪教でしかなく、相対的な選択はあり得ない。

ハビアンは『妙貞』の中で、「ナツウラノ教へ」(生得の理性による教え)、「エスキリツタノ教へ」(聖書の教え)、「ガラサノ教へ」(恩寵の教え)の三つを分け、本書で論じたのは、「ナツウラノ教へ」だとしている(教四一六頁)。それ故、『妙貞』に述べられた教理は、異教徒であっても納得せざるを得ない自然理性による範囲に限られることになる。彼がそこから進んで、「エスキリツタノ教へ」「ガラサノ教へ」にどのように踏み込んだか、分からないが、その過程で何らかの壁にぶつかり、棄教やキリシタン批判につながったということは、十分に考えられよう。

三　『破提宇子』の転回

ハビアンは、棄教後、晩年にキリシタン批判書『破提宇子』(一六二〇年)を著した。伴天連追放令(一六一三年)以後、キリシタン禁制が厳しくなる中で、長崎奉行藤原権六藤正の依頼によって書かれた。キリシタンの教理や内情に詳しいだけに、キリシタン側に与えた打撃は大きかった。

本書については、安易に立場を変え、権力の側に密着したハビアンに対して否定的な評価が強く、『妙貞』との関係も、転向断絶という面から捉えられてきた。それに対して、釈徹宗氏が、『妙貞』と『破提宇子』の連続性を主張し、前者によって日本の宗教を相対化し、後者によってキリスト教を相対化しているという解釈を提示した。[*2]

ている。

後掲の阿部論文は、釈氏の解釈を継承して、そこにハビアンの成果を見ながら、同時にそこにハビアンの限界を見ている。

そこで、『破提宇子』の議論を簡単に見てみよう。全体は七段からなる。[*3]

第一段。能造主たるデウスについて。それに対して、神道にも国常立尊などの神が天地を開闢している。また、仏神を人間とばかり見るのも間違いで、法性法身もある。かえって、キリシタンのほうが、ゼズキリシトは人間ではないか。さらに、仏法の無に関しても、無の一字に不可思議の謂れがあり、「虚霊不昧ノ理」（思想大系本四二九頁）を知るべきである。本源には絶対的な智徳が具わっていなければならないという論に対しては、「自然天然ノ現成底」（同）や、「虚霊不昧ノ理」で十分であるとする。

この段は、もっとも長く、力を入れて書かれている。『妙貞』下巻の最初のデウスの段を論破し、上・中巻で日本の宗教を批判した論点が、逆転して日本の宗教を肯定するために用いられている。キリシタン側が、デウスの創造神としての絶対性を主張するのに対して、ハビアンは、それに対応できるだけの原理が日本の神・仏・儒に十分にあると主張する。「孔子ヲ越、老子ニ勝ル提宇子ニテアルベカラズ」（同四三〇頁）とされるのである。

ここで注目されるのは、第一に、日本側が神・仏・儒のどれか一つの立場を取るのではなく、それらが区別されずに総合的に捉えられているということである。これは、『妙貞』が三つを分けて批判していたのと対照的である。神・仏・儒三教の合同により、キリシタンのみを異端として否定するという構造である。この構造の上に近世日本の国家イデオロギーが成り立つのであり、それはある面では近代にまで引き継がれることになる。

第二に、ここでは神・仏・儒にもキリシタンに対抗しうるだけの深い思想があるということを主張するのであり、デウスの絶対的創造神たることを直接批判しているわけではなく、それを否定する議論は見られない。それは第二段以下の課題となる。ここでは、キリシタンを相対化することにはなるが、それを否定する論拠としては十分でなく、また、神・仏・儒のほうがキリシタンよりも優越するということにもなっていない。ただ、それによって、日本・東洋の思想の中に西洋の思想に対応する要素を探し出すという比較思想、比較宗教の基礎作業を行なっていることはきわめて注目される。

第二段は、「アニマラシヨナル」が、善悪に従って、ハライソとインヘルノで賞罰を受けることを取り上げる。それに対して、仏儒の事理等の概念があることを指摘し、それと同時に、ここでは、「無量恒沙ノ人ヲ造リ、地獄ニ堕シ、一日一月ノ間ノミカ、不退永劫ノ苦ニ苦ミヲ受カサネサスルヲ、大慈大悲ノDsト云ハンヤ」（同四三二頁）とデウスの性格に疑問を呈している。

第三段は、ルシヘルが神に背いたことに対して、それが防げないようでは神の「三世了達ノ智」（全智全能。四三三頁）に反するではないかと批判する。第四段は、アダンとヱバの原罪に関して、神が彼らの破戒を事前に知らなかったとしたら、やはり「三世了達ノ智」に反すると批判する。第五段は、コンチリサン（痛悔）による救いに関して、それでは、デウスは人間を作りそこなって、後で修補するようなものではないかと批判する。以上の諸段は、キリシタンのデウスの性格に対する批判であり、少なくとも合理的な立場から起こる当然の批判として、鋭いものがある。

第六段は、ゼズキリシトに対する批判であるが、天地創造以来、ゼズキリシトの出現まで、「五千年来、衆生済度ノ方便ニ心ヲ傾ケザルヲ慈悲ノ主ト云ンヤ」（同四三八頁）というのは、前段までに続くデウスに対する批判であるが、それと同時に、キリシタンに対して、「魔法」「魔法幻術」と断定して、その弾圧を正当化していることが注目される。まず、ジユデヨ（ユダヤ人）がゼズキリシトを「魔法也ト云テ権家ニ訴ヘ、是ヲハタモノニカケ、命ヲタチシト云」（同四三九頁）ことを、「尤是ハサアルベシ」（同）と認めている。その上で、現在の日本のことを取り上げる。

今眼前日本ニテ、汝、提宇子ノ教ハ、聖人ノ道ニ背ク魔法ナルガ故ニ、賢君是ヲ退治シ玉ハント思召シ、百姓モ亦悪レ之告ゲ訴ヘ、首ヲ刎ラレ、ハタモノニ掛ラレ、或ハ焼殺サル。先賢後賢、其政、符節ヲ合スルガ如シ。

（同四三九頁）

このように、ここでは抽象的な諸教の優劣論や比較論、相対化ではなく、明確に当時の日本という場において、キリシタンを「魔法」として、それを弾圧することを正当と認め、キリシタンを抹消することが意図されている。これは、これまでの論調とまったく異なる要素と言わなければならない。このことは、第七段において、さらに強く主張される。

第七段では、十のマダメント（十戒）が取り上げられるが、そこで問題にされるのは、「君命ヨリモ伴天連ガ下知ヲ重ジ、父母ノ恩恵ヨリモ、伴天連ガ教化猶辱シトスル」（同四四一頁）態度である。

そもそも、「日本ハ神国ニシテ天照大神ヨリ次第受禅シ玉ヒ、……又聖徳太子ハ権化ノ神聖ニテ在マセバ、天照大神ノ御心ヲウケテ、吾国ノ道ヲヒロメ玉ハン為ニ、仏法ヲサカンニシ玉ヒシヨリ仏国トモナレリ」（同）と言われ、神仏の国なのである。ところが、「然ヲ提宇子、時節ヲ守リ、日本悉ク門徒トナシ、仏法神道ヲ亡サントス。……提宇子、己ガ国ノ風俗ヲ移シ、自ラ国ヲ奪ントノ謀ヲ回ラスヨリ外、別術ナシ」（同四四一～四四二頁）と意図しているというのである。

神仏の国であることを前提として日本の国は成り立つのに、キリスト教はそれを全面的に否定することで、単なる宗教上の問題だけでなく、政治的なレベルの問題ともなり、さらには国のアイデンティティそのものの問題となる。すなわち、もはや思想や宗教レベルの比較や批判ではなく、キリスト教が正しいかどうかが問題にされているわけではないのである。日本という個別的な領域は、政治・宗教・風俗・文化を含めた全体として安定した構造にあるのに対して、キリシタンの意図は、それを西洋のものにトータルとして置き換えることにあると見られている。これは、当時の幕府・為政者の認識であり、『破提宇子』の立場は、秀吉から徳川幕府に受け継がれたキリスト教排除の国家政策と完全に一致して、キリシタンの弾圧壊滅を目指すものとなる。

これは、『妙貞』と問題設定そのものがまったく異なっている。『妙貞』では、「現世安穏、後生善所」を求める個人の宗教的な欲求に対して、最善の答を与えるものとして、キリスト教が考えられた。キリスト教は、仏・儒・神と同列で、選択可能な教えの一つであった。ところが、『破提宇子』では、個人の宗教的な探求ではなく、「日本」という場の特殊性を前面に出し、「神仏の国」としての日本に対して、キリスト教はそれを覆すものとして完全に排除される。逆に神仏を滅ぼそうとするところから、政治的なレベルに問題が移されて、禁教の合理化が図られる。キリスト教は、仏・儒・神とはまったく断絶した「魔法」「邪教」として、共感の余地がなく、完全に抹消し尽くすべきものとされる。

こうして神仏、及び儒の融合に立つ「日本」とキリスト教とは絶対的に相容れないものとなる。それは、ある意味では、キリスト教側の立場の裏返しとも言える。宣教師たちはキリスト教絶対主義の立場に立ち、神仏との同質性を否定したが、それを逆転すれば、日本側からのキリスト教否定が成り立つ。相互にとって相手は「悪魔」「魔術」であり、同じ人間レベルの問題とはみなされず、相互に相容れない断絶が強調されることになる。『妙貞問答』における同質的に比較可能で、個人的に選択可能な宗教観、世界観が入り込む余地はなくなる。*4

その後の江戸時代の宗教観は、この枠組みを完全に踏襲し、それればかりでなく、近代になってからも、その底流には常にキリスト教を排除し、日本を神国、あるいは神仏の国と見る立場が流れ続ける。[*5] その意味でも、『妙貞問答』から『破提宇子』へのハビアンの展開は、日本宗教史の上で大きな意味を持つものと言える。

註

*1 以下、第二、三節は、拙稿「宗教で読み解く日本の歴史」(『日本の個性』新人物往来社、二〇一一年)に基づいて、改稿した。『妙貞』上巻に関しては、翻刻篇を用い、中・下巻に関しては、『キリシタン教理書』によって頁数を入れた。

*2 釈徹宗『不干斎ハビアン』(新潮選書、二〇〇九年)。

*3 テキストは『日本思想大系・キリシタン書・排耶書』により、井手勝美「校註　ハビアン著『破提宇子』」(『キリスト教史学』五一、一九九七年)を参照する。

*4 キリ・パラモア氏は、『妙貞問答』から『破提宇子』への変化を、時代状況の変化と絡めて検討している。Kiri Paramore, *Ideology and Christianity in Japan*, Roulledge, 2009.

*5 にもかかわらず、江戸時代を通して、キリスト教は何らかの形で常に問題にされ続けた。この点に関しては、キリ前掲書、井上章一『日本人とキリスト教』(角川ソフィア文庫、二〇一三年)参照。

『妙貞問答』の書誌について

新井菜穂子

はじめに

ハビアン著『妙貞問答』は上中下の三巻より成るキリシタン護教論書で、活字本としては一九九三年に教文館より『キリシタン教理書』[*1]に収め出版された。その底本は、今日、伊勢の神宮文庫が所蔵する神宮文庫本（旧林崎文庫本）および天理大学附属天理図書館所蔵の吉田文庫本の二種の写本が現存するが、双方とも部分的に欠けており、三巻すべてが揃った写本とはなっていない。本稿では、これら二種の写本が世に知られた時期、写本二種の体裁および来歴、そして、刊本各種の比較も含め、『妙貞問答』の書誌について報告する。

一　『妙貞問答』の概要

『妙貞問答』はイエズス会の日本人イルマン、不干斎ハビアン[*2]（巴鼻庵、Fucan Fabian）の著、上中下の三冊。著作の場所は、羅山文集の記載から京都であることが推定される。著作年代は自跋に見えないが、慶長十年（一六〇五）であることは中巻の本文の記述から察せられる。

マシテヤ此国ノ初ニハ文字モナク、漸ク応神天皇ノ治世十五年ニ当テ、百済国（ハクサイ）ヨリ経典ヲ渡シ、其ヨリ已来（コノカタ）、今年慶長十年ニ及テハ、大方千三百三十八年カト思イサフラウ（中巻、「神道之事」）。[*3]

さらに、上巻本文「今ノ征夷大将軍家康公、其比ハイマタ内府ニテ」[*4]との記述より、四月十六日以前であると西田長男は述べている。[*5]

翌慶長十一年（一六〇六）六月十五日、朱子学者林道春（羅山）は弟信澄とともに松永貞徳の紹介を得てハビアンを訪問し、物理学やキリスト教にわたり論争を闘わせた。

また、翌慶長十二年（一六〇七）、日本切支丹準管区長パシオが駿府にて徳川家康に謁し、閏四月辞去する折、ハビアンが輯録したキリシタン教理書を、家康の側近本多上野介正純に献上したとレオン・パジェスが伝えており、この書が『妙貞問答』であると察せられる。

パエス師は、上野殿と別れるに臨んで、この際特に修士ハビアン（不干斎巴鼻庵、妙貞問答、破提宇子等の著者）の認めた教理綱要を一冊彼に贈り、キリシタンに対して掟を守らないといふやうな、近頃ありもしない非難の捏造されることの不当さをこの君（セイニユール）に述べて注意を促した。上野殿は悦んでこの書を受け、それから学ぶところがあつた（『日本切支丹宗門史』）。[*6]

〔パゼス日本耶蘇教史〕第一編第九章、一九〇（ママ）七年（欧文材料第二号訳文）

○上略、ぱえす等、駿府及ビ江戸ニ至リ、家康、秀忠に謁スルコトニカヽル、慶長十二年閏四月是月ノ条ニ収ム、パエス師父は、上野殿（本多正純）の許を辞するに当りて、特にこの際、フライ・ファビアンによりて編述せられたる教義の論著をば贈呈し、当時キリシタンに対して、彼等が誓約に服せざる旨を述べて、之を駁せんとする誹謗が、全く空言に過ぎざることを、この君侯に説きたり、上野殿は喜びて此書を受けしが、これによりて得るところ少なからず、其後江戸に在りしフライ・パウルに就きて、其疑義を質するところありたり（『大日本史料』[*7]）。

本書の趣旨内容および各巻の構成は自跋より明らかで、パードレから直接教えを受けられない由緒ある女性に自ら誦み聞かせ、キリシタンの教えの有り難きことを理解させるために綴るものであると説明する。『妙貞問答』という題名の所以は、未信者妙秀と信者幽貞とが問答を交わす対話形式になっていることによるものであろう。

右此妙貞問答ノアタル心ロハ、ヨシ有人ノ婦人后室ナト申ハ、出家トテモ男子ニハタヤスク見テ、法ノ理リナカラモ尋玉フニ便ナキガ故ニ、願イ有テモ、空ク過シ玉フノミ也。去ハカヤウノ人々モ身ツカラ是ヲ誦ミ明メ、キリシタンノ教ヘノ有難程ヲモ、ワキマヘ玉フヘキ為ニ、ツヾリ出ス所、

さらに各巻の構成についての記述が続く。本書の構成は、上中下三巻より成り、上巻が仏教批判、中巻が儒道および神道批判、下巻がキリスト教擁護となっている。

巻ノ数ヲハ、上中下ノ三ツニ分チ、上ノ巻ニハ、仏法ノ空無ヲ本トセハ、皆邪ナル法也ト嫌イ退ケ、中ノ巻ニハ、儒道ト神道ノ赴ヲ論シテ、キリシタンノ真ノ教ニハ、遥ニ異ナル理ヲ示シ、下ノ巻ニハ、五宗キリシタンノ教ノ真ヲ、カツ揚テ顕シ侍。

二　『妙貞問答』が世に知られた時期

現存する『妙貞問答』としては、伊勢の神宮文庫および天理大学附属天理図書館にそれぞれ写本が確認されている。以下、前者を神宮文庫本、後者を吉田文庫本とする。二種写本の構成内容は**表1**に示す通り、神宮文庫本が中

表1　『妙貞問答』神宮文庫本および吉田文庫本の構成対照表

「吉田文庫本」（天理図書館蔵）	**「神宮文庫本」**（旧林崎文庫本）
上巻	
（序）	
仏説三界建立ノ沙汰之叓	
釈迦之因位誕生之事	
八宗之事	
法相宗之事	
三論宗之事	
華厳宗之事	
天台宗之叓　付日蓮宗	
真言宗之叓	
禅宗之事	
浄土宗之事　付一向宗	

中巻 儒道之事 神道之事（前半のみ）	中巻 儒道之事 神道之事
	下巻 貴理志端之教之大綱之事 現世安穏、後生善所之真之主一体在マス事 後生爾生残者ヲ阿爾广羅志与那留与云事 後生ノ善所ヲハ、ハライソト云イテ天ニ有、 　悪所ヲハインヘルノト云テ地中ニ有事 後生ヲ何トスレハ抉リ、何トスレハ抉カラ 　ヌト云コト 貴理志端之教ニ付、色々不審之事

（神宮文庫本『妙貞問答』下巻、自跋より、改行筆者）

キリシタンノ教ヘノ、有難程ヲモワキマヘ玉フヘキ為ニツヾリ出ス所、
巻ノ数ヲハ、上中下ノ三ツニ分チ、
上ノ巻ニハ、仏法ノ空無ヲ本トセハ、皆邪ナル法也ト嫌イ退ケ、
中ノ巻ニハ、儒道ト神道ノ赴ヲ論シテ、キリシタンノ真ノ教ニハ、遥ニ異ナル理ヲ示シ、
下ノ巻ニハ、五宗キリシタンノ教ノ真ヲ、カツ揚テ顕シ侍。

巻および下巻、吉田文庫本が上巻および中巻の途中までとなっている。

1　神宮文庫本（旧林崎文庫本）

坂本広太郎は、『妙貞問答』と題する書を伊勢の神宮文庫（旧林崎文庫）に発見し、大正七年（一九一八）、学界に紹介した。[*8] 慶長十年（一六〇五）に成立以来、およそ三百年後のことである。同時にこの論文で『妙貞問答』の著者「不干斎巴鼻庵」と『破提宇子』の著者「ハビアン（好庵）」とが同一人であることを考証した。

2　吉田文庫本（神楽岡文庫旧蔵本、現在、天理大学附属天理図書館所蔵）

長い間『妙貞問答』は、神宮文庫本（旧林崎文庫本）が唯一の伝本とされていたが、吉田文庫の調査に当たった西田長男の報告[*9]により、昭和四十七年（一九七二）、吉田文庫本の存在が明らかとなった。西田によれば、昭和十三、四年頃、國學院大學教授・宮地直一の指示により、京都・吉田家神楽岡文庫で調査していた当時、すでに佚してしまったかと思われた上巻を具する『妙貞問答』を珍蔵していることを知ったが、当時、吉田文庫本のことはみだりに外部に発表しないという約束ができていたので、宮地先生に報告しただけで、そのまま黙視したとのことである。

3　耶蘇教叢書

西田長男が上巻を具する吉田文庫本を世に明らかにする以前の昭和五年（一九三〇）、姉崎正治は「耶蘇教叢書」と題する藤田季荘手写本中の「仏法の次第略抜書」をもって、『妙貞問答』の上巻に相当するものと類推[*10]した。

本書は、いわゆる浦上一番崩れ（一七九一～一七九五）に際し信者から没収した寛政没収教書の中に含まれていたもので、本「叢書」に含まれる「神道の事」と題する断簡が『妙貞問答』の中巻の「神道之事」と全く同一の内容であることから、同「叢書」中に収録されている「仏法の次第略抜書」という一章が『妙貞問答』の上巻に相当すると論じた。

しかし、これらの断簡は『妙貞問答』起草に当たっての覚え書きとして書き留めたものと推定されるものの、「耶蘇教叢書」所収の「仏法の次第略抜書」も同「神道の事」も問答形式ではなく、吉田文庫本が世に知られた現在、『妙貞問答』とは別のものとして扱うべきものと認識されている。

「耶蘇教叢書」の出所については、村上直次郎[*11]の報告がある。それはかつて長崎県庁に保管されていたもので、明治二十九年（一八九六）十月、長崎に短期滞在した際に、「耶蘇教叢書」と名付け、その断簡の写本を作成しておいたのを明治後期に藤田に貸与したことがある旨、記述しており、J・ラウレスは"Kirishitan Bunko"[*12]においてこれを踏襲した。

ただし、村上本と藤田本には写し方が違っているところがあるという柳谷武夫の指摘[*13]があり、原写本の再出現を待たねばならないことを福島邦道[*14]が指摘しており、また、藤田本の原写本も村上写本も共に現在は所在不明であるが、藤田写本と筆跡の酷似した異写本の存在について、藤田写本に先行する村上写本か、原本により近いものと推定される旨、海老沢有道が述べている。[*15]

三　写本二種の体裁

1　神宮文庫本

中巻・下巻の二冊、形は半紙二つ折、高さ二四センチ、幅一六・五センチ、四針眼訂法の袋綴（図1参照）。表紙は薄鼠色、題簽はなく、本文の筆者と別筆で「妙貞問答中」「妙貞問答下」と表紙に直接書かれている。本文には朱書も書入も無い。漢字片仮名交じり文、楷書にて九行、墨付、中巻は四十三丁、下巻は四十八丁。中・下両巻ともに、その表紙右下に「共二」と朱で記してあるので、元から上巻は失われていたと思われる。以上、二〇〇九年十一月調査による。

書写の年代については、紙質・字体等から見て、少なくとも徳川中期以前のものと思われると坂本広太郎[*16]は述べている。

中巻六丁表「儒道之事」の部に「太極の図」を写すだけの余白がある（図2および神宮文庫本との共通部分である吉田文庫本中巻五丁表、本書影印47頁(下)参照）。現存の神宮文庫本の原本となったものに図が描かれていたと思われ、このことより神宮文庫本も他の写本からの転写本であると察せられる。

中巻の扉に「虚實二三」と題してあることから、これも本書の一名であるかとの坂本の指摘[*17]があり、「虚実」の名は、恐らくは「神儒仏（虚）」と「キリスト教（実）」とを対称した名で、上巻で仏教を破し中巻で神儒二道を破したのを数えて、これらを「一二三」と記したものであろうと言う。

筆者が神宮文庫本を確認した二〇〇九年秋および二〇一一年夏の時点では、「虚實二三」の文字は棒線をもって

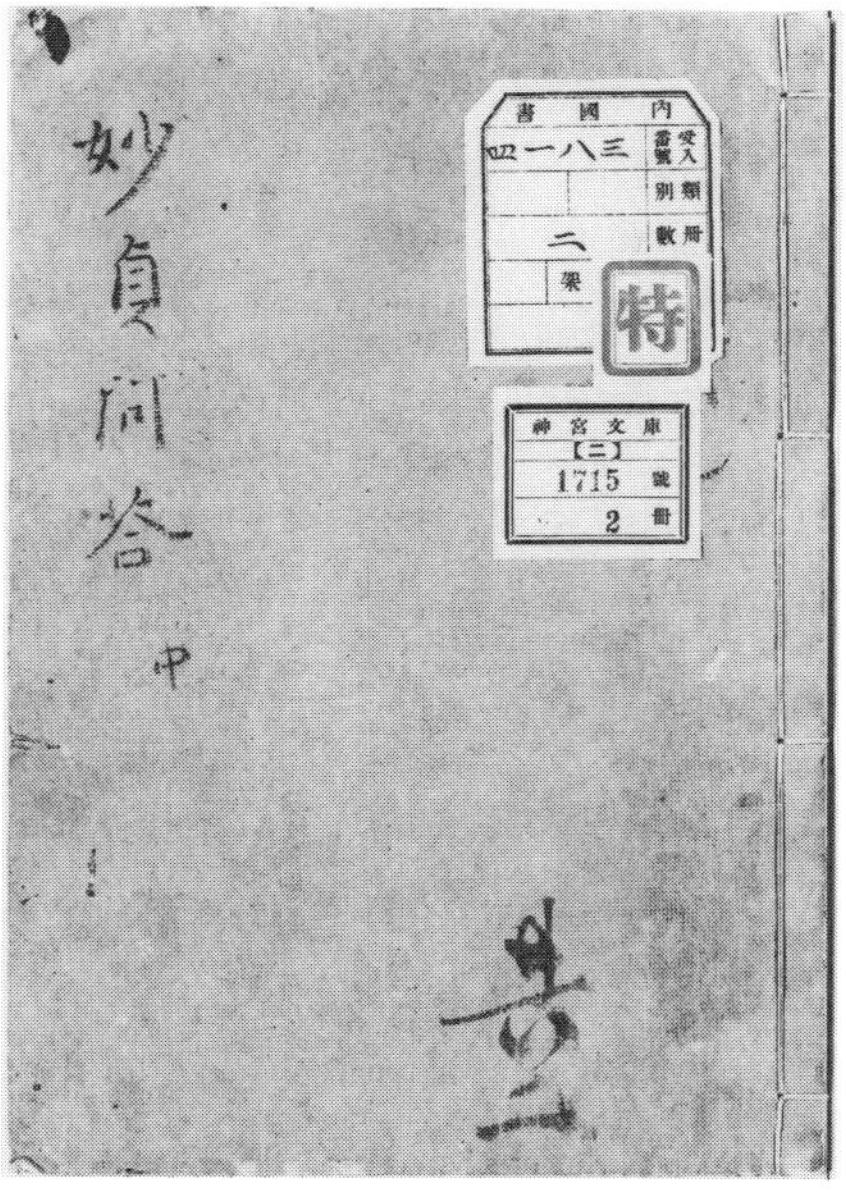

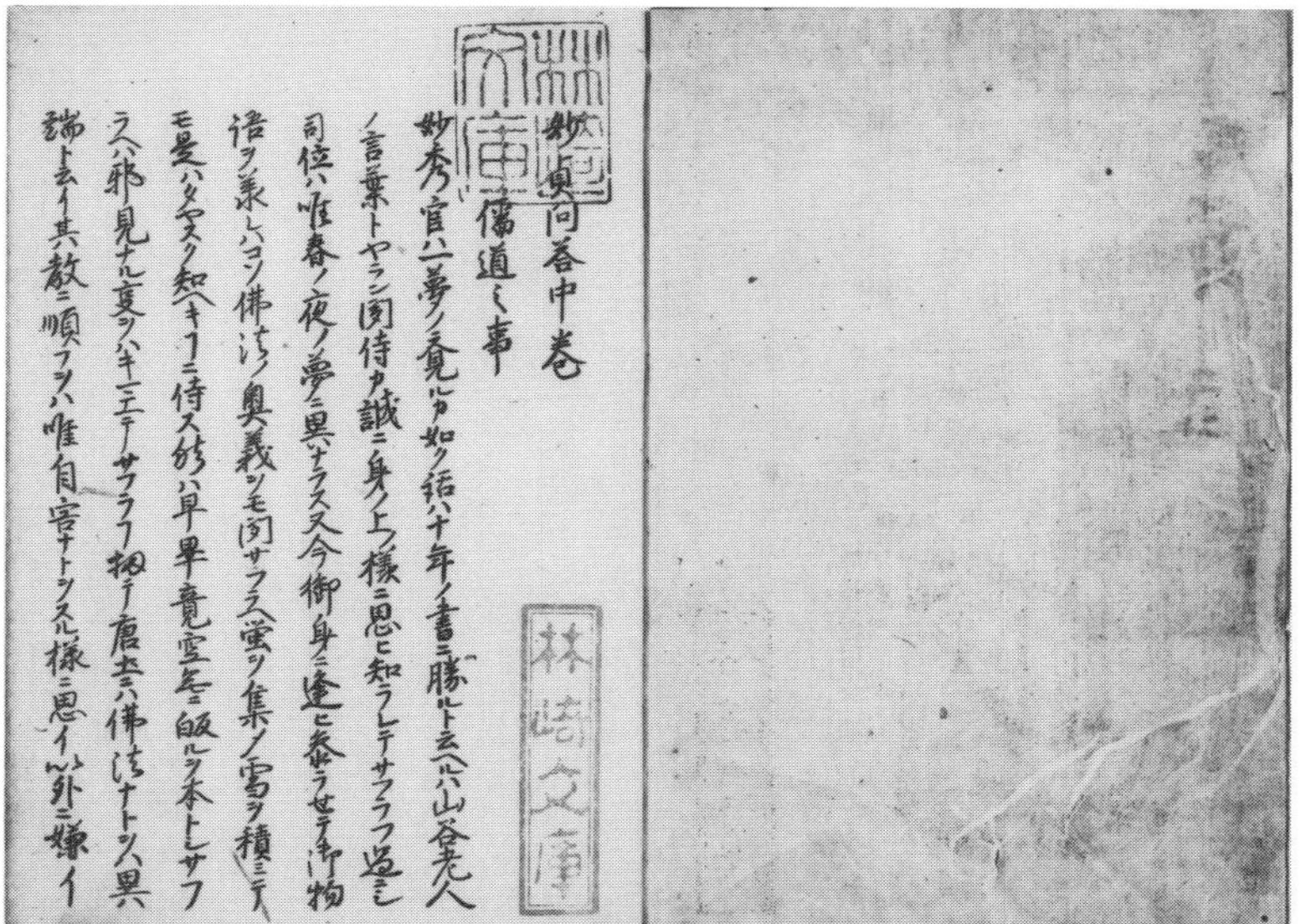

図１　神宮文庫本『妙貞問答』中巻、表紙（左）および一丁表（下）（神宮文庫所蔵）

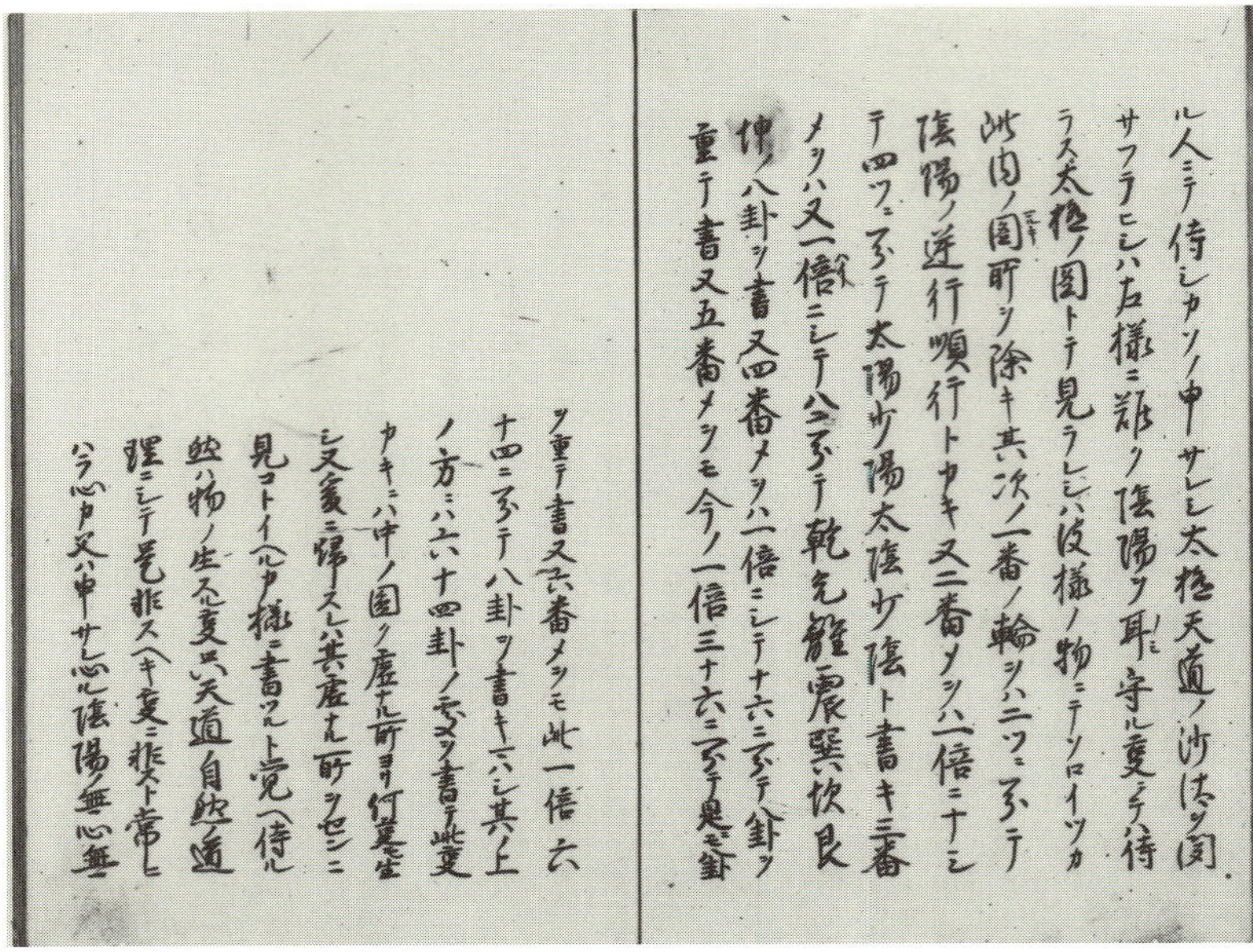

図2　神宮文庫本『妙貞問答』中巻、六丁表（神宮文庫所蔵）

見消、「虚實二三」と書かれた紙は、袋綴一丁分ではなく一枚紙で見返として外表紙の裏にべったりと糊づけされており、「虚實二三」の文字は目視できない状態であった（図1下の右端上方参照）。

神宮文庫には本『妙貞問答』中・下巻二冊（一七一五号本）の他に、大正八年（一九一九）転写の副本[*18]（一七一六号本）があるが、こちらには「共二」および「虚實二三」の記述やその訂正の痕跡は無く、表紙裏は白紙。蔵書印も無い。なお、京都大学附属図書館にも神宮文庫本からの大正七年転写本[*19]が収蔵されているが、こちらには「虚實二三」の記載があり、「林崎文庫」の蔵書印も忠実に写し取られている。

慣例として見返には反故紙を用いる場合もあることから、ひょっとすると「虚實」の文字は必ずしも本書と関わりの無いものである可能性も考えられないこともないが、なお一層の調査研究が求められる。なお、吉田文庫本には「虚實」の記述は無い。

2　吉田文庫本

上巻および中巻の途中まで、上・中巻合冊。

外表紙はなく、大和綴の仮綴、紙縒で上・下二カ所を綴じている。高さ二九センチ、幅二〇センチ（本書影印7～57頁参照）。

墨付、上巻は七十五丁、中巻は二十二丁、料紙は楮紙、袋綴、半葉十一行、一行の字数は不定、漢字片仮名交じり文。

本文と同じ料紙の表紙を前後に付け（前表紙と後表紙、他に同じ料紙の遊紙一紙を前後それぞれに挿む）、前表紙左端上方に、本文と別筆で表題「妙貞問答」が記されている。

なお、丁を重ねた状態で地（下小口）を切り揃えたような痕跡がある。前の方の丁では地に十分な余白があるものの、後の方、上巻五十五丁裏辺り以降では十分な余白が無いために、幾分文字の切れかけている箇所がある（本書影印35頁以下以降参照）。

巻首右端下方に「吉田文庫」と陽刻した長方形の朱印は、天理図書館で加えたもの。以上、二〇〇九年九月調査による。

書写の年代は、徳川時代中期を降ることがないであろうと西田は述べている。[*20]

一字分、二字分の欠字がある。西田は、これらの欠字はすべて書写人が意識的に欠字としたもので、直接、著者不干斎巴鼻庵の自筆原本について書写したものではなく、転々と書写を経たいわゆる転写本で、その就いた書本は稿本であったと思われると述べている。[*21]

また特筆すべきこととして、他の丁がすべて十一行のところをこの最後の丁のみ十行目で、しかも数字分の空白を残し、「惶根尊トハ是姿形美シク男根女根此時ヨリ初也又前代ノ神ヨリモ」と、結語を筆記せず文脈の途中で終

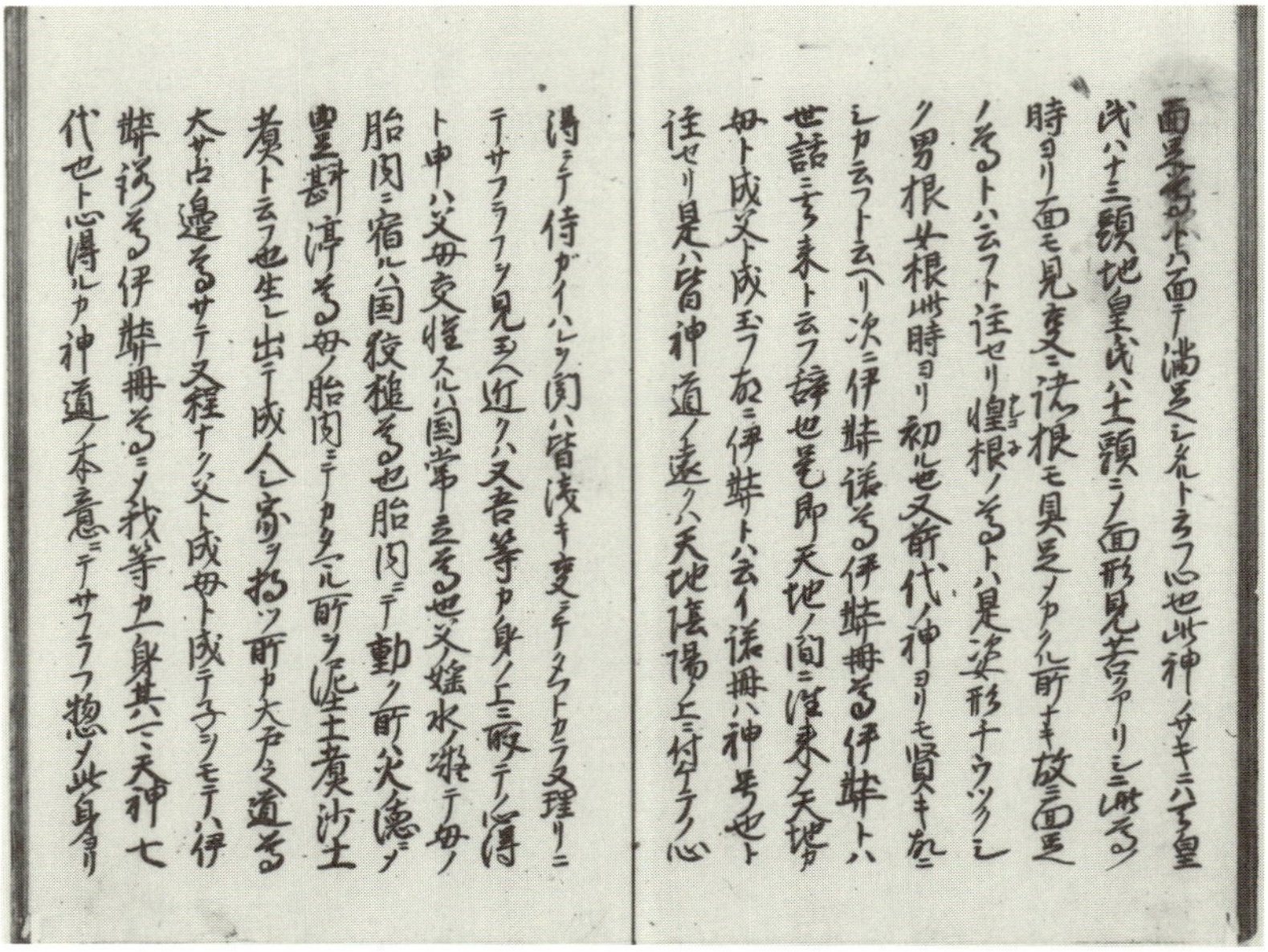

図3　神宮文庫本『妙貞問答』中巻、二十七丁裏～二＋八丁表（神宮文庫所蔵）

わっている。西田はこの中巻後半部分の欠落について触れつつも、「いろいろの推定ができようが、あまりにも憶測に亘ることとなってもとおもい、今は一切を省略にしたがう」と述べるに止めている（吉田文庫本『妙貞問答』〈天理図書館所蔵〉中巻、二十一丁裏～二十二丁表、本書影印56頁(上)参照、改行、空白筆者）。

尊トハ云ト註セリ　惶根尊トハ是姿形美シク
男根（九行目）
女根　此時ヨリ初也　又前代ノ神ヨリモ
（十行目最終行）

本箇所に相当する部分を神宮文庫本で補えば、「又、前代ノ神ヨリモ賢キ故ニ、シカ云フト云ヘリ。……」と続き、その後は、イザナギ・イザナミの国産み神話に触れ「神道ノ内証ハ唯ハ(ママ)此夫婦交懐ノ陰陽ノ道ニ極リサフラフソ」と批判、「吉田ノ字ノ秘説ニテ、世ニ伝ヘスト云人アリ。アラ、ウソヤ〳〵」と神代文字の否定、さらに「吉田ノ神主、何ヤラン、ネギ事ヲ云イテ神トナス」「人ニ位ヲアタフルハ、与ヘラル、人ヨリモ尚上ナル如ク、吉田ヨリナサル、神ナラハ、神ハ吉田ノ下也。吉田ヲ頼ミタランハ、尚神ニ信ヲ取ヨリモ勝ルヘシ」「藍ハ藍ヨリ出テ、藍ヨリモ青ク」、神ハ吉田ヨリ出テ吉田ヨリモタフトクサフラフソ」と悉く、当時神道界を掌握していた吉田神道批判が続く（図3参照）。

文章の内容から見ても、また外見上の体裁から見ても、正に筆写するのを途中でやめたというような唐突な終わり方は甚だ不自然であり、恣意的なものを感じさせる。本書が吉田家に伝存したことと、次に続くべき吉田神道批判を書き留めずその前の段階で筆写を止めたかのような体裁ということの間には、何らかの因果関係があるかのように様々な想像がかきたてられるが、一切は想像の域を出るものではない。

四　写本二種の来歴

1　神宮文庫本

神宮文庫本『妙貞問答』には、中巻・下巻ともに、その前身である「林崎文庫」の蔵書印が二種類押印してある（図1参照）。一つは巻首に茶色の角印、今一つは下部に細長い朱印がある。前者の茶色の角印は江戸時代の蔵書印[*22]で高芙蓉の刻、後者の長方形の朱印は明治初年に作られたものとされている。本書には正方形の角印があることから、少なくとも明治以前には林崎文庫の蔵書になっていたことが知れる。

西田によれば、「神宮文庫本『妙貞問答』には、中・下両巻ともに、巻首にその前身たる「林崎文庫」の朱印一顆を踏してある。したがって、本書が林崎文庫に献納されたのは、同文庫の創立がされた貞享三年以後の事であったろうと思われる」とのことである。貞享三年（一六八六）というのは、神宮文庫の前身である林崎文庫をさらに遡り、宇治会合所大年寄等による内宮文庫創設発議を指してのことと思われるが、では、本書が林崎文庫に収蔵された時期をどこまで遡れるのか、その経緯をたどれば神宮文庫の沿革は次の通りである[*23]（図4参照）。

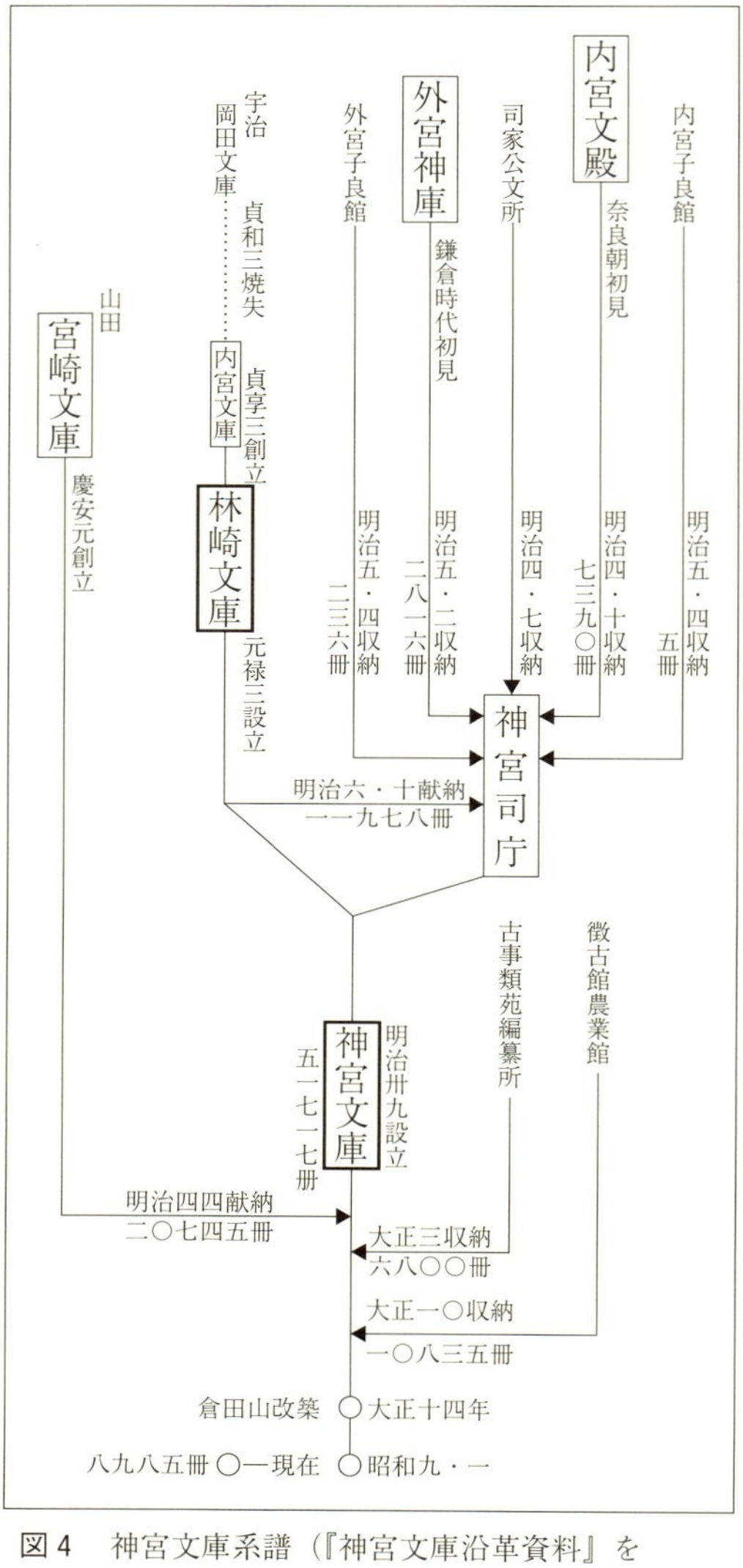

図4　神宮文庫系譜（『神宮文庫沿革資料』をもとに作成）

■神宮文庫沿革

慶安元　（一六四八）　出口延佳らにより豊宮崎文庫創設

貞享三　（一六八六）　外宮（豊受大神宮）の豊宮崎文庫に倣い、内宮（皇大神宮）にも文庫設立を発起し、宇治会

合所大年寄らが山田奉行に稟請。翌貞享四年、丸山に内宮文庫創設
元禄三（一六九〇）内宮文庫を宇治林崎に移転し林崎文庫と改称（丸山は高湿で図書保管に不適切なため）
天明二（一七八二）内宮権禰宜蓬莱尚賢ら、林崎文庫の書庫・講堂・塾舎を整備し、林崎文庫への書籍奉納の呼びかけを始める
天明四（一七八四）京都勤思堂の村井古巖、書籍二千六百余部を林崎文庫に奉納
明治四（一八七一）神宮司庁設置
明治六（一八七三）林崎文庫の土地建物ならびに図書一切を神宮司庁に献納
明治三九（一九〇六）神宮文庫設立、旧林崎文庫蔵書等を神宮文庫に収蔵し公開

林崎文庫の蔵書目録で「妙貞問答」の記載について確認すると、京都大学附属図書館所蔵の天保九年戊戌（一八三八）『林崎文庫蔵書目録』[*24]には見えず、神宮文庫所蔵の嘉永二年（一八四九）『林崎文庫目録』、および万延元年（一八六〇）『林崎文庫蔵書目録』にも「妙貞問答」の記載は見られない。

近代に至り、神宮司庁より明治三十九年公刊の『神宮文庫圖書目録』[*25]にも「妙貞問答」の記載は無く、その草稿とみられる『林崎文庫圖書目録』（特種之部）[*26]にも「妙貞問答」の記載は無い。記録の上で「妙貞問答」の存在を確認するには、大正十一年の『神宮文庫図書目録』[*27]まで待たねばならない。

■勤思堂・村井古巖蔵書

貞享三年（一六八六）の宇治会合所の大年寄らの稟請により、五十鈴川の西岸にあたる丸山の地に内宮文庫が創設されて以後、高湿で図書保管に不適切な地から林崎の地へ移転したものの、その後百年ほどの荒廃の末、天明二

図5　村井古巌蔵書の林崎文庫への奉納印

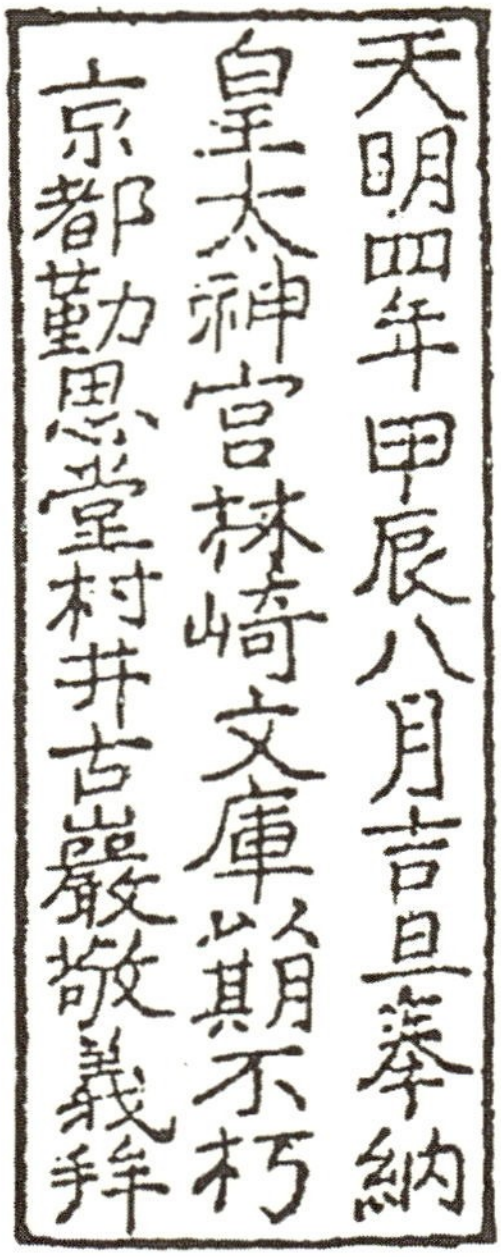

年（一七八二）に内宮権禰宜で副物忌父職を兼ねた蓬莱尚賢により、全国に林崎文庫への書籍の寄付を求める呼び掛けが行われ、再興がはかられた。この呼び掛けに応じ、天明四年（一七八四）八月、村井敬義（古巌）は秘蔵書二千六百余部を林崎文庫に奉納した。この村井古巌に注目したい。

村井古巌の献納書については、『林崎文庫鹽竈神社村井古巌奉納書目録[*28]』に詳しい。本書は、神宮文庫所蔵の『村井敬義奉納書目』（十一門二一七号三冊[*29]）をもとに、『林崎文庫村井古巌書目』（十一門二一八号一冊）と対比させながら、二一七号本で欠落しているものや異動については二一八号本で補いながら書目の項目を立てたということであるが、この書に「妙貞問答」の記載は無い。つまり、本書が参照した右二種の目録から、古巌が『妙貞問答』を林崎文庫に奉納したという証拠は見出せないということである。

また、天明四年八月に古巌が一括奉納した書物には、「天明四年甲辰八月吉旦、奉㆓納皇太神宮林崎文庫㆒、以期㆓不朽㆒、京都勤思堂村井古巌敬義拝」（図5）という奉納印[*30]が押印されているが、現存の神宮文庫本『妙貞問答』にこの奉納印は無い。

古巌は林崎文庫への蔵書奉納を果たした後に江戸へ東下し、天明六年の春、奥州鹽竈神社を訪れ奥州にて没した。その後、古巌の蔵書はその弟忠著により奥州鹽竈神社へ奉納された。奉納の印文は図6に示すごとくである[*31]。鹽竈神社に奉納された古巌の奉納本には少なからず散逸したものがあったことは、山田孝雄[*32]や佐藤喜代治[*33]の談から知れる。

一方、古巌の蔵書目録として、現在、関西大学図書館長澤文庫所蔵の『勤思堂蔵書目録[*34]』「勤思堂蔵書目録下」には、「妙貞問答　二」という記載が認められる（図7参照）。

本目録は、判別困難ながら表紙の題箋に「勤思堂蔵書目録」と読み取れる。内題は「大廟林崎御文庫　村井勤思主人献納書目」、「胤良之印」の蔵書印がある。奥書に「村井古巌　伊勢御文庫献納書目録三巻以筒井氏蔵本謄写　庚申之杪冬」とある。墨付百二丁、「勤思堂蔵書目録上」で始まり、「同中」、「同下」、合冊。以上、二〇一二年五～六月調査による。

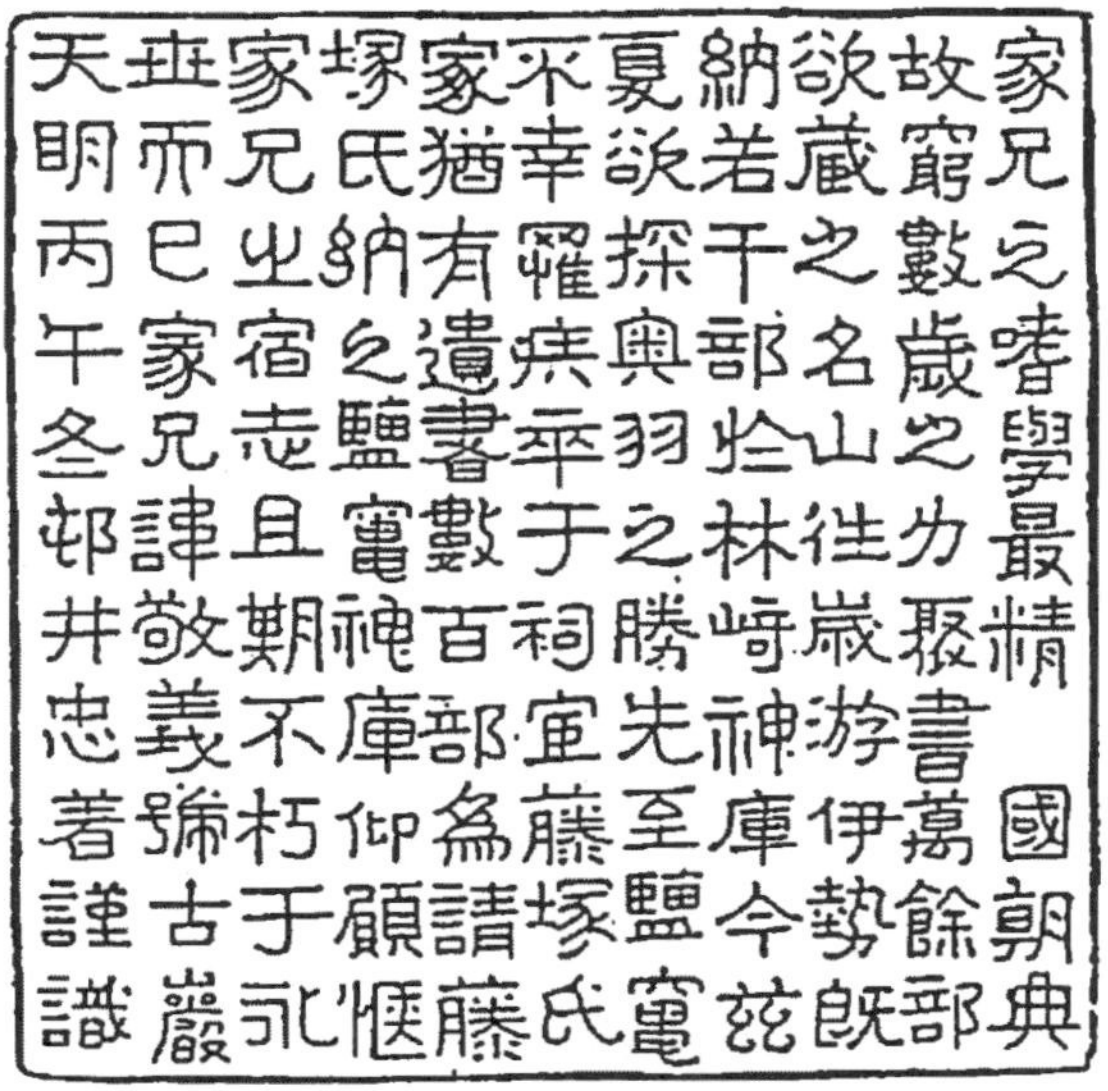

図6　村井古巌蔵書の鹽竈神社への奉納印

現存の神宮文庫本『妙貞問答』には天明四年の林崎文庫への奉納印（図5）もなく、神宮文庫本『妙貞問答』が本目録に記載されている「妙貞問答」と同一のものであると即断はできないが、村井古巌が「妙貞問答」なる書を所持しており、その書を林崎文庫へ献納したということが窺い知れる。また、「妙貞問答　二」という記述より、古巌の蔵書であった時点ですでに二巻のみであったことが知れる。

なお、神宮文庫所蔵の『勤思堂・伊勢家蔵書目録』（十一門五六号一冊[*35]）および『勤思堂奉納書目』（十一門一〇六八号

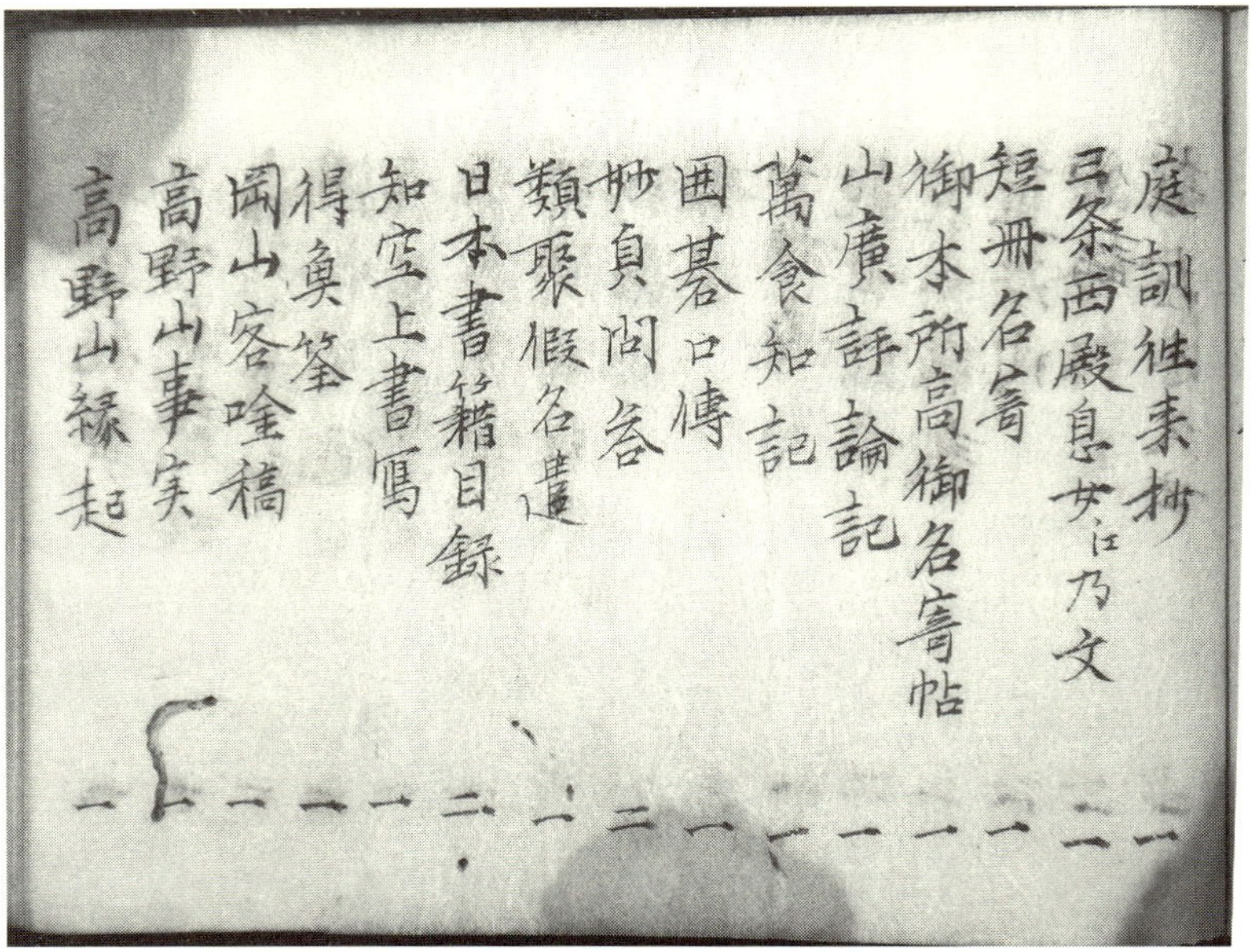
庭訓往来抄　一
三条西殿息女江乃文　二
短冊名寄　一
御本所高御名寄帖　一
山廣評論記　一
萬食知記　一
囲碁口傳　一
妙貞問答　二
類聚假名遣　一
日本書籍目録　二
知空上書寫　一
得奥筆　一
岡山客唫稿　一
高野山事実　一
高野山縁起　一

図7　『勤思堂蔵書目録』（下）（関西大学図書館所蔵）

二冊、大正十二年十月一日）にも「妙貞問答　二」の記述がある。これら二種の書目には林崎文庫だけでなく鹽竈神社に奉納された書目も掲載されており、後者は鹽竈神社の祠官藤塚式部の子孫藤塚鄰所蔵本をもとに書写されたもので、鹽竈神社への奉納印（図6）も忠実に写し取られている。

天明四年の奉納印（図5）はないものの、受入番号や林崎文庫印などから、神宮文庫本『妙貞問答』は村井古巌奉納本ではないかと推定される旨、吉崎久は先の『林崎文庫鹽竈神社村井古巌奉納書目録』で指摘している。

なお、前述の明治三十九年の『神宮文庫圖書目録』は、神宮文庫所蔵本の中から特種に属するものを選抜して掲載したということで、蔵書のすべてを掲載したわけではない。そのため、本目録に記載が無いという事実は、その時点で収蔵していなかったということを意味するものではない。

2 吉田文庫本

西田長男により吉田文庫本『妙貞問答』の存在が明らかにされたのは昭和四十七年のことであるが、かねてより吉田文庫の調査に当たっていた宮地直一の紹介で、西田が京都の吉田家神楽岡文庫の調査中に『妙貞問答』に初めて出会ったのは、昭和十三、四年の夏期のある日のことであったという。しかし当時、吉田文庫のことはみだりに外部に発表しないという約束ができていたので、宮地先生に報告しただけで、そのまま黙したとのことである。

西田長男が吉田文庫本『妙貞問答』の調査の際、一切口外しない約束であったわけは、吉田家の家例によるものであろう。その理由として西田は次のように述べている。[*36]

吉田旧子爵家では、一切の資料を京都は吉田神楽岡なる邸内に設けられてある二個の土蔵に封じ込んで、あえて外部に公開しようとはされなかった。その理由として、一度、学者たちにこれを公開したところ、これ幸いと、例の兼倶の偽書・謀計・罔上の方面をのみ爬羅剔抉する論文を発表[*37]して、すこしもその歴史的意義の解明に意を用いようとしなかった彼ら学者たちの態度に吉田家側が痛く憤慨されたのによるという。

吉田兼倶の偽書・造言・謀計を主張するものとして、出口延佳の『神家考異』『卜部弁証』『吉田兼倶謀計記』、同延経の『弁卜抄』、天野信景の『罔卜記』、吉見幸和の『増益弁卜抄俗解』、臼井雅胤の『神祇破偽顕正問答』、薗田守良の『神宮典略』（巻三十二）、平田篤胤の『俗神道大意』（巻二）などが挙げられる。

出口延佳は、外宮の豊宮崎文庫を創設した人で、内宮の林崎文庫はこれに倣って創設された。伊勢神道は豊宮崎文庫・林崎文庫の両文庫ともに公開の姿勢を取ったが、このような経緯により、吉田神道は異なる立場を取ったのである。

宮地家は吉田家の配下であった因縁から、秘かに宮地直一にだけ吉田家文庫所蔵資料の閲覧を許可されていた。

そして、西田長男は恩師宮地の紹介で、まず鈴鹿家文庫の調査から始め、さらに宮地を監修に仰ぐ『吉田叢書』全五巻の編集という名目により、吉田家文庫の資料を思いのままに使用する好機を得たということである。[*38]

外宮度会出口延佳・延経や伯家臼井雅胤らの吉田家への対立感情のみならず、吉見幸和や平田篤胤ら、国学者たちの考証学的、文献学的学問上の立場からも、吉田神道からの独立を成し遂げる必要があったと西田は指摘する。

文献学的方法による実証主義的批判は、これらの著述まで待たねばならないが、これらの学者らに先んじてハビアンが吉田神道を批判したこと自体は注目に値すると言って良かろう。

■天理大学附属天理図書館

卜部吉田家は平安中期以来、神祇官次官を世襲した家系であったが、足利時代半ば頃から神祇管領長上を名乗り宗源宣旨や神道裁許状・肉食裁許状などの様々な私文書を発行し、徳川幕府発布の「諸社禰宜神主法度」により全国の多くの神社神職を配下におさめ、吉田家は日本の神道界を支配した。しかし、明治に至り維新政府の宗教政策の下、吉田神道は廃止され吉田家は力を失い、戦後は子爵の爵位も失った。

その吉田家に宮地直一が古書肆反町茂雄を引き合わせ、昭和二十三年より吉田家蔵書の多くは反町を介して天理教二代目真柱中山正善の手に渡り、天理図書館へ納入された。その経緯は反町自身が説明している。[*39]

天理図書館吉田文庫納入には二つの経緯があり、一つは反町茂雄が良いものを先に抜いて単品で売ったもの。「宮地直一博士には内緒に」[*40]との約束を守るため、公開の古書即売展や「待賈古書目」には、めぼしいものの出品・掲載は、ともに不可能であったという事情もあり、『弘文荘待賈古書目』[*41]に「妙貞問答」の記録はない。もう一つは、後にまとまって一括で入ったもので、これらの書物は『吉田文庫神道書目録』[*42]に記録されている。

『妙貞問答』が、反町の手を介して天理図書館へ納入されたもので、後に大量に一括購入した吉田家旧蔵本の中の一点だとするならば、納入時期は反町が吉田家から旧蔵書を買い取った昭和二十四年三月十四、十五日以降、『吉田文庫神道書目録』出版の昭和四十年十月までの間と推察される。

天理図書館が膨大なキリシタン本を蒐集した経緯については、天理教二代管長中山正善の存在によるところが大きい。中山は、東京帝国大学の宗教史学科に進み、当時キリシタン研究に没頭していた姉崎正治に師事し、卒業論文は「伝道ニツイテ」（後に『天理教伝道者に関する調査』として公刊）であった。その中で「伝道布教こそ、宗教の生命を測るバロメーター」と断言し、布教伝道こそ宗教者たる者の最高の使命の一つと考えていた。そのため図書蒐集においても、キリスト教の歴史や教理に関するものよりも伝道布教や迫害に関するものに強い関心を持っていた。

大正三年、十歳の時に厳父を失い、早くに管長を引き継いだ中山は、学生生活を終えた後は天理市へ帰り天理教の教務に精進する覚悟を決めていた。朝鮮・満州・ハワイ・南米等へも進出する理想を抱き、その布教者養成のための参考図書館を作ることにも熱心であった。折柄の、姉崎正治が館長を務める関東大震災後の東大図書館の新築開館や、昭和天皇即位大典を記念して日本図書館協会から提出された「大礼記念事業としての全国図書館の普及充実」に関する建議を機とする全国的な図書館建設拡充の運動が中山の図書蒐集熱に拍車をかけたのは当然であろう。

天理図書館の膨大な善本稀書は、天理教二代真柱中山正善のこうした情熱と執念によって、着実に充実したものとなっていったのである。[*43]

■鈴鹿文庫

吉田家関連の資料としてもう一つ、鈴鹿文庫が挙げられる。鈴鹿氏は、吉田氏の家老的役割であった京都吉田神楽岡にある吉田神社の旧社家である。鈴鹿文庫はその蔵書であるが、鈴鹿文庫と呼ばれるものには二種類の系統があると福田安典は指摘している。[*44]

一つは、鈴鹿義一の旧蔵書で、その多くの蔵書が第二次大戦中に流失したが、大部分を近畿日本鉄道が購入し、昭和三十六年に大和文華館に一括移管された「鈴鹿文庫」。もう一つは、鈴鹿連胤およびその曾孫にあたる鈴鹿三七の蔵書で、その後に愛媛大学図書館に一括購入（一部寄贈）された「鈴鹿文庫」である。

吉田家ゆかりの二種の鈴鹿文庫、大和文華館の蔵書目録[*45]、愛媛大学図書館所蔵の鈴鹿文庫目録[*46]にも『妙貞問答』は見出せない。

五　刊本各種（出版された『妙貞問答』）

これまでに国内で刊行された『妙貞問答』を年代順に記す。

1　日本古典全集　一九二七年（昭和二年）

與謝野寛・正宗敦夫・與謝野晶子編纂・校訂『ぎや・ど・ぺかどる（下）』日本古典全集刊行會、一九二七年、六月二十日。後に、一九七八年、現代思潮社より復刊。

中巻および下巻を収録、底本は神宮文庫本。

凡例で、「中巻の「神道之事」の部に少しく闕字の印（□□□）を加へたのは、忌諱する所あつて編者等が敢てした事である」と断っている。

2　**随筆文学選集　第六巻**　一九二七年（昭和二年）

楠瀬恂編輯、書齋社、一九二七年、六月二十五日。

下巻のみ収録、底本は神宮文庫本を平仮名に復写したもの、平仮名交じり文。[47]

収録内容についての説明として、「「妙貞問答」に就いて」と題する解題に以下のように記している。「中巻に神仏二（ママ）[48]教を可成り極端な言辞を以て駁してゐる、其為め遺憾ながら本集に編する事が出来なかった。が、併し下巻のみでも本邦西教伝来史の上よりして重要なる地位を占むるものであらうと思ふ」。

3　**日本思想闘諍史料　十巻**　一九三〇年（昭和五年）

鷲尾順敬編纂、東方書院、一九三〇年。後に、名著刊行会より一九六九年七月から一九七〇年三月にかけて復刊。

中巻および下巻を収録、底本は神宮文庫本。原本の片仮名交じり文は平仮名交じり文に改め、中巻「神道之事」においても伏字は一切存しない。

4　**アンベルクロードによる仏語訳**　一九三八年（昭和十三年）および一九三九年（昭和十四年）

Dr. Pierre Humbertclaude, S. M., *Myôtei Mondô : Une apologétique chrétienne japonaise de 1605. Monumenta Nipponica*, Vol. I, n. 2-II, n. 1, Sophia University, Tokyo, 1938-39.

上巻には、姉崎正治が上巻に相当するものとして紹介した寛政没収教書中の「仏法之次第略抜書」（*Extraits d'un sommarire des théories bouddhistes*）を収め、中巻と下巻は神宮文庫本を底本とする。中巻には「儒道之事」（*Du Confucianisme.*）のみ収録し、これに続く「神道之事」の部分は省略している。外国語訳ではありながらも日本国内での出版であったため、昭和十三年および十四年の出版という時代的背景を考えれば、「神道之事」が省かれたのも致し方ないことであったと窺われる。

下巻の「貴理志端之教之大綱之事」（*Sommaire de la doctrine chrétienne*）以下は全部収めている。

以上は戦前・戦中の刊行で、以下に戦後刊行のものを記す。

5　日本哲学思想全書　第十巻　一九五六年（昭和三十一年）

三枝博音・清水幾太郎編「神道編・キリスト教編」平凡社、一九五六年。

下巻のみ、底本は神宮文庫本。

一九二七年刊行の『日本古典全集』第二回に収録されている『妙貞問答』によって原稿を作り、片仮名を平仮名に直した他は同書の体裁をそのまま踏襲した。

6　平凡社東洋文庫　十四巻　一九六四年（昭和三十九年）

海老沢有道訳『南蛮寺興廃記・妙貞問答』平凡社、一九六四年。海老沢有道の現代語訳で、原文は載せていない。上・中・下巻を収録。ただし、上巻はピエール・アンベルクロードの仏語訳同様、姉崎正治の説に従い寛政没収教書中の「仏法之次第略抜書」をあてている。中・下巻は神宮文庫本を底本とする。その理由を『妙貞問答』の全貌を伝えるためと説明[*49]し、また、西田長男により吉田文庫本『妙貞問答』が知らされた現在は、上巻として収録した「仏法之次第略抜書」は全面的に入れ換えるべきであることを断りつつも、捨て難い文献であるため重刷においてもそのままにした事情を「追記」[*50]として掲げている。

7　岩波書店、日本思想大系　二十五巻　一九七〇年（昭和四十五年）

海老沢有道他校注『キリシタン書・排耶書』岩波書店、一九七〇年。

海老沢有道校注、中・下巻のみ収録、底本は神宮文庫本。原文掲載。「仏法之次第略抜書」も収録しているが、『妙貞問答』とは別の扱いとしている。

8　筑摩書房『切支丹・蘭学集』　一九七〇年（昭和四十五年）

杉浦明平編『切支丹・蘭学集』（「日本の思想」十六巻）筑摩書房、一九七〇年。

下巻のみ。底本は神宮文庫本。原文の片仮名は平仮名にし、現代語訳対照。海老沢有道。

9　教文館『キリシタン教理書』　一九九三年（平成五年）

海老沢有道他編著『キリシタン教理書』（キリシタン研究第30輯）教文館、一九九三年。

『妙貞問答』成立以来およそ三百八十年、初めて吉田文庫本による上巻を収録し、上・中・下巻揃えての刊行。上巻は吉田文庫本により井手勝美が起稿、海老沢有道と協議を重ねて作成。中・下巻は林崎文庫本により海老沢が単独で起稿。中巻の両異本共通部分は相互に補完するものがあり、参照した。

特筆すべきこととして、戦前・戦中に出版されたものは、時代的制約により伏字や収録巻数の制限がある。殊に中巻「神道之事」に関しては、天照大神批判、ひいては伊勢神道をも批判する記述は、国家主義の戦時下における当局の干渉を恐れてのことであろう。

また、一九九三年刊の教文館『キリシタン教理書』に至るまで底本に吉田文庫本は採用されず、教文館本以外はすべて神宮文庫本を底本としている。このことについて生前、西田長男は出版社の企画の合理性のないことを批判した。戦後出版された『妙貞問答』のうち、少なくとも東洋文庫本と日本思想大系本には吉田文庫本によって上巻を収め、中巻の前半部分に校合を加えるべきであった。わけても、万人の目に触れていたはずの天理図書館『吉田文庫神道書目録』[*51]が出版された一九六五年十月以後の日本思想大系本には、吉田文庫本が採用されるべきであったと言う。[*52]

むすびにかえて

ハビアンの『妙貞問答』は、現存の神宮文庫本と天理図書館の吉田文庫本ともそれぞれ部分的に欠けており、とりわけ吉田文庫本の最後の中途半端な終わり方は興味を惹く。

「惶根尊トハ是姿形美シク男根女根此時ヨリ初也又前代ノ神ヨリモ」という唐突な終わり方は、文章の内容の上からも、また外見上の書物の形態からも、以降の欠損は偶然ではなく、そこには恣意的なものが感じられる。なぜこのような不自然な終わり方をしているのか。意識的に記述を途中で止めたのだとすれば、その理由は何か、その力が働いたとされる時代背景はどのようなものだったのか。二度の棄教を繰り返したハビアンが生きた時代とはどのような時代だったのであろうか。

『妙貞問答』が成立した時代は、吉田兼倶により吉田神道が形成され、吉田氏が勢力を誇った時代である。当時、神道と言えば吉田神道を指すという時代であり、ハビアンは吉田神道に対して憚りない批判を連ねている。第三節「写本二種の体裁」で述べた通りである。

また、吉田文庫本の最後の不自然さも然ることながら、神宮文庫本上巻欠落の理由や、吉田文庫と神宮文庫で本書の前半・後半と丁度棲み分けのような格好になっていることも気にかかるところである。欠落は単なる偶然なのか作為があるのか検証が求められるが、決定的な証拠が無い以上、これもまた仮説の域を出ることはない。

成立以来約四百年、『妙貞問答』は現在に至るまで如何様にして伝えられてきたのであろうか。神・儒・仏それぞれを批判し、キリシタンの教えを説いた書であり、当時の主だった複数の宗教にわたって論述する本書は、どの宗教にも伝えられる可能性があり、また棄て去られる可能性があった。ある意味偶然神道に残ったとも言えよう。しかし、現存するただ二種の写本が計らずも神社神道に伝えられた要因をあえて模索するならば、神道とはどのような存在だったのだろうか。

宗教というものは多くの場合、排他的存在である。確たる教理書も無く、概して寛容なものと捉えられがちな神道にも、神職の離檀[*53]や神道宗門[*54]といった受難があった。

奈良時代以降、神道は清浄であることが良しとされ、穢れである葬儀は仏教の手に委ねられていた。特に江戸時代はキリスト教に対する取り締まりの上から寺請制度が設けられ、葬儀は一切仏式によって執り行われた。神職といえども一般の人たちと同様に一定の檀那寺を持つことを強いられ、江戸幕府公認の宗教である仏宗九宗以外は御法度として禁じられていた。しかし、神職も葬儀に際し剃髪を余儀なくされたり、神職の婦女子に対して「田孝不忠信女」という戒名をつけられるなど、葬儀に関する実権を握りその横暴を極めた[*55]ことから、僧侶に対する反感は募っていった。そこで一部の神職は、檀那寺の宗門を離檀して神祇管領長上吉田家の直末となり、キリシタン邪宗門にあらざる旨の同家の証状と神道葬祭の許状を受け、仏宗九宗以外の自らの宗門として神道宗門を立てたのである。このような仏教側からの屈辱的行為に対する根深い怨念から神葬祭を勝ち取るまでのいきさつにおいても例外ではなく、およそいずれの局面においても常に吉田が装置として必要とされる構造であった。

こうして檀那寺の宗門を離檀し、自らの宗門を立てた神道であったが、しかし、その本家たる神祇管領長上として唯一神道を名乗った吉田家自らが、神光院、神恩院、神龍院の三菩提寺院に九江や梵舜など同家当主の子弟を僧籍に入れ、これらの菩提寺院において中陰法要を営み、中世における吉田家の仏教との積極的な交流関係は明治の神仏分離まで続いた。実は神道と仏教は共存し、この二つは一対で成り立っていたのである。

兼倶、兼右、兼見ら吉田家歴代の人々は、死後、神号を有する神として祀られると同時に仏号を授けられ仏教の供養を受け、その墳墓は神龍院山内に築かれ、ここに位牌を安置せらるるに至る。死後は神号と仏号の二つを有し、死後の霊魂の管理は神道と仏教との両教の手にともどもに委ねられていた。それが吉田神祇道家の終始変わらぬ風であったと西田は言う[*56]。

それればかりでなく、吉田家にはかつて切支丹宗門が入ったことがある。吉田家の菩提寺の一つである神龍院の住持梵舜は舁庵とも称し、舁庵は洗礼名でジョアン（John）の謂いであると西田は指摘する。これらのことから、神道は表向きは仏教ともキリスト教とも対立しながらも、内実は時流に巧みに適応し、ある意味それらとうまく共存してきたと言うことができる。

そもそも神道は、古代神道以降、仏教や儒教の影響を受けながら様々な変化を辿ってきた。鎌倉期の両部神道は金剛、胎蔵の両部曼荼羅の教説によって神道の意義を説いた仏家神道であり、鎌倉室町期の伊勢外宮（豊受大神宮）

度会氏によって形成された伊勢神道（度会神道）や卜部吉田氏の唯一神道（卜部神道・吉田神道）は仏教教学からの独立を成したが、先に述べた通り実際には吉田神道には仏教との共存のみならずキリスト教の影響が認められる。江戸期の出口延佳を中心とする周易の神道（後期度会神道）、吉川惟足の理学神道（吉川神道）、朱子学を規範とする山崎闇斎の垂加神道等は儒家神道であった。荷田春満、賀茂真淵、本居宣長、平田篤胤ら国学者の復古神道は、日本固有の姿を『古事記』『日本書紀』に求め、中古・中世以降の神道から上代の古神道へ復帰し、儒仏の外来思想に影響されない純粋神道を目指したものであった。しかし、平田篤胤の神道がキリスト教神学の影響を受けていたことは広く知られるところである。神道は常に、仏教、儒教、キリスト教等の外来諸宗教と接触し、影響を受けてきたのである。

近代には国家神道、教派神道と、異なった容貌の神道も現れるが、慶応四年（一八六八）三月十七日の太政官布告案には、「一、皇国内宗門、復古神道ニ御定被二仰出一、諸国共、産土之神社氏子且人数改被二仰付一候事。但、仏道帰依之輩ハ、私ニ取用候儀者、不レ苦候事」とある。文字通り「案」であって、そのままに布告されることはなかったが、「復古神道宗門」をもってわが日本国における唯一の宗教とすべきとしながらも、公の宗教としての神道と私の宗教としての仏道の共存を認め、その信不は人民の自由に任せるというものであった。*57 日本人にとって神仏その他の宗教が共存することは何ら不思議なことではないのである。また、一方では廃仏毀釈で神社に転向して存続した寺院も少なくない。

神道が宗教か否かという問題はよく語られるが、この問題は近代以降のものではなく、江戸時代においても「無宗門」*58 の呼び名で「神道宗門」が語られた例がある。西田が指摘する通り、この「神道宗門」を「無宗門」と同義に解釈する意識こそ、神道のあり様を物語っていると言えよう。この曖昧さこそが、教祖が無く、厳密な意味での経典や教義の無い神道のありのままの姿であり、外来諸宗教と対峙せず、むしろそれらの混淆を許容し積極的に吸収して自らのものとして取り込み適応してきた柔軟性こそが、神道の特徴であろう。さらに言えば、この特性は神道と言うよりも、むしろ日本人特有の意識であり、諸宗教にわたり論述する『妙貞問答』が神道という場に伝存成し得た一つの要因とは考えられないだろうか。

吉田神道を批判した出口延佳ほかの学者よりも早く、外来諸宗教の影響下にある神道からの独立を目指した国学者よりも早く、ペドロ・ゴメスの『講義要項』、良遍の『法相二巻抄』等、下敷きとなるものがあったとは言え、神儒仏各派の存在とその差異を意識し、比較論破する『妙貞問答』を著したハビアンは近代的覚醒の先駆けとして突出した存在であったと言えよう。禅僧落ちし、キリスト教に入信、後に背教していった変節漢と、ともすればとらえられがちなハビアンは諸宗教の教理に接し、宗教というよりも思想として理解しようと煩悶し、大いに悩み生きた人だったのであろう。

註

＊1 海老沢有道・井手勝美・岸野久編著『キリシタン教理書』（キリシタン文学双書、キリシタン研究、第三十輯）、教文館、一九九三年、以下、「教〇〇頁」と記す）。解題によれば、上巻は吉田文庫本、中・下巻は林崎文庫本を底本とし、中巻の両異本共通部分は相互に補完したとある。

＊2 日本人イエズス会修道士。永禄八年（一五六五）頃、山城国（京都府）に生まれる。一説に加賀国（石川県）または越中国（富山県）人ともいう。京都の臨済宗禅寺に入り、恵俊（えしゅん）（恵春）と号し、また雲居（うんきょ）とも称した。天正十一年（一五八三）、十九歳頃にキリスト教を奉じ、受洗してハビアンという洗礼名を受ける。文禄元年（一五九二）、天草のコレジヨの日本語教師、『平家物語』を問答体に書き直してローマ字版の天草本『平家物語』の口訳編纂者

として序文を執筆。慶長十年（一六〇五）、キリシタン護教論書『妙貞問答』三巻を著し、翌十一年、朱子学者林道春（羅山）と論争する。同十二年、準管区長パシオに随伴し江戸からの帰途、駿府で徳川家康の側近本多上野介正純に教理論書を献上。カブラル神父らに対する反感もあり、同十三年、京都のベアータ（修道女）とともにイエズス会を脱会棄教。奈良、枚方、大坂などを転々とし、博多でその女性と同棲、十六年には長崎に戻り、禁教令が公布された同十九年以後、長崎で幕府のキリシタン迫害に協力、元和六年（一六二〇）、反キリシタン書『破提宇子』を著す。翌七年のはじめ、瀕死の病床にあるとの報告がイエズス会側資料にあり、三月中旬に長崎にて没したものと推定される。不干斎巴鼻庵、巴毗 、梅庵、倍奄・許奄・好奄等の表記がある。

＊3　神宮文庫本中巻、三十二丁表（教三七五頁）。

＊4　吉田文庫本上巻、一丁表（教二八九頁）。

＊5　西田長男「吉田家旧蔵『妙貞問答』解説」（『神道及び神道史』第二一号、國學院大學神道史学会、一九七三年、一～四三頁）。

＊6　レオン・パジェス『日本切支丹宗門史』全三冊（〈岩波文庫四三三一―一～三〉、一九八三年、上巻一九四～一九五頁）。

＊7　「パゼス日本耶蘇教史」第一編第九章（『大日本史料』第十二編之三十三、東京帝国大学編、一九三八年、一七〇頁）。「一九〇七年」は「一六〇七年」の誤りか。

＊8　坂本広太郎「妙貞問答およびその著者に就て」（『史学雑誌』第二九編第二号、一九一八年、五八～六八頁）。

＊9　西田長男「吉田家旧蔵本『妙貞問答』解説――その序説――」（『國學院雑誌』七三巻一〇号、一九七二年、一～一一頁）。繰り返し追記説明されている以下の論文も併せて参照されたい。

a西田長男「吉田家旧蔵本『妙貞問答』解説補遺」（『神道宗教』第六九号、一九七二年、二九～五四頁）。

b西田長男「吉田家旧蔵『妙貞問答』解説」（『神道及び神道史』第二一号、一九七三年、一～四三頁）。

c西田長男「『妙貞問答』校注の試み」（『神道及び神道史』第二六号、一九七五年、二〇～九四頁）。

d西田長男「天理図書館所蔵吉田文庫本『妙貞問答』」（『ビブリア』第五七号、一九七四年、一三～八四頁）。

e西田長男「吉田家旧蔵本『妙貞問答』解説」（『日本神道史研究』第六巻、近世編上、講談社、一九七九年、一二一～二二三頁）。

＊10　姉崎正治「ころびイルマン不干齋ハビヤンと其著作」（『切支丹迫害史中の人物事跡』〈姉崎正治著作集第四巻〉、国書刊行会、一九七六年、四六五～四九六頁〈同文館、一九三〇年の復刊〉）、同「契利斯督記と耶蘇教叢書：北條安房守宗門改記録と寛政没収教書」（『切支丹宗門の迫害と潜伏』〈姉崎正治著作集第一巻〉、国書刊行会、一九七六年、三九～五〇頁、〈同文館、一九二六年の復刊〉）。なお、ここでの「仏法の次第略抜書」「神道の事」の表記は、姉崎論文の記述に従う。

＊11　Naojirô Murakami "An Old Church Calendar in Japanese," *Monumenta Nipponica*, Vol. 5, No. 1, Sophia University, (Jan., 1942), pp. 219–224.

＊12　*Kirishitan bunko : a manual of books and documents on the early Christian missions in Japan : with special reference to the principal libraries in Japan and more articularly to the collection at Sophia University, Tōkyō* by Johannes Laures. – Sophia University, 1940. – (Monumenta Nipponica monographs ; 5).

＊13　柳谷武夫「『おらしよの翻訳』について」（『ビブリア』第三九号、一九六八年）。

＊14　福島邦道『キリシタン資料と国語研究』（笠間書院、一九八三年、六六頁）。

＊15　教五一四頁。

＊16　註８坂本前掲論文。

＊17　註８坂本前掲論文。「虚実の名は、恐くは神儒仏（即ち虚）と基督教（即ち実）とを対称した名で、本書下巻の初に「惣シテ物ハ虚実ノ二ツガアル習イニテサフラヘバ、此現当二世ノ主ト申ニモ偽レル所ト真ノ主トノ隔ヲヨクハキマヱ玉フベキ事」とあるなり名付けたもので有らう。又その下に「二三」とあるは、この中巻には、神儒二道を破せるより、上巻の仏教を破したるを一と数へて、此等を二三と記したもので有らう」と坂本は述べている。これを受け、西田も、「「虚実二・三」の「二・三」は『妙貞問答』の中・下巻にあたろう」と述べている（註９ｅ西田前掲論文、一三三頁）。

＊18　転写時期については『神宮文庫図書目録』（神宮司庁、一九二二年、一九七三年訂正影印発行）の記述による。

＊19　ハビアン『妙貞問答』（大正写二冊）。奥書に「伊勢神宮文庫ノ蔵本ニ依リ影写ス、大正七年五月二十日」とある。

また、奥書に「安貞問答　中下巻　二冊」とあり、「安」を「妙」に朱によって見消としてある。また奥書には「原本（写本）ノ用紙且書体ヨリ観レバ徳川中期以前ノモノナラン既ニ上巻ヲ欠キ題箋ニ「共二冊」ト記セリ」と朱書きがある。

＊20　註9参照。

＊21　註9参照。

＊22　皇學館大学編『林崎のふみぐらの詞』（皇學館大学出版部、一九九三年、四一～四二頁）。林崎文庫の正方形の蔵書印でもう一種存する「庫」の字の「車」が横になっている蔵書印は、より古いものとのことである。神宮文庫本『妙貞問答』に押印された蔵書印は「庫」の字の「車」が横になっていない方の印であることから、収蔵時期は林崎文庫のごく初期ではないことが知れる。

＊23　『神宮文庫沿革資料』（〈神宮文庫叢書Ⅳ〉、神宮文庫、一九九〇年）蔵書数は、昭和九年一月末日現在。および『神宮文庫の歩み』（神宮文庫、二〇〇七年）。

『神宮文庫の歩み』では、村井敬義の「奉納印及び奉納目録」を典拠として、二六〇二部としているが、村井古巌の林崎文庫への奉納書部数については諸説ある。註29をも参照。

谷省吾は、『林崎のふみぐらの詞』（四一頁）では、二千六百部に余る書籍とし、『林崎文庫村井古巌奉納書目録』（一六〇～一六一頁）でも、二千六百余部五千余冊とするも、この度復刻の二種の目録とは、「分類の部目も書目の数もかなり差があつて、最も注目されるのは、鹽竈神社奉納本が多く含まれてゐることであり、しかもそれは、あとから追加されたものとは思はれない。また、林崎文庫・鹽竈神社どちらの奉納本でもないものも、或る程度の数を存してゐる」と説明する。また、同書追記（一七六頁）で、鹽竈神社奉納本『類聚三代格』の二冊目にのみ、奥に、天明四年の林崎文庫奉納印が押されているのは不可解であることに触れ、「誤つて押したものであらうか」と説明している。

一方、太田南畝の「一話一言」巻二（『神宮文庫沿革資料』、一二六頁）に、「伊勢外宮の文庫を宮崎文庫といひ、内宮の文庫を林崎文庫と言ふ。洛陽菱屋新兵衛、呉服屋、蔵書数千巻、後高野山に入て剃髪し、名を古巌と改む。蔵むる所の書の中、和書三千七百七部を林崎文庫に納むといふ。時に天明□（四）年□（五）月なり。天明六年丙午五月二十九日奥州鹽竈にて死す。」とあり、また、鷹羽龍年撰の「伊勢誌志」所蔵「村井古巌詩幷伝」（『神宮文庫沿革資料』、一二六頁）にも、「輸蔵諸林崎凡三千八百部」という記述がある。

後述の山田孝雄（註32）や佐藤喜代治（註33）の箇所で記す通り、奉納書は長い歴史の中で様々な遍歴を重ね、おそらく『妙貞問答』も時代の流れの中で同じようにして流転を重ねていったのであろう。

＊24 『林崎文庫蔵書目録』上下二冊、天保九年戊戌（一八三八）。奥書に「右内宮林碕文庫蔵書目録、一奪三本以守屋昌綱自筆、所襲蔵之原本頓写以伝家、珍云、文政四年辛巳十一月南至日、鴨山隠親毅識」「天保九年戊戌正月与白井保守対読、紀伊今井奇峰甘雨」とある。

＊25 神宮司庁編『神宮文庫圖書目録』（特種ノ部、神宮司庁、一九〇六年）。

＊26 『林崎文庫圖書目録』「特種之部」。書写者・書写年代不明、扉の題箋には「神宮文庫圖書目録」とある。内題「林崎文庫圖書目録」の「林崎」は「神宮」と見消、「草稿」、「大久保堅磐寄贈本」との記載があり、「神宮司庁」の罫線入り用紙を使用していることから、「神宮司庁」が創設された明治四年（一八七一）以後のものと推察される。

＊27 神宮司庁編纂『神宮文庫図書目録』（訂正影印版、汲古書院、一九七三年〈大正十一年の複製〉）、京都大学附属図書館所蔵。

＊28 谷省吾・吉崎久編『林崎文庫鹽竈神社村井古巌奉納書目録』（上・下、皇學館大学神道研究所、一九九四～二〇〇〇年〈神道書目叢刊、六〉）。

＊29 大久保堅磐「神宮文庫所蔵名家書写書入及古巌奉納書目概要」（『図書館雑誌』第一六号、一九一三年、三二～三七頁）によれば、『村井敬義奉納書目』は、天明四年八月、村井敬義が林崎文庫に奉納した書籍の目録で、合計二千六百十部、当時、神宮文庫に存する二千二百十五部に対して三百九十五部の不足分は維新期に散逸したもので、稀覯書も多く実に惜しむべきことと述べている（註23をも参照）。

＊30 神宮文庫所蔵。註22前掲『林崎のふみぐらの詞』、四一頁、および註28前掲『林崎文庫鹽竈神社村井古巌奉納書

目録』、一六〇頁。

＊31 「国立国会図書館所蔵本　蔵書印　その84　村井古巌」（『国立国会図書館月報』二五〇号、一九八二年一月号、一頁）

＊32 山田孝雄「鹽竈神社に伝ふる村井古巌の遺書」（『書誌』第二年第二冊、一九二七年、九～一七頁）、後、同『典籍説稿』（西東書房、一九五四年、二二四～二三六頁）に収録。山田孝雄は、彼の奉納印のある書を東京で見たものがあると伝え聞いたことがあり、鹽竈神社に奉納した本は当初は二百十部に止まるものではなく、古くはそれ以上部数のあったものであろうと述べ、さらに、仙台の坊間に彼の印ある「日本書紀纂疏」を見て、痛惜の余り、これを購入して神庫に奉納したと記述している。

＊33 田丸満洲男「蔵書印のこと――村井古巌の献本を中心に――」（『杜』創刊号、宮城県図書館杜の会、一九七八年、四四～四九頁）。佐藤喜代治は宮城県図書館の蔵書目録を調査し、同図書館蔵書中の小西文庫と在来本の中から二冊の古巌奉納本の所在を確認し、彼の奉納印を閲覧したと伝えている。

＊34 『勤思堂蔵書目録　伊勢御文庫献納書目録』上中下合冊〔一八〇〇年〈寛政十二〉十二月〕書写者不明、関西大学図書館長澤文庫。

「（伊勢御文庫献納書目）勤思堂蔵書目録　上中下合　寛政頃写」と黒マジックペンと青ボールペンで書かれた付箋が表紙に貼り付けられている。

この付箋の筆記者に関して関西大学図書館に問い合わせたところ、整理時に長澤規矩也の書き入れであると判明したものについてはその旨書誌に入力する慣わしであるが、該当の記載が書誌に無いことから当時断定できなかったものと思われるとのことであった。また、筆跡の点からも長澤のものではないと思われ、おそらく古書肆あるいは長澤が入手する前の持ち主の手によるものかと推察される。長澤の筆跡は、東京帝国大学支那文学科卒業論文で確認できる。http://web.lib.kansai-u.ac.jp/tosho/search/nagasawa/detail/id/22012

＊35 長方形の「林崎文庫」の蔵書印がある。外題「勤思堂伊勢家蔵書目録」、内題に「勤思堂蔵書」とある村井古巌蔵書の目録と、「平貞文所蔵書目」とある伊勢貞文蔵書の目録とから成る。伊勢貞文は江戸中期に活躍した武家有職故実家、一七八四年（天明四）五月二十八日没。

*36 西田長男「第五巻　中世編（下）のために」（『日本神道史研究』第五巻中世編下、講談社、一九七九年、三～九頁）。

*37 西田長男「吉田神道の成立——第一稿——」（『日本神道史研究』第五巻中世編下、講談社、一九七九年、一一～四七頁）。

*38 註36前掲西田論文。

*39 反町茂雄「吉田子爵家秘蔵の神道文庫の分散」（『一古書肆の思い出』四巻、平凡社、一九八九年、五二～一〇一頁）、および、反町茂雄『定本天理図書館の善本稀書——一古書肆の思い出——』（八木書店、一九八一年）。

*40 註39反町前掲書によれば、吉田家の御当主を青山御所の内のお住居に訪ね、代金をお届けすると、もう少し古い本を買ってほしい、京都の本邸に古い書物はたくさんあるから出向いてもらいたい、「但し宮地さんに話をすると反対しますから、あちらへは内緒に」とのことであった。

*41 弘文荘編『弘文荘待賈古書目——for Windows——』（CD-ROM版、八木書店、一九九八年）。

*42 天理大学出版部『吉田文庫神道書目録』（〈天理図書館叢書、第二八輯〉天理大学出版部、一九六五年）。

*43 反町茂雄「蒐書事始」（註39反町前掲書『定本天理図書館の善本稀書』、二二四～二五一頁）、同「蒐書家としての中山正善真柱」（註39反町前掲書、三二五～三八三頁）、中山正善『六十年の道草』（天理教道友社、一九七七年）、同「天理図書館二十五年の回顧と将来を語る」（『ビブリア』第五号、昭和三〇年〈開館二十五周年記念号〉、九頁）、天理図書館編『天理図書館四十年史』（天理大学出版部、一九七五年、一八頁）。

*44 福田安典「愛媛大学鈴鹿文庫・鈴鹿連胤関係資料について」（『国文学研究資料館紀要』二八巻、二〇〇二年、一四七～一六四頁）。

*45 『近畿日本鉄道株式会社編纂室蔵書目録』（研究用、一九四七年五月一日現在、近畿日本鉄道株式会社編纂室、一九四七年）、および、吉海直人「大和文華館所蔵和古書目録」（『同志社女子大学学術研究年報』同志社女子大学教育・研究推進センター編、一九九一年、四七一～五〇二頁）。

*46 『鈴鹿文庫書名目録（簡略版）』愛媛大学図書館、二〇〇二年。http://www.lib.ehime-u.ac.jp/SUZUKA/

*47 月報「贅語」に以下のように記している。「妙貞問答は、その原本が伊勢神宮文庫に所蔵されてゐるが之は片仮

名の書でありますゝ本書は之を平仮名に復写されたのを底本としたので読者には却つて便宜であつたらうと思ひます」「本書はパビアンが著はしたもので、日本の基督教布教書中最も古のもので、内容は神儒仏を破り基督教を立てやうとしたもので、本書は慶其頃本邦の宗教界に一ト問題を惹起した珍本であります」。

＊48 「神仏」は「神儒」か。

＊49 解説で次のように記す。「『仏法之次第略抜書』と『妙貞問答』中下巻とは、その文体において全く異なるものであり、それを上中下として一書にまとめることは不統一のそしりを免れまい。しかし本文庫においては、『妙貞問答』の全貌を伝えるためにも、アンベールクロードの先蹤にならい、あえて「仏法之次第略抜書」を上巻とし、『耶蘇教叢書』のそれが記す節の題名は、中巻に倣って省略し、姉崎博士が『切支丹迫害史中の人物事蹟』（一九三〇年刊）四八七―四九五ページに示された節わけに従って収め、ついで中下巻は神宮文庫の御好意により撮影して戴いた写真によって、従来の校訂本の不備を補なうことにした。特に最も普及していると思われる日本古典全集本の誤謬を注記し正した」。

＊50 「〔追記〕本書刊行後、唯一神道の本家吉田家文庫中に『妙貞問答』上巻と中巻半ばまでの写本が発見され、天理図書館に収蔵され、西田長男博士によって「天理図書館蔵吉田文庫本妙貞問答」（ビブリア五七、一九七四）として解題・校訂が発表された。「仏法之次第略抜書」のような不完全なものでなく、上巻には十二宗にわたって本格的な論説が展開されている。これによって『妙貞問答』の全容が初めて知られ、従って本書に仮に上巻として収めた「仏法之次第略抜書」は、全面的に入換えるべきものであるが、これまた捨て難い文献でもあるので、今回の重刷に当っては、そのままにした。御寛舒を願う次第である」。

「追記」の表現は、一九八〇年、二〇〇三年ワイド版など、重刷の度に少しずつ修正が加えられているが、ここでは二〇〇三年ワイド版を引用した。

＊51 『吉田文庫神道書目録』（天理図書館叢書、第二八輯、一九六五年）の仏書の部、三二四頁に「妙貞問答」が記載されている。

＊52 註9 e西田前掲論文、一九七九年出版。西田長男は一九〇九～一九八一年生没。教文館本『キリシタン教理書』は西田没後の一九九三年出版。

＊53　岡田莊司「近世の神道葬祭」（大倉精神文化研究所編『近世の精神生活』続群書類従完成会、一九九六年、二一五〜二五一頁）、同「近世神道の序幕――吉田家の葬礼を通路として――」（『現代神道研究集成』第三巻〈神道史研究編Ⅱ〉、神社新報社、一九九八年、一三七〜一七三頁）。

＊54　西田長男「神道宗門」（『日本神道史研究』第六巻近世編上、講談社、一九七九年、一三〜一〇二頁）。

＊55　加藤隆久「津和野藩の神葬祭復興運動と心霊研究」（『現代神道研究集成』第三巻〈神道史研究編Ⅱ〉、神社新報社、一九九八年、一七五〜二〇五頁）。

＊56　西田長男「吉田神祇道家の過去帳」（『仏教と民俗』第五巻、一九五九年、一〜一二頁）。梵舜の血縁者中には明智光秀の女細川ガラシャや清原枝賢の女清原マリアがあり、梵舜が洗礼を受けたのも意外な出来事ではないと西田は述べている。

＊57　西田長男「明治維新政府の宗教改革（一）」（『神道及び神道史』第二八号、國學院大學神道史学会、一九七六年、一〜六七頁）。

＊58　『半田町史』社寺篇に所収の天保十五年八月、尾州知多郡神職物代戸部村天主神主金原大蔵外四名の離檀願いに、「私共儀、旦那寺引離、無宗門にて神道葬祭式取行度」とある旨、註54西田前掲論文「神道宗門」による。

付記　吉田文庫本『妙貞問答』の天理図書館への納入経緯について、元天理大学教授平木實氏に示唆を戴きました。
神宮文庫資料調査閲覧および写真撮影に際して黒川典雄氏には大変親切にして戴き、林崎文庫調査見学においては深田一郎氏に御世話になりましたこと、深謝致します。また、資料調査閲覧に際し、天理大学附属天理図書館、関西大学図書館に謝意を表します。

近世思想史上の『妙貞問答』

西村　玲

はじめに

キリスト教の伝来は、十六世紀以後の東アジア思想史における大きなトピックの一つである。東アジアにもたらされたキリスト教は、大きく分ければ十六～十七世紀にはカトリックが、十九世紀以降にはプロテスタントが中心となった。[*1]天文十八年（一五四九）に日本から始まったカトリック・キリスト教の布教は、キリシタン禁教を目的とする日本の寺檀制度の触媒となり、中国には天文学や砲術などの科学技術をもたらして、この地域における近代の始まりを告げる兆しとなった。朝鮮には豊臣秀吉の朝鮮出兵（一五九二年・一五九七年）の折に、日本からイエズス会宣教師が渡って布教を行ったが、その後は十八世紀末まで途絶えている。[*2]ここでは研究が進んでいる日本と中国を対象として、『妙貞問答』をめぐる思想史の研究状況について紹介し、宗教思想史の立場から当時の状況を考察したい。

日本と中国において思想的にキリスト教を受け止めたのは、両者に包括的に広がっていた「天」の意識を基盤としたそれぞれの思想界の主流であった。日本では仏教であり、中国では儒教である。近世思想史における『妙貞問答』を理解するためには、当事者であったヨーロッパ・日本・中国それぞれの思想状況を視野に入れておく必要があるだろう。

以下では、日本思想史における『妙貞問答』（慶長十年・一六〇五）研究を進めることを目的として、『妙貞問答』とハビアン（一五六五～一六二一）をめぐる思想史研究の大きな流れを紹介する。次に、東アジアへのキリスト教布教をめぐるヨーロッパ・日本・中国の三者の思想状況を見たい。日中両国で最終的には禁教に至ったにせよ、イエズス会の卓抜した戦略が、まったくの異文化である仏教・儒教圏における布教を一時可能にした。キリスト教を媒介として、東アジアの宗教性はそれぞれの文化でどのようにあらわれたのかについて考察したい。

一　ハビアン『妙貞問答』研究の流れ

『妙貞問答』が発見されたのは、大正六年（一九一七）である。[*3] それ以後、国語学の新村出や、日本思想史学の村岡典嗣、宗教学の姉崎正治らによって、ハビアンの排耶書『破提宇子』と共に研究が進められ、ハビアンの思想や伝記が明らかにされていった。現在の『妙貞問答』研究が多分野にわたって進められているのは、このような研究史を反映している。第二次大戦後には、戦後のキリシタン学を拓いた海老沢有道が、『妙貞問答』とハビアン研究を精力的に進めた。海老沢は、転宗と脱宗を重ねたハビアンに宗教的な深まりはなかったとしながらも、村岡のハビアン理解を踏襲して、ハビアンには合理的・批判的な近世的精神があらわれる、と高く評価している。[*4]

こうしたアカデミックな研究と同時に、大正時代の芥川龍之介に始まる知識人からのハビアン論もある。戦後には、評論家の山本七平（ペンネームはイザヤ・ベンダサン）や、[*5]遠藤周作などのクリスチャン作家がハビアンを論じて、[*6]「才子ハビアン」の一般的イメージを形成した。山本らの仕事は、ハビアン自身について論じたというよりも、ハビアンに託して戦中戦後の思想的な矛盾を生きる知識人の自己像を描き出したものと言えよう。

一九七二年、西田長男によって仏教を破する『妙貞問答』上巻が発見されて、中巻と下巻と併せた全容が知られるようになり、一九九三年には、『妙貞問答』すべての本文が注釈をつけて刊行された。[*7]キリシタン史を専攻する井手勝美は、『妙貞問答』の校訂・校注作業を行いつつ、キリシタン思想史における画期的な研究を進めた。[*8]その主著『キリシタン思想史研究序説』は、イエズス会の布教方針である現地適応主義がどのように日本に適用されたかについて、同時代の中国布教と比較しつつ明らかにしている。井手は世界史的な状況を踏まえながら、現地適応主義から生まれた『妙貞問答』を分析することによって、ハビアンをキリシタン思想史上に位置づけた。東アジア布教では、唯一の創造主宰者という人格神の概念が強力に説かれる一方で、信仰の核心である救い手のイエスにはさほど言及されないことが、従来より指摘されていた。井手はその理由を、本格的な宣教の準備段階であったからと説明する。井手は、キリシタン思想史における日本一国の枠組みを世界史的な枠組みへと発展させた。

一方で、膨大なイエズス会史料にもとづくキリシタン研究は、戦後研究の当初からチャールズ・ボクサー（Chales Boxer）[*9]やジョージ・エリソン（George Elison）[*10]に見られるように、海外の研究者たちによって進められてきた。近年では、キリ・パラモア（Kiri Paramore）が注目されよう。[*11]パラモアは、『妙貞問答』の教理書『天主実義』（明朝万暦三十一年・一六〇三か）と比較しながら、[*12]『妙貞問答』が人間の自律性（アニマラショナル）を重視することを述べて、藤原惺窩（一五六一～一六一九）と同じく時代的な思想であることを論じた。また林羅山（一五八三～一六五七）の排耶論を主たる対象として、キリシタンを仮想敵とみなす排耶論が体制イデオロギーを樹立する梃子の役割を果たしたことを示した。井手以後の世界史的な枠組みを踏まえて、日本近世初頭の政治思想史におけるキリシタンの反体制的な役割を、ハビアンと排耶論から具体的に明らかにしたものである。

ウルス・アップ（Urs App）は、来日したヴァリニャーノ（一五三九～一六〇六）の仏教理解が禅にもとづく「仏教は虚無の信仰である」という近代オリエンタリズムの初発点となったことを示して、ショーペンハウアー（一七八八～一八六〇）に代表される東洋哲学イメージが形成されていく、最初期の過程を論証した。[*13] その中で、ハビアンの『妙貞問答』がヴァリニャーノの仏教についての公式見解を踏襲していること、羅山がハビアンとの論争において『天主実義』を用いて反論したことを述べている。[*14] 西欧近代の仏教理解は多分野にわたる大きな問題であるが、[*15] キリシタンの目から見た当時の日本の宗教状況を描く『妙貞問答』は、西欧における東洋思想の最初期の理解を示す体系的な文献という性格を持つ。

かつて海老沢が述べた「（キリシタン文献は）東西文化交渉史そして日本文化史・思想史上、貴重な基礎的文献であり、史料である」[*16] という言は、『妙貞問答』において証明されつつある。キリシタン研究は、ながらく主流であったキリスト教からの研究を土台としながら、日本一国から世界史的な枠組みを踏まえたものとなり、キリスト教以外の視点からの思想史的研究が始まっていると言えるだろう。キリシタン史の蓄積を踏まえた上で、仏教であれ儒教であれ、受け手である日本の思想史にキリスト教思想を組み入れていくことは、今後の個別研究を進めるために必要な作業と思われる。キリスト教と同じく、仏教や儒教も、国家や社会という単位だけでは捉えきれない思想として生きてきた。各々の立場から大きな文化圏を俯瞰する思想の視点を取り戻すことは、思想史における多様性の確保でもあり、それぞれの思想や文化をまた新たにより深く発見しうる手がかりとなるだろう。ここでは、ささやかながら宗教思想史の視点から『妙貞問答』を中心として、当時の状況を概観してみたい。

二　イエズス会の現地適応主義

当時のヨーロッパにおけるキリスト教の事情から言えば、東アジアへの布教は、十六世紀初頭のルター（一四八三～一五四六）に始まるプロテスタント勃興に対する、カトリック反撃の一環である。中世を通じてさまざまな異端派を鎮圧してきたカトリック教会は、新たな異端であるプロテスタントとも全面的に対決する道を選んだ。イエズス会は、プロテスタントへの巻き返しをはかって一五四〇年に公認された新しい修道会であり、十六世紀後半には世界宣教を掲げて南米やアジア布教の中心となった。軍人であったイグナティウス・ロヨラ（一四九一～一五五六）によって創設されたイエズス会は、ロヨラの体験にもとづく神秘主義的な瞑想修行を基礎として、カトリックの腐敗堕落を反省した、軍隊的な秩序と倫理的な清廉さを特徴としていた。カトリックとプロテスタントの相克と競争から生まれたイエズス会は、異文化圏の布教において純粋な宗教性と現実の戦略性を高次の段階で一体化すること、いわば魂の戦略を実現する力を持っていた。他者と向かい合うその力は、キリスト教的なものであると同時に、ヨーロッパにおける異端と正統の長い闘争の歴史が培ったものでもあったろう。その能力は、アジア布教でも遺憾なく発揮された。

イエズス会の東アジア巡察師のヴァリニャーノは、暦と大砲に代表されるヨーロッパの科学技術を利用しながら、日本や中国の宗教と文化に対する綿密な調査と理解の上に立つ現地適応主義を採用した。宣教師たちはそれぞれの国で中心となっている思想や宗教をつきとめて、その言葉と心性を学び、人びとが求めるものを与えようと試みた。さまざまな紆余曲折を経て、日本人が心を寄せる教えは仏教であり、中国人は儒教であることを理解したイエズス会は、日本では仏教を正面から攻撃し、中国では儒教との擬似的な類似性を強調した。この布教戦略の違いは、日本ではキリスト教を「キリシタン」とする原語主義が採用されて、仏教語の使用は断念されたのに対して、中国では「天主教」として儒教語による訳語主義が採用されたことに、端的に示されていよう。[*17]

イエズス会の現地適応主義は、一六〇〇年前後に著された現地知識人を対象とする著作にはっきりとあらわれる。それが日本人イエズス会士ハビアンによる『妙貞問答』であり、中国ではイエズス会のイタリア人宣教師マテオ・リッチ（一五五二〜一六一〇）による『天主実義』であった。どちらも問答形式によって書かれており、現地の知識人が抱く一般的な疑問に答えていく形となっている。『妙貞問答』は、仏教・儒教・神道の三教を順番に要約して論破し、最後のキリシタン受洗へと導いていく。『天主実義』は、古代儒教から崇敬される天とキリスト教の神（天主）の類似性を言いながら、天地万物を創造する唯一神である天主の神格を主張して、儒教における万物一体の理や仏教の六道輪廻説などを批難している。日本の特徴としては、キリスト教伝来からわずか半世紀で日本人がこのような教理書を著したことと、そのハビアンが後に脱宗して『破提宇子』（元和六年・一六二〇）を書いたことが特筆されよう。

この後の十七世紀には、日本と中国でキリスト教が排除され、公的に厳禁されるに至る。ヨーロッパでは、この頃に魔女狩りがもっとも盛んになっており、キリスト教内部で攻撃的・排他的な性格が強まった時期でもあった。そのことは、以下で見る日本のキリシタンによる瀆神廃仏や、中国の典礼論争におけるローマ教皇の強硬な態度からもうかがえる。

三　仏教とキリスト教

日本において、キリスト教はどの程度に広がり、どのように必要とされたのだろうか。幕府によるキリシタン禁教令の翌年、大坂冬の陣が起こった慶長十九年（一六一四）には、全国のキリシタンの数は三十七万人いたという。[*18] 当時の総人口がほぼ一千万人とされるから、[*19] キリシタンは人口の四パーセント弱となる（現代日本社会のキリスト教人口は、約一パーセント）。キリシタンは、北海道の松前から長崎の五島までの全国に広がっていた。[*20] このような数字はあくまでも試算にすぎないが、戦国末期から江戸初頭には新しい宗として、キリシタンが一般に知られていたことは事実だろう。

戦国末期の日本人の宗教性は、フランシスコ・ザビエル（一五〇六～一五五二。一五四九～一五五一年に滞日）の著名な書簡がよく示している。ザビエルから、キリシタンの教えを聞かずに亡くなった者は皆、永遠に地獄に堕ちていることを説かれる。そして「（日本の）多くの人は死者のために涙を流し、布施とか祈禱とかで救うことはできないのかと私に尋ねます。私は彼らに助ける方法は何もないのだと答えます。……彼らは神はなぜ地獄にいる人を救うことができないのか、そしてなぜ地獄にいつまでもいなければならないのかと、私に尋ねます。……彼らは自分達の祖先が救われないことが分かると、泣くのをやめません」[*21] とある。ザビエルによれば、俗人と異なって五戒を守る仏僧は死者を地獄から救い出せると自認し、一般にもそう信じられていたという。[*22]

長い戦乱と飢餓の世を生きた人びとは、後生の助け（後生善処）を心底から求めていた。当時の仏僧は、浄土教の念仏や禅宗における受戒など、各宗の教えにもとづくそれぞれの方法でその願いをかなえる存在として、人びとに信じられていたと思われる。ハビアンは、ヴァリニャーノの禅仏教理解にのっとって、「仏教は無の教えであるから、後生の助けはないのはもとより、賞罰を与える主（デウス）もいないから、人は私欲のままに振る舞って現世の倫理もありえない」（『妙貞問答』上巻「禅宗之事」）という。キリシタンにおいて後生を保障する方法は、洗礼を受けて「でうすを敬い奉」（『妙貞問答』下巻「後生ヲバ何トスレバ扶リ、何トスレバ扶カラヌト云事」）ることであった。

これに対する禅仏教の答えは、キリシタン禁教後の長崎で幕府の意向を担って、大規模な排耶説法を行った臨済禅僧の雪窓宗崔（一五八九～一六四九）に見られる。[*23]雪窓は、「キリシタンはデウスという有の邪見に執する外道である。仏法は聞き手の能力と理解に応じて説かれているから、有無是非の執着を生じない」と主張した。キリシタンの救済方法である洗礼に対して、禅僧雪窓は人びとに受戒をすすめる。彼は「後生である来世の苦楽は、現世の行為の善悪によってのみ決まる。自身の来世は今の自分の行いのみが決めることであり、人の善き行為は五戒から始まる」（『興福寺筆記』）として、人びとに五戒を授けた。受戒に促されて行う自身の善業が、人びとの求める現世安穏と後生善処を保障するからである。

雪窓は、理論的には黄檗隠元の師であった明末禅僧の費隠通容（一五九三～一六六一）の排耶論『原道闢邪説』に依っている。禅仏教から見れば、キリスト教は、本来仏となりうる人が、外界の神を頼んで自ら成仏の可能性を棄てる「自暴自棄」（『弁天説』）の教えであり、神は「（非存在である）亀の毛や兎の角」（『原道闢邪説』）と同じく、まったくのフィクションであった。[*24]キリスト教の神に対して、日本と中国の禅僧が主張する世界の原理は、虚空のように世界に行き渡ると同時に自身に内在している真理、すなわち虚空の大道である。

日本におけるキリスト教は、終始一貫して仏教や神道と衝突し続けた。一五七〇年代半ばからキリシタン大名である高山右近（一五五二～一六一五）の領内では、偶像崇拝が禁止されて領民のみならず仏僧にも転宗が強制され、宣教師は仏像を焼き、寺社が破壊された。同じくキリシタン大名である大友氏の領民は寺社を破壊し、仏像を川に流したり薪にしていた。[*25] こうした日常的な瀆神廃仏の行為は、日本人の決定的な反感を買った。他教を認めないキリシタンは、多宗派の共存による日本の宗教的秩序の破壊につながる邪教として、[*26] 日蓮宗の不受不施派と共に禁じられ、キリシタン殉教の惨劇を招くことになった。すでに一六一〇年代に下火になっていた日本布教は、幕府が島原の乱(寛永十四~十五年〈一六三七~一六三八〉)以後に寺檀制度を厳格に施行することによって、全国的に完全な終止符が打たれた。それ以後、江戸時代を通じてキリスト教は「聖人の道に背く魔法」(『破提宇子』)として、闇の「邪法」(『破提宇子』)のイメージを持つことになった。

四 儒教とキリスト教

ヴァリニャーノの現地適応主義にもとづく宣教師たちは、中国では民衆が官吏に絶対服従することを知って、官吏をはじめとする儒教知識人への布教に努めた。リッチの『天主実義』は、この時期の著作である。その結果、キリスト教(天主教)は天につかえて倫理を説く、西欧からの新儒教「西儒」としてある程度受け入れられ、明末清初の一六五〇年には十五万人の信徒がいたという。[*27]

明朝末期には、仏教とキリスト教のそれぞれが儒教との共通性を主張して対立し、儒教を挟んだ敵対関係となった。明末に仏教を復興した高僧らは、当初は輪廻転生や成仏をめぐってキリスト教と争うが、[*28] 徐々にキリスト教が儒教を装っていることに気づき、その矛盾を論難するようになった。最終的な批判者である藕益智旭(一五九九~一六五五)は、出家前の儒者名を用いて儒教の立場から批判書(『天学初徴』『天学再徴』)を書いた。智旭は「儒教における天地万物の本源である天は、創造神である天主とは異なるものであるから、天主教は儒教ではない」（『天学再徴』）として、キリスト教の神への尊崇と儒教における君父への忠孝が矛盾背反することから、無父無君の邪説と結論している。[*29]

中国布教の当初から、儒教の孝による祖先祭祀の典礼が、キリスト教の唯一神信仰に抵触するかどうかが問題となった。[*30] 典礼とは、祖先の命日に一族が集まって、祀堂に祀られた祖先の位牌を供養し、拝礼する儀式である。ローマ教皇から、典礼への信者の参加禁止（一六四五年）と許可（一六五六年）の相反する勅語が、相次いで出された。これはイエズス会の後発であった非妥協的なスペイン・ドミニコ会の宣教師らが、イエズス会の適応主義に反発して教皇庁に告発したことを反映している。そのなかでイエズス会宣教師は、従来からの現地適応主義に立って祖先祭祀を認めることにより、布教を進めていった。

清朝（一六一六～一九一二）に入ると、康熙帝（在位一六六一～一七二二）は宣教師の暦作成能力や科学技術を用いる政策を採り、康熙三十一年（一六九二）にはキリスト教を公許した。それとほぼ同時に典礼問題についての衝突が再燃し、康熙帝と教皇の間で何度も手紙が交換された。仲介者の思惑や遠距離であることも手伝って、この応酬は長く続き複雑な経緯を辿った。最終的には、教皇クレメンス十一世（一六四九～一七二一）が一七一五年に中国人信者への典礼を禁止する大勅書を出し、一七二一年にようやくそれを読んだ康熙帝の激怒によって終わった。次の雍正帝（在位一七二二～一七三五）は、悟りをひらいた居士として自ら禅を説く篤信の仏教者でもあり、即位とほぼ同時に天主教を禁止した。これ以後の中国キリスト教は、地下に潜ることになる。一八四三年のフランスとの条約締結がなってからは、近代におけるプロテスタント・キリスト教の布教が始まった。

後藤基巳は、智旭の著作などから中国儒教の排耶論を分析して、伝統的な天概念に立つ儒教者は、キリスト教の神が世界を創造主宰する人格神であることを理解しなかったとする。[*31] キリスト教との論争において、仏教では個人の救済や解脱が問題となるのに対して、儒教では「世界の根源は何であるか」という形而上的な問題が中心となった。その対比は、『妙貞問答』にもはっきりとあらわれる。『妙貞問答』の仏教部（上巻）では、「後生の助け」が主たる問題となるのに対して、儒教部（中巻）では、世界の根源である「太極」や「天道」が論難された。『天主実義』を読んでいた林羅山は、新儒教である朱子学の理を世界の根源として、キリスト教の神（天主）を論難している。[*32]

中国儒教を宗教思想として見た場合には、そうした知識人の議論に加えて、禁教の最終的な理由が、キリスト教による孝の典礼否定にあったことは重要と思われる。加地伸行が言うように、祖先祭祀を含む儒教の孝思想が、死への恐怖を克服する宗教的な意味を持っているのであれば、[*33] 中国人にとっての典礼禁止はその魂の根幹を断たれることではなかったか。中国仏教における不殺生は、『梵網経』によっており、「すべての生物は、輪廻転生した父母の生まれ変わりであるかもしれないから、殺してはならない」というものである。「六道の衆生は、皆これ我が父母なり」[*34] という不殺生の原理は、インド由来の六道輪廻と中国社会で絶対視される孝思想が一体化したものであり、明末清初の中国社会で広く受け入れられて実行されていた。[*35] 排他性を強めていた当時のキリスト教が、典礼に象徴される孝の宗教性を否定したところに、禁教に至る本質的な理由の一つがあったのではないだろうか。

おわりに

カトリック・キリスト教は、十六世紀初頭のヨーロッパにおけるプロテスタント勃興に対抗して、世界布教のために十六世紀半ばから東アジアへ布教にやってきた。布教の中心となったイエズス会は、東アジアでは現地適応主義の布教戦略を採用する。

キリスト教を受け止めたのは、日本においては仏教であり、中国においては儒教だった。それぞれの国で中心となる思想をつきとめて、その言葉と心性を学んだ宣教師たちは、日本では仏教を正面から攻撃し、中国では儒教との擬似的な類似性を強調するに至った。その現地適応主義の成果は、一六〇〇年前後に著された知識人を対象とする教理書にはっきりとあらわれる。それが日本ではハビアンによる『妙貞問答』であり、中国ではマテオ・リッチによる『天主実義』であった。日本では、仏教であれキリスト教であれ、人びとは後生の助け（後生善処）を求めた。ヴァリニャーノは、仏教とは禅に見られる無の教えであるとして、仏教には後生の助けも現世の倫理もないものとした。この公式見解は、『妙貞問答』をはじめとする当時の教理書が従うものであり、近代の仏教オリエンタリズムの初発点となった。この批難に対して日本の禅僧は、「後生と現世の安楽は、自己の善業のみが保障する」として、人びとに善業を促す戒を授けた。さらに中国禅の排耶論に学んで、キリスト教のデウスに対して、世界事象の根源である虚空の大道を提出している。禅から見れば、外界にデウスを立てるキリスト教は自ら成仏する可能性を放棄する教えであり、デウスはまったくの想像の産物であった。

中国では、宣教師らは古代儒教の天概念を利用する形で、キリスト教の神を「天主」と説いた。伝統的な天とキリスト教の天主の違いをめぐって、儒教と論争になっている。その論争では、「世界の根源が何であるか」という形而上的な問題が争われている。さらに中国布教の当初から、儒教の孝思想による祖先祭祀の典礼が、キリスト教の唯一神信仰に抵触するかどうかが問題となった。現地適応主義によるイエズス会は、典礼を認めて布教を続けたが、非妥協的なドミニコ会からの教皇庁への摘発によって、徐々に問題化していった。ローマ教皇と清朝皇帝の間で応酬が続いた結果、教皇は典礼を完全に否定するに至り、それを受けた中国皇帝はキリスト教を禁止した。祖先祭祀を含む儒教の孝思想は、死への恐怖を克服する宗教的な性格を持っていると思われる。キリスト教が典礼に象徴される孝の宗教性を否定したところに、中国で禁教を招いた理由の一端があったのではないかと考える。

キリスト教を触媒として、日本仏教では「後生の助け」が、中国儒教では「孝」があらわれる。『妙貞問答』は、仏教と儒教の性質を鮮明に示すとともに、「後生の助け」に焦点が絞られる日本の宗教状況をよく示したものと言えよう。

註

＊1　東アジアのキリスト教の大きな流れは、岡本さえ「東アジアキリスト教のベクトル」（『中国21』二八号、愛知大学現代中国学会、二〇〇七年、三七頁）。

＊2　前近代の朝鮮キリスト教については、浅見雅一・安廷苑『韓国とキリスト教』（中公新書、中央公論新社、二〇一二年、四二～八一頁）。

＊3　以下の研究史については、釈徹宗『不干斎ハビアン』（新潮選書、新潮社、二〇〇九年）の研究史紹介（一四～二六頁）を参考とした。

＊4　海老沢有道「妙貞問答」「破提宇子」の解題、『キリシタン書・排耶書』（日本思想大系二五、岩波書店、一九七〇年、六一三～六一五頁、六三七～六三八頁）。キリシタン史における位置づけは、海老沢有道『日本キリシタン史』（塙書房、一九六六年、一九七～二〇七頁）など。

＊5　イザヤ・ベンダサン『日本人とユダヤ人』（角川文庫、角川書店、一九九五年九〇版、一九七一年初版）。イザヤ・ベンダサン、山本七平訳編『日本教徒』（角川文庫、角川書店、一九八〇年）。

＊6　遠藤周作『切支丹時代――殉教と棄教の歴史――』（小学館ライブラリー、小学館、一九九二年）。三浦朱門『キ

リシタン時代の知識人　背教と殉教』（日経新書、日本経済新聞社、一九六七年）。
＊7　海老沢有道・井手勝美・岸野久編著『キリシタン教理書』（教文館、一九九三年）所収。
＊8　井手勝美『キリシタン思想史研究序説』（ぺりかん社、一九九五年）。
＊9　Boxer, Chales, *The Christian Century in Japan 1549–1650*, Carcanet Press Limited, 1993. 初版はUniversity of California PressとCambridge University Pressより一九五一年に出版された。
＊10　Elison, George, *Deus Destroyed*, Harvard University Press, 1973.
＊11　Paramore, Kiri, *Ideology and Christianity in Japan*, Routledge, 2009.
＊12　両書は、現地の知識人を対象として書かれた同時代のイエズス会教理書であり、思想史研究に好適な比較文献たりうる。『天主実義』の日本語訳として、マテオ・リッチ著、柴田篤訳注『天主実義』（東洋文庫、平凡社、二〇〇四年）がある。
＊13　App, Urs, *The Cult of Emptiness*, University Media, 2012.
＊14　註13アップ前掲書 *The Cult of Emptiness*、九八～九九頁。
＊15　ヨーロッパ古代・中世のオリエンタリズムについては、彌永信美『幻想の東洋』（青土社、一九八七年）が詳しい。ヨーロッパの仏教理解については、アップの著作は十七世紀と十八世紀を対象としている。十九世紀については、ロジェ＝ポル・ドロワ著、島田裕巳・田桐正彦訳『虚無の信仰』（トランスビュー、二〇〇二年）、二十世紀以後については、フレデリック・ルノワール著、今枝由郎・富樫瓔子訳『仏教と西洋の出会い』（トランスビュー、二〇一〇年）などがある。
＊16　註7海老沢ほか前掲書『キリシタン教理書』「あとがき」、五一五頁。
＊17　註8井手前掲書『キリシタン思想史研究序説』、一三三～一三六頁。
＊18　五野井隆史『日本キリシタン史の研究』（吉川弘文館、二〇〇二年、九九頁）。
＊19　鬼頭宏『人口から読む日本の歴史』（講談社学術文庫、講談社、二〇〇〇年、八二頁）。
＊20　全国分布は「全国キリシタン関係地名」地図、姉崎正治『切支丹伝道の興廃』（国書刊行会、一九七六年〈初版一九三〇年〉、折込口絵）。

＊21　一五五二年の書簡九六・四八〜四九。河野純徳訳『聖フランシスコ・ザビエル全書簡三』（平凡社、一九九四年）。ザビエル書簡の出典は、通例に従って番号のみ記載する。
＊22　ザビエル書簡九六・九〜一二、九六・二六〜二七。
＊23　西村玲「近世仏教におけるキリシタン批判」（『日本思想史学』四三号、二〇一一年）。
＊24　費隠通容の師であった密雲円悟（一五六六〜一六四二）の排耶論『弁天説』と、費隠の『原道闢邪説』に説かれる。西村玲「虚空と天主」（『宗教研究』三六六号、二〇一〇年）。
＊25　註18五野井前掲書『日本キリシタン史の研究』、二三九〜二四〇頁、神田千里『宗教で読む戦国時代』（講談社、二〇一〇年、一五八〜一六五頁）。
＊26　註25神田前掲書『宗教で読む戦国時代』、一九九〜二〇八頁など。
＊27　矢沢利彦『中国とキリスト教』（近藤出版社、一九七二年、六四頁）。
＊28　総論は、横超慧日「明末仏教と基督教との相互批判」（『中国仏教の研究　第三』法藏館、一九七九年、初出は一九四九年・一九五〇年）。輪廻転生については、肉食の是非をめぐる論争となる。仏教では父母の生まれ変わりかもしれない動物を殺して食べる肉食を禁止するが、キリスト教では動物は神から人に与えられた財産として肉食を許す（西村玲「慧命の回路」『宗教研究』三七四号、二〇一二年）。人が絶対者となる成仏の問題については、禅仏教とキリスト教の論争となった（註24西村前掲論文「虚空と天主」）。
＊29　後藤基巳『明清思想とキリスト教』（研文出版、一九七九年、一一五〜一二二頁）。智旭の論旨については、播本崇史「天主教批判の論拠」（『東洋大学大学院紀要』四五号、二〇〇八年、二〇一〜一九二頁逆丁）。
＊30　典礼問題の詳細については、註27矢沢前掲書『中国とキリスト教』を参照されたい。
＊31　註29後藤前掲書『明清思想とキリスト教』、一一五〜一二二頁。
＊32　林羅山『排耶蘇』、註4海老沢前掲書『キリシタン書・排耶書』、四一五〜四一六頁。
＊33　加地伸行『儒教とは何か』（中公新書、中央公論社、一九九〇年、一九〜二三頁）など。
＊34　不行放救戒、『梵網経』下巻（大正二四巻、一〇〇六頁中）。
＊35　明末の不殺生戒とその背景については、註28西村前掲論文「慧命の回路」。

付記　大塚紀弘氏に歴史人口学について、シルヴィオ・ヴィータ（Silvio Vita）氏にアップ（App）著作をお教えいただいた。記して感謝申し上げる。
本研究は、科学研究費「基盤研究(A)・インド的共生思想の総合的研究——思想構造とその変容を巡って」（課題番号25244003）による研究成果の一部である。

キリスト教思想史からみた『妙貞問答』

阿部仲麻呂

はじめに

これまで、不干斎ハビアンの『妙貞問答』は、宗教学分野の研究者たちによって独自の価値を有する古文書として高く評価されてきた。つまり、日本における画期的な諸宗教神学の総覧的な記録として、世界的に考えた場合においても比類のない先駆的文献であると見做されてきた。

しかし、果たして、そうだろうか。『妙貞問答』を、まるで特異な独創的思想書であるかのように、手放しで評価するだけでは不充分であるだろう。そこで、本稿においては、『妙貞問答』が必ずしも突然変異的に登場した独自の思想的作品ではないことを考察しておきたい。

簡潔に言えば、我が国において、諸宗教総覧の発想は空海における『秘密曼荼羅十住心論』や『秘蔵宝鑰』においてすでに記録化されているし、最澄に端を発する比叡山延暦寺の学統を見ればわかるように仏教研鑽の体系として洗練されて今日に至っている。しかも、西欧的思想の伝統に照らしてみても、古代ギリシア以来の対話の精神を引き継いでいるキリスト教思想においても、ニコラウス・クザーヌスおよびライムンドゥス・ルルスをはじめとする諸宗教協和への洞察が散見されるのである。*1

『妙貞問答』そのものは、日本におけるキリスト教の宣教を目指した十六世紀以降のイエズス会の方針の枠内で執筆されており、それゆえハビアンは一定の制約のもとで執筆している。その制約においては二つの留意点が存している。まず第一に、神を論じるに際して「創造主としての神」という説明を採用しており、「三位一体の神」は登場していないこと（ハビアンは東洋人であるがゆえに簡明な自然科学的論理での神概念の運用を強いられており、三位一体の神の秘義の解説を上長からは受けていない）。次に第二として、「アニマラショナル」（理性的魂）という術語が多用されていることである（ハビアンをはじめとする邦人キリスト者たちは東洋的な万物の協和の発想を用いることを上長から決して許可されず、専ら西欧のアリストテレス哲学を規範とした霊魂の序列の視座を踏襲させられている）。

一　ヨーロッパにおける対話的伝統の流れに属する『妙貞問答』

1　ヨーロッパにおける対話的伝統の流れ

『妙貞問答』を十七世紀のキリスト教思想史の流れに位置づけてみよう。そうすると、同時代的には「教理問答書」の系譜に組み込むことができる。そして「教理問答書」の形式は、さかのぼって四世紀のアレクサンドレイア学派神学の伝統を汲む「対話的教理教育」の伝統に根ざしている。

しかし、アレクサンドレイアのキリスト者たちによって推進された「対話的教理教育」は、もとはと言えば古代ギリシアのソクラテス、プラトン、アリストテレスらの哲学における「対話」の精神を取り入れて鍛えられた発想である。「対話」の思想的背景としては、二人以上の人間が互いに意見を交換し合いながら弁証法的に真実を明らかにしていくというソクラテスの問答法が起源となっており、その手法は高弟のプラトンによって対話篇という形式の哲学書として変奏されつつ記録され、さらには孫弟子のアリストテレスの逍遙的対話という活きた討議にまで発展した。対話という手法は古代ギリシアの対話篇の伝統として文書化されつつも、活ける討議という動的事態として洗練されて中世のスコラ学の表現方法となり、真理という活きた語りそのものの現前を促した。異なる立場の者同士が相まみえることで、相互の見解は客観化されつつも主体的な生き方の見直しへと洗練されて、真正なる洞察へと結実するのである。

2 「教理問答書」の源流

アレクサンドレイアの教理学校の伝統とカテケーシス（信仰教育の導き）――オリゲネスとアタナシオス

それでは、ここでアレクサンドレイアのキリスト者たちによって洗練された「教理問答書」の源流を眺めておこう。種々の「教理問答書」がまとめられたそもそもの理由はカテケーシス（信仰教育）を推進するためであった。カテケーシスの目的は二つある。まず第一として、信仰に関する知識をあまりもっていない初心者を洗礼へと導いて信仰生活の深みに向けることである。そして第二として、すでに洗礼を受けた中堅の立場のキリスト者たちの信仰生活をいっそう豊かに洗練させることである。もちろん他にも、教養ある異教徒（非キリスト者）を信仰に招くためのカテケーシスも存在していたであろう。[*2] こうして、あらゆる人に対して、それぞれの必要に応じて変幻自在に施されるのがカテケーシスであると言える。それゆえに、四世紀のカテケーシスの対象や記録には様々なレベルに即した工夫が凝らされている。

このカテケーシスをあらゆる人に対して実践していたのが四世紀のアレクサンドレイアの教理学校長ディデュモスであった。ディデュモスが活躍していたのはアレクサンドレイア学派の神学的伝統においてだったが、とりわけオリゲネスの教理学校の教育方針を受け継いだアタナシオスの影響下でのカテケーシス（信仰教育の導き）が背景となった。[*3] 聖書の霊的解釈や寓意的解釈（アレゴリー解釈）などを洗練させたオリゲネス独自の聖書釈義の方法論はアタナシオスをとおしてディデュモスにも受け継がれており、祈りの生活と結びついた聖書解釈（実践的で救済的意図を伴った聖書の学と観想）と信仰教育とは常に連動していたことがわかる。

3　アレクサンドレイアのディデュモスが目指したこと――教理教育

1　アレクサンドレイアのディデュモスの生涯と事績

アレクサンドレイアのディデュモス（三一三頃〜三九八頃）について補足しておこう。彼は盲目の神学者であり、アレクサンドレイアの教理学校において校長としてキリスト教の信仰教育に挺身した信徒である。五歳頃に失明したとされており、アタナシオスの薫陶を受けてキリスト教信仰の理解を深め、教理学校校長に任命された。

盲目のディデュモスが幅広い学識を駆使して学生たちを指導することができた背景を考えてみると、四世紀当時のアレクサンドレイア図書館に、点字の工夫を凝らした粘土板や突起をつけた羊皮紙やパピルスの書物が所蔵されていたことが大きな意味をもつ。

2　ディデュモスの教理教育の特徴と影響力

ディデュモスの教理教育の特徴は、聖書の寓意的解釈（アレゴリー解釈）とアリストテレス哲学の読解とを同時に取り入れて、二本立てで為される教育課程とも結びついていたことである。しかも、文法論や修辞学、さらには算術や自然科学など自由学芸的な諸科目も伝授されていた。つまり、全人的な人文学的教養教育が重視されていた。ということは、すでに四世紀にして、今日の大学のような総合的な教養教育を施す場が存在していたことになる。なぜアリストテレスの哲学が重視されたのかと言えば、まさに彼が観想（テオリア）と実践（プラクシス）の連動と一致を標榜していたからである。ディデュモスは、こうしたアリストテレスの哲学の基本姿勢を取り入れることで、異教徒が自らの文化の哲学の思考法の深みから自然なかたちでキリスト者としての信仰生活へと移行できるように工夫したのである。そして、様々な学術科目が学生に課された理由も、この世のあらゆる物事を眺めることで最終的には神の創造のわざの偉大さに思いを致すためであった。

しかも、講義の際には教師が弟子たちの前で問いを投げかけ、弟子たちがそれぞれの見解によって応じるという「問答形式」の展開を重んじていたという。[*4] ディデュモスは教育の際に弟子に対して一方的に語るわけではなく、むしろ問答をとおして対話することで大切な信仰の要点を相手の心に印象づけようと努めていた。言わば、弟子に考えさせながら自主的に信仰生活を深める意欲を掻き立てて前進することができるように励ましたのである。こういう教理教育の特徴に基づいて推測するに、十六世紀から今日に至る「問答形式」の教理書の文体は、古代アレクサンドレイアやギリシアにおける師と弟子との信頼に満ちた対話的学びの伝統を起点にしていると言うことも可能であるだろう。

さらに、ディデュモスは聖書の釈義を遂行する際に、とくに「詩編」と「集会の書」を重んじていた。これらの書は祈りを共同体的に深めていく際の手がかりとなる。祈りの言葉の宝庫が「詩編」なのであり、共同体の在り方は「集会の書」において集約的に示されるからである。ここからわかることとは、ディデュモスが教理学校の学生たちと共に祈りを深めて共同体を形成したことである。

ディデュモスの教理教育方法の影響は、ニュッサのグレゴリオスやポントスのエヴァグリオスにも及んでいると推測される。[*5] とりわけ、聖書テクストのメッセージの根底に潜む悲哀と希望の心情を汲み取って物語的解釈を遂行する手法が、後続のキリスト教思想家たちに対して多大な影響を与えている。たとえば、ディデュモスは人生を巡礼にたとえて理解しており、あらゆる人の最終目標（telos）は神との一致に極まるとされている。とりわけ、ディデュモスはヨブ記の解釈からキリスト者の生き方を深める方向性を学ぼうとしていることがうかがえる。ディデュモスにとって、苦しみとは必ず復活の栄光と結びつけられて解釈されていくものなのである。

二　不干斎ハビアンの人生的背景

ここで、話題を不干斎ハビアンの思想のほうへ移そう。大徳寺からイエズス会へ。そして、さらにはイエズス会から俗世へ。とりわけ、一六〇五年から一六二〇年に至る十五年間において、いったい何があったのか。ハビアンは立場を逆転させている。不干斎ハビアン（一五六五頃～一六二一）の『妙貞問答』という書物は、日本において最初に記された本格的な「キリスト教の立場での護教論」である。それゆえ、キリスト教以外の諸宗教の考え方の謬説（ハビアンによれば、キリスト教の立場から見た場合に他宗教の立場が「謬説」として映るという意味で）を徹底的に論破してキリスト教の正しさを証明するための内容となっている。

しかし、ハビアンが書いた書物には『破提宇子』もあるということを決して忘れてはならない。「提宇子」とは

「Deus」というラテン語に由来し、「神」という意味である。つまり、キリスト者が信じている神のことである。それゆえ、『破提宇子』という書名は、キリスト者が信じている神を打ち破るという意味を備えている。『破提宇子』の「破」は破壊の破である。晩年のハビアンは、キリスト者が信じている神を徹底的に論破した。

ハビアンは十七世紀に活躍したキリスト教思想家だった。もともとは仏教徒で、後にキリスト者となり、イエズス会の修道士（イルマン）にもなった人物である。さらに、キリスト教を棄て、江戸幕府のキリスト教禁止の立場に協力して生涯の幕を閉じた。当初、ハビアンは四十歳前後で、キリスト教を守るための著作を書いた。こうして完成したのが『妙貞問答』だった。ところが、ハビアンは晩年になって突然キリスト教の立場を排撃する立場に転じた。そのときに書かれた著作が『破提宇子』である。それゆえ、ひとりの人間がキリスト教をめぐって立場を転換していることがわかる。

ハビアンの生涯を考える際に、二つの書物を決して切り離すことなく、連続した作品として理解し、解釈する必要があると言える。なぜならば、ひとりの人間が立場を変えていくということで、その前半と後半の動きをつなげて「全体として」理解する必要が出てくるからである。「ひとりの人間のひと流れの生きざまの反映としての成文化」という視点で、連続させてテクストを読むことが肝要だと言える。

これまでの研究の歴史的流れを見ると、たいていの研究者は、ハビアンの思想を前半と後半とで分断して論じようとしてきたことが明らかである。つまり、『妙貞問答』と『破提宇子』という著作を全く対立した二つの立場の本として切り離して解釈しようとする研究の姿勢が当然のようにつづいてきた。――たとえば、「ハビアンはキリスト教の修道士でありながら、信仰を棄て去ったとんでもない人間だ」ということで、否定的に捉える研究者もいる。それに対して『破提宇子』という晩年の著作のみに焦点を当てて、「ハビアンは始めからキリスト教を信じるふりをしていただけで、実は特定の立場には立とうとはしない人物だった」ことを主張し、言わば「無神論者」として理解する研究者もいる。

しかし最近、『妙貞問答』および『破提宇子』とを連続させてひとつの流れとして理解しようとする研究が提示された。つまり、ハビアンの生涯を通じての立場がどのように変化していったのかを、ひと流れのプロセスとして連続させて論じる見方が出てきた。とりわけ、釈徹宗という仏教学者が目覚ましい活躍をしている。彼は仏教僧であるが、仏教諸宗派をはじめとしてキリスト教やイスラム教など世界的な主要宗教を射程におさめるような宗教学的な研究を幅広く手がけている。彼は近著『不干斎ハビアン――神も仏も棄てた宗教者――』（新潮社、二〇〇九年）のなかで、『妙貞問答』と『破提宇子』とを両方とも同時に取り上げて連続させて論じており、従来の研究方向を見直すうえでの興味深い立論となっている。

なお、本稿では、『妙貞問答』と『破提宇子』の両者が連続的に一貫しているものとして理解しておく。なぜならば、二つの著書に共通していることは、「キリスト教信仰をめぐる解説書」という統一見解であるからである。つまり、キリスト教信仰の立場を擁護して守ろうとする護教論としての『妙貞問答』と、キリスト教信仰の立場を否定して排撃する攻撃的な反駁論としての『破提宇子』ということで、どちらの書物もキリスト教をめぐって考察がつづられている。二つの著作は立場が全く逆になってはいるのだが、共通して言えることは、両書ともにキリスト教を素材として扱っている点である。つまり、テーマは常に一貫しているわけで、「対象としてキリスト教をどのように捉えるか」という点に重きが置かれている。

三　時代的背景と二つの著作の位置づけ

1　時代的背景

ハビアンの生涯のなかで、二つの著作がどのような位置づけで書かれているのかを見ておこう。年代順にハビアンの思想形成の跡ををたどってみる。

1　キリスト教に入信する

ハビアンは、もともと京都の大徳寺あるいは建仁寺の臨済宗の立場の、言わば禅仏教の修行僧であった。その頃の日本名はわかっていない。むしろ、彼はキリスト教の立場に変わってからの名前としての「巴鼻庵」（ハビアン）という呼び方で名指されることが多い人物である。

ハビアンとは「ファビアヌス」（Fabianus）という先人の名前に由来する。「ファビアヌス」は、ローマ皇帝デキウスに迫害されて三世紀に亡くなったキリスト教の指導者で殉教者である。古代のローマ帝国において、皇帝を崇拝することを断固として拒んだキリスト教信者が迫害を受けたが、ファビアヌスはローマの都のキリスト者を世話する司教として活躍していた（ローマの司教は五世紀以降になって「ローマ教皇」と呼ばれるようになったが、ファビアヌス当時は「ローマ司教」と呼ばれていた。在位は二三六年から二五〇年である）。

キリスト者はキリスト教の共同体に入る際に洗礼を受けるが、そのときに洗礼名を授かる。洗礼を受ける者は、キリスト教信仰を生き抜いた先人のいさおしにあやかるために同じ名前を選ぶ。たとえば、女性ならば「マリア」と名づける場合が多いが、そこにはイエスの母マリアにならって生きていきたいという望みが込められている。ハビアンの場合は、「ファビアヌス」という殉教者のように、いかなる状況に置かれてもキリスト教信仰を貫いて生きていきたいという望みに基づいている。しかし、実際にはハビアンは殉教者になるどころか、棄教者となってしまったという点においては、初志貫徹できなかったと言えるわけで、皮肉なものである。

ともかく、キリスト教の立場を取る人々は、自分の尊敬する先輩たちの名前を自分の洗礼名として受けることで、同じ路線を歩もうと志す。だから「ハビアン」という名前は、キリスト者としての路線を明確に示す。一方、不干斎というのは、ハビアンが自分で付加した雅号のごときものである。おそらくは、「ひからびることのないみずみずしい人間」という意味だろうか。キリスト教信仰の活力に満たされて前途洋々とした歩みを始めようとする希望がみなぎっている。

2 イエズス会に入会する

ハビアンはキリスト者となってからイエズス会という修道会に入会した。イエズス会とは、ローマ・カトリック教会のなかに含まれるひとつの修道会である。ハビアンはその団体のメンバーとして活躍した。イエズス会は十六世紀に創設された修道会である。修道会というものは、ローマ・カトリック教会のなかに含まれる組織であるが、現代的にたとえて言えば、同好会のようなものである。たとえば、ひとつの大学のなかに様々な同好会があって、それぞれ志を同じくする学生が集まって活動を展開する。スキーが好きな人はスキー同好会に入るし、星を眺めるのが好きな人は天文同好会に入る。同じ大学に属していながらも、多様な趣味に基づいて自由に活動するという動きがある。修道会も同様で、教会という大きな枠組みのなかで、それぞれ専門分野を活かして集団をつくって活動することで、教会の益ために奉仕する。イエズス会は主として教育活動と学問研究をとおしてキリスト教を世間に広めるために働く修道会である。だから、哲学をはじめとする諸学問の教授活動などをとおして活躍する頭脳明晰な人々が集まって共同生活を営みながら、同じ目標を打ち立てて動いている。

十六世紀以降、イエズス会はプロテスタント教会の動きに対抗しつつもヨーロッパ全域で活躍し、教育や学問の発展に尽くしたが、さらにはアジアや南米にも進出してキリスト教を伝えた。キリスト教の内容を学問的に検討して書物にまとめ、青年たちのキリスト教的教育に携わるイエズス会員が数多くいた。キリスト教の考え方を社会のなかで、どのようにしたら人々にわかりやすく伝えることができるかという問題意識と同時に、学問として書物をとおした考察を歴史批判的に深めるかがイエズス会員たちの課題だった。

イエズス会の人々は、教育と書物の出版活動をとおしてキリスト教の考え方をかたちにする努力を積み重ねた。この修道会は世界的に進出することで各地に支部を設立し、ローマを拠点として統一的な動きを徹底して推し進めた。いわゆる大企業のチェーン店のような発想で動いていた。本部の指示が世界中の様々な支店でも徹底して実行に移された。同じマニュアルで、ひとつの理念のもとで活動する世界的組織が、修道会である。イエズス会の他にも様々な修道会がある。社会福祉に専念する会もあれば、学校経営をとおして人間教育に徹する会もあり、病院での看護や巡礼者の宿泊に資する会もある。イエズス会の場合は高等教育と学問を中心にして、社会のなかでキリスト教的価値観を広めた。

日本にも、イエズス会のフランシスコ・ザビエルが一五四九年に来日している。ちょうどルターの宗教改革がヨーロッパで起こり、ローマ・カトリック教会から独立してプロテスタント教会を形成し始めたのと同じ時代に、イエズス会はプロテスタント諸派の動きに対して論陣を張ってローマ教皇の立場を守って闘ったが、同時に海外進出をとおしてローマ・カトリック教会の価値観を広く紹介することに邁進していた。

そのような背景をもつイエズス会にハビアンも入会した。ということは、ハビアンはイエズス会的な資質を備えており、論争の好きな性質であり、ひとつの信念のために徹底的に反対者を論駁するという動きのなかで育まれていたことが明確となる。ところがハビアンは修道士（イルマン）の身分のままで仕事をしており、司祭には任命されなかった（正式にいうと司祭叙階の許可が与えられなかった）。修道会のなかには司祭と修道士がいる。修道士は入会後の一定の身分であるが、そのなかから適性のある者が選ばれ、勉学を深めて司祭に任命されて指導的な立場に立った。修道士も司祭も生涯独身を貫いて、ひとつの目的のために自らのいのちを捧げる。厳しい修行を積み重ねながら、修道会の目的に沿って動く。だから、リーダーの命ずるままに自分の意志をすべて従わせて動く。「明日、アフリカに行け」と言われれば、すぐに荷物をまとめて飛び立った。いつ命令が来たとしても身軽に動けることが修道士や司祭に要請されていた条件だったからである。

キリスト教の人々は毎日ミサ（感謝の祭儀）という儀式を執り行っており、神と人間との間を媒介するイエス＝キリストを信じながら、その行いを模倣していた。イエスが行ったとおりに生きることがキリスト者の道であり、ミサもイエスが行った「最後の晩餐」における食卓の仕草を忠実に繰り返すものである。ミサは二千年間保たれて繰り返されてきたが、キリスト者にとってのアイデンティティであるミサを取り仕切る役割を果たす進行係が司祭だった。司祭は特別な勉学を重ねて資格を得ており、ミサを捧げることができ、相手の悩みを聴いてアドバイスを与える特別な働きを行うことができたから、教会のなかでエリート的な指導者としての位置づけをもっていた。

修道会の修道士たちのなかから勉学の能力がある者が選ばれて、六年以上にわたる特別な訓練を経て試験にパスすると司祭叙階を受けてミサを捧げることができるようになる。ハビアンも、そのような司祭を目指す日本地域のセミナリヨと呼ばれる神学校に入って学んでいたが、司祭になる許可を得ることができないまま、修道士の身分にとどまった。どうしてかと言うと、次のような背景があるからである。

十七世紀当時、ヨーロッパから来日していた宣教師としての司祭たちのほとんどはスペイン系やポルトガル系をはじめとして、他にイタリア系も多かった。とくにスペインやポルトガル出身の司祭たちは列強覇権主義的な帝国主義の風土で育っていた都合上、スペインやポルトガルこそが世界の主導的民族であり、それ以外の民族は一段低いという偏見で物事を見ており、ということはアジアや南米の現地人は人間的に低級であるのだから司祭に任命するにはふさわしくない、という結論に至らざるを得なかったのである。今の私たちから見れば、そのような偏見は明らかに根拠のない馬鹿げたものであることがわかるが、当時のヨーロッパにおける白人の優越意識は圧倒的な常識としてまかりとおっていた。「褐色の肌をした南米人は人間だろうか、動物だろうか」という議論が、ヨーロッパの神学者たちの間で真剣に繰り返されていたほどである。

白人が優生学的に一等の立場にあり、褐色や黄色や黒色の肌をしている人間は人間としては容認できない。――そういう価値観を信じて疑うことがなかったからこそ、ヨーロッパの人々はアフリカの人々を奴隷化し、南米の人々の文化を根こそぎ滅ぼし、インドの人々を支配するような帝国主義的動向が行きつくところまで行ってしまった。信じがたいことではあるが、人間の誤った見方が様々な悲劇を生んだ。このような次第で、「アジア地域で、アジア出身の人々を司祭にしてはいけない」という風潮がスペイン系やポルトガル系の宣教師には根強い意識として備わっていた。そのような状況のなかで、必然的にハビアンも司祭になることができなかった。

ハビアン自身は非常に頭脳明晰な人であり、日本の仏教や儒学や神道の思想にも造詣が深かったが（もちろん、現在の仏教学や儒学や神道学の研究の深まりから眺めれば、ハビアンの身につけていた諸宗教理解には限界があることがわかるが）、もともとは大徳寺で修行していたこともあって、日本では知識人に属していたと言えよう。ハビアンが仏教経典や様々な文献を幅広く読みこなしていたことは疑いない。しかも、キリスト教の勉強も積み上げたわけであり、ハビアンは日本人として日本の地域のなかでは最高級の教養人だったとも言える。キリスト教を日本語で伝える表現力もあるし、諸宗教とキリスト教の立場を比較検討して論駁する能力も備えていたからである。

しかし、日本でキリスト教を導くリーダーのほとんどがスペインやポルトガルから来た宣教師だったことが原因で、ハビアンがいくら優れた資質を備えていたとしても、日本でのキリスト教宣教の際のリーダーシップをとるような立場への出世は到底かなわぬ夢だった。このような事情があるので、ハビアンは、能力がありながらも理解されないことの苦しみを常に味わいつづけ、屈辱的な感情をいだいていたものと思われる。自分の努力が正当に評価されないことへの恨みや憎しみ、辛さを骨身にしみて感じていたハビアンの気持ちは『破提宇子』を読めば手に取るように伝わってくる。ヨーロッパ系のキリスト教の司祭たちが横柄な態度をとって日本人を見下して馬鹿にしているという痛烈な批判を、ハビアンは『破提宇子』のなかにあからさまに書き記している。そのような書きぶりからも察せられるように、ハビアンはヨーロッパの白人の人たちの当時の間違った価値観と徹頭徹尾対決しようとしていた。つまり、晩年のハビアンはキリスト教に論駁を加えたというよりも、実はヨーロッパ人宣教師たちの間違った人間差別の立場と対決しようとしていたのではないか、ということが見えてくる。つまり、『破提宇子』を書いたハビアンは、アジア人を馬鹿にするヨーロッパ人たちの不寛容な態度を戒めようとしていたのだろう。「そういう態度（白人たちが他地域の人々を見下す態度）でいったい何を説こうというのか、何がキリストの愛か」という痛烈な憤怒がハビアンの心に去来したものと思われる。

もちろん、今まで述べてきたようなヨーロッパの宣教師たちによる人間理解が現代では間違っていることは言うまでもない。しかし、十六世紀から十七世紀にかけて、肌の色で人間を等級づける発想が根強く、ほとんどのヨーロッパ人たちがそのような偏見が常識であると理解していたから、そのなかで真実を見極めることは、ほぼ不可能に近かった。それは、ちょうど「地球は丸くない、板のように平板である」という見解や、「地球の周囲を太陽がまわっている」という見解が当たり前とされている地域では、そういう立場に異を唱えることすらできないのと似ている。時代の限界と言えよう。キリスト教を信じて生きていたヨーロッパ人でさえ、キリストの愛とは相容れない「差別意識」を他者に対していだいていた。

とくに十七世紀には、ハビアン以外にも優秀な人材が日本にはいたが、ほとんどが埋もれてしまった。正当に評価されることなく、下働きに終始し、スペインやポルトガルの宣教師から差別されながら本来の能力を発揮できないまま終わっていく修道士たちも数多かったと思われる。イエズス会のなかで司祭として認められなかったハビアンの苦しみが、何か怨念のように『破提宇子』を執筆させる原動力となっているように見受けられる。

しかし、そのような状況のなかで、それでも司祭になりたかった日本人がどうしたかというと、海外に出て司祭になる場合もあった。たとえば、十七世紀に、ペトロ活水岐部（ペトロ・カスイ岐部）と呼ばれる日本人のイエズス会修道士がおり、彼は日本ではスペイン人宣教師の上長から司祭になることに反対されたので、日本を飛び出して中国を経て砂漠地帯を徒歩で縦断してローマまでたどりつき、そこで勉学を修めて司祭に叙階された。その後、彼は日本に残されたキリスト者の世話をするために日本に戻った。日本ではキリスト教禁教令が発布されていた時期であり、戻ることは「死ぬ」に等しいことだったが、岐部は同朋を見棄てて自分だけ栄達の道をたどることを選ばなかった。岐部が、もしもローマにとどまっていたならば、ふさわしい仕事や役職を保証されていたと言えるが

（東の果てから司祭になるためだけに砂漠を縦断して徒歩でローマにたどりついた岐部は篤い信仰の持ち主として、ローマでは英雄視されていた）、彼は名誉や出世の可能性を一切棄てて不利な状況の日本に戻った。岐部のラテン語の手紙が、今でもローマのイエズス会文書館に保管されているが、流暢で見事な筆跡から、かなりの能力を備えていたことがうかがえる。

日本では上長から理解されなかった岐部は、ローマ本部では理解を得ることができた。しかし、再び不利な状況の日本に引き返した。こうして、十六世紀から十七世紀にかけての時代は、日本人がいくら頑張ったとしても浮かばれない状況が厳然として在った。スペイン人やポルトガル人がいだいていた帝国主義的覇権主義の価値観に支えられた渡来宣教師たちの偏見によって日本人の修道士たちが受けた心の傷は、かなり深いものだったと言える。

もちろん、宣教師のすべてがひどい人間だったわけではないし、日本人を評価したアレッサンドロ・ヴァリニャーノ（一五三九〜一六〇六）やオルガンティーノなどのイタリア系宣教師たちがいたことも忘れてはならない。しかし、白人優勢主義の根強い時代の限界があったこともたしかなことである。元軍人のフランシスコ・カブラル（一五三三〜一六〇九）というポルトガル人宣教師が上長のときには、とくに日本人への偏見が厳しい時期であり、ハビアンはそのような時代に辛酸をなめたと思われる。後からやって来た巡察師のヴァリニャーノがカブラルの極端な指導方針をたしなめており、罷免している。日本人をかばったヴァリニャーノのような適切なリーダーもいた。結局、イエズス会のなかにも、「日本人に理解を示す宣教師」と「日本人に理解を示さない宣教師」との二つの流れがあったことがわかる。――このような二つの流れが常に主導権争いを繰り返していたのが、日本という宣教地の現状だった。ハビアンの場合は、あつかいの悪い状況のなかで生きることを余儀なくされた。

ところが、ハビアンは日本での政治家たちの葬儀の際のキリスト教側の弔辞の朗読などを数回こなしており、重要な場面での正式な役割を担わされていたから、能力が買われていたこともまた事実である。人前に出しても恥ずかしくないということである。普通は、司祭の身分をもっている人にしか説教をさせないという原則があるのだが、ハビアンは重要な場面で上長から任務を任されていた。例外的に二回ほど重要な説教を行うよう機会を与えられていたハビアンの能力の高さが推察される。ということは、司祭の認定を受けることができないにもかかわらず、ハビアンは修道士としてのまま重要な場面では重用されていたことが明らかである。修道士の身分であっても司祭と近い役割を担っていた人物がハビアンだった。

ハビアンは十八歳のときに仏教からキリスト教の立場に転向した。そして、二十一歳でイエズス会に入会し、修道士として活躍し始めた。およそ四十歳で、『妙貞問答』を書き記した。この書物は、当時のキリスト者の間でベストセラーとなり、キリスト教の立場を他宗教の攻撃から守る際のよりどころだった。私たちがこの書物を読むと、様々な宗教の考え方が漢文で説明されているので難しさも感じるが、十七世紀当時には庶民にとっても読みやすいものとなるよう配慮されていた。二人の女性に対話をさせながらキリスト者の生き方を肯定していこうと目論んでいるからである。「どの宗教がすぐれているのか」を二人の登場人物が話し合っている様子を読みながら、読者の信仰理解が深まっていくように計算されている。ストーリー性があるという特徴があると同時に、女性が話し合っているという対話的特徴があるので、女性の読者にも親近感があって受けが良いというか感情移入して読みやすくなっている。

ハビアンは京都のイエズス会修道院で寝起きしながら、近隣の人々にキリスト教を説明する仕事をしていた。イエズス会は男子の修道会だったので男性しか入会することができないが、女子のための修道院も別枠で設立されて活動をしており、ハビアンは女子修道院の修道女たちのために時々キリスト教的な講話を行って信仰教育を深める手助けをしていた。ハビアンはキリスト教の内容を説明する能力があったので、教師としても活躍していた。つまり、ハビアンはあらゆる立場の人々の信頼を得て、相手の立場に応じてキリスト教の要点を適切に伝える役目を果たしていた。

参考までに、以下に、不干斎ハビアン[*6]の基本的なデータを記載しておく。

一五八三年にキリスト教に改宗し、受洗する（十八歳）。

一五八六年にローマ・カトリック教会の修道会であるイエズス会に入会する（二十一歳）。

■一六〇五年に『妙貞問答』を執筆し、三教（神道・儒教・仏教）を批判する（四十歳）。

一六〇六年に林羅山と論争する。

一六〇八年にイエズス会を退会する（四十三歳）。

■一六二〇年に排耶書『破提宇子』を執筆する（五十五歳）。

さらに、以下に『妙貞問答』および『破提宇子』の構造を略述しておくこととする。

2 二つの著作の位置づけ

1 『妙貞問答』――キリスト教信仰の立場を擁護する

(1) 『妙貞問答』の前提

修道女たちのために執筆された『妙貞問答』は、①三教（神道・儒教・仏教）を批判することで、②キリスト教信仰の立場を擁護する目的があった。つまり、日本におけるキリスト教以外のあらゆる宗教をあらいざらい批判することで、キリスト教の立場の正統性を裏づけようと試みた護教論的な書である。なお、『妙貞問答』には二つの系統の写本がある。以下のとおりである。――①吉田家旧蔵本（上・中・下巻、天理図書館所蔵）。②林崎文庫旧蔵本（中・下巻、神宮文庫所蔵）。

『妙貞問答』は尼僧同士の対話篇という体裁をとっている。つまり、浄土宗の妙秀がキリシタンの幽貞の導きに支えられて対話を積み重ねるという架空の設定をもって話が展開していく。言わば読み物として工夫されている。ハビアンは『妙貞問答』において諸科学理論を総動員しており、徹底的比較宗教的手法が採られている。

(2)『妙貞問答』の構成

死後の世界における救済があるかどうかで、日本において活発に発展していたあらゆる宗教を吟味していく。

①上巻――仏教十二宗批判

まず上巻では仏教の十二の宗派が批判されている。仏教的な無および空に向かうことでは人間は救われない。仏教においては、造物主としての神という絶対的概念が欠落しているからである。ハビアンは仏教を「無神論」の一種として徹底的に批判している。

②中巻――儒教（朱子学）および神道（吉田唯一神道）批判

次に、中巻ではハビアンによって儒教（朱子学）および神道（吉田唯一神道）が批判されている。

儒教（朱子学）および道教によっては人間の救済は成り立たない。儒教には創造主が登場していないからである。神道（吉田神道）は夫婦の交わりによる陰陽の道を強調する即物的な現世主義の立場であり、そこに深い思想は存していない。しかも、神道は情緒的かつ直感的であり、道理に暗い。しかも、神道はあらゆるものが唯一の霊の顕れであることを強調しており、物事の序列やあらゆるものの相違性を無視して曖昧にしている。

③下巻――キリシタン教理の擁護「貴理志端之教之大綱之事」

下巻では、仏教・儒教・道教・神道とキリスト教が異なっていることを説く。そしてキリスト教のみが優位に立つことを強調する。その際に、『妙貞問答』は以下の五点を提示している。

i．「現世安穏、後生善所の真の主一体まします事」。

ii．「後世に生き残るものをアニマラショナルという事」。

iii．「後生の善所は、ハライソといって天にあり、悪所は、インヘルノといって地中にある事」。

iv．「後生をば何とすればたすかり、何とすればたすからぬという事」。

v．「キリシタンの教えにつき、いろいろの不審の事」。

以上の三巻本の主要論点を以下にまとめておくことにする。――①創造主に関する論、救済論（神による死後の救済）。②アニマラショナル（理性的魂）、つまり人間の魂のこと。人間の魂は不滅である。そして、人間の魂は理性的であることで他の生物とは根本的に異なっている。人間の魂を救うのは創造主である神（デウス）のみである。しかし、ハビアンは『妙貞問答』のなかではキリスト教の中心的核心としての三位一体の神については一切記述していないのであり、三位一体論の欠如が見受けられる。

⑶『妙貞問答』の独自性

右に見てきたように、ハビアンは『妙貞問答』を執筆する際に、仏教から始めて儒教や神道の問題点および限界を指摘したうえで、最後にキリスト教の意義と優位性を示しているが「護教のための比較宗教論」[*7]という体裁をとることで、客観的に自分の立場を明示することに成功している。

2 『破提宇子』――キリスト教信仰の立場を排撃する

一方、『破提宇子』は、キリスト者が信じている神（デウス）を論破する。日本におけるキリスト教組織の問題点を徹底的に批判している（ハビアンの個人的感情に基づく非難の色合いがかなり強い）。

(1) 『破提宇子』の前提

『破提宇子』という本は、日本のイエズス会において「地獄のペスト」として唾棄された。影響力のあった『妙貞問答』を記したのと同じ人物が書いたという理由に基づいて、やはり影響力をもつ書物として危険視された。

(2) 『破提宇子』の構成

『破提宇子』の構成は以下のとおりである。序と九段の論述によって成り立っている。

序
第一段　天地の創造主である神（デウス）は人間による捏造である。
第二段　デウスとアニマに関して…人間と他の生物との相違性を否定する。
第三段　天国と地獄、悪魔に関して。
第四段　第三段のつづき。
第五段　救いに関して。
第六段　不自然な解釈を排して、あるがままに考える。結婚、夫婦の道、郷里などが人間的な常道である。
第七段　「十戒」を論破する。キリシタンの教会組織への批判。
第八段　キリストのからだ（聖体および御血）に関して。
第九段　日本における宣教師の姿勢に関して…謙りの必要性を力説する。神に関する質疑応答の補足。

(3) 『破提宇子』の独自性

ハビアンは『破提宇子』を執筆することで、徹頭徹尾、キリスト教の様々な教理の不自然さを排撃し、何よりも自然体の常道を尊重している。この書物の背景を探れば、女性との夫婦生活を選んだハビアンの生き方の転換が説明できるかもしれない。つまり、ハビアンは自然法則の流れに沿った生活を自分の人生として重視するようになった。

3 『妙貞問答』および『破提宇子』の有機的関連性

(1) 前提

ハビアンは『破提宇子』において、『妙貞問答』の下巻で示した内容に徹底的な批判を加えている。つまり、キリスト教の問題点と限界を指摘している。

(2) 二つの書物の有機的関連性

『妙貞問答』と『破提宇子』とは、同じ作者によって作成されている。それゆえに、以下の論点が浮かびあがる――「『妙貞問答』と『破提宇子』の双方を合わせて考察しなければハビアンの見た風景を追体験することはできない」[*8]。つまり、著者の人生の歩みのプロセスそのものをありのままに受け取って、ひとまとまりの全体として有機的に関連させていくことが二つの著作を適切に理解するための基本的な土台となる。

さらに、二つの著作に共通している興味深い点は並列化あるいは相対化という手法である。物事をなるべく客観的に列挙して見渡すことによって最も優れた要素を明らかにしようという姿勢が一貫している。――「さまざまな宗教を並列・列挙し、相対化することによってキリシタンの優位性を提示した『妙貞問答』。そして、それと同じ手法でキリシタンを相対化した『破提宇子』[*9]。

四　同時代の思想家に照らし合わせたハビアンの思想的変遷の特質

ところで、思想史的に見て十七世紀の不干斎ハビアンにおける「自然」という術語の独自の使い方は、端的に言って言語用法の逆転現象の招来に尽きる（「じねん」の肯定から「じねん」の否定へと立場を逆転させている）。つまり、ハビアンは禅宗からキリスト教信仰へと改宗してからキリスト教擁護の書物『妙貞問答』（一六〇五年）を記したが、晩年になるにおよんで『破提宇子』（一六二〇年）をまとめることによってキリスト教を論破して闘う背教者となったのであるが（ポルトガル系のイエズス会宣教師の上司たちから受けた仕打ちに堪りかねたハビアンは出奔して反旗を翻す。傲慢な態度で日本人を劣った黄色人種として見下し、司祭叙階の許可を決して与えず、ひたすらこき使うという現状に対しての怒りが『破提宇子』のなかにも記されている）、当初キリスト教を護るために用いられていた論法をそのまま逆転させせて使用している。

その際、「じねん」は、神による万物の創造における自然本性という意味合いから、神を想定しない偶然性におけるおのずから生成する諸事象の移り行きという意味合いへと逆転させられていく。こうして、たとえ同じ用語を用いていたとしても、ハビアンの前期思想と後期思想とでは意味内容が全く逆方向に回転していくこととなった。キリシタン文学研究者の折井善果は『キリシタン文学における日欧文化比較――ルイス・デ・グラナダと日本』（教文館、二〇一〇年）のなかで、ルイス・デ・グラナダの修徳思想が流布した同時代の日本における生成論の心性をあぶり出すために、ハビアンの思想を例として紹介している。ルイスの思想に見られる神の意志的な創造のはたらきとハビアンの後期思想に見られる万物のおのずからなる生成論とを対比させることで、ヨーロッパと日本との文化背景の相違がはっきりと浮き上がることになる。そのことに気づいた折井の着眼点は、比較思想上の素材の扱いを確固としたものとするという意味で優れている。

これまで、筆者は、学者は学者としての本分に徹すべしというモットーに基づいて個人的には机上の学者としてエラスムスの生き方や思想に共感を寄せてきた。しかし、ルイス・デ・グラナダの場合は、確かに優れた学者でありながらもドミニコ会司祭であった都合上、人々に対して積極的に関わる説教家としての活動が基調となっていることが否定できない。学者でもある説教家が、なにゆえ相手に向かって自分を開放していくのか、という主題に興味をいだいたこともあって、筆者は本書を何回か繰り返して読むことにしたのである。こうして発見したことは、ルイスが理知的なトミズム（トマス・アクィナスの思想を引き継いで形成されたトマス主義）の学的方法を身につけつつも、同時に審美的な修辞学に立脚した弁論術の練磨にも努めたことによる、両極端なるものの同時的屹立を実現していたという事実である。それゆえに、ルイスの思想はヨーロッパ中世以来の伝統的カトリシズムの深奥を確固として理論化するものとなっていたと同時に、相手に応じて臨機応変に変容していく実践的な柔軟性を備えていくこととなった。

さらに興味深いことは、ルイスのテクストを介したヨーロッパと日本との出合いの意義を、折井が的確な語義分析をとおして垣間見せてくれていることである。一番の好例は以下のとおりである。――「estar obligado」（～しなければならない／当然である／当たり前である）という義務と必然との両面を含むルイスの絶妙なる表現が、日本語に翻訳された時点で「～せずしてかなはざる」というように、まさに「義務＝必然」という一体化されたニュアンスに改変されたことである。期せずして日本語がルイスの言語表現を最も忠実に汲み取るかたちで新たなる表現を実現したのである。[*10]

むすびとして――ひとつの評価

これまで、ハビアンの思想をキリスト教思想史上に位置づけながらも、彼個人の生涯の歩みとも対応させて略述してきた。こうしてわかることは、『妙貞問答』という本がイエズス会の宣教方針の枠内で執筆された著作であることから、「組織体制における公的見解への忠実さ」を第一として優先している点である。そして、ハビアンにおける神道や仏教の扱い方は空海の発想に沿った諸宗教総覧という方法論の活用にとどまり、言わば先行思想の「焼き直し」でしかない。さらに、ハビアンの著作のキリスト教思想史上の意義としては、古代ギリシア以来の「対話の精神」を取り入れた「教理問答の伝統に沿った筋書き」となっており、言わば「キリスト教的護教書としての常套的マニュアル」として日本人が初めて執筆した作品であるという点が挙げられる。こうして、ハビアンの『妙貞問答』には発想上の独創性はないが、文章のもつ洗練度において秀逸な作品としての存在価値があることがわかる。

これは、今後の文体論的研究に譲ることではあるが、研究上の新たな展開を期して予め言っておけば、以下の点が挙げられる。――イエズス会から飛び出し、もはや教理問答の基準に則ることが必要とされなくなったことで、これまでの制約の箍が外れた結果が、『破提宇子』という作品の結実へと直結している、と見ることもできる。そして、『妙貞問答』における論法を『破提宇子』において逆方向に反転させて用いたのは、独創的な新作を作ることができなかったハビアンの、思想的限界であったとも理解し得る。

註

＊1　以下の文献を参照のこと。拙稿「ライムンドゥス・ルルスの思想と可能性」（坂口昂吉・前川登・福田誠二編集および監修『フランシスコ会学派〈下〉――ボナヴェントゥラからベルナルディノ――』東京フランシスカン研究所、二〇〇七年、九〇～一二六頁）。八巻和彦「ニコラウス・クザーヌス」（伊藤博明責任編集『哲学の歴史4――ルネサンス15―16世紀（世界と人間の再発見）』中央公論新社、二〇〇七年、一三二～一七八頁）。

＊2　「カテケーシスと呼ばれる信仰教育の手引きは、特にアレクサンドレイア学派の下で、教養ある異教徒を教え導くために、キリスト教信仰の哲学的説明として発展していた」（篠崎榮「解説」『中世思想原典集成』第二巻、六〇六頁）。なお、以下の解説も参照のこと。篠崎榮「ニュッサのグレゴリオス『要理大講話』の解説」（『エイコーン』第四号、新世社、一九九〇年、五二～六八頁）。また、ニュッサのグレゴリオスの『教理大講話』に関しては以下の文献も参照のこと。James Herbert Srawley (Ed.), *The Catechetical Oration of Gregory of Nyssa*, Cambridge University Press, 1903./Edward Yarnold, *Cyril of Jerusalem*, Loutledge, London, 2000./Morwenna Ludlow, *Gregory of Nyssa, Ancient and Post Modern*, Oxford University Press, 2007.

＊3　ディデュモスの活躍背景に関しては、以下の文献を参照のこと。Didymus der Blinde, *De Spiritu Sancto Über Den Heiligen Geist*, Brepols, Turnhout, 2004./Anne B. Nelson, *The Classroom of Didymus the Blind*, UMI, 1995./Richard A. Layton, *Didymus the Blind and His Circle in Late-Antique Alexandria*, University of Illinois Press, Urbana and Chicago, 2004.

＊4　Anne B. Nelson, *The Classroom of Didymus the Blind*, UMI, 1995, pp.10-12.

＊5　Richard A. Layton, *Didymus the Blind and His Circle in Late-Antique Alexandria*, University of Illinois Press, Urbana and Chicago, 2004, p.161.

＊6　井手勝美「ハビアン」（大貫隆他編『岩波キリスト教辞典』岩波書店、二〇〇二年、八九一頁）。同「『妙貞問答』」（同、一〇八七頁）。同「『破提宇子』」（同、八八三頁）。同「ファビアン」（上智大学新カトリック大事典編纂委員会編『新カトリック大事典』第Ⅳ巻、研究社、二〇〇九年、二四四～二四五頁）。同「『妙貞問答』」（同、九〇四頁）。清水紘一「『破提宇子』」（同、三三一～三三三頁）。

＊7　釈徹宗『不干斎ハビアン――神も仏も棄てた宗教者――』（新潮社、二〇〇九年、一〇九頁）。

＊8　註7釈前掲書、一三八頁、二〇九～二一〇頁。

＊9　註7釈前掲書、二四八頁。

＊10　折井善果『キリシタン文学における日欧文化比較――ルイス・デ・グラナダと日本』（教文館、二〇一〇年、二三一頁）。

仏教史からみた『妙貞問答』

前川　健一

はじめに

不干斎ハビアン（ファビアン）の手になる『妙貞問答』は、ハビアンの個人的な著作というよりも、当時のイエズス会の公式見解をまとめたものである。そのため、本書の仏教観について検討するためにはイエズス会全体の仏教理解を把握しておく必要がある。また、『妙貞問答』では、各宗教の教理を説明した後、批判を加えるという形式を取っており、教理紹介部分について見れば、一種の綱要書として見ることが可能である。そこで、仏教を論じた箇所について他の仏教綱要書も参照して、その理解の特質を明らかにしてみたい。最後に、『妙貞問答』の仏教批判の意義について検討する。

一　イエズス会の日本仏教認識

ザビエルは日本に来る以前、鹿児島出身のアンジローによって日本の宗教事情について情報を得ており[*1]、来日して以後、さらに見聞を広げていった。その結果、複数の宗派があることやそれらの違いなどについても理解を得ていたが[*2]、それらを個別的に批判するまでには至っていない。

イエズス会の仏教認識にとって画期となったのは、ザビエルの後任であるコスメ・デ・トレスとその通訳であったフェルナンデスが山口で行った仏教者との討論である。次の記述は、その後のイエズス会の仏教認識を考える上でも重要な箇所である。

私たちはかれら［＝禅宗の僧侶と俗人］に問いました。「聖者（Samtos）になるために、あなたがたは何をなされていますか」と。かれらは笑いながら答えました。「聖者たちはいない。したがって聖者への道を求めることはまったく必要がない。というのは、存在は無（nada）から生じたのであるから、ふたたび無に帰える以外に方法はないから」と[*3]。

岸野久によると、「無」という言葉がイエズス会文書に出るのは、この書簡が最初であり、「真言宗とは異なったタイプの宗派である禅宗の世界を本格的に知るようになった」論争とされている[*4]。別の観点から言えば、単にヤハウェ以外の神格を信仰する「偶像崇拝」ではなく、キリスト教と原理的に違う宗教としての仏教の認識が、この段階で成立したと考えることができるであろう。ここからイエズス会の仏教理解の基本線が設定されたと言える[*5]。

イエズス会の仏教理解を明確化したのは、巡察師ヴァリニャーノのもと一五八〇年末から翌年にかけて編纂された『日本ノカテキズモ』である。本書では、仏教を権・実に二分し、権教としては、釈迦仏または阿弥陀仏を信仰し、浄土に往生する信仰を配当している。そして、「権教ノ沙汰ハ辞ヲ尽シテ云ニ及ハス」「只アマ妙心ヲタフラカサントテ云ノミ」「只、十童部已下ヲスカス為ノカリ事」と否定的な評価を下している。[*6] 一方、「仏法ノ実体」として、すべてを「一仏性」「不増不減ノ一霊」「空々寂々、無念無双（想）ノ本体」に帰する禅宗的思想を挙げている。そして、「毘婁（盧）遮那仏」「久遠実劫尺迦」「十劫正覚ノ阿弥陀」「国常立尊」「（儒教の）虚無大道」なども、すべて一仏性に他ならないという。[*7] この教義が、第一講・第二講・第三講で批判される。そして、第四講に至って神や仏を信仰することが批判され、第五講で仏教徒の生活が批判される。つまり、仏教の趣旨は禅宗的なものにあり、釈迦仏や阿弥陀仏の信仰は仏教そのものにおいても、低級なものという理解が提示されていることになる。このような理解が、『妙貞問答』にも基本的に継承されていくことになる。

二　『妙貞問答』の日本仏教理解

1　仏法批判の構成

ハビアン[*8]が著した『妙貞問答』は、跋文によれば「ヨシ有人ノ、婦人、后室ナト申ハ、出家トテモ、男子ニハタヤスク見テ、法ノ理リナカラモ尋玉フニ便ナキカ故ニ、願イ有テモ空ク過シ玉フノミ也。去ハ、カヤウノ人々モ、身ツカラ是ヲ誦ミ明メ、キリシタンノ教ヘノ、有難程ヲモワキマヘ玉フヘキ為ニツヾリ出ス所[*9]」とあり、婦人に対する伝道用文書ということになる。

仏教に関しては、同じく跋文に「仏法ノ空無ヲ本トセハ、皆邪ナル法也ト嫌イ退ケ」とあるとおり、仏教の本質を「空無」を説くものとし、そこに諸宗の教理を帰着させるというのが、基本的な批判点である。

仏教批判は、以下の構成で展開される。

1　仏説三界建立ノ沙汰之事（須弥山説など世界論）
2　釈迦之因位誕生之事（釈尊の生涯について）
3　八宗之事（八宗・十宗・十二宗の名称、倶舎・成実・律各宗の批判）
4　法相宗之事
5　三論宗之事
6　華厳宗之事
7　天台宗之事〈付日蓮宗〉
8　真言宗之事
9　禅宗之事
10　浄土宗之事〈付一向宗〉

最初に世界論が述べられ、自然科学的な知見から批判が加えられる。これはキリシタン側の優位を示しやすく、日本人にとっても関心が高かったからと考えられる。ザビエルも次のように言っている。

彼らは地球が円いことを知りませんでしたし、太陽の軌道についても知りませんでした。彼らはこれらのことやその他、たとえば、流星、稲妻、降雨や雪、そのほかこれに類したことについて質問しました。それらの質問に私たちが答え、よく説明しましたところ、たいへん満足して喜び、私たちを学識ある者だと思ったようです。そのことは私たちの話を信じるために少しは役立っています。[*10]

次に、釈尊の生涯が論じられる。ここでのポイントは、釈尊はあくまで人間であり、死後の救済を行う能力を持っていない、という点にある。そこから「人ノ後生ヲ助ニハ、人ノ上ナル御主ナラテハ叶ヘカラス」(13表)[*11]というキリスト教側の立脚地へと導かれていく。

また、釈尊の悟ったものは「畢竟空」であり(13裏)、『法華経』に説かれる久遠の本仏も、この虚空・仏性・真如が常住であることを言うに過ぎないとしている。八宗・九宗と言っても、この「無」さえ分かれば、どの宗旨も同じである、と述べ、本書の立脚点が明確にされている。

2　諸宗の選択と配列

『妙貞問答』では、以下の十二宗を下記の順番で取り上げている。

倶舎・成実・律・法相・三論・華厳・天台・日蓮・真言・禅・浄土・一向

このうち、倶舎〜天台・真言はいわゆる八宗であるが、空海『十住心論』や凝然『八宗綱要』などの配列では、最後の三宗は天台・華厳・真言となる。これは、京都での布教を前提していたため、天台宗のほうが重視されたとも考えられるが、一方では、中世後期の一般的傾向に棹さしたものとも考えられる。たとえば、存覚(一二九〇〜一三七三)の『歩船鈔』では諸宗を次の順番で配列している。

法相・三論・華厳・天台・真言・律・倶舎・成実・仏心・浄土

また、真迢(一五九六〜一六五九)の『十宗略記』は以下の順番で配列している。

三論・法相・華厳・倶舎・成実・律・天台・真言・禅・浄土

いずれも、天台・真言を大乗諸宗の最後に持ってくる点では共通しており、『妙貞問答』も単にこうした傾向にしたがっただけとも言える。

八宗の後に禅・浄土を置くのは、『八宗綱要』以来の慣例であり、『妙貞問答』も単にそれにしたがっただけのように見えるが、そうではないかも知れない。それは浄土宗の段に至って、妙秀が「ワラハ、浄土宗ニテ念仏三昧ノ身ニテ侍リ」（68表）と自らの宗旨を明かすからである。[*12] この設定を重視すれば、一見すると後生の救いを説いているかに見える浄土宗を否定するために、仏法そのものが空の教えであり、阿弥陀仏や極楽は実在しないということを縷々説いてきたという見方もできる。浄土宗が最後に置かれていることに、「単に知的、理論的なものに留まらない」「ハビアンの関心」を見出す解釈もある。[*13]

しかし、次のように見ることもできる。イエズス会の仏教把握では、地獄・極楽の実在を説くのは「権」であり、それらの空を説くものこそ「実」であり、仏教の真の教えであった。このような理解は『妙貞問答』でも踏襲されている。[*14] この立場に立つと、禅宗が仏教の究極であり、禅宗否定こそが仏教批判の中心となる。一方、浄土宗は「権」となり、この段階で批判は実質的に終了していることになる。しかし、日本人向けに十宗の枠組みを使って批判を進めていく以上、論理的には禅宗批判で完結しているので、浄土宗が最後にくる必然性が必要になる。それが、妙秀＝浄土宗という設定だったのではないか、と見ることも可能である。[*15] 仏→儒→神という全体の順列は、キリスト教から見て評価できるものを後に置くという基準で配列していると思われるので、[*16] 浄土宗を仏教諸宗の最後に置くのは、単に当時一般の十宗の配列にしたがったとも考えられる。

また、本書と重複する部分も多い『仏法之次第略抜書』では、現存箇所から見る限り、仏法を弥陀・釈迦・大日の三仏に集約し、それぞれについて批判するという形をとっている。そこには『妙貞問答』に見られない論点もあり、『妙貞問答』では十宗という伝統的な形式にしたがって内容を取捨したと考えられる。[*17]

なお、『妙貞問答』では以上の十二宗の他、「八宗九宗」(15表)・「八宗、九宗、十二宗」(75表)とも言う。ザビエルは「九宗」としている。[*18] ロドリーゲス『日本大文典』でも十二宗だが、「一向」の代わりに「時宗」が入る。フロイスは十三宗と言っている。(フロイス、岡田章雄訳注『ヨーロッパ文化と日本文化』〈岩波書店、一九九一年〉七六頁)。フロイス『日本史』の緒論の目次の中では、禅宗・真言宗・根来宗・浄土宗・時宗・法華宗(日蓮宗)・一向宗の名が挙げられている(柳谷武夫訳『日本史』1〈平凡社、一九六三年〉五六頁)。

3 小乗三宗

小乗三宗(倶舎・成実・律)は簡単な記述にとどまっている。

倶舎宗について、「三蔵教、有門」という部分はよいとして、その後の「修因感果トハ、爰ニテ菩薩ノ種ヲ植レハ、当来ニ其実ヲ結ヒテ成仏スルソト心得侍ル也」(15裏~16表)というのは、倶舎論に基づく修道論としてはかなり偏っているように見える。しかし、存覚の『歩船鈔』には似たような記述がある。「教ノコトク、三乗ノ道ヲ修セスハ、スミヤカニ生死ヲイテストモ、ヨク学セハ、世出世ノ因果ヲシリテ、智慧ヲ開発スヘシ。智慧ヲ開発セハ、了因ノ種子トナルヘシ」(日仏全〈新〉二九・九三中一三~一六)。

成実宗の項では「成実」の字義を説いて、「成」を能入、「実」を所入としているが、この出典は未詳である。『歩船鈔』『十宗略記』ともに、「成実」の字義は説いていない。『八宗綱要』では、「言成実者、釈成如来所説三蔵之中実義故也」(日仏全〈新〉二九・一四中三)とする。

律宗で、戒を止持・作持の二つとすることは『八宗綱要』や、同じく凝然の著である『内典塵露章』に見えるが、

『歩船鈔』『十宗略記』ではこのことに触れない。

4　法相と三論

法相宗については、良遍『法相二巻抄』に依拠していることがすでに指摘されている。[*19] 内容的には三時教・五重唯識・三性説・六無為・四縁などを取り上げている。六無為や四縁は、『歩船鈔』『十宗略記』だけでなく『八宗綱要』でも取り上げられていない。『歩船鈔』は三時教・五重唯識・五位（資糧位〜究竟位）説を取り上げ、『十宗略記』は三時教・五姓各別説・三性説を取り上げており、『妙貞問答』と両書とが一致するのは三時教だけということになる（なお、『十宗略記』には、『妙貞問答』と同様、縄の譬喩が取り上げられている）。このように他の綱要書と比較したとき、本書の記述内容はかなり特異であるが、これはひとえに『法相二巻抄』に全面的に依拠した結果に他ならない。

三論宗の分量は法相宗に比べると、かなり少ない。これは当時の三論教学の勢力を反映するものか、単にあまり取り上げることがなかったからかは分からない。二蔵・三転法輪・八不などを取り上げている。『歩船鈔』は二蔵・八不を、『十宗略記』は『妙貞問答』と同じく二蔵・三転法輪・八不である。八不で三論宗の宗旨を総括するというのが、この時代の趨勢であったように見える（一方、頼瑜〈一二二六〜一三〇四〉『諸宗教理同異釈』の「三論家」の項では二諦を中心に説き、八不は説かない）。

5　華厳宗

華厳宗では、五教・同別二教・因分果分・「如心偈」・事事円融・六相説などが取り上げられている。『歩船鈔』

は五教・三界唯心を、『十宗略記』は五教・六相・十玄を取り上げるだけで、かなり簡略である。特に法蔵『金師子章』を踏まえて六相について詳しく説いているのは本書独自の問題関心である。これは、禅宗の晦巌智昭集『人天眼目』と全く同じ六相の図が載っていることから推測すると、禅宗での理解を踏まえたものではないかと思われる。

本書の記述で、円融について「理々モ円融」(25表)と言われているのは注目される。一般に凝然以来の日本華厳宗の伝統説では「事事無礙法界」を究極としており、「理理無礙」を説くのは新羅の義湘の説とされるからである。もっとも、承遷『注金師子章』序には「十十無尽、事事無礙、事事理理円融之法」(大正四五・六六七中一八〜一九)とあり、これを無批判に引用したものかとも見られる。

6　天台宗と日蓮宗

天台宗は、十二宗の中で最大の分量が割かれている。日蓮宗と合論していることもあるが、それを差し引いてもきわめて詳細である。しかし、それはもっぱら四教と五時という教相に属する部分を論じており、観心に属することはほとんど触れられていない。「三千ノ依正ノ万法」(36表)は言及されるが、一念三千や一心三観・四種三昧・十乗観法などは全く触れられない。『歩船鈔』『十宗略記』がともに、観心について詳細に説いているのとは大きな違いを示している。一方、最澄の三種法華への言及は本書独自のものである。

中世以後の天台宗で広く読まれた綱要書『西谷名目』の正式名称は『天台円宗四教五時西谷名目』であり、中世後期において天台宗が自宗の教判を「四教五時」に集約する傾向があったとすると、『妙貞問答』の記述もその傾向に沿ったものと言えるし、『西谷名目』の注釈書・談義書はきわめて多いので、[*20] あるいはそれらの内いずれかを直接的に参照したのかも知れない。妙秀の言葉として「法華ノ談儀ヲモ度々聞シニ」(41表)とあるが、フロイスとオルガンティノとが或る僧侶から法華経の講義をしてもらったことが想起される。[*21]「口伝」(46裏)、「秘事」(47表)などというのも、そうした談義から取材したのではないかと思われる。本書独自の注目点である「三種法華」は、『鷲林拾葉鈔』や『法華経直談鈔』などの直談系法華経注釈書では冒頭近くで取り上げられており、[*22]それらから取材した可能性が高い。

キリシタン来日当初は「法華宗」と称されていた日蓮門徒が、本書では「日蓮宗」と呼ばれている。天文法華の乱で敗北してから、日蓮門徒は従来の「法華宗」ではなく「日蓮宗」と称せざるを得なくなったが、『妙貞問答』執筆当時にはこの宗名が定着していたと思われる。[*23]日蓮宗への批判は、一言で言えば「日蓮宗は観心を知らない」ということであるが、これは日蓮生存中からの「伝統的な」批判である。[*24]また、龍女の成仏について説かれているのも、日蓮宗がこれをもって女人成仏の明証として喧伝していたためであろう。法華経の文を取り上げてのこじつけ的な悪口雑言も、日蓮宗が法華経のみを唯一の正法として宣揚していたためと思われる。

7　真言宗

真言宗の教理としては、六大・四曼・三密・即身成仏・両部曼荼羅・転識得智・阿字観などが説かれている。三十七尊を説明する箇所で『蓮華三昧経』を引用しているが、『歩船鈔』もこの文を引用している。阿字観については、『十宗略記』も「諸尊ノ行法、(中略)其簡要ハ阿字本不生ノ観念ニアリ」(日仏全〈新〉一九・一三五中七~八)と記している。転識得智についての詳細な論述は本書独自の関心であるが、これは本書下巻の霊魂論(「後世ニ生残物ヲハアニマラシヨナルト云フコト」、下巻〈神宮文庫本〉、教三九四頁)への伏線と思われる。

全体的に空海の『即身成仏義』に依拠していることは『キリシタン教理書』（以下『教理書』と略す）や本書での注解が示すとおりであるが、引用文について気付いた点を記しておきたい。

「大日経ニ、阿字第一命、遍於情非情」（58表）とあるのは、すでに『教理書』の補注が指摘したとおり、『大日経』巻五の「普遍於種種　有情及非情　阿字第一命」（大正一八・三八中二八～二九）を典拠とするが、『妙貞問答』と全く同じ形での引用が、円珍『授決集』にある（「大日経云。阿字第一命遍於情非情」〈大正七四・三〇二下一三～一四〉）。これと似たようなことが『地蔵十輪経』の引用についても見られる。『妙貞問答』には「仏説地蔵経ニモ、延命菩薩、中心不動、阿字本体トアリ」（58裏）とあるが、これと全く同文が、光宗『渓嵐拾葉集』にある（「経〈傍註「地蔵延命経」〉云（中略）延命菩薩中心不動阿字本体」〈大正七六・六一五中八～一三〉）。この二つの引用はそれぞれ孫引きと思われるが、それが天台宗系の文献だというところに問題がある。天台系であれ、真言系であれ、密教ということでは大差ないということなのか、単に聞きかじりの文を適当につなぎ合わせているだけなのか、検討の余地がある。

同じように孫引きにかかわる問題として、『大毘婆沙論』の引用がある。『妙貞問答』には「心・意・識、何ノ差別カ有ト問タ。無レ有二(コト)差別一、即心是意、々即是識、皆同一義、如火ヲ名レ(ケ)火ヲ名レ焰ト、亦名テ為レ(ルヤ)熾ト答タレハ」（56裏）とあるが、本書翻刻「真言宗之事」＊86で引用されているとおり、『大毘婆沙論』の対応文は微妙に違っている。『妙貞問答』の引用とほとんど同じものは、＊86で指摘される『大蔵一覧集』のほか、晦巌智昭集『人天眼目』にも見出せる（「婆沙論問曰。心意識有何差別。答曰。無有差別。即心是意、意即是識、皆同一義。如火炎、亦名焰亦名熾」〈大正四八・三二六上一八～二〇〉）。『妙貞問答』は両書とも参照しているので、これらから孫引きした可能性は高いと思われる。

なお、フロイスは「根来宗」（新義真言宗）について記しているが[*25]、本書では全く触れられていない。これは教理上は差異がないので触れなかったということなのか、別の理由があるのかは分からない。

8　禅宗

禅宗についての記述で注目されるのは、「大徳寺ニテノ蜜参ノ物」（62裏）を引いていることであろう。しかも、内容的にこれが実際に大徳寺系の密参録であることがすでに確認されている[*26]。問題はこれがハビアン自身がキリシタン入信以前に受けたものか否かである。仮にハビアンが大徳寺の僧であったにしても[*27]、それは『妙貞問答』執筆の十数年前のことであり、果たしてイエズス会のコレジオで学んでいる間、そうしたものを持ち続けていたかは疑問である。禅宗からの転宗者は他にもいたであろうし、ハビアン自身が持っていたと考えるのは早計ではないかと思う。さらに、著者性に問題があるにしても、『一休仮名法語』では簡略ながら密参録の内容が紹介されていること[*28]からすると、必ずしもハビアン自身が受けたものと考える必要はないように思われ、さらに検討が必要と思われる。

もう一点、注目されるのは、曹洞宗について特に論じていることで、これが永平寺・総持寺系の日本曹洞宗を指しているのか、単に五家七宗の曹洞宗なのかが問題となる。日本曹洞宗では、瑩山以後、五位説が導入されたとされるが、それは本書で記されている「正、偏、偏中正、正中偏、兼帯」という洞山良价の本来の五位説ではなく、臨済系の石霜五位をさらに改変した「正中偏、偏中正、正中来、兼中到、兼中至」であったとされるので[*29]、ここからすると永平寺・総持寺系の日本曹洞宗のことではないと思われる。しかし、さらなる検討が必要であろう。

浄土宗は鎮西・西山の二流が紹介され、最後に一向宗について触れられる。時宗についてはキリシタン来日当初よりの知識があるはずだが、全く触れられない。これが、この当時の時宗の衰退を示すものなのか、教義的な面で特に記すべきことがなかったためであるのかは分からない。一向宗についても教義的なことは述べられず、単に妻帯のことが記されているのみである。[*30]

浄土宗については、安誉虎角『浄土四義私』に依拠していることがすでに指摘されている。[*31]しかし、あまり詳細な説明はなされず、批判に終始している印象を受ける。先にも言ったように、キリシタンの仏教把握からすると、浄土教については論ずるに値することが少ないからではないだろうか。

三　『妙貞問答』の仏教批判の意義

『妙貞問答』では、十宗という伝統的な枠組みにしたがって叙述を進めている。そのため、イエズス会の仏教理解が本来有していた体系性は犠牲にされている。また、『仏法之次第略抜書』と比較してみた場合、『妙貞問答』の文章構成はパッチワークというか切り貼りのような印象を受ける。幾つかの箇所ですでに指摘がなされているように、単一の資料への大幅な依拠は、諸宗の教理の主体的な咀嚼がなされていないことを示している。『仏法之次第略抜書』のもとになったようなイエズス会側の資料が一方にあり、もう一方に諸宗の綱要書的な書物が幾つかあり、それらを適当に按配してできているのが『妙貞問答』上巻ということになるのではなかろうか。もしこの推測がそれほど的を外していないなら、『妙貞問答』ないしハビアンの思想を評価する際にはかなりの注意が必要ということになろう。

『妙貞問答』では、諸宗を批判する際、しばしば禅宗関連の言葉や公案を利用している。これは『妙貞問答』の仏教観が、仏教の究極は「空」に帰するものであり、それは禅宗に代表されるというものだからである。諸宗の中で一見すると「有」的なものを説く部分は、禅宗的な立場から「空」であることが示され、それが真の「存在」を知るキリスト教から批判されるという構造になっていると言える。

仏教者側からのキリシタン批判が低調であったのは、キリシタンの仏教理解そのものについては彼ら自身にも納得できるところであり、問題は「空」をどう評価するかということだけだったからではないかと思われる。鈴木正三の『破吉利支丹』などを見ると、ハビアンが否定的にとらえることを肯定的にとらえているだけで、仏教の理解そのものは同じだと思える。これまで何度か参照してきた真沼の『十宗略記』でも冒頭に、「夫一切ノ万法ハ皆悉ク実相真如ノ一理ニシテ、仏モ衆生モ有情モ非情モヘダテナシ。譬ヘバ氷ノ時ハ東西南北ノ不同アレドモ、其体性ノ水ヲ見レバ、一味ニ融ジテワケヘダテナキガ如シ」（日仏全〈新〉二九・一二九上三〜四）とあり、『妙貞問答』が記すような仏教の在り方は、当時一般の仏教者に広く共有されていたものであったと言える。彼らからすれば（あるいは我々にとっても）「空」の立場は「有」を乗り越えたものであり、ハビアンの批判はそれ自体としては意味のないものと思われたのではないだろうか。

ハビアンを含めキリシタンたちが一貫して批判していたのは、仏教者たちの不道徳な（と彼らには思われた）行為であり、彼らが仏教批判をする場合、常にそこには〝善悪を無化する元凶こそすべてを「空」に帰着させる仏教思想に違いない〟という直観があった。同時代の仏教者たちは結局この直観を無視した（鈴木正三はもしかすると少

し は考えたかも知れないが）。日本仏教の側から見ると、キリシタンが残した思想的課題は本来的にはこの点に集約されるのではないかと思う。

〈略称〉

日仏全〈新〉　大日本仏教全書（新版）

註

＊1　岸野久『西欧人の日本発見』第四章「ジョルジェ・アルヴァレスと日本情報（一五四七）」（吉川弘文館、一九八九年）。

＊2　河野純徳訳『聖フランシスコ・ザビエル全書簡』（平凡社、一九八五年）。書簡第九六など参照。

＊3　シュールハマー（神尾庄治訳）『山口の討論』（新生社、一九六四年、一二九頁）。

＊4　岸野久『ザビエルと日本』（吉川弘文館、一九九八年、二二四〜二二五頁）。

＊5　註4岸野前掲書『ザビエルと日本』二二九〜二三四頁。

＊6　教二二六頁。

＊7　教二二五頁。

＊8　ハビアンの生涯については、井手勝美「不干斎ハビアンの生涯」（『キリシタン思想史研究序説』、ぺりかん社、一九九五年）による。なお、ハビアンの生地について、イエズス会の名簿には「都の市出身」「五畿内出身」とあるが、名簿の記載は「一般には出生地を意味するが、時には出生地ではなく入会時の居住地を指す場合もある」（井手前掲書、二〇七頁）。井手氏は前掲の論稿では京都出身説を採用しているが、後に執筆された「不干斎ハビアン『妙貞問答』上巻「禅宗之事」について」「ハビアンと『妙貞問答』」（いずれも井手前掲書所収）では、『南蛮寺興廃記』『切支丹宗門来朝実記』などにより、ハビアンの出生地を加賀（または越中）としている。しかし、両資料とも井手氏自身が注意するように「編者不明の物語的俗説書」（井手前掲書、二四五頁）であり、よほどの吟味

が必要と思う（『南蛮寺興廃記』などでは、ハビアンが活躍したのは信長の時代とされ、癩瘡のため寺を出、乞食となって京都で行き倒れたところを助けられて入信したとされている）。ハビアンが若くして日本語教師となり、『天草版平家物語』編纂などに関与したのは、単に優秀だったからというのではなく、彼が京や畿内の生まれで訛りがなかったからである、との推定もできる。また、イエズス会の財政は慢性的に逼迫しており、ハビアンが京都に派遣されたのは、彼が京都に縁故があり、イエズス会に財政的負担をかける恐れがなかったからだとも考えられる。

*9 下巻（神宮文庫本）四八表、教四一七頁。

*10 註2前掲『聖フランシスコ・ザビエル全書簡』書簡第九六、五三二頁。

*11 以下、単に丁数のみを記すのは、本書で翻刻された吉田本『妙貞問答』上巻。

*12 「浄土ニ導引玉ヘカシ」（3表）、「仏ノ教ニテ後生ヲタニモ助ラハ、ソレマテニモコソアラメ」（11裏）、「十地ノ仏ナト申セハ、極楽浄土ノ内ニアル事カト思シニ」（33裏）等で伏線を張っている。

*13 末木文美士『近世の仏教』（吉川弘文館、二〇一〇年）七二頁。

*14 「仏法ニハ元ヨリ権実ノ二ツアリ」（15表）。

*15 ちなみに、妙貞の「父ハ四書五経ナトノ上ヲハ形ノ如ク学タル人」（中巻〈神宮文庫本〉五表～裏、教三五八頁）とされているが、これも仏教から儒教・道教へという展開を自然にするための設定であろう。

*16 単に空のみを説く仏法に対して、儒教・道教（特に儒教）は「性」＝「ナツウラ」（natura）を説いており（中巻〈神宮文庫本〉一九表、教三六七頁）、神道はともかくも「天地ノ主」を説いている（中巻〈神宮文庫本〉二三表、教三七〇頁）。

*17 「阿弥陀之因位ノコト略」（教四二二～四二三頁）などは、浄土宗批判として『妙貞問答』にあっても不思議ではないが、採用されていない。

*18 なお、註2前掲『聖フランシスコ・ザビエル全書簡』訳注（五四八頁）では、この「九宗」を天台・真言・融通念仏・浄土・臨済・曹洞・一向・法華・時宗とするが、この時代には融通念仏は宗として独立していないので妥当ではない。

＊19　小林千草「ハビアン著『妙貞問答』法相宗之事と『法相二巻抄』」（『国文学　言語と文芸』八七、一九七九年）。

＊20　渋谷泰亮編『〈昭和現存〉天台書籍綜合目録（増補版）』上巻（法藏館、一九七八年、一九一～一九七頁）参照。

＊21　柳谷武夫訳『日本史』5（平凡社、一九七八年、一〇七～一〇八頁）。これは一五七四年の事件である。

＊22　尊舜『鷲林拾葉鈔』巻一・五表～六裏（慶安三年刊本）、栄心『法華経直談鈔』巻一・一三表～一五表（寛永十二年刊本）。

＊23　もっとも、フロイスは長期にわたって都に滞在していたが、その『日本史』緒論の目次では「法華宗」の名で日蓮門徒を指している（柳谷武夫訳『日本史』1、平凡社、一九六三年、五六頁）。

＊24　「（日蓮に対して）或人云唯教門許也」（『寺泊御書』、『昭和定本日蓮聖人遺文』五一四頁）。

＊25　註23前掲書『日本史』1、五六頁。

＊26　安永祖堂「不干斎巴鼻庵『妙貞問答』に於ける「庭前栢樹枝」」（『禅学研究』八五、二〇〇七年）。

＊27　註8前掲書『キリシタン思想史研究序説』二六〇頁など。

＊28　山田孝道編『禅門法語集』（光融館、一八九五年、二七六頁）。註26安永前掲論文、一八〇頁。

＊29　駒沢大学内禅学大辞典編纂所編『新版禅学大辞典』（大修館書店、一九九九年）「偏正五位」の項、竹内道雄『総持寺の歴史』（大本山総持寺出版部、一九八一年、五一頁）。

＊30　『仏法之次第略抜書』では、「一向宗ノ開山、親鸞上人ヨリ伝ヘラレシ『経教信抄』ト云秘書アリ。此書ヲハ門跡ノ親子兄弟ヨリ外ニハ伝ヘス」（教四二九頁）とある。一向宗については、那須英勝「不干斎ハビアンの一向宗批判――キリシタン知識人の見た徳川黎明期の浄土真宗――」（『印度学仏教学研究』五三―二、二〇〇五年）参照。

＊31　那須英勝「不干斎ハビアンの浄土教批判――『妙貞問答』における浄土四義説の受容――」（『印度学仏教学研究』五〇―二、二〇〇二年）。

付記　本稿は、拙稿「『妙貞問答』の仏教理解」（『清泉女子大学キリスト教文化研究所年報』一九、二〇一一年）をもとに、補訂を加えたものである。

『妙貞問答』の禅宗批判——その空と無について——

ジェームズ・バスキンド

はじめに

十六世紀半ばに伝来したキリスト教は、日本人の信仰に大きな衝撃をもたらした。中国から伝来した儒教や仏教も、元来は日本固有の教えではなかったにせよ、長い時間の間に日本人に血肉化されて、当時はすでに日本思想の一部となっていた。しかしヨーロッパから伝来したキリスト教は、地理的にも思想的にも日本人にまったくなじみのない教えであったから、仏教・儒教・神道からの総攻撃を受けることとなった。キリスト教の思想は、唯一神をかかげて他宗教との共存を許さない排他性とローマ教皇以外の宗教的な権威を認めない政治性を内包するものだったから、戦国時代末期の宗教的に寛容な日本の風土では、必然的に激しい衝突を招くことになった。[*1]

ハビアンの『妙貞問答』は、キリスト教から仏教各宗に対してなされた最初の体系的な批判である。本論ではハビアンの禅宗批判を通して、その仏教批判全体の特徴を考察する。ハビアンは、キリスト教改宗以前に禅僧として受けた教育と論争方法にもとづいて、禅を批判した。政治的にも思想的にも激動していた十七世紀初頭の社会で、元禅僧がどのように禅を批判したかということを明らかにしたい。

一 「禅宗のこと」

中国と日本で、キリスト教と禅宗[*2]はそれぞれの世界観をめぐって、激しく論争するに至った。中国のイエズス会宣教師であったマテオ・リッチは、「仏教の空は生を否定する虚妄の教えであり、輪廻説はピタゴラスからの剽窃である」と批判して、仏教徒全体の怒りを買った。これに対して雲棲祩宏（一五三五〜一六一五）と費隠通容（一五九三〜一六六一）をはじめとする明末高僧は、天主教（中国におけるキリスト教の訳語）への反論に立ち上がり、「キリスト教徒は十字架にかけられた犯罪者を拝み、業と輪廻を知らず、ためらいなく家畜を殺す」と批判した[*3]。祩宏の『竹窓随筆』は、ハビアンの『妙貞問答』と同時代に書かれており、中国仏教からの最初のキリスト教批判である。費隠は日本の黄檗宗の宗祖の一人であり、リッチの『天主実義』に対する反論『原道闢邪説』を書いた。

日本では、ザビエルが禅宗を批判の標的にしている。ザビエルは、日本仏教各宗のなかで禅宗だけが、死ぬと無に帰す動物の魂と人間の魂を同じものとする異端の教えであると見て取った[*4]。初期のキリスト教宣教師たちは、人間の魂は不滅であって神が世界の創造者であるという世界観によって生きていたから、禅宗が主張する空や無の考えを受け入れることはまったく不可能だった。禅はキリスト教の最大の標的となったが、禅僧がキリスト教の最大の攻撃者となったことも注意しておくべきだろう。

十七世紀の禅宗からは、雪窓宗崔（一五八九〜一六四九）や鈴木正三（一五七九〜一六五五）のような最大のキリスト教批判者が出ている。鈴木の布教活動の大半はキリスト教への攻撃であり、幕府のキリシタン禁教策にのっとっている。[*5]鈴木の『破吉利支丹』は仮名で書かれたものであり、現実の社会秩序は宇宙の真理を反映していることを論じて、仏教はその真理を社会一般に普及させるのに役立つことを主張している。[*6]雪窓の『邪教大意』（『対治邪執論』とも言われる）は漢文で書かれ、『破吉利支丹』よりも広い視野で論じている。この二書をはじめとする日本の排耶論は、宗教思想や教理的な問題意識から書かれたものではなく、キリスト教をヨーロッパによる侵略の尖兵とみなして、キリスト教は政治的・社会的な悪であると攻撃するものである。[*7]

とはいえ、確かに禅宗は独自の思想と方法にもとづいて、キリスト教に挑んでいる。禅は「自身の本性を見て仏になる」（見性成仏）ことを目指して、「聖典に依らない真理の純粋経験」（教外別伝）を方法としながら、「心を直接に指し示し」（直指人心）、「書かれた言葉に依存しない」（不立文字）体系を持つ。もし仮に宣教師らが、禅の詳細まで分かったところで、この禅独特の体系を理解することはできなかっただろう。実際のところ禅の語り手はいつも歴史や慣習にとらわれない禅の自由な性格を強調するが、現実の禅は、教育を受けた禅僧ら知識人によって書かれた大量の文献と、長い歴史の間で洗練された複雑な諸々の儀礼と、巨大な組織として完成された宗門機構から成り立っている。禅宗の組織体系は非常に優れており、ある場合には、キリスト教が取り入れたほどのものである。イエズス会の東インド巡察師のアレッサンドロ・ヴァリニャーノ（一五三九〜一六〇六）は、布教にあたって日本の文化を重視する適応政策を採用した。ヴァリニャーノは、当時の禅宗の繁栄ぶりを見て、禅宗こそ「日本仏教の最大宗派である」[*8]と判断して、禅宗僧侶の階位制を取り入れている。以下では、キリスト教に転じた日本の禅僧が、禅の伝統的な思想と方法をどのように禅宗を批判するのに用いたかを見ていこう。

「禅宗のこと」は、妙秀が幽貞に「教外別伝を言う禅宗は、他の宗と違っているのか」と尋ねるところから始まる。「禅宗のこと」の五分の一ほどは、この問いに対する幽貞の答えと説明であり、真理が言葉で伝えられてこなかった（教外別伝）禅の歴史が述べられる。霊鷲山での釈迦の摩訶迦葉への伝法や、禅宗初祖の菩提達磨（六世紀頃）が二祖恵可（四八七〜五九三）へ心印を伝えたこと、五祖弘忍（六八八〜七六一）から六祖慧能（六八三〜七一三）への伝法などである。ハビアンは、幽貞の禅批判を通して、このような教外別伝の歴史を禅の虚無主義を証明するために使っている。これらの歴史が無意味であることが論証されれば、禅の教え全体が成り立たなくなるからだ。幽貞は、釈迦の悟りとされる「正法眼蔵」とはただ「一心」の教えを知るだけにすぎないと言う。[*9] ハビアンの論理では、禅の根幹となる「一心」が形のない「無」であることが、禅の世界観が悲観的で虚無的であることを論証するものとなる。

禅ハ仰ノヤウニ教外別伝トハ申セトモ、是又、別ノ事ニテ侍ラス。唯同仏法ニテ侍リ。但、教外別伝ト申ハ、釈迦、霊鷲山ニテ説法セラレシニ、仏一枝ノ花ヲ捻シテ、大衆ニ見セシムルニ、衆皆黙然タリト申テ、其心ヲ悟得サリシカハ、皆、物言事モナカリシニ、迦葉一人破顔微笑スト云テ、ニツコト笑タレハ、其時、釈迦、我ニ正法眼蔵涅槃妙心有。摩訶迦葉ニ付属ストイワレシヨリ已来、教ノ外ニ別ニ伝ルト云心ヨリ、此禅法ハ事起。シカレハ、其付属ストイワレシ正法眼蔵トハ、イカナル事ソト尋ルニ、是又、別ノ事モナシ。一心法ヲヨクミシレハト云事也。サテ、其心ハ有ト伝タルカ、無ト伝タルカト申セハ、無ト侍ルモノニテ侍リ。此故ニ、其伝法ノ偈ニモ、法ノ本法ハ無法也……（59裏〜60表）[*10]

かつて禅僧だったハビアンは、仏者の「禅や仏教は無である」という言説をまともにとって「仏教者自身が無と言うのだから、仏教は虚無である」と批判したところで、仏者は「こうした言葉は仮の手だて（方便）であり、仮の教えにすぎない」と片付けてしまい、議論はそこで終わりになることをよく知っていた。ハビアンはこうした言説を逆手にとって、仏教の表層的で空虚な性質を示す有効な武器として用いている。彼はこの議論を「畢竟、有程ノ事ハ、皆、空無ソトノ心也。西天ノ廿八祖モ、是ヨリ起リ、東土ノ六祖モ、コ、ヨリ始テ侍ルニヤ」（61表）と締めくくる。ハビアンは、菩提達磨の二祖恵可への伝法、五祖弘忍から六祖慧能への衣鉢伝授（衣と鉢を弟子に渡すことは、師匠から弟子へ正しい法を伝えたことを意味する）を述べて、禅の全宗派である五家七宗を列挙する。ここで彼は、心の空無を説くすべての禅への批判として、「五家七宗トモニ、皆、心ハ空無ソト有事ヲ識得スルヲ本トセリ。サテ〳〵、仏法ハニカ〳〵シキ教ニテ侍ル物哉」（61表～61裏）とまとめた。仏教の無の教えを批判するキリスト教徒は、ハビアンが初めてではない。ハビアンの数年前には、中国でリッチが『天主実義』を著し、宇宙論的な視点から仏教の説く空と無を論じて、「有なる宇宙が非存在の無から生み出されるはずがない」と批判した。またリッチは、社会倫理の視点からも批判しており「空無の教えは倫理的な原則を欠いているから、仏教を基盤とする社会は無秩序に陥らざるをえない」と主張した。[*11]

最後の審判を前提とする終末論は、キリスト教の中核である。人がイエスを信じる限りにおいて、イエスの十字架上の死は最後の審判の日における犠牲の贖罪たりえて、その人は永遠に救われる。つまり、いまだ神の言葉を知らない日本人たちを最後の審判で救うためには、彼らに神の子イエスを知らせて信仰に導くことこそが必要となる。キリスト教の世界観による救済は死後における永遠の生を約束するものであったから、イエズス会宣教師たちは、なによりもまず死後の魂と救済について情熱を込めて説法した。とは言え、キリスト教が考えているような死後の生は、東アジアの仏教徒には理解も共感もできなかった。彼らが考える死後の生と世界とは、どのようなものだったのか。

東アジアの宗教とキリスト教それぞれが持つ死後の世界観は大きく異なっているが、そのもっとも大きな違いの一つは祖先崇拝である。東アジアにおける先祖とは、子孫に祝福と加護を与える存在というだけではなく、いずれは宗族みなが一つとなっていく霊的な共同体の一員でもある。現世の一族は、宗族共同体の儀礼と毎年の祭祀を霊界の先祖と共に行いながら、祖霊に仕えて祈りを捧げる。十六世紀後半の日本人と中国人の多くは、宣教師たちに「キリスト教を知らなかった先祖たちは永遠に地獄に落ちており、決して救われないのか」という疑問を投げかけた。宣教を成功させるためには、宣教師たちはこの厄介な問題を避けることができなかったので、できる限り注意深く細心に扱うことが必要だった。この問題は、クレメンス十一世（一六四九～一七二一）が康煕帝（一六五四～一七二二、在位一六六一～一七二二）に教皇特使を送って、祖先崇拝はカトリック・キリスト教と矛盾するものとして禁止する通達を伝えた時に、最高潮に達する。教皇の祖先崇拝禁止令は、即座に中国におけるキリスト教禁止令（一七二一年）を招いた。[*12]

この時代に、論争となったもう一つのことは、社会倫理を教化するための神の存在である。仏教の業と因縁は、人格神への個人的信仰を基盤とするキリスト教から見れば、あまりに非人間的だった。言うまでもなく、ハビアンにとっては死後の生こそが問題だった。アリストテレスの霊魂論にもとづくアニマラショナルを獲得することこそが死後の生を保証するものであり、ハビアンから見れば仏教は後生を確実に保証する方法を持っていなかった。[*13]ハビアンの議論において、社会倫理の問題は非常に大きい。アニマラショナルは死後の保証だけではなく、善悪を区別する倫理の根源である。[*14]仏教における空の強調は人間の心が生まれながらに持っているアニマラショナルを否定するものであり、死後の魂の否定のみならず、現在の倫理の基盤をも破壊するものだった。

何モ〳〵、皆、此分ニ、後生ハナキソトノミ見破テハ、何カヨク侍ラン。後ノ世ノ事ハ、サテヲキヌ。又、現在ノ作法モ、上ニ恐ヘキアルシヲシラサレハ、道ノ道タル事モ不侍。人ノ心ト申ハ、私ノ欲ニヒカレテ、邪路ニ入ントノミスルニ、無主無我ニシテ、悪ヲ成シテモ罰ヲアタヘン主モナク、善ヲ修シテモ賞ノ行ルヘキ処ナシ。虚空ヨリ生シテ虚空ト成ト、自由自在ニ教タル事ハ、僻事ニテアラスヤ。貴理師端ノ眼ヨリハ、カ様ノ教ヲハ邪法トノミ見ル也。（61裏）

ハビアンは、架空の二人の女性が問答して論争する形を取って『妙貞問答』の議論を進めている。問い手である妙秀に、「すべては空から生まれて、空に帰るだけではない」として、禅を擁護させている。妙秀は、幽貞が主張するような「虚無の空（空ニシテ無也）」に対して、真理である仏性に等しいとされる「真実の空（空ニシテ真也）」を区別して、「虚空ノ空ハ空ニシテ無也、仏性ノ空ハ空ニシテ真也」（61裏）とはっきり言う。この禅擁護に対して、幽貞はどのような空を言おうとも、それらはすべて虚無であることを論証していく。幽貞は、妙秀が言うような「仏性の空と虚無の空は異なる」というのは俗世の見方に過ぎないことを『伝心法要』を引用して論証し、結局は心も含めてすべては空であるという。[*15] ハビアンが引用した原文は「凡そ人多く空心を肯んぜず、空に落つることを恐る。自心は本より空なることを知らず[*16]」である。ハビアンは、仏教における「空」の多義性を認めず、否定的な意味を込めて「虚無」という一面だけで空を定義して議論を進めていく。キリスト教の救済論の基本は、人の魂が存在論的な普遍の有（神）にもとづいていることにあり、ハビアンは仏教の無をキリスト教の有と比較しながら、魂の存在を認めない仏教では救いがありえないことを証明するのである。

禅僧としての教育を受けて修行したハビアンは、妙秀が言う「真理としての空はすぐれた有なる存在である」（真空妙有）という教えを当然知っていただろう。仏教から見れば、空を「虚無」とだけ解釈することは一面的で偏った主張であることを十分自覚していたと思われる。仏教において、空を「真空妙有」とも言うのは空を単なる無であると理解することを禁じるためであり、有か無かという相対的な二元論を超えることを主眼としている訳だが、キリスト教の視点に立つハビアンは有無の二元論を超えることを決して許さない。『妙貞問答』の論旨は、無を基盤とする仏教は救いをもたらさないのに対して、究極的な有を基盤とするキリスト教だけが信者に死後の救いを与えるというものである。

こうして仏性が虚無であることを論証した後に、ハビアンは仏性とならんで重要な仏教教理である法身(Dharmakāya)もまた虚無であることを論証しようとする。仏教における法身とは仏の形なき体であり、宇宙に遍満する真理そのものとされる。円満であり普遍である法身は、キリスト教で言えば世界を創造した神の概念にほぼ等しいと言えるだろう。しかしハビアンは、法身の流動変化する側面を無視して、法身も仏性と同じく虚無的な無であるとする。彼は『伝心法要』の「法身は即ち虚空にして、虚空は即ち法身なり。常人は法身は虚空処に遍じて、虚空の中に含容法身を含容せりと謂う。法身は即ち虚空にして、虚空は即ち法身なりと知らず」[17]を引用する。ハビアンは、法身が仏性の空と同じであると言うことで、法身と仏性という二つの主要な仏教教理が同じく虚無であるという結論を導いていく。仏教の一般的な理解では、法身は究極的な真理のあらわれであって、空などのあらゆる性質を超えて真如と等しいとされるのだが、ここでハビアンはそのことを言わない。

現代の学者も、禅は現実の実践あってこそ意味があると言うが[18]、禅においては坐禅をはじめとする実践こそが宗教的な生命とされる。ハビアンはこうした法身や仏性についての議論がまったく教理的なものであって、禅で尊重される実践と関わらないために、禅批判として弱いことを自覚していた。ハビアンは「但、此分ニハカリ申セハ、教法ノヤウニ聞ヘテ、参禅、参学ナトノ事ヲシラヌカト思玉フヘケレハ」(62裏)と言う。元禅僧であるハビアンは、公案と坐禅と儀礼という実践に明け暮れる禅僧たちがどのような反論をしてくるかよく分かっていた。さまざまなこれらの実践行の中でも、ハビアンの禅宗論破においては、特に公案が重要な位置を占めている。公案は臨済僧の生活の中心というのみならず、無数の儀礼と固く守られてきた秘伝と伝統的に結びついていた。ハビアンはる。

「此上ニテハ隠シ申マテモナシ」（62裏）として、大徳寺からの公案の記録（「密参」）を示して、内容を検討している。

二　ハビアンの公案理解

中世日本禅のきわだった特徴は、臨済僧と曹洞僧の交流が盛んだったことである。江戸時代以前には、禅僧の実践においてはこの二宗にほとんど違いはなく、さらに曹洞宗の二派それぞれと臨済宗という三つにさほどの区別がなかったと言ってよい。[*19] 歴史的に見れば、禅各宗の区別が強くなったのは、十七世紀半ばに黄檗宗が渡来して繁栄を極めた後のことである。黄檗宗の渡来によって、禅の各宗は自宗の特徴を改めて自覚して、それぞれの独自性を強めることになった。伝統的に見れば、臨済禅の教育課程で特徴的な公案は、趙州の柏樹子と南泉斬猫であり、曹洞禅のよく知られた公案は五位君臣である。ハビアンが『妙貞問答』を書いていた時代には、臨済僧にせよ曹洞僧にせよこれらの公案を異なる師僧の下で学ぶことは珍しいことではなかったし、ハビアンの説明は両宗の公案に親しんでいたことを示している。

幽貞の答えの中で、有名な公案についての問答が語られる。これは師弟の間での対話であり、問う弟子は「弁」、答える師は「拶」と言われる。初めの公案は、「祖師西来意（西からやってきた祖師の意図）」である。続く問答は、師弟間の対話を通して、仏教において表現不可能とされる心の本性について述べるものである。心についての議論で、弟子は「眼ニミヘヌノミナラス、耳ニモ不聞、鼻ニモカヽレス、舌ニモ味レス、身ニモフレラレス、詞ニモ求ラレヌ也」（62裏）と言う。心の性質はこのように捉えがたく、「だから心は存在しないのである」という結論に短絡して、禅は「無」を勧めるというハビアンの主張の証拠となっている。原文は、次のように続く。

> 意ハアルニ似タ物テ候。古人云、有非有、無非無。アルニモ着セス、無ニモ着セス。是モアルニ似テ、ナキト云タ語也。又、古人云、心法無レ形、通二貫十方一。形ハナケレトモ、唐土、天竺ノ事ヲモ、居ナガラ分別スル程ニ、十方ニ通貫スト云リ。アルニ似テ、ナイソ。又、古人云、心法ハ如二水中月一、猶如二鏡上影一。水カアレハコソ、人ノ形モウツセ、ソノコトク、人ノ五体六根カアレハコソ、心ト云モノモアレ。別ニ、心ト云テハナシ。是モ有ニ似テナシ。……三世無心ト云、肝要也。拶曰、如此ミル時ハ、無ノ見ニハ落マヒル。弁、無ノ見ニハ落テ候。其故ハ、有モノヲ無ト云、無物ヲアルト云カ、無ノ見也。心ト云物ハ、元来ナキ物也。無物ヲナシトミルハ、正知正見テ候程ニ、無ノ見ニハ落マイ也。（63表～64裏）

ここでハビアンは、心が仏教でいう「空（非存在）」であることを読み手に訴える。仏教でいう心とは、超越的で非物理的ないわゆる実在する魂ではなく、人間の感覚器官に付随して起こる幻覚のようなものであるのだが、心がどのようなものであるにせよ、ここで仏教における心の存在を認めることは、有を基盤とするキリスト教と無に依る仏教との違いが薄れることになる。

公案の答えは、ある程度は決まった伝統的な答えはあるけれども、もとより師によって異なっている。有名な例としては、「祖師西来意」という問いに対する趙州の答えが「庭前柏樹子」というものである。まったく噛み合っていないナンセンスな問答に見えるけれども、これが公案による教育なのである[*20]。以下の文章が言う木の譬喩は、心の実体がないことを示すために出されている。

> サテ、根・茎・枝・葉ヲ打破テ見ハ、中ニ花ノ種モ、緑ノ種モナシ。是ハ心カナキソ。是ヲ以テ、西来意ト問タニ、柏樹子ト、答話ニ直指セラレテ候。……下語、柳緑花紅、是モ柳ノ緑モ花ノ紅モ、柏樹ノコトク無心ノ

者也。其程ニ、草木モ人心モ有ニニテ、無物ナル故ニ、此句ヲ柏樹子ト云処ニ付タソ。畢竟、三世無心ト云、肝要也。（64表）

妙秀と幽貞が臨済禅と大徳寺密参の検討を終えた後に、幽貞は次のように締めくくる。

仏法ニハ、一心ヲサヘモ明ムレハ、何ノ宗ニテモ、コレカ極ニテ侍ルソ。此一心カ即本分、此一心カ即仏。此一心カ即地獄、此一心カ則天堂ニテ侍ル、ト云リ。畢竟シテ、此一心カ則無ト云処ニテ、万事カ止侍ルソ。（64裏〜65表）

ハビアンは、禅の本質を還元主義的に単純化して、禅は一心の獲得だけを究極的な目標とすると片付ける。この一心は、仏や地獄や天界などすべての事象の源であり、表層的には意識内容すべてである。ハビアンは、禅の目指す悟りの根本にあるこの一心にはなんの作用も運動も無いから、この心を拠り所とするすべての事象は虚無であるという。彼は、公案が禅の「無」の教えであるように、すべての仏教も同じく無であるとする。

ヨーロッパ人のイエズス会宣教師にとって、公案を一見して無意味かつ恣意的にしか見えないものであり、キリスト教に似たような考え方や方法もなかったから、公案はじっくり考える価値もなかった。元禅僧のハビアンだけが、公案を取るに足りないものとせずに、慎重に注意深く論じている。彼は禅僧として受けた教育と論争の方法を生かして、公案に挑んで伝統的な文脈で解釈することにより、キリスト教の立場から正面切って批判した。つまり、公案の核心は仏教の無と空であることを明らかにしている。興味深いことには、後にハビアンが『破提宇子』で、「空と無は最高の教えであるから、キリスト教徒には決して理解できない」としている。

妙秀と幽貞は、臨済宗の議論を終えて、曹洞禅に話を進める。妙秀は「曹洞禅は有と無の二項対立に陥らないことを基盤としている」と述べて、「有にも依らず無にも依らない中道にもとづく五位君臣説[*21]をどのように理解すべきか」と幽貞に訊ねる。幽貞は、「確かに曹洞宗では、有と無という二元論を嫌う」と答えて、五位君臣の意味を丁寧に説明してゆく。それが、以下の応答である。

妙秀。イヤ又、禅ニモ、サヤウニハカリ申サヌト承レ。五祖演[22]ニ、如何是曹洞宗ト問タレハ、答話ニ馳書不到家トアリシモ[23]、曹洞宗ノ行李ハ、落居ヲ嫌フ処也。夫ニ依テ、有無ニ落ヌヲ本トス。イカナレハ、サヤウニ無トノミハノタマフソ。サレハ、此宗ノ五位君臣ノ沙汰トイヘルモ、中ヲ本トセル処也。是ヲハ、イカ、心得申ヘキヤ。

幽貞。其御事也。曹洞宗ナトハ、有無ノ落去ヲキラハレタリ。サテ、禅法ノ眼カラハ、是カヨキニテ侍ルソヤ。座頭ノコセ事ナトヲ云カコトク、色々ノ法門タテヲハ、イヒマハレトモ、今時ノ会下僧ハ、万法一心ノ悟ニハクラク侍ル故ニ、月ヲオカミ、日ヲ拝ミ、愛宕詣リ、清水マフテナト云事マテ、愚痴ノ尼入道ニカワラス。

（65表～65裏）

五位君臣説とは、曹洞宗の洞山良价（八〇七～八六九）によって考案された五位[24]の譬喩である。五位とは、禅問答の主体となる「正」と、その相手である「偏」の五つの弁証法的な論理関係を示す。洞山の弟子である曹山本寂（八四〇～九〇一）は、正と偏の五位を「君」と「臣」の関係として公式化した。まず洞山の五位は、「絶対（正）」「相対（偏）」「絶対の中の相対（正中偏）」「相対の中の絶対（偏中正）」「調和（兼帯）」である。曹山は、この五位を君と臣の関係にたとえて、「君」を絶対的立場（正）、「臣」を相対的立場（偏）とする。「臣が君に対面する（臣向君）」ことは、「相対の中の絶対（偏中正）」であり、「君が臣を視る（君視臣）」のは「絶対の中の相対（正中偏）」である。「君と臣が和合する（君臣道合）」は、「相対と絶対の調和（兼帯）」である。

ハビアンの五位君臣説の解釈は、先ほどの大徳寺密参の臨済禅と同じく、曹洞禅の教えも空・虚無であると批判するためのものである。

次ニハ、五位君臣ノ沙汰ト申ハ、元ヨリ中ヲ識リ、サマ〳〵欲セサル一理也トイヘトモ、其中トハ何ソ、トイヘル事ヲハ識得セテ、タ、有無ノ落ヲセサル、是ヲ中ノ本意ト心得ルハ、トモニハカルニタラス。……有僧、曹山ニ五位君臣ノ旨訳ヲ問テ侍ルニ、山、正位ハ即空界、本来無物ナリ……

（65裏〜66表）

五位君臣説は、絶対と相対の生き生きとした関わりを非常に繊細かつ微妙にあらわすものであるが、ハビアンは六祖慧能の偈「本来無一物」[*25]にもとづく曹山の言葉を引いて、五位君臣説の内実は空であると結論した。ハビアンは五位君臣の本質を空としているが、これはけっして仏教的な意味での空ないし虚空ということではない。五位君臣説の教理的基礎である五位の中心となる概念は、相互に内在的に関わり合う絶対と相対である。

パウエルは曹山の研究で、五位の絶対と相対の関係を次のようにまとめている。「初位は、「事象は空である」という真実を知ることである。第二位は「空の真理は事象によって示される」ことを示す。第三位は、空に吸収されて生れる「真実／真理」ないし「空」に焦点を合わせている。第四位は、空と同一視される事象に焦点を合わせる。第五位は、事象と空の両方でありながらも、その一体としては事象でも空でもない調和のとれた相互作用である」と。[*26]ハビアンによる五位の説明は、その事象と空の説明と同じく、仏教批判のために曲げて解釈している。これまでの引用に見られるように、『妙貞問答』の第一巻を通して、ハビアンの仏教思想と歴史についての説明は、あまりに狭く一面的である。

すでに述べたようにハビアンは、世界を主宰して罪人を裁く神の信仰が仏教にないことを批判する。彼は、五位説を仏教の相対主義的な性格を示すものとして捉えている。この相対主義は、有と無、相対と絶対、善と悪を明確に区別しない、虚無的な空の教えから必然的に生まれたものとされる。ハビアンは、仏教の相対主義の問題を明らかにすることで、神と人、天国と地獄、細かく定められた罪と祝福を明確に区別するキリスト教を押し出していく。幽貞が、禅宗について「心は自ら空であり、罪も福も受ける主体が無い（我心自空、罪福無主）」と結論して、「仏法ハ万事休シタル物也」（67裏）と言うように、この問題こそがハビアンの最後の一撃である。

禅宗の章を終えるにあたって、ハビアンは日本の仏教者が明確な世界観にこだわらないだけではなく、仏教の相対主義の表れとして「すべての事象が究極の真理である」というあいまいな考え方をすることを述べる。ハビアンは、幽貞に次のように言わせている。

> 仏法ニテ無ト落着セヌハ、仏トモ法トモシラヌ人ニテ侍リ。但此無ヲ知テヨリハ、何ト云テモ同事ト思ト故ニ、アラソハヌ心カ出来テ、アルト云人ニハ、アフ中々、後生ハアル事ニテ侍フトイヒ、又、無ト云人ニハ、其事也、（67裏）

確かにハビアンから見れば、日本の仏教徒はこの世だけではなく、死後の世界についても明確な世界観を持っていなかった。ハビアンは、この後に「後生ト云テ、何カ跡ニ残ランカナト云テ、柳ノ糸ノ西ヘモ東モ、風ノマ、ナルヤウニアルヲ、禅ノ至タル上ト思也」（67裏）と続けている。結局の所、ハビアンのキリスト教の立場からすると、仏教では死後の魂を信ずることがないから確実な救済の方法がない、ということである。ハビアンの言う救済は、仏教で考えられるような今生における苦からの解脱でもなく、人間を越えて仏になることでもない。キリスト教の救済は、来世にやって来るだけのものであり、全能の神の力が必要なものである。仏教における最高善が世俗の足かせを外して、この肉体で獲得する不可説の悟りであるのに対して、キリスト教の世界観では、神のもとで魂の永遠の憩いのために肉体は捨て去られる。「禅は無である」ということが、ハビアンの禅宗批判の核心である。彼は「禅宗のこと」を、次のような言葉で締めくくる、「仏法ハ、何モカ様ニ無ニ帰シタル事ハ、勿体ナキ事ニアラスヤ」(67裏)と。

おわりに

『妙貞問答』上巻の内容は、日本仏教の各宗をまとめて、キリスト教の規範的な教理から各宗を批判するものである。これを読めば、ハビアンが仏教各宗の知識を持っていることは一目瞭然であるが、ことに禅宗に詳しいことが分かる。このことはハビアンが禅僧だったことを考えれば当然であり、彼は禅の文献や理論についての豊富な知識を積極的に利用しながら、かつての自宗を批判している。仏教各宗に対する原理的な批判は、仏教は創造神と死後の魂に対する信仰を欠いていること、さらには仏教は空と無を基盤とすることである。これらの批判は、特に禅の教えと結びついて論じられ、上巻の「禅宗のこと」において整理されて解説されている。

かつて禅僧であったハビアンが、特に禅宗について詳しかったことは、その禅文献の理解力とその利用の仕方から分かる。さらに大徳寺密参に見られる公案問答の詳しい知識が、禅僧としての経歴を物語る。妙秀と幽貞の対話で、禅の底流にある教え、さらには仏教全体の教えは、繰り返し「空」と「無」に単純化して還元されていき、空と無の教義が持っている複雑さや多義性は捨象される。これらの仏教教義がいかに複雑多様であっても、キリスト教の救済論の大前提である全能の神と不滅の魂を考えている訳ではないので、仏教は救済への希望につながらない。ハビアンは「全ての仏教は空と無を基盤としており、死後の救いがない」という結論を前提とすることから議論を始め、禅僧として知っていた禅文献と教理を利用して、この結論を導いたのである。

(日本語訳:西村　玲)

註

＊1 Breen, John and Williams, Mark, *"Introduction," Japan and Christianity: Impacts and Responses*, Macmillan, 1996, p.1.

＊2 中国では日本ほど宗派の区別が厳しくないので、「禅宗」というよりは「禅を行う僧侶」と言うべきだろう。

＊3 岡本さえ『イエズス会と中国知識人』（山川出版社、二〇〇八年、六二～六三頁）。

＊4 しかしザビエルは、動物と人間の霊魂を等しく虚しいものとする『聖書』の思想を見逃している。『聖書』の「コヘレトの言葉」3.19-21には「人間に臨むことは動物にも臨み、これも死に、あれも死ぬ。同じ霊をもっているにすぎず、人間は動物に何らまさるところはない。すべては空しく、すべてはひとつのところに行く。人間の霊は上に昇り、動物の霊は地の下に降ると誰が言えよう」とある。ザビエルが禅宗だけをそのようにみなしたことについては、末木文美士『近世の仏教——華ひらく思想と文化——』（吉川弘文館、二〇一〇年、六二頁）参照。

＊5 青盛透「鈴木正三における近世仏教思想の形成過程」（『仏教史学研究』一八、一九七六年、一三頁）。

＊6 『破吉利支丹』は、『聖書』に説かれる奇跡や超自然的な考え方を批判している。詳細は、藤吉慈海「鈴木正三の思想」（『禅文化研究所紀要』一〇、一九七八年、一三八～一三九頁）。

＊7 Paramore, Kiri, *Ideology and Christianity in Japan*, Routledge, 2009, p.64.

＊8 Elison, George, *Deus Destroyed*, Harvard University Press, 1973, p.62.

＊9 禅の伝統では、「正法眼蔵」は釈迦牟尼の悟りのことであり、さらには悟りの真実のことである（中村元『仏教語大辞典』東京書籍、初版一九八一年、一九九九年、七〇四頁）。

＊10 以下の本稿における『妙貞問答』（一六〇五年）の引用はすべて、本書からの引用である。

＊11 これらの批判に対する中国仏教からの応答は、興味深い。西村玲「虚空と天主」（『宗教研究』三六六、二〇一〇年、三七～四一頁）を参照。彼女は、費隠の著作を検討することで、費隠が仏教の究極的教えは空や虚空ではなく、キリスト教の神も含めた事象を包含する宇宙的な「大道」であると主張したことを論証している。

＊12 Cohen, Paul A. *China and Christianity : The Missionary Movement and the Growth of Chinese Antiforeignism, 1860–1870*, Harvard University press, 1963, p.29.

＊13 ハビアンは、アニマラショナルを人間と動物を区別するものであり、人間の抽象的な思考を可能にするものとしており、死後にも続くものとして考えている。ハビアンのアニマラショナルの理解とアニマの使用は、Paramore, Kiri, *Ideology and Christianity in Japan*, Routledge, 2009, pp.15–18.

＊14 Paramore, Kiri, "*Early Japanese Christian Thought Reexamined: Confucian Ethics, Catholic Authority, and the Issue of Faith in the Scholastic Theories of Habian, Gomez, and Ricci*," Japanese Journal of Religious Studies 35: p.17.

＊15 『伝心法要』の正式名称は、『黄檗山断際禅師伝心法要』である。唐代の黄檗希運の語録であり、黄檗の弟子であった裴休（七九七～八六〇）によって記録された（『仏書解説大辞典』一巻、三八五頁中段）。ただし、ここでの文章は『景徳伝灯録』のものである。

＊16 『景徳伝灯録』（大正蔵五一巻、二七二頁下）。『黄檗山断際禅師伝心法要』（大正蔵四八巻、三八二頁上）。

＊17 『黄檗山断際禅師伝心法要』（大正蔵四八巻、三八一頁上）。

＊18 禅儀礼についての研究で、ライトは儀礼や坐禅などの肉体的な具体性が、禅を有意義なものとすることを注意している。Wright, Dale S. "Introduction: Rethinking Ritual Practice in Zen Buddhism," in *Zen Ritual: Studies of Zen Buddhist Theory in Practice*, Steven Heine and Dale S. Wright, eds. Oxford University Press, p.13.

＊19 ボディフォードは、玉村竹二を引用して「十五世紀まで臨済と曹洞は完全に一体化しており、ただ曹洞の二法系間で対抗意識があった。つまり禅僧は臨済僧であると同時に、曹洞二派のどちらか一派に属していた」とする。ボディフォードは、さらに付け加えて「すべての法脈は独自の秘伝を伝えていたけれども、実際には一体化していたというまとめは正しい」とする（Bodiford, William M. *Sōtō Zen in Medieval Japan*, University of Hawai'i Press, 1993, p.150）。「公案」は文字通りには「公的な事例」という意味であるが、史料から公案を見ると「秘密の教え」であって、各派が死守していた秘伝であるのは興味深い。

＊20 釈徹宗『不干斎ハビアン――神も仏も棄てた宗教者――』（新潮社、二〇〇九年、一二二頁）。

＊21 五位君臣については、禅学大辞典第一巻、三〇一頁を参照。英語文献では、ウィリアム・F・パウエルの *The Record of Tung-shan*, University of Hawai'i Press, 1986 を参照されたい。

＊22 法演禅師（?～一一〇四）は臨済宗楊岐派であり、白雲道端の法弟であった。

＊23　この文章は『五祖法演禅師語録』（一〇九五年）にある。詳細は、『仏書解説大辞典』第三巻、二六五頁。

＊24　「位」とは「位置」「集団」「階級」「段階」などの多義的な言葉であるが、君と臣の譬喩で「位」を用いる場合には、教義的な意味としては「関係」がもっとも適切だろう。

＊25　「本来無一物」の一文は禅でよく知られた言葉であり、もともとは慧能の悟りの偈である。ハビアンは、禅が虚無的な思想であることを言うために、この慧能の言葉を曲解して入れている。

＊26　Powell, William F. *The Record of Tung-shan*. University of Hawai'i Press, 1986, pp.11–12.

付記　本研究はJSPS科研費若手研究（B）22720023の助成を受けたものです。また、本稿は、"The Matter of the Zen School': Fukansai Habian's *Myōtei mondō* and His Christian Polemic on Buddhism"（*Japanese Journal of Religious Studies*, 39/2, 2012）をもとに日本語に翻訳し、編集したものです。

「あら、うそやうそや」——『妙貞問答』「神道之事」について——

ジョン・ブリーン

はじめに

丸山眞男は、その論文「日本思想史における問答体の系譜」（一九七七年）において『妙貞問答』を取り上げ、それを「純粋に日本人が作った一種のカテキズムとしての最大傑作」とまで評価した。丸山は、さらに本稿の課題である「神道之事」にも直接触れ、「記紀神話のイデオロギー暴露としては、戦前には空前絶後といえるほど徹底したもの」と絶賛する。[*1] 戦前の創世神話批判としてはずばぬけていい、と丸山は言う。丸山眞男だけが「神道之事」にこのような評価を下したのではない。戦後のキリシタン研究分野で大御所的な海老沢有道も「神代紀を直接対象とした点において現在知り得る最初のもの」とし、「神道之事」の独創性を訴えた上、さらにその痛烈な神話批判を久米邦武、津田左右吉のそれと同列において、「宗教思想的に、また合理主義的批判として出色のもの」と結論づける。[*2]

これらの「神道之事」に対する評価はどちらも刺激的で示唆に富むが、「神道之事」を充分に検討した上でのものでは必ずしもないし、または説得力のある評価に欠かせない文脈づけも、充分なされたとは言えない。そこで、ここではより客観性のある位置づけを目指す方法としては、『妙貞問答』主役の妙秀と幽貞が「神道之事」において展開する問答をまず分析し、ハビアンの議論の特徴を指摘する。次にそれ以前の、キリシタン側による「神道」論も押さえ、「神道之事」がはたして当時いかなる意味において新たな見解を提供したのかを検討する。そして最後に近世史における神道批判に目を転じ、「神道之事」をその文脈において再度位置づけることにする。[*3]

一　「神道之事」——論法

「神道之事」は、吉田神道に関する記述で始まり、そして終わる。この事実から判断して、「還本宗源」「唯一神道」等を名乗る吉田家の神道をハビアンによる批判の主な対象と考えるべきだろう。ハビアンは吉田家の神道論、とりわけその芽生えつつある創造主論に批判を浴びせるだけでなく、吉田家のいわゆる「実践」、すなわちその秘密主義や神職の詐欺的行為をやり玉にあげる。以下、ハビアンの吉田神道批判を少し具体的に紹介したのち、その彼方にある神話そのものの批判を取り上げ、その特徴を指摘する。

ハビアンはまず吉田神学が主張する、創造主としての国常立尊を話題にする。

> 此国は天竺、震旦にも勝れ、三国一の我朝と申。其謂れは、日域は小国とは申せとも（中略）国常立尊を初まいらせ、伊弉諾尊、伊弉冉尊、天地を開き玉へるの其始は、此国よりなれはなり。（中略）所詮、此国は三国の始、国常立尊より開き玉ふと心得さふらふ。[*4]（教三七〇頁）

妙秀のこの発言に対して幽貞は、「ひがこと」と突っぱね、『日本書紀』の国常立尊が出る幕を直接引用して、

「天地を開きたる国常立尊にはあらて、開けたる天地の間より生したる国常立尊なれは、此開き手なくはあるべからず」と言う（教三七一頁）。つまり、『日本書紀』は、国常立尊を創造主とみる裏づけを一切提示しないどころか、「開き手」は必ずある、そして、それはキリスト教の創造主に他ならない、と言う。妙秀は、そこで負けまいと、吉田家の「神代文字」説を担ぎ出す。仏教渡来以前から、一万五千三百九十五もの文字が存在する、そして吉田家がそれらをずっと保管してきた、神代文字があるからこそ神代を疑うべくもない、と切り返す。幽貞はそれに対して、「あら、うそや〳〵（中略）真に此字あるならは、人にこそは教へてよませさらめ（中略）いにしへもなく今も伝へねはこそ、神代の字とて見たる人もなし」（教三七五～三七六頁）と一蹴する。全体として吉田神道が極めて怪しい宗教団体だ、とハビアンは妙秀と幽貞との問答を通して読者にアピールする。なかでも吉田家神職の振る舞いに言及した箇所がそれを仄めかす。たとえば吉田家の神職が庶民を騙して神をつくる、と幽貞が訴える。「名ある人」をも勝手に神に祭る吉田家は、その神々をすべて自分より低い位置づけにする、と詰る（教三八一頁）。現に吉田家が豊臣秀吉という「名ある人」を豊国大明神と祭り、その死後のカルトを委託されていただけに、幽貞のこの発言に思わぬ政治性が読者に響く。

「神道之事」に見える吉田神道批判は以上のように要約できるが、次に丸山などが絶賛した創世神話批判を検討したい。ハビアンは、『日本書紀』の他に『古事記』『旧事記』の存在を知っていたが、「神代の事を其のまゝ、集めて、私なく編たる」（教三六九頁）のは、『日本書紀』だけだ、と考える。さて、『日本書紀』に登場する国常立尊以下の「天神七代」と天照太神以下の「地神五代」について幽貞と妙秀とがどんな問答を展開し、ハビアンがどういう理解を示したのかを考えてみよう。

ハビアンは、天神七代の語りが陰と陽の原理によって支えられている、と理解する。幽貞をして国常立尊を指して「一物（ひとつのもの）」と言わせるが、「一とは陽数」で、「物は陰」なので、国常立尊は他でもない「陰陽なり」、と結論づける（教三七一～三七二頁）。国生み、神生みを司る伊弉諾・伊弉冉（天神の七代目）も、陽神・陰神である。天地は、陰陽の働きによって創造されていくが、ハビアンは天神七代が天地創造過程の諸段階を喩えていうものだろう、と推測する。神々の名前は、そのことを示唆するという。たとえば国常立尊の後に現れる国狭槌（くにさつち）尊を例にすると、「国」がまだ「狭」い未開拓の段階を指す。豊斟渟尊（とよぐもぬのみこと）となれば、水が溜まり一切の物が豊かになる段階である[*5]。幽貞は、天神七代をこう解釈するのが妥当だと考えるが、自分としては陰陽論自体が「皆浅き事にてたふとからぬ理り」に他ならぬ、と決めつける（教三七三頁）。とすれば、天神七代の語りに全く意味を見出さないことになるのか。そうでもない。幽貞は、「父母交懐するは」国常立尊で、国狭槌尊は「父の婬水の凝りて母の胎内に宿る」意味を有し、そして伊弉諾と伊弉冉となれば、子供が親に成長し、子を生む、との解釈をする。幽貞はこのようにいわば「身体論」的解釈を試みるが、結論的には、「我等か一身、其まゝ天神七代也と心得るか神道の本意にてさふらふ」というふうに嘲笑するのである（教三七三頁）[*6]。

丸山眞男などの評価を「はじめに」で紹介したが、この天神七代批判よりも丸山により深い印象を与えたのは、むしろハビアンによる天照太神の記述、そしてその前提となる「日本人起源論」だろうと思われる。特筆すべきものは確かにある。幽貞は、たとえば伊弉諾・伊弉冉が天から降りて、「人間の元祖」とも、万物の「父母」とも（教三七七頁）する説を、「証拠」も「道理」もないものとまずはねつける。そこで合理主義的な説明を導入して妙秀の説得に乗り出す。日本のような島国は、必ず大陸からの移民に起源を有する。インドに近いセイロン、アフリカに近いマダガスカルがそうであったように、中国に近い日本も、大陸からの移民をもって出発した。移民は、数世代を経て自らの起源を忘れたころに創世神話を創出し、「其初の事をは神代と名付、久敷くさへ言へはたふとき事そと心得」る、と指摘する（教三七五頁）。そして日本の場合は、周太王の王子太伯が渡ってきたのが日本人の起源で、太伯こそ日本人の元祖だという。太伯の姓が姫（き）で、昔、日本を「姫氏国（きじこく）」と呼んでいたことが何よりの証拠だとする（教三七六～三七七頁）。

ハビアンのこのような合理主義の延長線上で注目すべきは、まさに彼の天照太神論である。まず、『日本書紀』が天照太神を太陽と同一視する立場に対しては、太陽が「非情無心の体にて」生物（いきもの）ではない、と言う。証拠は、日食も冬至も夏至も正確に測ることができることにある（教三七九頁）。幽貞は、この立場から天照太神への本格的な攻撃を加える。地球よりも遥かに大きい太陽＝天照太神を天の柱（みはしら）をもって天に送られた話は、「きやうこつ（軽忽）なる巧み」（教三七八頁）とし、また太陽＝天照太神が天岩戸に立てこもって「天地の間常闇」となった語りも、「是又、笑ふに絶ゑざる」と揶揄する（教三七九頁）。天照太神が太陽だというなら、その子も当然太陽でなければならない。しかし、誰にでもわかるように太陽は一つしかない、と（教三八〇頁）。太陽が「非情無心」の天体であって、天照太神という「生物」ではない議論の行き着くところは、まず「天照太神といふべき物なし」との立場である。そして、天照太神が存在しないなら「伊勢太（大）明神と云ふも、なんでもなき事」と言う。当然の帰結ともいうべきか、「天照太神かなき物なれは、伊勢太（大）神宮もあるへきやうなし」、という大胆な発言までする（教三八〇頁）。ハビアンなどキリシタンの宣教師は、「神道之事」刊行前後において、徳川政権が一六〇三年（慶長八）に山田奉行を置くなどして伊勢神宮と新たな関係を形成しつつあり、伊勢神宮の第四十二回の式年遷宮も準備していたことを知っていたに違いない。[*7] ハビアンのこの伊勢神宮批判には、「神道之事」の微妙な「政治性」がまたも頭をもたげる。

二　「神道之事」前史

次に海老沢などが主張した「神道之事」の独創性を考察するが、そのため「神道之事」以前のキリシタンによる「神道」論に目を向けてみる。「神道之事」は要するにそれまでのキリシタンによる神道理解をただまとめただけのものなのか、それともその理解を全く新しい段階へと導いたものなのかを検討したい。ここにはしかし史料的問題が存在する。それは、フロイス（Luis Frois）はその著『日本史』（*Historia de Iapam.* 一五九四年完成か?）には、「日本の諸宗がカミと仏の宗派に分かれていること及びその起源について」と「神道から採録したその他の物語類について」という名の章を設けている。どちらの章も本稿で展開する議論と深い関係があるだろうが、どちらも残念ながら現存していない。つまり、宣教師が一五九〇年代においてどれだけの知識を得ていたのか計り知ることはほぼ不可能である。したがって以下の議論はあくまで仮説にすぎないことを断っておく。

現存する史料から判断して、「神道之事」が刊行された一六〇五年の前夜までは、宣教師が「神道」の認識をほとんど有していなかったと思っても差し支えない。一六〇三年に『日葡辞書』（*Vocabulario da lingoa de Iapam*）が上梓された。[*8] そこに「Xinto 神道」の項目は確かにあるが、「神の道、神と神に関する事」という、ごく短い説明で終わる。たとえばハビアンが一六〇五年の『妙貞問答』において詳しく述べる「唯一」「両部」神道などへの言及は見当たらない。また同書の「Cami 神」では、「日本の異教徒が崇拝する神」とあるが、特定の、たとえば国常立尊、天照太神などの神への言及もない。どちらの神も『日葡辞書』のどこにも登場しない。関連する項目として「Camimatcuri 神祭」「Camiyo 神代」など同辞書にはあるが、前者を見れば「神に対して行う或儀式で、迷信的行事」、後者は「日本の神の時代、あるいは世」とある。これら個別の項目が「神道」とリンクされ、神道として概念化されているわけでないことに我らは注目すべきである。神はたとえば「神道で崇拝する神」のような説明はなされていない。宣教師は、報告、書簡、書籍で、神、神社、神話、祭祀などに多少触れるが、それらを、一宗教たる「神道」として扱う自覚を持つに至らない。[*9] そうした意味でハビアンが『妙貞問答』で「神道之事」という項目を掲げ、「神道」を概念化していること自体が、重大な意味を持つと思われる。

宣教師が『妙貞問答』以前にも、吉田家および吉田神道の存在を知っていたことは確かである。話は、一五六三年（永禄六）に遡る。フロイスが『日本史』で語ることだが、戦国大名松永久秀の重臣、結城忠正および外記殿（**Guequidono**）なる人物は、奈良でイエズス会のヴィレラ（**Gaspar Vilela**）およびロレンソと宗教をめぐって議論をしたが、論破された。この外記殿は、吉田神道の創立者吉田兼倶の曾孫、清原枝賢に他ならない。[*10] なお、外記殿は論破された後、キリシタンになった、とある。[*11] 吉田神道に造詣が深い枝賢は、ほどなく棄教したらしいが、この奈良対談をきっかけにキリシタンと吉田家との接点ができ、宣教師と枝賢が何らかの交流も持った。[*12] 小山悳子が力説するように、吉田神道では創造主的な性格を帯びつつあった国常立尊を「天道」と言っていたが、宣教師がその影響の下で、デウスをも「天道」と呼ぶようになった。[*13]

この奈良対談を前後に宣教師の（吉田）神道に対する知識が深まったとしても、おかしくない。しかし、その形跡はあまり際立たない。ガーゴ（**Balthasar Gago**）が対談以前の一五五七年に認めた『日本の誤謬及び日本の諸宗派の誤謬摘要』（*Sumario de los errors de Japao, de varias seitas.* 以下、『日本の誤謬』と略す）からみてみよう。『日本の誤謬』によれば、日本人は、神々を過去に実在していた偉大な人間だと信じている、とある。神として崇拝するのは、日本の土地、町、村などをつくった英雄だ、と。日本人はしかし天地創造に関する知識をほとんど持っていない。二説だけは存在する、と。一説は、大きな泥の固まりが最初にあったのを一人の神（＝人間）が匙でかき混ぜて、固めたところから淡路島ができた、とする説。今一つは、大きな卵が最初にあって、白身が上昇して天となり、黄身が下に沈んで大地ができた、とする説である。[*14] さらに、たとえばもっとも卓越している神は太陽で、太陽は日本の最初の王だが、その王が年を取り、天に昇って太陽となった、という話をガーゴは紹介する。[*15] ガーゴの情報はまだ断片的で、『日本書紀』の存在を知っていたかどうかは定かではない。

奈良対談の直後にあたる同じ一五六三年春には、ヴィレラが同僚に宛てて書簡を出している。そこで伊弉諾と伊弉冉を指すと思われる「ヤナングイ」と「ヤナミム」が初めて登場し、淡路島ができた物語もこれまで以上に詳しく語られている。そして、このヤナングイとヤナミムは「日本の最初の創始者であり、すべての日本人がこの夫婦に由来すると、日本人は見なしている」とある。万物がすべて自然の力によって生まれたとする説（即ち、創造主でない、陰陽〈？〉説）も紹介されている。[*16] 宣教師の情報がこれで確かに増えたとみることは可能だが、ヴィレラがどこまで吉田神道または『日本書紀』の神話を知っていたか判然としない。たとえば、吉田神道の主役となる国常立尊への言及は全く見当たらない。国常立尊が初めて宣教師の著作に登場するのは、一五八〇年に完成され、一五八六年にリスボンで刊行されたヴァリニャーノ（Alessandro Valignano）著『日本のカテキズモ』（*Catechismus Japonensis*）だと思われる。「事物の根源者」に関する議論がその文脈だが、ヴァリニャーノは、そこで日本人が「事物の根源者」を仏とも、大日覚王とも、阿弥陀とも、一法句とも言う、と整理したあと、「また少しく唱え方を変えれば（このようなものはかれらから「カミ」Cami と名付けられている人達で）「クニトコタチノミコト」Qunitoco Tachinomicoto とも言い（後略）」とある。[*17] 極めて短い簡単な言及で終わるが、ヴァリニャーノは、国常立尊を仏教的存在と同じように解釈しているようだ。『日本のカテキズモ』は、全体として「神仏習合」の思想を把握してはいるが、一宗教としての（吉田）神道を認識していない。以後「神道之事」が完成されるまでの五十年間、国常立尊は現存するキリシタン側の記録に二度と出てこない。

宣教師たちによる天照太神の認識はどうであろう。早くもザビエル（Francisco de Xavier）、トーレス（Cosme de Torres）などの書簡にも、上述の『日本の誤謬』にも「国民のなかには太陽を拝むものが甚だ多い」などの記述は散見できるが、天照太神という神への着目は、フロイスの一五八五年の『イエズス会日本年報』（Carta annua de Japão. 以下、『年報』と略す）を待たなければならない。「無数の神々の中で最上にして最も崇敬せられている神々が三種ある」と。「その第一は Tenxodaigin」で、「この神は太陽に化したと言われている」という。なお、「三種」とは、吉田家が全国に徐々に広めていく三社託宣の、天照太神、春日大明神、八幡大菩薩を指す。Tenxodaigin がこの年の『年報』になって初めて注目される理由は定かでないが、伊勢神宮の式年遷宮と関係があろう。豊臣秀吉がスポンサーとなって百二十三年ぶりに内宮の式年遷宮を行ったからだと思われる。[*18] フロイスは伊勢神宮に「日本全国から絶え間なく集まってくる人々の多いことは、信じられないほど」というふうに、遷宮に伴う夥しい数の参詣者にも注目していた。[*19] しかし、この天照太神も、以後『妙貞問答』の刊行までキリシタン側の現存する記録に二度と出てこないらしい。[*20]

以上、極めて簡単に述べてきたが、一六〇五年に完成された『妙貞問答』中巻の「神道之事」は、宣教師が全く新しい次元の学知を獲得したことを意味すると思われる。それは、まず神話、神々、神社、祭り等に関するこれまでの知識が大幅に広がり、深まった事実にみえる。それればかりか、それらの個々の現象を「神道」とはっきりと概念化し、この「神道」を独立した一宗教として認識する、ということにも裏打ちされる。[*21] ハビアンは『日本書紀』、吉田兼倶の『唯一神道名法要集』などを手に入れ、それを読み込んだ形跡が「神道之事」の至るところにある。この時期になってハビアンがいきなり神道を自覚する契機となったものは不明だが、吉田家が設立したばかりの徳川幕府に接近していたのはちょうどこの時期になる。これまでは、吉田兼見と弟の神龍院梵舜が豊臣秀吉を豊国廟で「豊国大明神」として祭る責任を委託されていた。兼見と梵舜は、さらに一六〇四年に秀吉の七回忌に盛大な祭礼を担当していた。[*22]この前後には吉田家の政治権力との新たな関係性が、宣教師の視野に入ったとしても不思議ではない。「神道之事」をこうした背景に位置づけてみたら、またもその思わぬ政治性に気づかざるをえない。

三　「神道之事」と近世思想史

「神道之事」は、海老沢が言うように「神道」批判としては「最初のもの」だったかもしれないが、決して最後ではなかった。合理主義が支配的な江戸時代には、「神道」批判が重要な思想史的な流れをなしていた。その批判は二つの異なる支流に大別できる。一つは、吉田家に対する批判である。この類いのものは、吉田家と『日本書紀』等との間に楔を打ち込み、神話を吉田家から逆に「救う」ことを狙う。今一つは、神話そのものを攻撃する。この場合は吉田家等の批判が副次的なものとなる。前者は紙幅の制約があって本稿で取り上げないが、後者について述べたい。ここでは新井白石（一六五七〜一七二五）、安藤昌益（一七〇三〜一七六二）、山片蟠桃（一七四八〜一八二一）をその支流の代表とみなし、その吉田神道批判に簡単に触れながらも、(1)天地創造に携わった天神七代、(2)天照太神以下の地神五代に関する記述を拾い、比較検討の材料とする。

1　新井白石について

白石は、一七一〇年に上洛するや吉田家に入門したため、その神学、実践について何らかの知識があったはずだが[*23]、間もなく離脱し、吉田等「俗世の神道」の「詭弁」「異端」への攻撃に乗り出した。白石は、ハビアンと違っていわゆる「神道三部書」つまり『日本書紀』『古事記』『旧事記』をみな視野に入れ、そこから典型的な非神話化論を展開する。

神とは人也。我国の俗凡其の尊ぶ所の人を称して加美という。古今の語相同じ。これ尊尚の義と聞こえたり。今、神を仮用うるに至りて神としるし、上としるす等の別は、出来れり。[*24]

白石は、こうした神を人とみる立場から創世神話の天神七代に迫る。天御中主尊、国常立尊などを大昔の君主と考え、前者を「大一統の君」と位置づける。[*25] 白石は、天御中主尊と国常立尊をそれぞれ別の系統と考え、地神天忍(あめのお)穂耳命(しほみみ)の代に両統が帰一した、という。[*26] 他方で彼は神名を重視し、神名に基づいた独自の空間論を試みる。たとえば、天御中主尊の「ナカ」が常陸国那珂(なか)郡を指す、国常立尊の場合、現在の常陸(ひたち)国の日立(ひたち)地方を指す、と理解する。天神が住まう高天原となれば、高を多珂(たか)、天を阿麻(あま)(=海)とし、原は播羅(はら)(=ほとり)なので、高天原は常陸国海辺の高天浦という地域になる、という。[*27]

白石は、天皇の祖先を天照太神でなく天御中主尊(という歴史的人物)に見出すためか、天照太神にさほどの関心を示さない。[*28] しかし、「畢竟皇統をたて候はんとて(中略)、神代神代とまぎらかし候」というように、過去の人間が皇室を権威づける戦略として神代を語ったのだという。しかし、神話を作って、その神話をもって皇統が連綿と続いてきた理由とすることは、決して望ましい戦略ではなく、庶民をむしろ「愚か」にする、との立場を新井白石が取る。[*29] 新井白石は神道者を批判し、戦略としての神話を嘲笑することは明らかである。

2 安藤昌益について

江戸中期に活躍した医師で思想家の安藤昌益は、吉田神道を「愚惑の至り」と片付けるが、加える攻撃の主な対象は、むしろ聖徳太子である。昌益は太子が『旧事記』を執筆し、そしてその影響下で『古事記』も『日本書紀』も書かれた、と考える。[*30] いずれも「浅計為(あさはかな)る戯事」を内容とする「妄逆の書文」であると言う。[*31] 昌益は、「神世は人世なり」と言いながら、白石と違って神を人とみなさない。[*32] 国常立尊などは、人間の社会が人間の行為者をもって形成されていく諸段階だとの理解を示す。国常立尊は、国を定める段階、国狭槌尊は国と国の間に境を挟む段階、豊斟渟尊は河川、堤を定める段階などとする。その過程の行き着いたところは、貴賤の差別なく争いごとのない、人間が耕して食う、自然のままの、平等で理想的な世界の実現だと言う。[*33] 昌益は、太子が神話を創出した理由は、天地が「無始無終」だと認識できなかったためだとする。[*34] しかし、この昌益は（『旧事記』等の神では決してない）神を信じ、また言うところの「真の神道」の存在を認める。神は「無始無終無死無生にして」、万物、そして人間の胸にも宿る「心」や「気」だ、とする。[*35] 「真の神道」は、その神のダイナミックな働きを指す。[*36]

昌益は自分なりの、五行論に基づく「気」論を応用して地神五代にも光を当てる。「転照太神(あまてらす)は大進気火神、転の主、人・物（の）父神、壮男神」と位置づけ、天照の次に生まれる素戔嗚(すさのお)は小退の金神が実り固める女神だとする。[*37] 兄の天照太神が正直心で、妹の素戔嗚は欲心。正直心と欲心は同じ進んだり退いたりする一気なので、争ったりすることはない、と主張する。[*38] 昌益は、天照太神やその子孫をめぐる語りに『易』書の強い影響を発見し、地神の語り全体を「妄愚の失(あやま)りなり」と一蹴する。[*39] 天皇家に直接触れない昌益だが、天照太神が天孫降臨の際、瓊々杵尊に授けたとされ、天皇家の正統性の象徴ともなった三種の神器には注目する。安藤昌益は、鏡・勾玉・剣に独自の五行論を当てはめ、三種の神器が「後世を惑わし、人倫をしいる大失なり」と喝破する。

3　山片蟠桃について

江戸後期に活躍した町人育ちの蟠桃は、全体として「神代の巻みなうそにて言伝えたることを引き上げて書たるのみ」と論断する。白石同様に聖徳太子に責任をなすりつけ[*40]、また吉田家を「天下の賊臣」と貶す。他方、「神代の書をとくに上代はかくありし」とする本居宣長を射程に入れ、その神話解釈を「山賊の説」と粉砕する[*41]（ちなみに、新井白石の「常陸の地名をもって付会」する神代論も、「ますます甚だし」と攻撃する）[*42]。蟠桃は、白石、昌益と違って天神七代よりもむしろ天照太神などの地神に関心を示す。そしてその語りの中で蟠桃がもっとも気にかけるのは、天照太神の陰体論、つまり天照太神を女性とする「神学者の妄説愚陋」である[*43]。基本的に神イコール君主と考えている蟠桃は、「あに女体にして天下これを皇祖せんや。これあやしむべし」、つまり、歴代天皇の祖先にあたる天照太神を女性とするはずがない、との姿勢をとる[*44]。いわゆる陰体論は、やはり国史編纂に携わった蘇我馬子と聖徳太子の姦計だと見る。蟠桃の論旨が必ずしも明解でないが、「あの太子が天位をのぞみて、大切なる皇祖を陰にし、万代を欺」いた、と嘆く[*45]。天照太神を太伯と同一視する議論についても、蟠桃が「無稽のこと」と一蹴する[*46]。

無神論で有名な蟠桃は、あくまでも男性の君主としてではあるが天照太神を不思議なぐらい大切にする。伊勢神宮についての議論も注目されてよい。彼は、内宮ではなく外宮論から切り出し、外宮の祭神についてトヨウケ皇大神説と天御中主尊説と国常立尊説とがあって、「天下の宗廟にしてその神体の文明ならざる何ごとぞや」と慨嘆する。さらに、広く流布している『倭姫命世記（やまとひめのみことせいき）』等の神道五部書に関しては、「外宮の神主等神威を尊くし、内宮に擬せんがために」作ったものだと見抜く[*47]。外宮の鎮座にまつわるあらゆる伝説は「みなみな合点の行かざることなり」と言う[*48]。蟠桃はそこで外宮から「伊勢の宮居」、つまり内宮に目を転じる。

伊勢の宮居は、倹を示す、土器（かわらげ）、磁気（やきもの）を用い、三杵（きね）半の飯を用い、荒木造りの柱を用うるるいは、後世の教戒にあらず、皆その時の風俗なり。[*49]

蟠桃はこのようにまず内宮をいわば「真正」な場と見て、そのあり方が「倹」を示すが、「倹」のために建てられたのではないと主張する。この文章に先立って、「和学者が多く上古のことに義理、教訓を加えて論」じることを蟠桃が詰っていた。しかし、ここでは内宮の茅葺き、その土器、磁気などは現在「大礼」にも用いられることから、「これこそ倹を示さる有がたきことなるべけれ」と立場を改める。蟠桃はさらに、『夢の代　神代第三』の最後の下りで天の岩戸神話を紹介して、伊勢の内宮と天照太神にまたも触れる。解釈が極めて難しいので詳細は別項に譲りたいが、天照太神が日輪なのか、その神話はただ名君が現れた話と理解すべきかなどの問題を蟠桃が保留にして、「いずれにも伊勢の内宮（中略）盤古の時の功ある四神を祭るなり（中略）これを以て盤古の段の意をしるべきなり」、という謎めいた文章をもって筆を擱く。[*50]

さて、白石、昌益、蟠桃の上述の「神道」批判、神話批判の特徴を、「神道之事」との対比を考慮して要約してみよう。まず、三者とも吉田神道の神学を批判するが、ハビアンのようにその神学や実践を突っ込んで議論しない。三者とも『日本書紀』だけでなく、『古事記』『旧事記』その他の文献も視野に入れている。『日本書紀』のみを検討したハビアンより徹底的な神話批判の材料が整っている。しかし、同時に三者とも神話に一種の「真正性」を認める、という重大な事実を我々は見逃してはいけない。たとえば新井白石は、神話に古代君主の姿、そして君主の支配空間まで見出す。安藤昌益は、神話の語りに先史社会が形成されていく力学を見つけ、神秘的な「気」の働きもそこに埋もれていることを認識する。そして山片蟠桃となれば、天照太神にも、伊勢神宮にも何らかの意義を見出したことが明らかだろう。そこでもう一度「神道之事」に目を向けてみると、著者のハビアンが一切の真正性を神話に認めない事実が鮮明にみえてくるだろう。『日本書紀』の本文をもって吉田神学に攻撃を加えたことは事実だが、すぐさま『日本書紀』の語りそのものにも、それを支える五行論にも嘲笑を浴びせる。キリシタンの観点から接近するハビアンは、創世神話に神秘性も歴史性も認めない。そして神話の欠かせない権威づけとする伊勢神宮も、全く無意味な存在とする。

結びにかえて

これまでの議論をまずまとめてみよう。ハビアンは「神道之事」において吉田家の神学およびその実践に、さらに『日本書紀』の語る天神、地神に、そして（地神の筆頭大神天照との関係で）伊勢神宮にも攻撃をくわえた。この「神道之事」を歴史的に文脈づけて見た場合、それは、宣教師がこれまで持っていた「神道」の知識を新しい次元へと引っ張ったことを意味するだろう。そして後世の「神道」批判と対比してみた場合、「神道之事」の思想史的特徴が一層明確となる。ハビアンは、白石、昌益、蟠桃と違い、創世神話に真正性を見出す努力を一切しない。ハビアンの容赦のない吉田神道批判、その伊勢神宮批判も重大な特徴として浮上してくる。現存する『妙貞問答』は、吉田文庫と神宮文庫、つまりハビアンが最も痛烈に批判した吉田家と伊勢神宮に保管してあったことはこうした意味で面白い。吉田家でも伊勢神宮でもこの「神道之事」の議論を把握する必要性、と同時にその流布をとどめる必要性が感じられたとしても、おかしくないだろう。[*51] なお、上には「神道之事」の「政治性」に言及したが、これもまた白石、昌益、蟠桃の「神道」論にみえない性質である。ハビアンは確立してまもない徳川政権が吉田神道と新たな関係性を持ちつつあることをみて、吉田神道がキリスト教にとって新たな脅威となると考えていただろう。ここには、ハビアンが「神道之事」だけでなく『妙貞問答』全体を執筆する動機とも絡む重大な問題があるが、これについては別稿で考察したい。

最後に、ハビアンと「神道之事」を評価するにあたって、「神道之事」が一切の思想史的波紋を起こさなかったことに我々は充分留意すべきである。[*52] それればかりかハビアン自身が一六〇七年に棄教し、逸早く「神道之事」で展開した議論を見捨ててしまった事実がある。ハビアンは実は一六二〇年に『破提宇子』を上梓したが、そこでこれまでの神話・神道論と正反対の議論を展開する。「天神七代の始めは国常立尊（他の二神も）神在まして、天地開闢し玉う」とし、「吾朝の風俗皆神道に依らずと云事なし」と主張したことが何よりの証拠だろう。[*53]「神道之事」はこのようにして歴史的な遺産がなかったことになる。とはいえ、「はじめに」で紹介した丸山・海老沢両氏の評価——その画期性、独創性——は、文脈づけの作業を終えた今、否定できない魅力が残るようにも思う。

註

＊1　丸山眞男「日本思想史における問答体の系譜」（『忠誠と反逆——転形期日本の精神史的位相——』筑摩書房、一九九二年、二九五〜二九六頁）。

＊2　海老沢有道「不干斎ハビアンの神代批判」（『日本歴史』四〇五号、一九八二年、四頁）。

＊3　「神道之事」に関する先行研究が存在しないわけではもちろんない。海老沢前掲論文「不干斎ハビアンの神代批判」の他に、門屋温「『妙貞問答』の神道批判」（『清泉女子大学キリスト教文化研究所年報』第七巻、一九九九年）がある。さらに、後にも触れるように、より広くキリシタンと「神道」との交渉史をテーマとする研究もある。

＊4　「三国」とは日本、天竺、震旦を指していう。以下「神道之事」の引用文は、海老沢有道・井手勝美・岸野久編『キリシタン教理書』教文館、一九九三年による。なお、同書でカタカナの箇所は、ひらがなに改めた。

＊5　幽貞の理解では、豊斟渟尊（とよくもぬのみこと）の「とよ」は足りる、「ぐも」または「くん」は手をもって水を汲む、「ぬ」は水が止まることを意味する。

＊6　ハビアンの身体論について村岡典嗣は「神道史上注意に値する」と言う（村岡典嗣「妙貞問答の吉利支丹文献として有する意義」〈前田勉篇『日本思想史研究・村岡典嗣論文選』平凡社、二〇〇四年、二六四頁〉）。小堀敬一郎もこの身体論に注意を払う（小堀圭一郎「天道攷（五）」〈『比較文学研究』三三号、一九九三年、二〇〜二二頁〉）。

＊7　神宮司庁篇『神宮史年表』戎光祥社、二〇〇五年、一二八頁参照。宣教師と伊勢の式年遷宮については後に触れる。

＊8　以下の引用文は、土井忠生・森田武・長南実編訳『日葡辞書・邦訳』岩波書店、一九八〇年を参照した。

＊9　宣教師の、数々の神々、神社などとの接触については、ゲオルク・シュールハンマ著、安田一郎訳『イエズス会宣教師が見た日本の神々』（青土社、二〇〇七年）がある。その他に、次の論文を参照されたい。三橋健「神道とキリシタン宗との考証——神道の神概念を通じて　上・中」（『神道宗教』一〇三〜一〇四号、一九八一年）。同「神道についてヨーロッパに最初に報告された宣教師の記録」（『国学院雑誌』七七—四、一九七六年）。広瀬一雄「キリシタンと神道との交渉」（『キリスト教史学』三二号、一九七七年）。

＊10　このことについて、小山悳子の刺激的な論文がある（「キリシタン宗門と吉田神道の接点」〈『キリシタン研究』二〇号、一九八〇年、二四四〜二四五頁〉）。

＊11　フロイス『日本史』第一部三七〜三八章。

＊12　さらに、枝賢の娘が二十年後の一五八七年に洗礼を受け、マリアを名乗り敬虔なキリシタンであったことを付け加えておこう。海老沢有道「清原枝賢について」（『地方キリシタンの発掘』柏書房、一九七六年、一〇五頁）。

＊13　そのような吉田神道の影響が、一五九二年前後まで続いたという。註10小山前掲論文、二三九頁。

＊14　註9三橋前掲論文「神道についてヨーロッパに最初に報告された宣教師の記録」、二一〜二二頁。

＊15　同前、二二頁。

＊16　註9シュールハンマ前掲書『イエズス会宣教師が見た日本の神々』、二四〜二五頁。

＊17　ヴァリニャーノ著、家入敏光訳『日本のカテキズモ』（天理図書館、一九五九年、七〜八頁）参照。

＊18　註7神宮司庁篇前掲書『神宮史年表』、一二六頁。

＊19　ちなみに、第四十二回の式年遷宮は、「神道之事」刊行直前の一六〇五年に予定していたが、実現は一六〇九年

となった（註7神宮司庁篇前掲書『神宮史年表』、二一九頁）。

＊20　フロイス『日本史』にも、これに類似した記述がある。フロイスの場合は天照太神ではない、他の神々に関する自覚は相当強い。

＊21　三橋健は、「わたくしは「神道」ということばを使ったが、初期キリシタン時代の宣教師の間では「神道」なる語をあまり使っていなかったよう」だと括弧付きで断っている。筆者は「神道」を三橋のように非歴史的に使うことが、宣教師は皆「神道」を意識していた、という誤った印象を与えかねない、と考えている。筆者はさらにこの非歴史的な使い方もまた「神道之事」の画期性を見逃す結果を生む恐れがある、との立場を取る。

＊22　伊藤聡『神道とは何か』（中公新書、二〇一二年、一六四頁）。

＊23　松本芳夫「白石の史学について」（『史学』第三一巻一～四号、一九五八年、三三四～三四五頁）参照。

＊24　『古史通巻二』（註23松本前掲論文、三一三～三一四頁）。

＊25　新井白石『古史通或門』（宮崎道生『新井白石の研究』吉川弘文館、一九七四年、四一四頁）。

＊26　これについて註25宮崎前掲書『新井白石の研究』、四〇九～四一四頁が詳しい。英文で白石と神代を取り上げた研究としては Kate Nakai, "The Age of the Gods" in medieval and early modern historiography, James C. Baxter and Joshua A. Fogel eds., *Writing Histories in Japan: Texts and Their Transformations from Ancient Times through the Meiji Era*, International Research Center for Japanese Studies, 2007, pp. 25-28 も参照されたい。

＊27　新井白石『古史通　巻の一』（国書刊行会篇『新井白石全集』第三巻、国書刊行会、一九七七年、二一九～二二〇頁・二二五頁）参照。

＊28　この点については、註25宮崎前掲書『新井白石の研究』、四一七～四二二頁を参照されたい。

＊29　新井白石・佐久間洞巌宛書簡、註23松本前掲論文「白石の史学について」、三一一～三一三頁。

＊30　安藤昌益『私法神書巻上』（安藤昌益研究会篇『安藤昌益全集5』農山漁村文化協会、一九八四年、二四五～二四六頁）。

＊31　安藤昌益「統道真伝糺仏失」（安藤昌益研究会篇『安藤昌益全集9』）、一六六～一六七頁。

＊32　註30安藤昌益研究会篇前掲書『私法神書巻上』、三三七頁。

＊33　同前、二六二～二六三頁。なお、この理想社会の形成過程については、寺尾五郎「私法神書巻上　解説」（註30安藤昌益研究会篇前掲書『安藤昌益全集5』、一三二～一三五頁）参照。
＊34　同前、二四七頁。
＊35　同前、二八五頁。
＊36　同前、二六〇～二六一頁。
＊37　同前、二九八頁。後に見るように、山片蟠桃も全く別の観点からではあるが、天照太神を男神とする。
＊38　同前、三〇二～三〇四頁。昌益独自の「気」論については、浜砂存儀「安藤昌益における『自然の神道』」（『神道宗教』一六五号、一九九六年、三九～四二頁）に詳しい。
＊39　註30安藤昌益研究会篇前掲書、三〇五～三〇八頁。
＊40　山片蟠桃『夢の代　神代第三』（永田紀久他編『日本思想大系43　富永仲基・山片蟠桃』岩波書店、一九七三年、二九八頁）。
＊41　同前、二九二頁。
＊42　同前、二八九頁。
＊43　同前、二七二頁。
＊44　同前、二八〇頁。
＊45　同前、二八二頁。
＊46　同前、二九四頁。
＊47　同前、二九五頁。
＊48　同前、二九六頁。
＊49　同前、二九九頁。山片蟠桃の神道・国学観については前田勉の面白い研究がある。前田は、蟠桃の「『日本』への強烈な帰属意識」を指摘するが、彼の伊勢神宮論を考慮しない（前田勉「山片蟠桃の『我日本』意識――神道・国学批判をめぐって――」〈同『江戸後期の思想空間』ぺりかん社、二〇〇九年所収〉）。
＊50　註40永田紀久他編前掲書、三〇一頁。

＊51　西田長男は、吉田家が『妙貞問答』を襲蔵する理由について語り、「他山の石」として参考にするためだけでなく、海の彼方より来日したキリスト教の教義を神道の内部に取り入れようとする試みがあったと推測する。西田長男「天理図書館所蔵吉田文庫本『妙貞問答』」（『国学院雑誌』七三―一〇、一九七二年、一四頁）。

＊52　「神道之事」の（問答体ではない）一破片を浦上の潜伏キリシタンが持っていたことは事実だが、いわゆる「浦上一番崩れ」事件の際、この文書が長崎奉行に押収されたらしい。註4海老沢他編前掲書『キリシタン教理書』、四二九～四三一頁参照。

＊53　ハビアン『破提宇子(はデウス)』（海老沢有道他篇『日本思想大系25　キリシタン書・排耶書』岩波書店、一九七〇年、四二六～四二七頁、四四一頁）。

付記　本稿を作成するにあたり、新井菜穂子、James Baskind, Kate Nakai, Wim Boot, Kiri Paramore に貴重なご教示をいただいた。厚くお礼を申し上げたいと思う。

文学史からみた『妙貞問答』

米田真理子

はじめに

ハビアンが著した『妙貞問答』は、妙秀と幽貞という二人の女性の対話を軸に構成されており、仏教教理との比較を通してキリスト教の優位性が説かれている。本書はキリシタン文学の一つに位置づけられるが、その文学的意義を、研究史を振り返りつつ考えてみたい。

『妙貞問答』は、大正六年（一九一七）に神道史学研究者の坂本広太郎によって発見されて以来、言語学者の新村出や宗教学者の姉崎正治らが研究を牽引してきた。[*1] かかる中、日本キリスト教研究者である海老沢有道は、「キリシタン文学」の特徴を「対話体及び口語体」に認めた上で、「諸「ドチリナ・キリシタン」が師弟の問答体であるのを初め、慶長十年（一六〇五）不干ハビアン著「妙貞問答」も妙秀と幽貞といふ二人の尼の問答体で教理が述べられてゐる」として、『妙貞問答』を、その文体的特徴から「キリシタン文学」の系譜に位置づけた。[*2] ハビアンは、文禄元年（一五九二）の『天草本平家物語』の編纂にも携わっており、『平家物語』を右馬之允と喜一検校の対話によって再構成する試みを行っている。海老沢は、『天草本平家物語』と『妙貞問答』の「問答体」について、「か丶る形式はカテキスムの影響と見られ、キリシタンのみならずキリスト教の著作に於いては好んで用ひられたものである」とし、さらに、そうした文体がキリスト教の文献に採用された理由を、次のように述べている。

一は「日本の言葉とイストリアを習ひ知らんと欲する」外人教師等が当代口語習得のためと、一は邦人神学生等にラテン語を習得させるための教科書であつたに違ひなく、ゼズス会学制に於ける対話術の規制、それの一助として採用されてゐた演劇と密接な関係があるものと思はれる。

キリスト教の著作に「口語の対話体」が採られたのは、布教活動と連動する営為であったことを示唆している。ただし、『妙貞問答』は、ハビアンのもう一つの問答体での著作『破提宇子』とともに和語で記されている。『天草本平家物語』もあわせ、ハビアンがキリシタン文芸から問答体・対話体という方法を得ていたとしても、文体におけるそれぞれの目的までは同じとは言えまい。

キリシタン文献の国語資料としての価値については、国語学の分野で研究が進み、中でも『天草本平家物語』の研究は蓄積が厚い。『妙貞問答』に関しては、小林千草が本文の分析のみならず、典拠論など多角的な研究を行っている。[*3] 一方、国文学においては、従来、キリシタン文学は「正統な研究の路線に乗ってこなかった」として、「読まれざる文学の代表」[*4]とさえ言われ、殊に『妙貞問答』は近年になりようやく注目されるようになったと言っても過言ではない。たとえば、阿部泰郎は、『三教指帰』や『大鏡』に見られる対話によって仮構の枠組みを設ける形式を「対話様式」と呼び、鎌倉期の『野守鏡』や『天狗草紙』などの作品は「その当時の政治と宗教の間に生じた対立や葛藤を反映しており、むしろその状況に積極的に投機しようとする、明らかな論争性を帯びている」という。室町以降もその様式は残るものの「時代に投機する強い動機は喪われて」いき、しかし、かかる時代に出現した『妙貞問答』は、「恐らく対抗し克服すべき相手として対象化される仏教側の方法を逆に用いたのであろう」と見て、対話様式を継承する作品であると結論した。[*5] また、小峯和明は、「宗教の格闘とは言語の格闘」であるとして、それが形作る文体を「闘う文体」と呼んでいる。十六世紀を「宗論、宗義問答の時代」と見なし、「「問答」スタイルの書名をもつテクストが輩出」したその潮流にキリシタン文学も共振し、「自己の存在をかけた「闘いの文体」」が構築されたとして、その「問答体文学の代表作」に『妙貞問答』を位置づけた。樋口大祐は、『妙貞問答』をヴァリニャーノ『日本のカテキズモ』やマテオ・リッチ『天主実義』と比較し、『妙貞問答』のそれらとの差異を、「異教徒」である日本人に対する「布教」を目的に「当時の教養ある日本人の目線に立ち、独自に編纂された」点や、女性向けに書かれた点などに求めている。[*6]

このように、国文学の研究においても文体は注視されてきた。文学史への位置づけも、その点に基づいて試みられてきたことがわかる。たしかに、文体への着目は、先述のキリシタン研究との接点を模索することにも繋がり、「キリシタン文学」を「日本文学」としてどのように研究していくかという問題にも関わってくるものと思われる。すなわち、『妙貞問答』は、作者や創作背景などを知り得る貴重な作例であり、今後の「キリシタン文学」研究の礎となる作品であることは間違いない。そこで、本稿では、先行研究で明らかにされてきたことを踏まえて本文の分析を行い、ハビアンの創作意図に迫り、その文学的特色を考察しようと思う。そのことで、本書が「キリシタン文学」として、どのような価値を有するかについても言及できればと考える。

一　ハビアンの創作

ハビアンが編纂に関わった『天草本平家物語』は、右馬之允と喜一検校という二人の登場人物を配し、『平家物語』諸本には見られない対話の形式で話を展開させていく。イエズス会の管理のもと、検閲が行われたことも指摘されており、ハビアン一個人の著作とは言い難い。[*7] 安田章は、ハビアンは、『平家物語』の言葉を違えずに書写することを基本方針としつつも、『平家物語』の「文脈からプラス・アルファの情意」を読み取り、発言者の立場によって用語の新旧をも考慮して言葉を選択したとして、「彼の編集作業は周到になされてい」たと評価する。[*8] また、本文の九八パーセントは『平家物語』を「世話に和らげ」たものであるが、残り二パーセントの右馬之允と喜一検校の遣り取りの部分こそ、ハビアンが「全く束縛されることなく、師の指示――書物の如くにせず、両人相対して雑談をなすが如く、ことばのてにはを書写せよ――を最も忠実に実践し得たところであったはず」として、その「アドリブ」の部分において「師の指示に一応は従いながら、上下関係を設定した二人の「平人」の間で交わされた形で「現代語」をハビアンが記し止めようとしていた」とする。[*9] すなわち、ハビアンは、与えられた使命のもと、限られた範囲の中で独自の創意工夫を凝らしていたといえるであろう。

『妙貞問答』もまた、制約の多い述作であった。フーベルト・チースリクは、慶長六年（一六〇一）に先立つ二、三年の間、長崎で日本の諸宗派に関する書が編纂され、日本の言葉に精通した神学者一名と、日本人修道士の「ファビアン不干」と「コスメ高井」が編集にあたったことを推測している。その書は、「仏教・神道・儒教など各方面からくる問題に対する回答を挙げており」、宣教師側の記録では『仏法』と称されていて、その一部が『仏法之次第略抜書』であると指摘する。ハビアンは、慶長八年（一六〇三）に京都下京のカサ・レイトラルに所属することになり、その二年後に『妙貞問答』を執筆したが、チースリクは、本書は「貴婦人伝道のために書かれた教理書」であり、以前編纂した『仏法』を「この目的に適用させた書」と位置づけた。[*10] このチースリクの見解はその後の研究に継承され、小林千草は、『妙貞問答』を、『仏法』及び『仏法之次第略抜書』の「発展」と見て、依拠・関連資料の詳細な調査結果を提示した上で、「本書に利用された諸文献は、ハビアン一人の収集によるのではなく、長期の共同作業によるものとみられ、究極的にはイエズス会の入手資料と考えられる」と述べている。[*11]

このように、『妙貞問答』もまた、そのすべてをハビアン一人の営為に還元することはできない。特に本書からハビアンの思想を読み取ろうとする時、『仏法』の編集者の一人であったことの意味は大きい。ただし、執筆という面においては、跋文に「不干斎　巴鼻庵」[*12]（教四一七頁）の署名のもと、「ツヾリ出ス（綴り出す）」（同）と記しており、さらに「ナヘテハ言葉ノツタナキニモカ、ハラス、殊ニハ、才ノ短キヲモカヘリミス、唯、真ノ御主Dsノ、世ニアカメラレ玉フヘキコトヲノミ希テ、偏ニ身ノ嘲リヲ忘レ畢」（同）と、作成上の苦心を述懐している。いま『仏法之次第略抜書』と比較すると、『妙貞問答』は、架空の二人の女性が登場する仮構の世界を枠組みとして、その二人の会話によって話を進行させていく点が大きく異なっている。かかる物語的構造は、『妙貞問答』独自の創作であるといえ、すでにある資料を目的に沿って構成し直した「編集作業」であったと言い換えることができよう。そして、その意味において、『妙貞問答』は『天草本平家物語』と相似形をなす作品といえるであろう。

では、その物語的構造とはどのようなものであったか。本書は、夫と死別して尼になった妙秀の語りによって始められる。妙秀は「浄土ニ導引玉ヘカシト」（3表）と念仏を唱える毎日を送っていたが、やがてキリシタンに関心を持つようになり、後に教えを受けることとなる幽貞と出会うまでの経緯が記されている。二人が出会ってからは、二人の会話で物語は展開し、仏儒神の教理を順に論駁していき、最後にキリスト教が称揚される。

全体の構成を見ると、序章（1表〜5表）は、妙秀の一人語りの地の文から始まり、状況の説明を中心とし、教理への言及はない。そのような叙述は『仏法之次第略抜書』には見られないもので、『妙貞問答』独自の創作と見なしてよいであろう。また、本書の末尾は妙秀の会話文で終わることから、この冒頭部とは形式的な意味での呼応関係にはない。仏教教理の解説が次章の「仏説三界建立ノ沙汰之事」から始まることもあわせ、序章とそれ以降の会話文で構成される章との間には、構造的な相違があるといえよう。

次に対話の部分を見ると、序章で、妙秀は初対面の幽貞に「耳ニ落ル事モアラハ、真ノ道ニ立入、後ノ世ノ友トモ成侍ラハヤ」（4裏）と、キリスト教の教理を聴いて納得することがあれば「真ノ道」に入り「後ノ世ノ友」ともなりたいとの旨を伝えている。しかし、「仏説三界建立ノ沙汰之事」の末尾では、「自ラモ知識達ニ聞進セシ事共ヲ語進ラセテ、同ハ仏ノ道ニモ引入申サントコソ思シ」（11表）と、内心では幽貞を仏の道へ誘うつもりでいたことを告白する。「浄土宗之事　付一向宗」で、幽貞が「仏法ト申ハ、八宗、九宗、十二宗共ニ、今マテ申タルコトク、皆後生ヲハナキ物ニシテ置也。（中略）後生ノ助リ、後ノ世ノ沙汰ト申ハ、貴理師端ノ外ニハナシト心得給ヘシ」（75表）と、「仏法」とは「皆後生ヲハナキ物ニシテ置」ものであり、「後生ノ助リ、後ノ世ノ沙汰」は「貴理師端ノ外ニハナシ」と述べたことを踏まえ、本書の最後で、妙秀は次のように語る。

タツネマイラスル事々ニ、答ヘ玉フ程ノ理リ、何レモアリカタフ奇特ニヲボヘ候ヘハ、今ハハヤ御寺ヘハラハヲモ召具シ玉ヘ。授法申テ、今ヨリ後ハ御身ト共ニ、同シ流レノ御法ノ水ヲ結ンテ、心ノアカヲス、キ、二世掛テ替ラヌ友ト也マイラスヘシ。（教四一七頁）

妙秀は、幽貞と「同シ流レノ御法ノ水ヲ結ンテ」「二世掛テ替ラヌ友」となること、すなわち、キリシタンとして、現世と来世の友となることを誓う。これは、物語の始発で「真ノ道ニ立入、後ノ世ノ友トモ成」と述べたことに呼応する文言である。つまり、「後ノ世ノ友」は物語を一貫するキーワードであるといえる。仏教の「後ノ世ノ友」からキリスト教のそれへとスライドさせていく手法は、会話によって構成するこの物語を最後まで進行させていくための工夫の一つだったのではないだろうか。

チースリクは、本書を「貴婦人伝道のために書かれた教理書」と見て、『仏法』を「この目的に適用させた書」と位置づけていたが、序章は『妙貞問答』独自の創作であり、物語への導入の目的で設置されたものと考える。それ以降の章は、以前に編纂した書籍や資料を用いて作成したものであろう。そして、そこに対話体は用いられていた。[*13] このように、序章とそれ以降の章とでは成り立ちが異なっており、『妙貞問答』において、ハビアンが独自に創作した点は、物語的な枠組みを設定したことと、女性二人による対話体を用いたことの二点に認められると考える。そこで、以下に、ハビアンがこれらの方法を用いた意図を考察していこうと思う。

二　物語的手法と読者

『妙貞問答』の読者については、跋文に「ヨシ有人ノ、婦人、后室ナト申ハ、出家トテモ、男子ニハタヤスク見(マミヘ)テ、法ノ理リナカラモ尋玉フニ便ナキカ故ニ、願イ有テモ空ク過シ玉フノミ也」（教四一七頁）とあり、出家していても男性に容易に会って、法の理であっても尋ねることができないような「ヨシ有人ノ、婦人、后室」（由緒ある人の婦人や未亡人）を想定していたことがわかる。さらに、「身ツカラ是ヲ誦ミ明メ」（同）と、そのような人々が自ら読むことを前提としていたことも記している。ハビアンは、慶長八年（一六〇三）から所属した下京の教会の傍に作られた女子修道会で、教師として「特に日本の諸宗派などについて教えていた」と目されている。[*14]慶長十年（一六〇五）成立の『妙貞問答』は、その女子修道会のために著した教理書とされるが、その場合、「ヨシ有人ノ、婦人、后室」とは、具体的には女子修道会に属するような身分ある女性を想定していたことになろう。また、本書の語り手である妙秀は、関ヶ原の戦で夫を亡くした女性で、妙秀の問いに答える幽貞も同様の身の上に設定されていた。[*15]二人は「創作上の人物」であるが、跋文に照らし合わせて「実在人物をモデルにしたとも考えられる」とする指摘は首肯されるところである。もし仮にそうであったとして、跋文に基づけば、そのモデルとなった人物も、本書の読者として想定されていたことになろう。かかる制作背景を踏まえ、本文の内容を見ていこう。

幽貞は、夫と死別したキリスト教を信仰する若い女性である。妙秀は「何トテ加程世ヲステ玉ハ、、都ノ内ヲモカケ離テ、片山里ノ庵ヲモ結ヒ玉ハヌソ」（4裏）と、幽貞が洛中に住むことに疑問を呈する。幽貞は、年が若いため人里離れた地ではあらぬ噂も立つであろうし、ここは祖父の家であり、孝行をすることにもなり、市中の山居といって町中でありながら心閑かに過ごせると説明する。これは教理に関わるものではなく、ここには何らかの実情を踏まえた考慮があったのかもしれない。[*16]また例えば、「神道之事」では、国産みの神話について、幽貞は「此瓊矛ヲサシヲロシタルト云コトヲ沙汰スルコト、其下心ロ、御身トハラハカ中ニテサヘモ、面ハユク云ハレサフラハネハ、申マテモナシ」と口に出すのは憚られるため「申マテモナシ」と説明していない。幽貞は女性としての慎みを示したことになるが、それは同時に読者への配慮でもあったと思われる。

また、序章では、妙秀の身の上や幽貞に出会うまでの経緯が詳しく描写されている。その中で、妙秀が幽貞の居所を探す場面に「昔、光源氏ノ大将、アラヌ浮世ノ思ニテ、求行キ玉ヒシ五条アタリニコソ貴キ尼ハ栖玉ヘ」（3

裏）という記述がある。『源氏物語』夕顔巻の、光源氏が乳母であった年老いた尼の家を訪れる「大弐の乳母のいたくわづらひて尼になりにけるとぶらはむとて、五条なるいゑ尋ねておはしたり」[*17]が踏まえられている。光源氏はその隣家に夕顔という女性を見出すのだが、そこでは「童のおかしげなる出で来て、うち招く」と光源氏を招く「童」が登場する。『妙貞問答』でも、妙秀は「物悲サモ与所ニハ様替リタル庭」（3裏）を見つけ、その細道を行く「童へ」の後を追って、尋ね当てた家で「五十ハカリナル尼」（同）に案内を請い、幽貞を見出す。「光源氏ノ大将」という言葉や「五条」の設定、「童へ」の案内は、読者を『源氏物語』を彷彿とする物語世界に誘い、そこに優美な女性の存在をイメージさせ、新しい世界の幕開けを想起させる。童に誘われ細道を抜けた先は、妙秀が住む世界とは切り離された、未知なる世界である。仏教の世界から、キリスト教世界へ足を踏み入れた瞬間でもあった。このように序章には読者を物語世界へ巧みに導く描写が仕組まれている。そして、そのような叙述を可能としたのは、本書の読者に、かかる物語世界を喚起し得る素養があることを前提にしていたからにほかならない。

序章には、歌語的な表現も多用されている。冒頭の「行水ニ数書様ニナン有テ過侍ヌ」（1表）は、水に数を書くような儚いことの譬えであり、『伊勢物語』をはじめ和歌や物語に用例は多い。「シラヌヒノツクシノ終マテ」（1表）の「シラヌヒ（不知火）」は筑紫にかかる枕詞である。「兎角シテ、夜モ漸々明方近キ在明ノツレナキ影モ傾テ、伊吹ヲロシノ風サキノ露吹分ル野モ山モ」（2表）も歌語を駆使した表現といえる。これらは物語などに常套的に用いられる手法である。

ハビアンの母は、豊臣秀吉の正室・北政所の侍女であり、後にキリシタンとなったジョアンナであるという。[*18]また、ハビアンは、『妙貞問答』執筆の翌年に、京極高吉室マリア（浅井長政の姉）の三女マグダレナ（朽木兵部少輔宣綱の室）の葬儀で追悼説教者に選ばれている。[*19]ハビアンが貴顕の女性と交際する機会があったことがうかがえる。

本書の執筆において、たとえばそのような女性たちが、読書を通して、キリスト教の信仰をより強く確信することが目的とされていたのなら、言葉を和らげ、物語的世界を設けることは最善の方法と考えられたのではないだろうか。教理を示すだけであれば、このような仮構は不要であり、事実『仏法之次第略抜書』には見られない設定である。では、次に対話体の効果について考察する。

三　対話体による効果

ハビアンが想定した読者は、キリスト教を信仰する女性であるが、かつては仏教徒であった人や、仏儒神の教えをよく知る人たちであると考えられる。彼女たちがキリシタンの教えをより深く理解しようと手にした本書には、自らと似た境遇の女性が登場する。キリシタンの幽貞と、いずれキリシタンの道に入る妙秀の二人である。男性に容易に教理を尋ねることのできない彼女たちは、女性同士の会話によって話が展開する点にも、親しみを覚えたのかもしれない。ただし、本書は冒頭で妙秀に視点が定められており、読者は妙秀の視点に沿って読み進めることになる。

その妙秀は、関ヶ原の戦で夫が戦死した未亡人に設定されている。本書の時代設定は、「今ノ征夷大将軍家康公」（1表）とあることから、家康が征夷大将軍であった慶長八年（一六〇三）からの二年間に限定される。[*20] キリシタンにとってのこの時期は、坂元正義が、従来の「平和・順調」とする見方を、ローマン・カソリック教団日本管区長であったルイス・デ・セルケイラ司教の一六〇三年一月一日付ローマ教皇宛報告書を根拠に否定している。坂元は、司教の家康観は、その排耶的底意が関ヶ原戦後ますますひどくなってきており、家康統治下ではキリスト教の将来に希望はないとする見方であるとした上で、当時の指導的宣教師たちは、新しい権力者である家康を警戒し、布教の前途に不安を抱いていたとする。[*21]『妙貞問答』の序章では、関ヶ原の戦況から説き起こし、妙秀の夫が「京方」(2表)として亡くなったことを明記している。実際の合戦では、家康に敗れた西軍にはキリスト教を支持した有力大名や武将も含まれており、[*22]同時代のキリシタンである読者にとって、妙秀の敗者側の遺族という設定は、宗派の如何を問わず同情を誘う身の上であったに違いない。妙秀はやがてキリスト教に関心を抱き、遂には改宗の意志を示すのだが、読者が共感する点も多かったはずである。ハビアンが妙秀にこうした設定を選んだのは、ハビアンが想定する読者にとって感情移入しやすい人物造形であると考えたからではないだろうか。

また、妙秀は、「浄土宗之事　付一向宗」の章で初めて、幽貞に対して自身が浄土宗の信者であることを打ち明ける。しかし、序章ですでに毎日念仏を唱えていることを記しており、読者には、物語の冒頭部でその立場を明らかにしていたことになる。これは、物語の始発において読者に人物像を把握させる工夫ではなかろうか。妙秀は、「然レハ法花ノ事ヲハハヤ聞得テ侍ル。真言ノ宗旨ハ如何シタル事ソヤ」(48表)のように、幽貞の仏説批判に納得しては、次の質問を投げかけ、その繰り返しで物語を進めていく。そして、早い段階で「今ノ分ナラハ、ハヤソナタヘ心移行事ハ、案ニ相違シタル事哉」(11表)と、キリスト教へ気持ちが移りつつあることを述べ、途中「尤御宗旨貴理師端ニハ成マヒラセンスレトモ」(53裏)と、改宗の意志も伝えるが、さらに質問を続け、物語の最後になって「答へ玉フ程ノ理リ、何レモアリカタフ奇特ニヲボへ候へハ」(教四一七頁)と、すべてに得心して、キリスト教の授法を願い出る。この妙秀の言葉はハビアンが跋文に記した執筆の目的「キリシタンノ教ヘノ、有難程ヲモワキマへ玉フヘキ為」(同)に重なる文言と言える。読者は読書を通して、幽貞の話を聴く妙秀の行為を追体験し、キリスト教の教理を学んでいく。最後まで読み終えたときには、「何レモアリカタフ奇特ニヲボへ候」と述べた妙秀と、同じ地平に立つことになる。それこそがハビアンの目的であり、ハビアンが創造した対話世界の効果もここに認められるであろう。そして、かかる意味において、本書における対話体という文体は、布教活動と連動する営為であると言えるのである。

おわりに

ハビアンは、上巻で批判した仏説を、中巻や下巻で再び取り上げて呼応させるなど、かなり周到に構成を練っていたのではないかと思われる。その創作態度は『天草本平家物語』のそれに近いように思う。ただし、女性二人の対話という設定を敷いたことによる苦心の跡も認められる。幽貞は、他宗を批判する役割を担うが、そこには、それを可能とするだけの知識が必要となる。最初、亡くなった夫の知り合いの僧がキリシタンであり、祖父の家によく来て語るのを聞いていたと言い、また、それとは別に尊いと思ったことを書き留めたものがあるとも述べている。これが幽貞の知識の源泉となる。しかし、仏説を批判する章のほとんどが幽貞の発言で埋められており、キリシタンの女性が語る内容としては不自然さが残る。そのことについて、文中で、妙秀に「カ様ニ仏法ノ奥深理ヲ御身ノ(上)ニ知玉ヘル事、誠ニ驚キ侍也」(15表)や「何トシテ、カ様ニ明ラカニハシリ玉フソ」(22裏)と指摘させ、幽貞にも「御不審尤理也」(同)と認めさせた上で、各宗に精通していることについては、「初ニ申ツルコトク、我妻ノユカリノ出家ハ」「形ノコトク宗々ノ極メヲモシリ玉ヒタル人ニテヲハセシ故」(同)と、先述の僧は各宗の教えも知っていたからだと答えて、不審の解消を試みる。単なる宗論であれば、たとえば仏教僧との論争とした方が制約も少なかったであろうが、女性同士の対話という方法が優先されたのではないだろうか。

以上のように、本書は、キリシタン文学によく見られる対話体によって記された作品であるが、日本人の女性に向けて書かれた書である点は十分に考察されねばならなかった。また、作者、執筆環境、成立時期などが判明している貴重な作例でもある。文学史への位置づけとともに、今後明らかにすべき課題は多いといえよう。

註

＊1　『妙貞問答』に関する研究史は、釈徹宗『不干斎ハビアン　神も仏も棄てた宗教者』（新潮選書、二〇〇九年）を参照した。本稿の文中に示した坂本・新村・姉崎・海老沢各氏の研究分野もこれによる。

＊2　海老沢有道「キリシタン版叢考」（『切支丹典籍叢考』拓文堂、一九四三年）による。他の研究書にも『妙貞問答』への言及は見られるが、本書は、様々なキリシタン典籍を取り上げて、その中に位置づけており、参考になった。以下、本稿での海老沢氏の引用はこれによる。

＊3　ここでは小林千草「ハビアン著『妙貞問答』に関する一考察──依拠・関連資料をめぐって──」（『中世のことばと資料』武蔵野書院、一九九四年）を指すが、他にも多数の論文がある。また、小林氏は「千草子」のペンネームで、『ハビアン──藍は藍より出でて──』（清文堂出版、一九九一年）、『ハビアン落日──羽給べ若王子──』（清文堂出版、一九九一年）、『ハビアン平家物語夜話』（平凡社、一九九四年）の三部作を上梓しており、研究史を踏まえた著述であることがうかがえる。

＊4　小峯和明「キリシタン文学と反キリシタン文学再読──闘う文体──」（『文学』隔月刊一三巻五号、二〇一二年九月）。以下、本稿での小峯氏の引用はこれによる。なお、小峯氏は「キリシタン文学と仏伝──異文化交流の表現史──」（『文学』隔月刊二巻五号、二〇〇一年九月）でも、『妙貞問答』を取り上げている。

＊5　阿部泰郎「如是我聞の文学──日本における対話様式の系譜──」（『岩波講座　文学8超越性の文学』岩波書店、二〇〇三年）による。「対話様式」については、同氏「対話様式作品論序説──『聞持記』をめぐりて──」（『日本文学』三七号、一九八八年六月）と「対話様式作品論再説──〝語り〟を〝書くこと〟をめぐりて──」（『名古屋

大学国語国文学』七五号、一九九四年一二月）でも論じられており、参考にした。

*6 樋口大祐「16・17世紀日本のキリスト教受容と転向――『妙貞問答』を中心に――」（『日本学習与研究』二〇一一年第二期一五三号、二〇一一年二月）。

*7 神田千里「天草版『平家物語』成立の背景について」（『文学』隔月刊一三巻五号、二〇一二年九月）などを参照した。

*8 安田章「世話」（『甲子園大学紀要　人間文化学部編』五号（C）、二〇〇一年三月）。

*9 安田章「アドリブの意味」（『仮名文字遣と国語史研究』清文堂、二〇〇九年）。

*10 フーベルト・チースリク「ファビアン不干伝ノート」（『キリシタン文化研究会会報』第一五年第三号、一九七二年一二月）。以下、本稿におけるチースリク氏の引用はすべてこれによる。

*11 註3小林前掲論文による。小林氏は、『仏法之次第略抜書』の他に、『耶蘇教叢書』所収の『神道之事』『証拠論断片』も、『妙貞問答』に利用された『仏法』という名で一括された護教論書の一部をなしていたであろうと推測している。

*12 『妙貞問答』の中・下巻の本文は、『キリシタン教理書』（教文館、一九九三年）から引用する。

*13 註3小林千草前掲論文では、『仏法之次第略抜書』と『妙貞問答』の本文の比較を通して、『仏法』の段階で「問答体への萌芽はすでに出来上がっている」と指摘する。

*14 註10チースリク前掲論文による。

*15 井手勝美「ハビアンと『妙貞問答』」（『キリシタン思想史研究序説』ぺりかん社、一九九五年）。

*16 幽貞の家は「五条」に設定されている。「五条」周辺の様子については、増田繁夫「京の西と五条以南」（『国文学　解釈と教材の研究』二一巻七号、一九七六年六月）が参考になる。下京は庶民の町であるが、名庭のある邸宅も連なり、特に五条大路のあたりは人家が密集していたとされる。また、やや観点は異なるが、雨野弥生「五条橋をとりまく空間認識と文芸――清水の向こうに見えるもの――」（『説話・伝承学』一六号、二〇〇八年三月）によると、五条橋は中世には「東国へつながる橋」とする見方が強いとし、さらに、その周辺の地理的事情を踏まえ、中世後期には、重要な交通路上であることから「貴賤群集する場、出会いの場、芸能を披露する場としての五条筋

のイメージ」が立ち現れてくることを示唆している。なお、幽貞の邸宅を「五条」に設定する必要性は、物語の進行上には特に見当たらない。

＊17　引用は、大島本を底本とする新日本古典文学大系19『源氏物語　一』（岩波書店、一九九三年）による。

＊18　註10チースリク前掲論文による。

＊19　註15井手前掲論文を参照した。

＊20　本文に従えば、厳密にはこの二年間となるが、おそらく『妙貞問答』の成立した慶長十年（一六〇五）が想定されていたのであろう。

＊21　坂元正義「関ガ原の戦とキリシタンの位相」（『日本キリシタンの聖と俗――背教者ファビアンとその時代――』名著刊行会、一九八一年）。

＊22　小西行長など。註21坂元前掲論文を参考にした。なお、シメオン黒田如水（孝高）も慶長九年（一六〇四）に病没している。

キリシタン文献の「傍流」

——国字本『ひですの経』からみた『妙貞問答』——

白井　純

はじめに——『ひですの経』発見

再発見が待望されていたキリシタン版国字本『ひですの経』が、折井善果氏により二〇〇九年夏にボストンで発見された。原本調査の結果分かってきたのは、出版されたキリシタン版としてはきわめて異質な書物であるということである（折井・白井・豊島〈二〇一一〉）。

国字本『ひですの経』の原典はスペインのドミニコ会修道士ルイス・デ・グラナダ（Luis de Granada, 一五〇四～一五八八）がサラマンカで出版した『使徒信条入門（*Introducción del Símbolo de la Fe*）』第一部である。この原典は一五八三年初版の全四部構成で、翌年に全体を要約した第五部が出版されており、日本イエズス会では、一五九一年出版のローマ字本『サントスの御作業のうち抜書』で第一部を、一五九二年出版のローマ字本『ヒイデスの導師』で第五部を翻訳出版するなど重要視した書物である。しかしキリシタン版としては末期の一六一一年に出版された国字本『ひですの経』には用語の混乱、表記の不統一など、キリシタン版が維持発展させてきた規範性を否定する特徴が多く、イエズス会の写本に似通った雰囲気をもつ。

国字本『ひですの経』は一六一一年に刊行されたことが扉の刊記から明らかだが、他にも成立の事情を示すイエズス会の記録があり、翻訳には原マルチノと宣教師メスキータがかかわったこと、一六一三年まで同書の印刷が継続していること、翻訳草稿がローマ字本『ヒイデスの導師』（一五九二年刊）時点で存在した可能性があること、が明らかにされている（折井〈二〇一一〉）。

国字本『ひですの経』が出版された一六一一年は、ハビアンがキリスト教を棄教してから数年が経過しているため、その時点に限ればハビアンが関係するとは考えられない。しかし、ルイス・デ・グラナダの『使徒信条入門』第五部をローマ字本として一五九二年に出版した段階で、すでに本体四部分の日本語化が構想されたとするなら、翻訳に時間を要するだろうことからみても、『天草版平家物語』（一五九二年刊）の編集を行なったハビアンが国字本『ひですの経』の翻訳にかかわった可能性を否定できない。また、ローマ字本『ヒイデスの導師』（一五九二年刊）と、イエズス会の写本『講義要綱（*Compendium*）』日本語版（一五九五年成立）の翻訳にかかわった宣教師ペドロ・ラモン（Pedro Ramon, 一五五〇～一六一一）の関与も考慮すべきだろう。

本稿では国字本『ひですの経』の数多くの特徴のなかから、キリシタン語学からみた原語の漢字表記と、「霊魂不滅論」の用語と内容の展開という二つを取り上げ、イエズス会の写本『妙貞問答』および『講義要綱』と比較することで、これらの書物の関係の一端を明らかにしたい。

一　写本にみる原語の漢字表記

国字本『ひですの経』には原語を漢字表記した例があり、他の印刷された国字本にはまったく類例がないことから、同書の特徴として注目すべきである。

その原語の漢字表記は、Anjo（天使）として「安如」が七例（仮名表記「あんじよ」で一九例）、Egypt（エジプト）として「恵実土」が一例（仮名表記「ゑじつと」で一例）である（以下、引用には傍線を付して示す）。

是即、安如といひて天に在ます無色の霊体也。此あんじよの数々ハ、いひ尽す事叶ハざれども、粗其大概をいふに、ありとあらふる色形の類ひよりも、其数多しと分別せよ。（『ひですの経』、八丁表）

其証拠ハ、いずらゑるの人民に御折檻を与へ給ひし時も、毒蛇をもて苦しめ給ひ、恵実土の万民を罰し給ふにも、蚊虻の類ひにて攻給ふと、ゑすきりつうらに見えたり。（同、三六丁表）

些細な例のようだが、国字本として規模の大きい『ぎやどぺかどる』（一五九九年刊）ではAnjoはすべて仮名表記で五七例、Egyptもすべて仮名表記で一六例であり、他の原語にも漢字表記された例はない。他の国字活字本もすべて同様であるから、国字本『ひですの経』がいかに特殊であるか分かるだろう。しかも、「安如」「あんじよ」が同一行内に共存しており、漢字表記であることを避ける意識があったとも思われない。原語表記の規範が過去の出版された国字本とは違うのである。

ところが、Anjo（天使）をはじめとする原語を漢字表記した例は『妙貞問答』のなかでキリスト教について述べた下巻（神宮文庫本）にもみられる。

此安如ト云ヘルハ、人間ノアニマノ如ク、色形チヲ離レタルスヒリツノ体ニテ侍。（『妙貞問答』下巻、二九表）

万物ノ霊長トシテ人間ノ元祖、男女二人ヲ御作リナサレ、其名ヲ阿檀男、恵和女ト名付玉イ（同、三三表）

キリシタンノ本国、イタリヤノ内、朗磨ト云、都ニ本寺ヲ立テ、（同、三五表）

Anjo の他、Adam（アダム）を「阿檀」、Eva（エワ）を「恵和」、Roma（ローマ）を「朗磨」と表記している。本文に頻出する「キリシタン」「アニマ（霊魂）」をカタカナ表記とする一方、目録やタイトルには Christam（キリシタン）を「貴理志端」、Anima（霊魂）を「阿爾广」ともするなど表記方針が安定しない。Christam は上巻（天理図書館本）で「貴理志端」とするが、天理図書館本と神宮文庫本に共通する中巻の前半部分ではともにカタカナ表記である。

　こうした『妙貞問答』の傾向は、ハビアンがキリスト教を棄教した後、排耶書として書いた『破提宇子』にも認められる（所在は日本思想大系本により示す）。

　是即、安女高慢ノ科ニヨテ、ヂヤボトテ天狗ト成タル者也。　（『破提宇子』、四三三）

　阿檀夫、恵和婦トテ、夫婦二人ヲ作リ玉ヒ、　（同、四三四）

『妙貞問答』は教理書であり、とくに上巻の仏教を攻撃する部分には、ハビアンの仏教に関する豊富な知識が活用されているが、その先例とされるのが、ハビアンが関与して一六〇一年に成立したとされる『仏法』（現存せず）であり、敵対宗教を攻撃することでキリスト教の正当性を主張するスタイルは、一五八〇年に巡察師ヴァリニャーノにより編集され、養方パウロがそれを助けたとされる『日本のカテキズモ』に先例がある。『仏法』は散逸したため言語表現の特徴までは分からないが、『日本のカテキズモ』はエヴォラ屏風文書として発見されている。

　七ニハ、昔シ朗磨ノ都ニホシトウニヤト云ヘル細工ノ名人作リケル由、　（『日本のカテキズモ』、一七）

　此教ヘニ敵対シユテヨ、前痴与ノ記録シタル書ニモ見ル事ナリ。　（同、断簡）

　安堵快楽ノヘヤヘンツランサノ悟朗――ノ終ナキ位イヲハ、ヤカテ与ヘ玉ワズ。　（同、一〇〇）

安如ニハ、御主Dsヲ、吾ヲ御作ナサレシ主君ト弁ヘ、敬拝シ奉り、　（同、一〇〇）

故ニ即、初メ而人、阿―、恵―、ニDsヘノ随イヲ背セタル如ク　（同、一〇四）

……ヨリ安女一体……ウタイ、　（同、一一八）

『妙貞問答』と共通する原語の漢字表記の他、Gentio（異教徒）「前痴与」、Gloria（栄光）「悟朗――」、Anjo（天使）「安女」、などがある。

一方、イエズス会コレジヨの教科書として構想され、一五九三年に日本準管区長ペドロ・ゴメス（Perdo Gomez, 一五三五～一六〇〇）によってラテン語版が完成し、一五九五年にペドロ・ラモンによって日本語に翻訳された『講義要綱』にも、以下のように原語の漢字表記が頻出する。

五ニハ、阿爾摩ラシヨナル、色身ニアル間ハ運動スト雖モ、手足ヲ運フト云義ニ非ス。

（『講義要綱』「アニマノ上ニ付テ」、五六裏）

デウスノ尊体ト安如ノ霊体ハ、マテリアニ非ス。　（同、六八裏）

故ニ、前痴与ノ国ノヒロソホハ云フニ及ハス、　（同、七一裏）

然レハ、朗摩ノサンタ恵化レシヤヲ、カタウリカ、真実ノ教御師範ト用イ奉レハ、

（『講義要綱』「真実ノ教」、七三裏）

然ハ、需天与等ノ中ヨリ信シ奉ラサルトモ、　（同、七四裏）

古の如誓夫ハ飢饉の間、恵実土ノ人々ヲ養ハレタルニヨテ、恵実土ノ扶手ト名ケラレタルニ、　（同、一九九裏）

すでにみてきた原語に加えて、Judeo（ユダヤ人）「需天与」、Joseph（ヨゼフ）「如誓夫」、なども漢字表記されている。とくにAnjo（天使）は、『講義要綱』「真実ノ教」の「第二十二　安如の事」にみるように漢字表記「安如」

で定着しており、国字本『ひですの経』の原語のなかでとくにAnjo（天使）の漢字表記が多かったことは、こうした傾向の反映とみれば納得できる。「恵実土」の漢字表記もこれに矛盾しない。

二　「霊魂不滅論」をめぐって

国字本『ひですの経』の内容は、世界の成り立ちを自然科学的に説明しながらその背後にある神の摂理を証明し、更には神の実在を認識するという高度なものであり、前半では豊富な具体的事例を挙げて読者の理解を促す形式をとるが、後半の「あにまいんてれきちいわの体、弁徳用を論ずるの序」（内容は「霊魂不滅論」）では原語（ラテン語）を多用した難解な説明になっており、予備知識なしには理解できるものではない。

なお、『ひですの経』後半部分の「霊魂不滅論」の原典の問題については、折井（二〇一一・二〇一二・二〇一三）において文献学的分析にヨーロッパの思想的背景への考察も含めて詳しく検討されており必見の価値があるが、ここでは『妙貞問答』との比較を中心に紹介する。

この「霊魂不滅論」について、『妙貞問答』と国字本『ひですの経』には内容の類似性が認められる。『妙貞問答』下巻は「貴理志端是教ノ大綱之事」というキリスト教概説に始まり、「現世安穏、後生善所作之真之主一体在マス事」というデウス論が続くが、その後に「後世ニ生残物ヲハ、アニマラシヨナルト云フコト」すなわち「（理性的）霊魂不滅論」が置かれている。

『妙貞問答』は以下のように霊魂を分類する。

キリシタンノ経書ノ辞ニ略シテ申セハ、四ツノ類ヲハ出ズ。一ニハ、セルノ類、二ニハ、アニマベゼタチイハノ類、三ニハ、アニマセンシチハノ類、四ニハ、アニマラシヨナルヲ具セル物ニテサフラフ。

（『妙貞問答』下巻、一六丁裏）

一方、折井に指摘されているように、国字本『ひですの経』後半六八丁以降は原典にみられない日本語版だけの増補部分であり、「第廿九　あにまいんてれきちいわの体　幷徳用を論ずるの序」から始まるが、その最後は「§八　あにまいんてれきつあるハ不滅の体なる事」であり『妙貞問答』と同じく「霊魂不滅論」を中心課題として展開している。

人間のあにまといふハ唯一の体なれども、其精根ハ三品也。所謂、べぜたちいは、せんしちいわ、いんてれきちいハ、是也。

（『ひですの経』、六八丁表）

これらの書物で展開される「霊魂不滅論」は、霊魂にはVegetativa（植物的）、Sensitiva（感覚的）、Intelectiva（知的）、という相違があり、人間は知的霊魂を持つ存在であり、肉体が滅びても理性的・知的霊魂は滅びることがない、という主張である。ただし、『妙貞問答』が「知的霊魂」を「アニマラシヨナル」（理性的霊魂）とするのに対して、国字本『ひですの経』は「あにまいんてれきつある」（知的霊魂）としている。また、『妙貞問答』が三つの霊魂に加えて「存在物」という意味のポルトガル語Ser（セル）を交えた説明になっているのが特徴的である。『妙貞問答』には儒教や仏教の考え方を引用してキリスト教と比較した箇所が多いことは繰り返し指摘されているが、「霊魂不滅論」の説明部分でも原語は「アニマ」の三種類と「セル」に限られ、キリスト教に予備知識のない日本人には理解しやすい論述となっている。

儒道ナトニモ性気ノ二ヲ立、性ニハ隔ナケレトモ、気ニ取テハ正通偏塞ノ四等アルニヨテ、其和合ノ加減ヲ以テ、或ハ人トモ成、馬トモ、牛トモ成。

（『妙貞問答』下巻、一八丁裏）

儒道ナトニモ、性ニハ隔テヲ謂ズシテ、気ノ上ニカハリアリト云ト宣フカ。（同、一九丁表）
仏ノ説キ置ルレハ信セテ叶ハス、祖師ノ言句ナレハ真ナルヘシナト、思テ、理ヲ極メサルハ、皆昔カタギノ鈍ナ事ニテ侍ル（同、二〇丁裏）
仏法ナトニハ、ヤウ〳〵此性ノ位マテ見付、人ヲモ其内ニ入テ、死スレハ後生ハナキソト云ハレ侍フ。真ニ理不尽トハ、カヤウノ事ニテ侍ヘシ。仏法ニ色即是空、々即是色ト云ハ、此事ト心得玉ヘ。（同、二三丁表）

一方、『講義要綱』の「アニマノ上ニ付テ」で霊魂を解説した冒頭部分では、「ベセタチイワ」「センシチイワ」「ラシヨナル」の「三品」が挙がっており、「セル」についての説明がない。

ベゼタチイワトテ成長スル精力ハ草木ノアニマニアリ
センシチイワトテ六根ノ作用スル精力ハ禽獣虫魚ノアニマニアリ
ラシヨナルトテ分別覚知ノ作用ヲ成スハ人ノアニマ也（「アニマノ上ニ付テ」二丁裏）

「アニマノ上ニ付テ」、『妙貞問答』、国字本『ひですの経』はそれぞれ微妙に異なるが、『講義要綱』のラテン語原典で対応箇所をみると、“vegetativa, sensitiva, et intellectiva”（43r11）となっており、国字本『ひですの経』と同じ「いんてれきちいハ」が使われている。また、ローマ字本『ヒイデスの導師』（二二頁）でも、霊魂の“misamano yacu（三様の役）”として、“Intellectiva Anima”“Sensitiva Anima”“Vegetativa Anima”を挙げている。したがって、原典あるいはキリシタン版活字本の「いんてれきちいハ（intellectiva）」、写本の「らしよなる」という違いがあるとも言える。

続いて、「霊魂不滅論」の内容についてもみておこう。
『講義要綱』の第二部「デ・アニマ（de Anima）」（邦訳「アニマノ上ニ付テ」）は、トマス・アクィナスの「アリストテレスの「霊魂論」注解（*In Aristotelis Librum de Anima Commentarium*）」に基づいており、内容が国字本『ひですの経』後半の「霊魂不滅論」に類似していることが先出の折井（二〇一一）によって指摘されている。

原典をもつ国字本『ひですの経』に「デ・アニマ」を利用したとすれば奇妙なようだが、国字本『ひですの経』の後半には先述のように原典にはない箇所があり、日本語版で独自に加えた箇所であるから、その部分に別の原典を求めることはあっただろう。原典をもつ箇所を対照するに、翻訳の態度は決して逐語的ではなく意訳も甚だしいものが少なくないので、大幅な変更があってもこれを奇とするにはあたらない。したがってこの変更は、ハビアンと儒学者林羅山との有名な慶長十一年（一六〇六）の問答にみるように、日本人の関心事であり布教上の重要な問題だった「霊魂不滅論」についての立場を明確にするために意識的に選ばれたと考えられる。『講義要綱』の「アニマノ上ニ付テ」の末尾部分には「アニマラシヨナルの正体は不滅ナリト云事」という一章がある。そしてまた、この部分も原典となったラテン語版「デ・アニマ」には存在しない日本語版だけの十三箇条であることが尾原（一九九七）によって指摘されている。

つまり、ともに原典をもつ『ひですの経』と『講義要綱』第二部「アニマノ上ニ付テ」は、日本語版を翻訳する際に原典の論述を外れ、日本における布教を意識して「霊魂不滅論」について詳述したと思われる。ただし、「アニマノ上ニ付テ」には『妙貞問答』のような比較宗教学的な観点がなく、代わりに聖書をはじめとするキリスト教文献からの引用、豊富な原語を用いた説明がある。

国字本『ひですの経』における「霊魂不滅論」の重視は、ハビアンの影響というよりはイエズス会で共有されていた傾向であり、直接的には、日本語版『講義要綱』の増補部分を参考にしたとみるのがやはり正しいのだろう。同じ写本であり、「霊魂不滅論」を論じてはいても、日本イエズス会が中心となって編集した『講義要綱』と、日本人キリシタンの手によって成立し日本人信徒獲得に成果があったという『妙貞問答』とでは、当代における受容のされ方とは別に、キリシタン文献としてみた場合の正統性に大きな落差があったようである。

まとめ

本稿では、原語の仮名表記、および「霊魂不滅論」の用語と内容の展開という二つの特徴から国字本『ひですの経』『妙貞問答』『講義要綱』の関係を論じた。

原語を漢字表記するという国字本『ひですの経』のキリシタン国字活字本に類例のない特徴は『妙貞問答』と一致しているが、『日本のカテキズモ』『講義要綱』などのイエズス会の写本がもつ一般的特徴が国字本『ひですの経』に及んだと考えてよい。ハビアンの著作にみられる原語の漢字表記はハビアン独自の特徴ではなく、イエズス会の写本に共通してみられる特徴であり、ハビアンもそれに従っていたものとみられる。

宗教的内容については、「霊魂不滅論」の重視という特徴が『妙貞問答』と国字本『ひですの経』に共通するが、同様のことは『講義要綱』にも該当し、布教方針としてイエズス会全体の傾向だったとみるのが正しいだろう。『ひですの経』と『講義要綱』はともに原典にない日本語版だけの独自本文をもち、それは「霊魂不滅論」に直接関係した箇所である。つまり、「霊魂不滅論」の重視は『妙貞問答』と『ひですの経』だけがもつ特徴なのではなく、『講義要綱』というイエズス会の教育の中心で用いられたテキストにも及ぶのである。

結論として、『妙貞問答』が国字本『ひですの経』に与えた影響は限定的であり、直接的な影響は認めにくい。宗教史や比較文化論の分野で注目され、繰り返し取り上げられている『妙貞問答』だが、ヨーロッパのカトリック世界に原典をもつ国字本『ひですの経』や『講義要綱』との比較から改めてとらえ直すことで、イエズス会日本人関係者の手による出版されなかった書物として、活字本を主流とするキリシタン文献の一つの傍流としての実態がみえてくるだろう。

参考文献

尾原悟編著（一九九七）『イエズス会日本コレジヨの講義要綱Ⅰ』教文館。

折井善果（二〇一一）『ひですの経　キリシタン研究第四十八輯』教文館。

折井善果・白井純・豊島正之（二〇一一）『ひですの経　ハーバード大学ホートン図書館所蔵』八木書店。

折井善果（二〇一二）「キリシタン版『ひですの経』の「アニマ」論が意味するもの」（加藤信朗監修『キリスト教と日本の深層』オリエンス宗教研究所）。

折井善果（二〇一三）「対抗宗教改革と潜伏キリシタンをキリシタン版でつなぐ」（豊島正之編『キリシタンと出版』八木書店）。

参考資料

海老沢有道・H・チースリク・土井忠生・大塚光信『キリシタン書　排耶書（日本思想大系二五）』岩波書店、一九七〇年。

海老沢有道・井手勝美・岸野久編著『キリシタン教理書（キリシタン文学双書）』教文館、一九九三年。

上智大学キリシタン文庫監修・編集『イエズス会日本コレジヨの講義要綱』大空社、一九九七年。

◆執筆者略歴（50音順）

阿部　仲麻呂（あべ　なかまろ）
一九六八年生まれ。専攻は基礎神学・教義神学、教父思想、美学。日本カトリック神学会理事、日本宣教学会常任理事、上智大学および日本カトリック神学院兼任講師、サレジオ神学院学務。博士（神学）。主な著書・論文に、『信仰の美学』（春風社）、「信仰の風光」（『岩波講座哲学』13巻、岩波書店）、「新井奥邃における「二而一、一而二」の発想」（『公共する人間5　新井奥邃』東京大学出版会）ほか。

新井　菜穂子（あらい　なほこ）
一九六一年生まれ。専攻は通信文化論。関西学院大学非常勤講師。博士（工学）。主な論文に、「近代黎明期の通信――日本語「電信」「電話」の変遷をめぐって――」（『日本研究』三五号）、「明治初期の博物学」（『明治期「新式貸本屋」目録の研究』、国際日本文化研究センター）、「『開明新語往来』（明治七年刊）用語索引」（『アジア文化研究』三七号、共著）ほか。

白井　純（しらい　じゅん）
一九七三年生まれ。専攻は日本語学、キリシタン文献。信州大学人文学部准教授。主な著書・論文に、『ひですの経』（豊島正之・折井善果と共著、八木書店）、「キリシタン版の連綿活字について」（『アジア・アフリカ言語文化研究』七六号、東京外国語大学アジア・アフリカ言語文化研究所）ほか。

末木　文美士（すえき　ふみひこ）
→奥付上参照。

西村　玲（にしむら　りょう）
一九七二年生まれ。専攻は日本思想史、東アジア仏教思想。公益財団法人中村元東方研究所専任研究員。主な著書、論文に、『近世仏教思想の独創――僧侶普寂の思想と実践――』（トランスビュー）、「近世仏教論」（『日本思想史講座3　近世』ぺりかん社）、「須弥山と地球説」（『岩波講座日本の思想　第4巻　自然と人為』岩波書店）ほか。

バスキンド　ジェームズ（Baskind, James）
一九七〇年生まれ。専攻は仏教学、日本思想史。九州工業大学を経て二〇一四年四月より名古屋市立大学准教授。博士（文学）。主な論著に、"Christian-Buddhist Polemics in Late Medieval/Early Modern Japan" *Religion Compass*, 8 : 37, "The Matter of the Zen School, Fukansai Habian's *Myōtei Mondō* and his Christian Polemic on Buddhism" *Japanese Journal of Religious Studies*, vol. 39, "A Daoist Immortal among Zen Monks : Chen Tuan, Yinyuan Longqi, Emperor Reigen and the Obaku Text, *Tōzuihen*", *The Eastern Buddhist*, vol. 42.

藤井　淳（ふじい　じゅん）
一九七六年生まれ。専攻は仏教学、日本仏教。駒澤大学仏教学部専任講師。博士（文学）。主な著書、論文に、『空海の思想的見解の研究』（トランスビュー）、「中国における教判の形成と展開」（『シリーズ大乗仏教1』（春秋社）、「古典を読む　親鸞『教行信証』」（『岩波講座　日本の思想　第八巻』岩波書店）ほか。

ブリーン　ジョン（Breen, John）
一九五六年生まれ。専攻は日本の近代史。国際日本文化研究センター教授。博士（歴史学）。主な著書・論文に、『儀礼と権力　天皇の明治維新』（平凡社）、***A new history of Shinto*** (Blackwell；共著)、「『神都物語』――明治期の伊勢――」（高木博志編『近代日本の歴史都市――古都と城下町――』思文閣出版）、「近代外交体制の創出と天皇」（荒野泰典他編『日本の対外関係7　近代化する日本』吉川弘文館）ほか。

前川　健一（まえがわ　けんいち）
一九六八年生まれ。専攻は日本仏教思想史・生命倫理学。公益財団法人東洋哲学研究所研究員。主な著書・論文に『明恵の思想史的研究』（法藏館）、『躍動する中世仏教（新アジア仏教史12）』（共著、佼成出版社）、「『叡山大師伝』の成立と仁忠」（『印度学仏教学研究』六一巻二号）ほか。

米田　真理子（よねだ　まりこ）
一九六八年生まれ。専攻は日本文学。神戸学院大学法学部准教授。主な論文は、「『徒然草』と仁和寺僧弘融――『詵遮要秘鈔』・『康秘』奥書から見えること――」（『中世文学』四七号）、「茶祖栄西像の再検討――『喫茶養生記』をめぐって――」（『芸能史研究』一七七号）ほか。

【編者略歴】

末木文美士（すえき　ふみひこ）

1949年山梨県に生まれる。1978年東京大学大学院博士課程修了。東京大学大学院人文社会系研究科教授を経て、現在、国際日本文化研究センター教授。博士（文学）。専攻は、仏教学、日本思想史、日本宗教史。
主な著書に、『鎌倉仏教形成論』（法藏館）、『仏教と出会った日本』（共編、法藏館）、『近代日本の思想・再考Ⅲ　他者・死者たちの近代』（トランスビュー）、『近世の仏教　華開く思想と文化』（吉川弘文館）、『ブッダの変貌――交錯する近代仏教――』（共編、法藏館）ほか多数。

妙貞問答を読む――ハビアンの仏教批判――

二〇一四年三月三〇日　初版第一刷発行

編　者　末木文美士
発行者　西村明高
発行所　株式会社法藏館
京都市下京区正面通烏丸東入
郵便番号　六〇〇-八一五三
電話　〇七五-三四三-〇〇三〇（編集）
〇七五-三四三-五六五六（営業）

装幀者　高麗隆彦
印刷・製本　亜細亜印刷株式会社

ISBN 978-4-8318-7579-2 C3021